DOMMA
PERSONNEL

DU MÊME AUTEUR

Présumé innocent, Albin Michel, 1990.
Le Poids de la preuve, Albin Michel, 1991.
Je plaide coupable, Albin Michel, 1995.
La Loi de nos pères, Lattès, 1998.

Scott Turow

DOMMAGE PERSONNEL

Roman

Traduit de l'américain par
Stéphane Carn

JC Lattès

Collection « Suspense & Cie »
dirigée par Sibylle ZAVRIEW

Titre de l'édition originale
PERSONAL INJURIES
publiée par Farrar, Straus & Giroux

« Bienvenue, aimable traître !
Ô Prince des Voleurs, qui de ton passe-partout
Nous ouvres la vie, et viens à petit bruit
Nous dérober à nous-mêmes. »

John DRYDEN, *All for love*

Au Commencement...

1

Il avait toujours su qu'il était dans son tort et qu'il finirait par se faire pincer. Depuis le début, il savait que ce jour arriverait.

Il savait aussi qu'il avait fait le con, me confia-t-il. Et pis – qu'il avait succombé à l'appât du gain. Il aurait dû laisser tomber tout de suite. Mais tout en se promettant d'arrêter, il se disait qu'une fois de plus ou de moins ne ferait pas grande différence – quel que fût le point de vue considéré. Mais à présent, il avait compris : il était dedans, et jusqu'au cou.

Refrain connu, me suis-je dit. Depuis une bonne vingtaine d'années, les clients qui sont venus prendre place dans ce fauteuil de cuir, en face de mon bureau, n'avaient sorti de leur juke-box qu'une poignée de vieux tubes : « *Non, rien de rien...* » – « *C'est pas moi, c'est ma sœur* » ou « *Pourquoi ça serait à moi de trinquer ?* »... Celui qu'il avait choisi – « *Je m'en mords les doigts* » –, sans avoir l'avantage de la nouveauté, avait du moins celui de sonner plus juste et de s'écouter plus facilement. Mais sans exception, c'était la même rengaine qu'attendaient de moi tous mes clients : « *Je vais trouver le moyen de vous en sortir.* » J'y allai donc de mon petit refrain, sans perdre de vue que mes pouvoirs ont leurs limites. Mais que voulez-vous... rude tâche que d'être l'homme de la dernière chance !

C'est une histoire de juges, de procureurs et de tribunal. Une histoire d'avocats – le genre d'anecdote qu'ils aiment entendre et colporter. Une affaire. Un client, plus précisément. Un certain Robert Feaver, mieux connu sous le surnom de « Robbie », quoiqu'il eût depuis longtemps passé l'âge du rôle – « Quarante-trois ans », répondit-il, lorsque je lui posai la question. Nous étions en 1992, peu avant la mi-

septembre. Les initiés avaient enfin renoncé à prédire l'avè-
nement de Ross Perrot à la Maison Blanche, et l'idée d'ac-
coupler les mots *point* et *com* n'était encore venue à
personne. Je garde un souvenir limpide de toute cette
période parce que, la semaine précédente, je m'étais envolé
pour la Virginie où je devais accompagner mon père à sa
dernière demeure. Son départ, que j'avais envisagé, au fil des
années, comme un événement inscrit dans l'ordre des choses
– et, partant, à accepter comme tel – avait conféré à toutes
mes heures de veille cette sensation lointaine et désincarnée
sur laquelle vous laissent certains rêves. Ma main elle-même,
quand je l'examinais, me semblait dissociée d'avec mon
corps.

Les problèmes de Robbie Feaver, eux, étaient on ne peut
plus tangibles. La veille au soir, trois agents spéciaux du Service de Répression des Fraudes de l'IRS – le fisc – étaient
passés chez lui. Un seul d'entre eux avait pris la parole, les
deux autres se contentant d'écouter. Conformément à l'idée
qu'on s'en fait, tous trois affichaient une mine de circonstance, une sorte de courtoisie grave et glacée, dans leurs ves-
tons bas de gamme, froissés par le trajet. Ils lui avaient
présenté une assignation du grand jury concernant toutes les
archives comptables du cabinet juridique dont il était l'un
des co-associés et l'avaient assailli de questions, auxquelles
il avait été bien avisé de faire la sourde oreille, relatives à sa
déclaration de revenus.

Bien – c'était à lui de voir, avait repris le porte-parole du
trio. Mais de son côté, il avait une chose ou deux à lui
apprendre. Des bonnes nouvelles, et des franchement plus
mauvaises..., précisa-t-il, et c'est par ces dernières qu'il avait
commencé.

Ils savaient tout. Ils avaient découvert les micmacs de
Robbie et de Morton Dinnerstein, son associé. Ils savaient
que depuis plusieurs années, lorsqu'ils avaient gagné un procès ou négocié des accords particulièrement juteux, au terme
de certaines affaires de dommages et intérêts qu'ils plai-
daient, les deux avocats avaient déposé des chèques à la
National River Bank, sur un compte secret dont le cabinet
ne se servait pour aucun autre usage. Ils savaient qu'en
dehors de l'argent versé sur ce compte Dinnerstein et Feaver
avaient réglé rubis sur l'ongle aux divers intervenants la part
habituelle des sommes qu'ils avaient gagnées – les deux tiers
au client et, le cas échéant, un neuvième au confrère qui

leur avait transmis le dossier. À quoi il fallait ajouter ce qui revenait aux experts et aux huissiers des tribunaux. Bref, chacun avait reçu son dû – sauf le fisc. Ils savaient aussi que, depuis des années, Feaver et son partenaire avaient fait d'importants retraits en liquide, écoulant régulièrement le crédit de ce compte, sur lequel ils n'avaient jamais payé un cent d'impôts.

« On vous a pris autant dire la queue dans le sac, les gars ! » avait plaisanté l'agent. Robbie ne put se défendre de pouffer, en me rapportant la métaphore.

Je ne pris pas la peine de lui demander comment ils avaient été assez naïfs, Morton et lui, pour espérer qu'un système aussi simplet pût tenir la route – je me suis depuis longtemps fait une raison, pour ce qui est des mille et une manières dont mes contemporains peuvent s'empoisonner l'existence. Cela dit, leur combine avait tout de même fonctionné des années sans le moindre accroc. Un simple compte-chèques non rémunéré avait effectivement peu de chances d'attirer l'attention du fisc. Il devait y avoir autre chose là-dessous, des détails plus croustillants, une coïncidence malheureuse ou, en corsant la sauce au maximum, une trahison...

Feaver avait reçu les agents dans son living. Il s'était lui-même installé sur une causeuse élégamment tendue de soie sauvage grège, s'efforçant de garder le peu de contenance qui lui restait. Et le sourire. Mais, comme il ouvrait la bouche pour répliquer, il s'interrompit en sentant une goutte glacée qui lui dévala les côtes, avant d'aller se perdre quelque part sous l'élastique de son caleçon.

« Et cette bonne nouvelle ? parvint-il à articuler.

— On y vient, on y vient... » répondit l'agent. Le bon côté de la chose, lui expliqua-t-il, c'était qu'il lui restait une issue – une planche de salut. Une solution qu'un homme confronté à une situation familiale aussi critique que la sienne aurait tout intérêt à prendre en considération.

Sur quoi, les trois agents du fisc s'étaient levés et avaient traversé le hall dallé de marbre en direction de la porte d'entrée, qu'ils avaient ouverte. Et sur son seuil, Robbie aperçut Stan Sennett, procureur fédéral, un petit homme maigre et sec, toujours tiré à quatre épingles, avec une rigueur quasi compulsive. Feaver le connaissait pour l'avoir maintes fois vu – à la télé, surtout. Quelques moucherons qui voletaient fébrilement dans la zone éclairée par le lampadaire extérieur tournoyaient au-dessus du crâne passablement dégarni du magistrat. Sennett gratifia Feaver de ses salutations les plus professionnelles – accompagnées de son sourire spécial prétoire, à peu près aussi avenant qu'un couperet.

Robbie n'avait que de vagues notions de droit criminel, mais il savait pertinemment ce qu'impliquait la présence d'un procureur fédéral des États-Unis sur son seuil, à une heure aussi tardive : ils avaient sorti l'artillerie lourde. Ils voulaient sa peau. Ils avaient décidé de faire un exemple.

Et il allait morfler.

Pâle de terreur, il s'agrippa à la première idée sensée qui lui traversa l'esprit. « Je veux un avocat. »

C'était son droit le plus absolu, avait alors répliqué Sennett. Mais peut-être avait-il intérêt à commencer par écouter ce qu'il était venu lui dire...

À peine les Oxford rutilantes du procureur fédéral s'étaient-elles posées sur le marbre de son entrée, que Robbie se répéta :

« Je veux un avocat...

— Je ne vous promets pas que les termes du contrat resteront inchangés, par la suite.

— Un avocat », rétorqua Feaver.

Les agents prirent alors le relais et lui prodiguèrent leurs conseils. Il voulait prendre un avocat ? Soit. Mais dans son intérêt, mieux valait y réfléchir à deux fois. Se trouver quelqu'un de sûr, un homme d'expérience, auprès de qui il prendrait conseil, à l'exclusion de toute autre personne. Aucune confidence à quiconque. Ni à sa mère, ni à sa femme – et encore moins à son associé, Morton Dinnerstein. Le procureur fédéral remit sa carte à l'un des agents, qui la tendit à Feaver. Il attendrait le coup de fil de son avocat, lui dit-il, en tournant les talons. Puis, juste avant de s'enfoncer dans l'obscurité du jardin, Sennett lui demanda par-dessus son épaule s'il avait déjà quelqu'un en tête.

« Tiens ! Un choix intéressant... » avait laissé tomber le procureur avec un petit sourire frigorifique, lorsque Robbie lui cita mon nom.

« Moucharder, moi ? Jamais ! déclara mon client, dans le secret de mon cabinet. Ça doit être ça qu'ils mijotent – n'est-ce pas, George ? Ils doivent avoir besoin de moi pour faire tomber quelqu'un. »

Je lui ai alors demandé s'il avait une idée de l'identité de cette hypothétique seconde cible.

« Ils n'ont pas intérêt à viser Mort, en tout cas ! Moi, balancer mon propre associé ? Ils ne m'ont pas regardé ! D'ailleurs, Mort a toujours eu la conscience tranquille. »

Dinnerstein et lui étaient des amis de toujours, m'expliqua-t-il. Ils avaient grandi ensemble ici, dans le quartier de Warren Park, à DuSable. Ils y avaient joué pendant toute leur enfance, avant de partager la même piaule à l'université, en fac de droit. Restait que ce fameux compte secret était un compte joint... Ils y avaient accès et avaient tous deux contresigné les chèques à l'encaissement – sans pour autant déclarer ces rentrées. Les traces écrites étaient si nombreuses que les inspecteurs du fisc n'avaient qu'à se baisser. Ils n'avaient sûrement besoin de personne pour les épingler, l'un comme l'autre.

Je lui ai alors demandé s'il voyait autre chose que les cerbères de l'administration publique auraient pu vouloir lui faire cracher, concernant Mort ou toute autre personne. À quoi Feaver répondit d'un vague haussement d'épaules, en me lançant un regard plus désemparé que jamais.

Je ne le connaissais que de vue. Le matin même, lorsqu'il m'avait appelé, il avait dû me rafraîchir la mémoire : nous nous étions maintes fois croisés dans le hall de l'immeuble où nous avions tous deux nos cabinets, et à l'occasion du travail associatif auquel il avait participé pour l'association locale du Barreau, deux ou trois ans auparavant, du temps où j'en étais le président. Je n'avais gardé de lui qu'un souvenir assez vague et, à vrai dire, pas spécialement agréable. Jugé à l'aune de mon éducation sudiste quelque peu rigoriste, Feaver était le type même de ces gens qu'un mot suffit à décrire : TROP. Trop soigné, dans le sens où il portait énormément trop d'attention à sa mise. Des cheveux trop bouffants, trop disciplinés et trop noirs, trahissant des rendez-vous trop fréquents chez son coiffeur. Il arborait en toute saison un bronzage trop parfait pour être naturel et dépensait trop pour ses vêtements – des trois-pièces italiens, ostensiblement hors de prix, avec pochettes assorties et bijoux à profusion. Il parlait trop et trop haut, adressant trop volontiers la parole à des inconnus dans l'ascenseur. Il semblait prendre un malin plaisir à en faire toujours un peu trop. C'était l'un de ces intarissables tchatcheurs qui tiennent coûte que coûte à renchérir sur Descartes : *je parle, donc je pense !* Mais à la réflexion, je discernais à présent chez lui au moins une qualité : il savait tout cela et aurait pu le dire lui-même. Et même en proie à la peur, il parvenait à garder une bonne dose de franchise, du moins en ce qui le concernait. Ce Feaver me parut donc globalement supérieur à la moyenne de mes clients.

Quand je lui demandai ce qu'avait voulu dire l'agent du fisc, en parlant de sa situation familiale, il s'avança un peu dans son fauteuil.

« Ma femme est gravement malade, m'informa-t-il. Et l'état de ma mère n'est guère plus brillant. » Comme tous les avocats qui ont à plaider des procès pour fautes professionnelles médicales, et sont donc amenés à livrer une guerre de position contre les médecins, Robbie avait parfaitement assimilé la terminologie de l'ennemi. Sa mère était en maison de retraite médicalisée. « Elle a été victime d'un ACV », me dit-il, pour « accident cérébro-vasculaire » – soit, en clair, d'une attaque. L'état de Lorraine, sa femme, était carrément désespéré, puisqu'on avait diagnostiqué chez elle une sclérose latérale amyotrophique – une « SLA », précisa mon client – un mal de sombre pronostic, plus communément dénommée « maladie de Charcot ». Son épouse était promise à une paralysie qui s'étendrait graduellement aux muscles les plus vitaux et finirait par entraîner la mort.

« Il lui reste quelque chose comme un an, avant que son état ne se détériore définitivement – aucun médecin n'a pu me donner de délai précis. » Il demeurait stoïque, mais ses yeux noirs s'étaient vissés sur le tapis. « Je ne peux vraiment pas la laisser tomber maintenant, voyez... Ne serait-ce que d'un point de vue pratique : elle n'a que moi pour s'occuper d'elle. »

Voilà donc ce qu'avait voulu dire l'agent : Feaver était placé devant un choix douloureux – parler ou se trouver sous les verrous à un moment où sa femme aurait désespérément besoin de lui, parce qu'elle serait soit totalement impotente, soit aux portes de la mort. Cette sombre perspective plana un instant au-dessus de nous et, dans le silence qui se prolongea, je pris la carte que Feaver avait posée sur mon bureau.

C'était celle de Sennett.

Sans cette trace irréfutable, j'aurais sans doute eu du mal à croire que Robbie n'avait pas fait erreur sur l'identité de son visiteur. Jamais un procureur fédéral, ayant sous ses ordres quatre-vingt-douze assistants, eux-mêmes chargés de superviser des dizaines de dossiers, ne serait intervenu personnellement dans une simple affaire de fraude fiscale, impliquât-elle un riche avocat ayant fait sa pelote dans les procès de dommages et intérêts. Ce que Sennett était venu annoncer la veille à Robbie devait décidément valoir son pesant de cacahuètes...

« Comment dois-je prendre ça, à votre avis... quand je lui ai cité votre nom, il a dit que vous étiez un "choix intéressant" ... Vous êtes sa bête noire ou, au contraire, il se dit qu'avec vous, l'affaire est déjà dans le sac ? »

C'était loin d'être aussi simple, lui ai-je répondu. Je crois que, dans ses bons jours, Stan me considère comme l'un de ses meilleurs amis.

« Eh bien... voilà au moins un "plus" – non ? » s'enquit Feaver.

Difficile à dire, s'agissant de Stan Sennett.

« Amis, parfois, lui ai-je répliqué. Rivaux, toujours ! »

2

Comme la plupart des pontes de la bureaucratie, le procureur fédéral disposait d'un immense bureau. Le tapis de laine qui recouvrait le sol laissait çà et là apercevoir sa trame, et les tentures de soie brute d'une indéfinissable nuance verte devaient pendre devant la verrière de la façade nord depuis les années cinquante – mais la superficie du local se comptait en hectares. Il disposait d'une salle de bains attenante et d'un petit cabinet de travail privé. Dans un coin de la pièce principale, trônait une robuste table de conférence, modèle standard de l'administration, et sur le mur opposé s'alignaient des étagères d'acajou où étaient exposés divers spécimens d'animaux en voie de disparition, sans doute saisis par les inspecteurs des Eaux et Forêts chez un taxidermiste véreux. Un aigle déplumé et un serpent tacheté côtoyaient une espèce de singe proche du ouistiti.

Stan Sennett, l'un de ces petits bonshommes sombres et opiniâtres dont le monde juridique semble si fertile, surgit de derrière un bureau plus monumental qu'un sarcophage égyptien, pour me souhaiter la bienvenue.

« Salut, Georgie ! Comment va ? » fit-il, et j'attribuai cet accès de convivialité, rarissime chez Stan, à la hâte qui devait le consumer d'entrer dans le vif du sujet : Feaver.

« Noir », répondis-je à sa secrétaire, qui vint me demander si je voulais prendre un café. Nous consacrâmes une minute de plus aux échanges de considérations d'usage concernant les détails de notre vie privée. Stan me sortit les photos de sa fille unique, Asha, une splendide brunette de trois ans que Stan et Nora Flinn, sa seconde épouse, avaient fini par adopter après des années de traitements et de fécondations in vitro infructueuses. Je lui fis, quant à moi, un bref compte rendu des aventures universitaires de mes deux fils, et m'autorisai une minute de complaisance en lui détaillant avec délectation les succès de Patrice, mon architecte de femme, dont l'un des projets, la construction d'un gigantesque musée à Bangkok, venait de remporter un concours international. Stan, qui avait fait son service en Thaïlande en 1966, se fendit de quelques anecdotes croustillantes sur le pays.

À ses heures, et dès qu'il se laissait aller un peu, Stan Sennett pouvait être d'excellente compagnie. C'était un esprit distingué, plein de verve, un délicieux collectionneur d'histoires ésotériques, doublé d'un observateur de la faune politique locale, de ses us et coutumes et de ses prérogatives hiérarchiques. Le reste du temps, il fallait se contenter d'un cocktail nettement moins alléchant et plus dangereux : un cerveau cadencé à mille mégahertz, couplé avec un chaudron infernal où tourbillonnaient des émotions dévastatrices, capable d'ébouillanter quiconque à la ronde, avant que Stan lui-même n'ait eu le temps d'en refermer le couvercle.

Il était sorti major de notre promotion, à l'Easton Law School. Avec ce genre de palmarès, certains parviennent à faire toute leur carrière en se laissant perpétuellement porter par le sillage de leurs succès universitaires. Mais Stan, lui, avait dédaigné les avantages matériels et les gratifications honorifiques dont Washington récompense généralement ce genre d'aptitude. C'était un procureur né. Après avoir été l'assistant administratif du juge principal Burger, de la Cour Suprême, il était revenu à Kindle County où il était entré dans l'équipe du procureur du district. Là, il avait gravi les échelons à la force du poignet, grâce à ses incontestables talents, jusqu'au poste de premier adjoint de Raymond Horgan. Au début des années quatre-vingt, après la dissolution de son premier mariage, il se porta candidat pour entrer dans la fonction publique, dans les services de la justice fédérale. Il fut d'abord nommé à San Diego, puis à D.C., et serait sans doute retourné en Californie, si George Bush lui-même ne l'avait nommé procureur fédéral de notre beau comté. Il y avait noué de solides relations avec les institutions juridiques et policières locales, et ne nourrissait aucune ambition politique. Il s'était donc débrouillé pour parvenir au terme de son mandat de quatre ans, qui prenait fin l'an prochain, sans faire le moindre compromis dans la guerre de cabales et de rivalités qui avait éclaté à la mort de l'illustre Augustine Bolcarro, qui était à la fois notre maire et le chef de l'administration du comté.

J'étais tout aussi conscient que quiconque du côté délétère de Stan, mais nos chemins s'étaient toujours côtoyés. Pendant nos études, nous mettions notre savoir en commun : il m'analysait les implications les plus profondes des cas que nous devions étudier, et j'ai dû être le premier à lui apprendre qu'un homme véritablement chic ne glissait pas sa cravate sous la ceinture de son pantalon. L'exercice de nos fonctions respectives nous a contraints à officier dans des camps opposés, du jour où il devint procureur adjoint, tandis que je décrochai mon premier poste d'avocat commis d'office. Mais nous sommes toujours restés liés par une admiration mutuelle, parfois nuancée d'un soupçon d'envie. Ma désinvolture et mon aisance d'aristocrate – qui ne sont à mes propres yeux qu'une façade et, partant, une sorte de fardeau – étaient un véritable idéal pour lui, qui avait toujours considéré que le charme et la sincérité étaient condamnés à s'exclure mutuellement. J'étais d'emblée admiratif des talents de Stan, et, par la suite, j'appris à estimer davantage encore son dévouement et son sens du devoir.

Certains tenants du camp de la défense, tel mon ami Sandy Stern, ont développé une véritable allergie pour le côté rigoriste de Sennett et ses méthodes musclées, dont son intrusion au domicile de Feaver à cette heure indue constituait l'un des plus beaux exemples. Mais Stan est le premier procureur fédéral que j'aie vu, en un quart de siècle de pratique, exercer dans notre belle ville avec une telle intrépidité et une indépendance d'esprit aussi totale. Il avait inauguré une ère de non-tolérance pour les passe-droits et les magouilles en tous genres qui, depuis toujours, étaient considérés comme les privilèges de la fonction publique du cru. Il n'avait pas craint de s'en prendre à des bastions du pouvoir financier local, jusque-là tout-puissants, tels que la Moreland Insurance, premier employeur privé de Kindle County, qu'il avait traîné devant les tribunaux pour fraude fiscale. Il s'était fixé pour objectif prioritaire de porter la lumière de la loi dans les recoins les plus sombres de notre comté, et en tant qu'ami, je me suis plus d'une fois surpris à l'applaudir secrètement, derrière le masque de réprobation outrée que m'imposait ma fonction de défenseur.

Sennett finit tout de même par en venir à l'affaire qui nous réunissait.

« Drôle d'oiseau, ce Feaver, à première vue, fit-il avec un coup d'œil calculé dans ma direction. Le type même du petit margoulin de base... » Nous savions l'un comme l'autre que, malgré ses impeccables costumes Armani, mon nouveau client était d'une race fort répandue à Kindle County – il ne lui manquait ni l'accent gouailleur du South End, ni cette fâcheuse tendance à s'asperger de son eau de toilette. « Mais il doit tout de même avoir quelque chose qui le distingue, parce que c'est plutôt curieux ce qui s'est passé sur ce compte qu'ils ont, lui et son associé, à la River National. Depuis dix ans, le cabinet Feaver & Dinnerstein n'a jamais déclaré moins d'un million de dollars de revenus annuels. Ces dernières années, leur moyenne tournait autour des quatre millions – j'espère que tu disposais de cette information, lorsque tu as fixé tes honoraires... » Un fin sourire lui courut sur les lèvres – coup de griffe bien naturel, de la part d'un homme qui avait dû se contenter pendant toute sa carrière des maigres émoluments que lui consentait l'administration publique. « Curieux, de prendre le risque de passer en douce quarante mille dollars sur sa feuille d'impôt, quand on affiche ce genre de chiffre, tu ne trouves pas ? »

J'eus un haussement d'épaules. Feaver et son associé étaient bien les seuls à pouvoir y voir clair. Pour n'importe qui d'autre, la chose semblait absurde, évidemment. Mais ma longue expérience m'avait appris qu'en matière d'argent seules les aspirations des indigents pouvaient s'expliquer par des motifs purement rationnels.

« Et ce n'est pas tout, George. Ils restent parfois des mois sans toucher à ce compte, et tout à coup, vlan ! En l'espace d'une semaine, ils en retirent dix ou quinze mille dollars en liquide. Et sur la même période, ils font régulièrement des retraits sur leur carte bancaire, chacun de leur côté. Pourquoi cette soudaine soif de liquidités, George – et où va l'argent ? »

Drogue, filles, paradis fiscaux – les bons vieux plans habituels. Sans parler des vices plus traditionnels qui, eux, ne tombent pas sous le coup des lois fédérales.

« Une aventure en coulisse ? fit Stan, lorsque je lui suggérai cette hypothèse. Tu parles – une douzaine, oui ! Faudrait lui poser un odomètre sur la braguette, à ton client ! » Il leva les yeux au ciel, comme s'il avait déjà oublié ses propres fredaines – qui avaient mis fin à son premier mariage – avec une charmante secrétaire du service du procureur général. Lorsque je fis allusion à la maladie de Mrs Feaver, Sennett eut un petit ricanement. Les records de Robbie Feaver, me fit-il remarquer, étaient depuis longtemps homologués dans le livre d'or de Grand Avenue, le quartier des bars de luxe, mieux connu sous le sobriquet de « Rue des Rêves ».

« Son associé est un bon père de famille, soit, me concéda-t-il, mais ton client, lui... en une semaine, il doit voir plus de lits qu'une femme de chambre du Grand Hôtel ! Il n'entretient pas de Blue-Bell girl attitrée – ce n'est donc pas là que passe le fric. Tu veux que je te dise, George ? Pour moi, ce n'était pas l'argent lui-même, qu'ils cachaient. C'étaient les retraits en liquide. »

Sennett avait déroulé un trombone, qu'il faisait tourner entre ses doigts. Depuis l'autre rive de son monumental bureau, il affichait la suffisance d'un gros chat, mais je reconnus, en face de moi, le Stan des profondeurs, le gamin malingre et obscur qui ne pensait qu'à prouver au reste du monde qu'il était le plus futé. Il était né Constantine Nicholas Sennatakis et avait grandi dans les cuisines du restaurant familial. « Imagine un peu le genre..., m'avait-il dit, du temps où nous étions ensemble sur les bancs de la fac. Le menu est présenté sur un feuillet plastifié, et l'un des gosses est enchaîné d'office à la caisse... »

Depuis qu'il était procureur fédéral, il avait laissé échapper en ma présence certaines allusions aux difficultés qu'avaient dû affronter ses parents. Mais il préférait généralement passer sous silence toute cette épopée familiale. Le personnage public de Sennett me faisait penser à ces types qui seraient incapables de se détendre suffisamment ne fût-ce que pour claquer des doigts en cadence. En privé, avec ses amis ou ses collègues, il parvenait, en se laissant aller un peu, à prendre l'attitude ironique d'un initié grincheux : une indignation blasée pour ce monde dont il connaissait toutes les ficelles. Mais à mes yeux, et bien qu'il s'en soit toujours habilement défendu, c'était avant tout cette bouillonnante ambition, commune aux immigrants, qui faisait courir Stan. Pour chacun de ses dossiers, c'était tout son univers qu'il semblait remettre en jeu, comme s'il avait été tenaillé par l'implacable obligation de tirer parti de la moindre occasion passant à sa portée pour mieux établir sa supériorité et s'élever dans l'échelle sociale. Il souffrait donc infiniment plus de ses défaites, rares, qu'il ne se délectait de ses innombrables victoires. Mais cette fois, l'issue du combat lui semblait fixée d'avance.

« Et tu ne me demandes même pas comment je suis tombé sur ces pingouins et leur tirelire ? »

Je me serais empressé de le faire, eussé-je eu l'ombre d'un espoir d'obtenir une réponse... Mais Stan devait être dans un trop bon jour pour s'adonner à son habituelle manie du secret, car il me la livra sans que j'aie à ouvrir la bouche : « Grâce à nos petits amis de Moreland Insurance, fit-il. C'est eux qui nous ont mis sur leur piste. »

J'aurais dû y penser. Le légendaire procès intenté par Stan à Moreland pour une série de pratiques frauduleuses, dont la compagnie s'était rendue coupable dans les années quatre-vingt, s'était soldé par une colossale amende – plus de trente millions de dollars – assortie d'une période de probation durant laquelle les cadres de l'entreprise s'étaient engagés à coopérer avec les procureurs et à leur signaler toute pratique douteuse venant à leur connaissance. Je n'étais donc pas autrement surpris de constater que les cadres de Moreland avaient sauté sur l'occasion, pour bavarder aux dépens de ces ennemis naturels que sont pour eux les avocats spécialisés dans les affaires de dommages et intérêts.

Dans la quasi-totalité des procès de ce type, le véritable accusé se trouve être une compagnie d'assurances. Si vous intentez une action en justice contre votre voisine parce que l'un des arbres de son jardin est tombé sur votre toit, c'est son assureur qui devra payer la réparation et engager un avocat pour se défendre. C'est donc lui qui va se colleter avec l'avocat de la partie plaignante. À vue de nez, ce devait être la piste de l'un des nombreux chèques émis, au fil des années, par la Moreland au profit de Feaver & Dinnerstein, que Stan avait remontée jusqu'au compte secret des deux compères. Et, malheureusement, les livres de comptes de Moreland lui en avaient révélé bien d'autres.

« Ton client est un rude adversaire, poursuivit Stan. Figure-toi que Moreland n'a jamais réussi à gagner un procès contre lui. Évidemment, à la longue, ils ont fini par se résigner à négocier d'emblée. D'autant plus que tout dossier pour lequel ton client vise des honoraires dont le montant atteint les six chiffres atterrit immanquablement sur le bureau de certains juges, pas n'importe lesquels et toujours les mêmes. Et ça n'est pas tout... nous avons jeté un coup d'œil aux archives du tribunal, et nous avons découvert que le schéma se répétait immuablement, quelle que fût la compagnie d'assurances concernée. Chaque fois que Feaver & Dinnerstein sont sur un gros coup, c'est le même scénario : verdict favorable à la partie plaignante, négociations fructueuses, avec à la clé un chèque de dommages et intérêts vertigineux. Et ce, toujours sous la houlette de quatre distingués magistrats. Toujours le même quatuor – alors qu'ils sont dix-neuf dans le service concerné, la Division des litiges de droit commun, et que tous les dossiers sont censés être répartis au hasard entre tous les juges. »

Sennett me lança un regard tranchant. « Tu devines où je soupçonne qu'il va, cet argent, George ? »

Je devinais. Tout ça n'avait rien de bien neuf. Depuis que j'étais arrivé dans ce comté pour m'inscrire en fac de droit, j'avais entendu ces bruits qui couraient dans les couloirs du palais de justice de Kindle County, telles des remontées d'égout persistantes dont la source aurait été impossible à localiser. Nul n'avait jamais pu prouver quoi que ce fût. Les juges qui se laissaient graisser la patte étaient, murmurait-on, soigneusement protégés. Les liens qui les connectaient à leurs corrupteurs étaient ténus, et parfaitement contrôlés. Ils avaient des intermédiaires, des mots de passe, des porteurs de valises – et, bien sûr, ceux qui les soudoyaient n'allaient pas le crier sur les toits. C'était une sorte de société secrète, solidement soudée par des alliances qui s'étaient forgées des décennies plus tôt sur les bancs des lycées, des églises, des réunions syndicales, dans le service du procureur général du temps où la corruption y sévissait – voire dans l'ombre de la mafia. Et, invariablement, ces connexions n'avaient pu que se renforcer au contact du brasier politique qu'était le Parti.

Ces rumeurs étaient colportées par ceux qui perdaient leurs procès dans les tribunaux de Kindle County. Je préférais, quant à moi, les ignorer. Il me semblait que c'était plutôt le népotisme, non la corruption en tant que telle, qui expliquait les quelques exemples de favoritisme éhonté qu'il m'avait été donné de constater, comme à nombre de mes confrères, çà et là, au fil des ans. Prenant fait et cause pour mon client, j'opposai donc à Stan une moue sceptique.

« Tu veux que je te dise ce qui constitue à mes yeux la clé de voûte de l'affaire... ? rétorqua-t-il. Je suppose que tu sais déjà de qui Morton Dinnerstein est le neveu... ? Brendan Tuohey. » Il marqua une pause pour laisser à cette petite bombe le temps de faire effet. « La mère de Morton se trouve être la sœur aînée de Tuohey. C'est elle qui a élevé Brendan à la mort de leur mère. C'est te dire l'attachement qu'il lui porte, à elle comme à son fils. M'est avis que Tuohey lui a donné un sacré coup de pouce, à son neveu. »

Stan avait bien prévu que cette révélation me prendrait de court, et c'était réussi. À la fin des années soixante, époque où je suis arrivé à Kindle County, une Tuohey épousant un Dinnerstein, c'était encore considéré comme un mariage interracial. Mais pour l'affaire qui nous intéressait, Brendan Tuohey était à présent juge principal de la Division des litiges, dépendant de la Cour de Droit commun qui traitait toutes les affaires de dommages et intérêts. Il avait débuté dans la police avant de devenir procureur adjoint, et s'était taillé une petite célébrité grâce à ses innombrables liens politiques, à sa convivialité d'Irlandais et à la férocité dont il pouvait, à l'occasion, faire preuve. Dans la plupart des milieux – dans les rangs de la presse, entre autres – il avait la réputation d'être un juge coriace, mais objectif et compétent. Son nom figurait déjà parmi ceux que l'on avançait pour la succession du vieux juge Mumphrey, poste qui lui aurait permis d'étendre son pouvoir à toute la Cour Supérieure du comté. J'avais maintes fois eu l'occasion de croiser le fer avec lui, du temps où j'étais président du Conseil de l'Ordre des avocats. Mais ni Stan ni moi n'avions oublié ce qui se passait au Tribunal de Grande Instance, à l'époque où Brendan y sévissait. Il courait la rumeur opiniâtre que Tuohey recevait régulièrement la visite d'un certain Toots Nuccio, maître magouilleur de renom.

Je lui demandai, sans grande conviction, s'il trouvait équitable de condamner mon client sur la seule base des liens familiaux de son associé, mais la patience de Sennett avait atteint ses limites.

« Fais ton boulot, George – le mien, je m'en charge. Parle à ton client. Il nous couve quelque chose de pas net – et tu le sais aussi bien que moi. S'il fait preuve de bonne volonté, nous lui donnerons sa chance. S'il persiste à nier, à faire l'innocent et à se taire, je te le colle au trou pour fraude fiscale le plus longtemps possible, et vu les sommes en jeu, ça risque de se compter en années plutôt qu'en mois. Je lui offre l'occasion de se racheter. S'il ne la saisit pas, ne viens pas pleurnicher dans six mois en pinçant ta lyre, pour me chanter le grand air de la pauvre épouse qui se meurt, abandonnée à ses malheurs. »

Stan me décocha un regard par en dessous, le menton abaissé contre sa poitrine. Il était redevenu le Stan Sennett que pratiquement personne ne pouvait encadrer, et avec qui toute relation, fût-elle strictement professionnelle, était si difficile. Derrière lui, de l'autre côté de la grande verrière, à une rue de nous, une grue géante fit pivoter son long bras au bout duquel pendait une poutre d'acier, que chevauchait un ouvrier particulièrement casse-cou. Dans cette ville, une majorité d'ouvriers du bâtiment étaient recrutés parmi les Indiens d'Amérique, célèbres pour leur témérité. Ils ignoraient la peur, disait-on – en quoi je les enviais. En un sens, la mort de mon père n'avait fait qu'aiguiser l'anxiété où m'avait toujours plongé mon propre manque d'audace.

Mais, comme je m'absorbais dans ma contemplation, Stan prit mon silence pour un signe de dédain franc et massif. C'était là l'une des récompenses occasionnelles de notre amitié : il était sensible à l'opinion que j'avais de lui – peut-être justement parce qu'il savait qu'elle lui était en grande partie favorable.

« Je ne t'ai pas froissé, j'espère ? me demanda-t-il.

— Pas plus que d'habitude », le rassurai-je.

Il se leva, lèvres froncées, et je crus qu'il se préparait à prendre congé. Cette façon abrupte qu'il avait de vous annoncer tout à trac que l'entretien était clos avait fait sa célébrité. Mais non – cette fois, il vint se jucher au coin de son long bureau d'acajou, à deux pas de moi, et une question que j'avais toujours voulu lui poser me traversa l'esprit : comment faisait-il pour garder une chemise arrogante de blancheur et exempte du moindre faux pli, jusqu'à l'heure de la fermeture des bureaux ? Mais je renonçai, comme d'habitude. Le moment eût été mal choisi...

« Écoute, fit-il. J'ai une histoire à te raconter, si tu veux bien. C'est un vrai direct à l'estomac, alors prépare-toi à l'encaisser. Je t'ai déjà expliqué quand et pourquoi j'avais décidé de devenir procureur ? »

Il ne me semblait pas.

« Eh bien, ça n'est pas une histoire que je déballe tous les jours, mais à toi, je vais te la dire. C'était du temps de mon oncle Petros, le frère de mon père – tonton Peter pour les enfants. Mon oncle Peter était la brebis galeuse de la famille. Il tenait non pas un restaurant, mais un kiosque à journaux. » Il l'avait dit avec le plus grand sérieux, mais c'était une blague. Il s'autorisa un sourire un poil plus détendu. « Tu sais ce que c'est, de trimer comme un chien, George ? J'entends gémir ces jeunes avocats qui se plaignent de n'avoir pas d'horaires et d'être submergés de dossiers. Mais le boulot de mon oncle, ça c'était un boulot de chien. Debout à quatre heures du matin. Toute la journée dans cette guitoune, quel que soit le temps – y compris quand il gelait à pierre fendre. Qu'il pleuve, qu'il vente, qu'il neige. Toujours à son poste. Il distribuait les journaux et ramassait la monnaie. Toute la sainte journée, sept jours sur sept – et ce, pendant vingt ans. Enfin, en atteignant la quarantaine, Petros a décidé de jouer son va-tout. Il connaissait un type qui avait une station-service à quelques blocs de là, au coin de Duhaney et de Plum street, en plein centre ville. Une mine d'or, autant dire. Et ce type prenait sa retraite. Alors, Petros l'a achetée. Il y a mis jusqu'à son dernier cent – tout ce qu'il avait pu économiser durant ces vingt années passées à trimer. Et voilà que le tonton a appris deux ou trois choses qu'il ignorait jusque-là. Par exemple, que ce coin de rue, et même tout le bloc où se trouvait la station-service, était promis à une prochaine démolition, dans le nouveau plan d'urbanisme du centre ville, qui fut publié quelques jours après la signature de la vente. Tu vois ça d'ici. Une bonne vieille arnaque bien de chez nous et bien dégueulasse. Mon oncle n'avait plus un sou vaillant.

« J'étais encore tout gamin, mais j'avais lu mes bouquins d'instruction civique. Alors je lui ai demandé : "Dis, tonton Petros, pourquoi tu n'essaies pas de les attaquer en justice ?" Il m'a regardé avec un petit sourire. "Un traîne-misère comme moi ? Tu crois peut-être que j'ai les moyens de me payer un juge ?"

« Un juge, avait-il dit. Pas "un avocat" – bien que, même ça, il n'aurait pas pu. Mais il avait compris une chose : aucun tribunal de ce comté ne donnerait tort à quelqu'un qui savait avant tout le monde ce que prévoyait le plan d'urbanisme municipal.

« C'est ce jour-là que j'ai décidé de devenir procureur. Pas simplement magistrat – non : procureur. J'ai soudain compris que c'était la chose la plus importante que je puisse faire de ma vie. M'assurer que d'autres Petros cesseraient de se faire entuber. Épingler les juges corrompus et les avocats qui les corrompent, ainsi que tous les autres salauds qui font régner la laideur et l'injustice. C'est ce que je me suis dit, quand j'avais treize ans. »

Sennett marqua une pause, le temps de rassembler ses énergies. Ses doigts couraient machinalement le long de la torsade qui soulignait le bord de son bureau. Ça, c'était du pur Sennett – du Stan meilleur cru. Et il le savait.

« Voilà trop longtemps que ces fumiers sévissent, dans ce comté. Trop d'honnêtes gens préfèrent détourner les yeux en espérant se persuader que ce sont de simples rumeurs – mais il n'en est rien. D'autres se disent qu'on a tout de même enregistré quelques progrès, depuis cette saloperie de "bon vieux temps" – mais ça n'est pas une excuse. » Comme il se penchait vers moi en prononçant ces mots, pour donner plus de poids à son propos, je sentis mon cœur se ratatiner dans ma poitrine, mais c'était la ferveur du justicier qui se lisait dans son regard, et non la réprobation. « J'ai donc ouvert l'œil, poursuivit-il. J'ai attendu – longtemps. Et, à présent, voilà que cette chance m'est accordée. Augie Bolcarro est mort, et tout ce merdier va disparaître avec lui. Écoute-moi bien, parce que moi aussi, je joue mon va-tout. Ou bien je réussirai à mettre ce putois de Tuohey hors d'état de nuire, lui et sa bande de cloportes, ou bien c'est eux qui m'auront. Car je ne me contenterai pas d'envoyer au trou deux ou trois lampistes. Pas question de laisser Tuohey accéder l'an prochain à la présidence de la Cour Supérieure, et recommencer en plus grand et en plus beau, à l'étage du dessus – selon une méthode qui a fait ses preuves dans le coin.

« Je sais ce qu'on pense de moi – je suis au courant des bruits qui courent... Mais ça n'a rien à voir avec la gloriole personnelle. Tu connais le dicton, "Celui qui vise le roi n'a pas le droit à l'erreur" ?

— Une paraphrase de Machiavel », lui fis-je remarquer. Il médita là-dessus un instant, hésitant sur la façon dont il fallait le prendre.

« Imagine que je vise Tuohey et que je manque mon coup – si je me plante, George... eh bien, je devrai faire mes bagages dès la fin de mon mandat. Aussi sûr que la nuit suit le jour. Aucun confrère censé ne me laissera approcher de son cabinet dans un rayon de cent mètres, parce que ni lui ni moi ne pourrions plus remettre les pieds au palais de justice. Mais ça ne m'arrêtera pas. Je ne vais pas laisser Tuohey s'engraisser sans rien faire. Je vais au moins tenter de lui mettre quelques bâtons dans les roues. Pas de ça, sous mon mandat ! Alors, tu me pardonneras, George, mais c'est bien le moins que je doive à mon oncle Petros, comme à tous les honnêtes citoyens de ce comté – que justice soit faite ! »

3

« Ce n'est pas du tout ce que vous pensez, nous expliqua Robbie Feaver. Nous ne sommes pas allés trouver l'oncle Brendan, Morty et moi, en lui demandant de résoudre nos problèmes – d'ailleurs, au début tout au moins, nous n'avions pas de problèmes – pas l'ombre d'un ! Nous avions fait notre petit trou, jusque-là, avec des affaires d'accidents du travail et de peaux de banane, et puis, il y a une dizaine d'années, avant même que Brendan soit nommé juge principal, nous avons vu passer notre première vraie chance. Un accident d'obstétrique. L'accoucheur écrabouille la tête du môme avec les forceps, comme une vulgaire noix. Après quoi, c'est la guéguerre habituelle : les parents demandent deux millions de dollars de dommages et intérêts. L'assurance du toubib apporte son soutien financier à la défense et, sachant que je ne suis pas Peter Neucriss, ils s'arrangent pour nous faire dépenser des sommes folles, comme si l'argent se trouvait sous le sabot d'un cheval. Je dois financer des expertises médicales – attention, pas une... quatre ! Obstétrique, anesthésie, pédiatrie, neurologie... sans compter les photos, pour le dossier. Nous en avions pour cent vingt-cinq mille dollars – dix fois ce que nous aurions dû dépenser. Nous campions littéralement sur le paillasson de notre banquier, Morton et moi. Nous avions pris des hypothèques sur nos deux maisons. »

Ce n'était pas la première fois que j'entendais l'histoire, mais ce jour-là, c'était pour Sennett qu'il improvisait cette nouvelle version, lors d'une entrevue destinée à prouver sa bonne foi à Stan, tout en lui donnant l'occasion de jauger Robbie *de visu*.

Une semaine s'était écoulée, depuis ma visite à son bureau. Nous étions installés dans les prétentieux brocarts d'un salon de l'hôtel Dulcimer House, réservé au nom de la Petros Corporation. Sennett était venu escorté d'un certain Jim, un type à première vue assez falot, avec une bouille ronde, plutôt avenante, que j'avais identifié comme appartenant au FBI, avant même que Stan ne se charge des présentations – qui d'autre serait sorti encravaté un dimanche après-midi ? Ils se penchèrent en avant, suspendus aux lèvres de Robbie qui faisait son show en face d'eux, à l'autre bout du sofa.

« Le juge affecté au dossier se trouvait être Homer Guerfoyle, poursuit Robbie. Ce bon vieil Homer... je ne sais pas si vous vous souvenez. Ça fait un bail qu'il nous a quittés – mais c'était un vieux de la vieille. Une crapule dans la meilleure tradition de Kindle County – fils d'un marchand d'alcool de contrebande... il était si cagneux et si tordu qu'à son enterrement, il a fallu le visser dans le gazon, littéralement ! Sauf que, du jour où il a réussi à se faufiler jusqu'à son fauteuil de juge, il s'est tout à coup pris pour l'un des pairs du royaume... sans blague ! Vous aviez comme l'impression que ça ne lui suffisait pas, de s'entendre donner du "Votre Honneur" à longueur de journée. Monsieur aurait préféré "Votre

Seigneurie", voire "Votre Altesse". Quand il s'est retrouvé veuf, il a convolé avec une rombière de la haute, encore plus croulante que lui. Il s'est laissé pousser une petite moustache façon Mylord, a pris un abonnement à l'Opéra, et dès les premiers beaux jours, on le voyait descendre la rue, son canotier vissé sur le crâne.

« Quant à l'avocat de la défense, c'était un certain Carter Franch, une crème de chochotte – Groton et Yale réunis – à ceci près que, pour Guerfoyle, c'était autant dire le Saint-Esprit. Parce qu'il était tout ce que Homer avait toujours rêvé d'être. Dès que Franch ouvrait la bouche, le juge buvait littéralement ses paroles. Comme du petit-lait.

« Alors, un jour qu'on déjeunait avec Brendan, Morton et moi, on se met à pleurer sur son épaule comme quoi cette affaire, si cruciale pour nous, menace de finir en eau de boudin, et qu'on va se ramasser dans les grandes largeurs, avant de finir sur le trottoir. Vous voyez ça d'ici... Deux pauvres oisillons qui viennent faire appel à la sagesse de leur vieux tonton, et lui confier leurs problèmes. "Eh bien, les enfants... je le connais depuis toujours, ce brave Homer, nous répond Brendan. Il a longtemps supervisé nos campagnes électorales dans certains districts, du temps de Boylan. Allez ! ne vous inquiétez pas : c'est un homme de confiance. Je peux vous assurer que vous pouvez compter sur lui pour rendre un verdict équitable."

« Équitable... c'était vite dit ! » fit Robbie en levant les yeux. De concert, nous lui offrons un bouquet de sourires entendus et approbateurs, l'engageant à poursuivre. « Finalement, tout se passe comme sur des roulettes, sans le moindre accroc. Juste avant d'appeler notre dernier expert, qui doit venir expliquer ce qui constitue un "protocole d'intervention offrant toutes les garanties de sécurité" en matière d'obstétrique, je fais venir le défendeur à la barre – le toubib lui-même, en tant que témoin de la partie adverse – histoire de tirer quelques détails au clair. Et, à la fin, je lui pose la question du jack-pot : "Si c'était à refaire... vous le referiez ?

« — Vu les résultats, je ne crois pas !" répondit-il. Ce qui n'était pas mal vu. Je boucle ma plaidoirie, et avant que la défense ne prenne la parole, les deux parties présentent les motions habituelles de proposition de verdict, et là, v'lan ! Je manque de tomber raide mort : Guerfoyle approuve d'emblée la mienne ! Robbie vainqueur du toubib, au premier round, par KO technique ! Tout est de sa faute, explique Homer. Il a reconnu n'avoir pas appliqué les règles de sécurité optimum, en admettant qu'il renoncerait désormais à se servir des forceps. Même moi, je n'aurais pas osé risquer une telle extrapolation !

« Franch est à deux doigts de l'apoplexie. Mais puisque le seul problème restant désormais à régler est le montant des dommages et intérêts, il n'a plus guère le choix : il doit négocier. Nous décrochons quatre millions, soit à peu près cinq cent mille dollars, pour moi et Morty.

« Deux jours plus tard, je comparais à nouveau devant Guerfoyle, pour une motion concernant une tout autre affaire, et il me prend à part une minute, dans son bureau. "Dites-moi, Mr Feaver... magnifique résultat que vous avez obtenu, l'autre jour, pour cette affaire... bla bla bla..." Moi, je reste tout con. J'y comprends rien – ça ne m'effleure même pas ! Évidemment, je me confonds en remerciements : "Merci, monsieur le juge – merci infiniment. Je suis vraiment ravi. Nous avions tellement travaillé, sur ce dossier... – Eh bien, au revoir, Mr Feaver. Et à très bientôt, j'espère."

« Le week-end d'après, Rollo Kosic, le bras gauche de Brendan, coince Morty dans une fête de famille et lui sort un truc du genre : "Qu'est-ce que vous avez foutu pour le mettre en boule à ce point, ce pauvre Homer Guerfoyle ? C'est un ami à nous, et nous l'estimons énormément. Je lui avais fait savoir que tu étais le neveu de Brendan, et là, on est extrêmement contrariés de voir que vous ne lui témoignez pas un peu plus de respect, toi et ton partenaire."

« Le lundi matin, nous ouvrons de grands yeux, au bureau. En boule ? Contrariés ? Un peu plus de respect ? Ça veut dire quoi, au juste ?

« Et devinez ce qui nous tombe dessus, quelques jours plus tard... Je me pointe pour faire signer l'ordre de retrait de la plainte, à l'issue de la négociation, et Guerfoyle refuse de me donner son feu vert. Il a réfléchi, qu'il dit. Il est revenu sur sa décision. Il se demande s'il n'aurait pas mieux fait de laisser au jury le soin de décider si le toubib avait ou non admis sa faute professionnelle. Franch lui-même en reste bouche bée, parce qu'au procès, Homer avait fait la sourde oreille chaque fois qu'il avait avancé cet argument. Alors, nous remettons l'affaire à plus tard, pour de plus amples discussions. Et quand je franchis le seuil, l'huissier de Guer-

foyle, un certain Ray Zahn, pas vraiment le genre à avoir
inventé l'eau chaude, hoche la tête sur mon passage.

« Alors, comme deux crèmes d'andouille débarquant de
St. Bumblefuck, Morton et moi, on commence à rassembler
les pièces du puzzle. Dis donc, Morton, qu'est-ce qu'il veut,
à ton avis ? tu ne crois quand même pas que c'est du fric ? –
Eh si, Robbie... exactement ça. Fichtre ! Fallait bien qu'il
finance son nouveau standing, ce cher Homer, d'une
manière ou d'une autre...

« Et nous de ruminer ça pendant une bonne partie de la
journée. Finalement, Mort revient me voir et me dit : "Non,
niet – stop ! Pas question. Il n'aura rien – rien de rien !" Et il
n'a pas dormi de la nuit. Il a piqué au moins trois crises de
nerfs, avec éruption cutanée généralisée. C'est bien simple –
à côté de ce qu'il a dû endurer, la prison lui aurait fait l'effet
d'un pique-nique dans les pâquerettes.

« Ça, c'est mon Morty – des nerfs en spaghettis ! La première fois qu'il est entré dans un prétoire, il est tombé dans
les pommes ! Résultat, c'est toujours à Robbie de s'y coller.
Mais en l'occurrence, dites-moi un peu ce que j'aurais pu
faire – et pas à coups de citations de Confucius ! Non ! C'est
dans le monde réel que ça se passe... Est-ce qu'il fallait cracher sur des honoraires de quatre cent quatre-vingt-dix mille
et quelques dollars et rentrer chez moi faire mes valises ?
Qu'est-ce que je devais leur dire, à ces gens qui avaient perdu
leur bébé ? "Désolés pour ces faux espoirs, ce million de dollars que nous vous avions fait miroiter – on devait avoir pris
du LSD ce jour-là !" Combien d'heures il leur aurait fallu, à
votre avis, pour se trouver un avocat un peu plus digne de
confiance ? Vous me direz, j'aurais peut-être dû téléphoner
au FBI, direct... Mais vous avez pensé aux conséquences,
pour l'oncle de Morty... et pour nous ? Cette ville n'a jamais
pu blairer les mouchards.

« Alors, je me suis dit, Morty ou pas, y a pas deux solutions. C'est comme l'histoire des pourboires en Europe : quel
est le minimum acceptable ? Combien faut-il laisser ? Et
d'où les sortir ? Ça avait vraiment quelque chose de
comique : "Ah ! Pourquoi ils ne vous apprennent pas ces
trucs, en fac de droit ! Une petite UV d'éthique de la corruption... !"

« Alors, je vais à la banque, et je fais un retrait de neuf
mille dollars – pas davantage, parce qu'au-dessus des dix
mille, ils le signalent aux Fédéraux. Je glisse le tout avec

notre nouveau compte rendu dans une grande enveloppe, que je remets en main propre à l'huissier de Guerfoyle. Et là, ma parole... j'avais la bouche tellement sèche que j'aurais même pas pu coller un timbre sur l'enveloppe ! Je me disais : "Qu'est-ce que je trouverai bien à raconter, si je me suis gouré sur le sens global du message ?" Whoops ! Je devais passer déposer ça à la banque ! "Vous voudrez bien remettre ceci au juge Guerfoyle, avec toutes mes excuses pour les petits problèmes de communication..." ai-je susurré à Ray.

« Ensuite, je me rends à une audience sur une autre affaire et, à la fin de la séance, je trouve l'huissier qui m'attend dans le couloir, avec une tête d'enterrement. Il m'emboîte le pas sur une trentaine de mètres – et là... je vous jure, on aurait pu entendre mes doigts de pieds glouglouter dans mes chaussettes – enfin, il me passe le bras autour des épaules et me glisse à l'oreille : "La prochaine fois, vous n'oublierez pas mon petit cadeau !" – et là-dessus, il me remet l'ordre de décharge signé d'Homer, approuvant la solution négociée. »

Dix ans plus tard, le souvenir de cette seconde de soulagement lui fait toujours pousser un soupir d'aise. Il secoue sa crinière brune, savamment agrémentée d'un reflet bleuté. « Et l'affaire est close. J'ai raconté à Mort que Guerfoyle avait dû faire marche arrière – sans doute avait-il craint de se faire contrer en appel... Puis je suis allé m'incliner devant la garde d'honneur de Brendan : ses deux factotums, Rollo Kosic et Sig Milacki. Au moment où je leur tire ma révérence, Sig me lance : "N'hésitez pas, les gars... ! La prochaine fois que vous aurez un dossier important, passez-moi un coup de fil !" Alors, par là-dessus, de fil en aiguille et une chose en entraînant une autre... » Il eut un haussement d'épaules philosophe, en pensant à l'inexorable engrenage d'infractions qui s'était ensuivi, et nous jeta un regard circulaire pour juger de l'accueil qu'avait reçu son récit. Je lui suggérai de descendre au rez-de-chaussée prendre un café, mais la porte ne s'était pas sitôt refermée sur lui que Sennett levait déjà les yeux au ciel.

« Ça ne tient pas debout, son histoire avec Mort », dit-il.

Je faillis battre des cils, dans mon effort pour feindre la surprise outragée, mais bien sûr, c'était le premier point sur lequel j'avais attiré l'attention de mon client et je ne m'étais pas privé de lui faire la leçon. Mais Feaver n'avait pas fléchi d'un iota. Il jurait ses grands dieux que ce manège s'était

perpétué pendant une décennie au nez et à la barbe de Dinnerstein, selon les directives de Tuohey lui-même – qui se
trouvait être un oncle d'une rare prévenance. En tant qu'associé, Morton récoltait la moitié de la manne provenant du
système des pots-de-vin mis au point par Tuohey, mais Robbie en assumait seul tous les risques, puisque lui seul se
chargeait des « transferts de fonds » vers les juges.

Feaver prétendait que Morty ne connaissait pas la véritable destination du compte secret de la River National. Les
infirmiers, les flics, les directeurs de salon funéraire – il
existe d'innombrables corps de métier où l'on est bien placé
pour recommander un bon avocat à quelqu'un qui vient
d'être victime d'un accident grave. Bien sûr, l'éthique du barreau interdit à un avocat de reverser une partie de ses honoraires à toute personne extérieure à la profession – mais le
flic ou l'infirmier qui envoie un client à Robbie peut ne pas
l'entendre de cette oreille – et Feaver & Dinnerstein n'auraient certes pas été les premiers à juger qu'il valait mieux
lâcher un peu de lest que d'apprendre par la suite qu'un
client important avait malencontreusement oublié leur
numéro de téléphone. C'est ce que Robbie avait fait valoir à
son associé, pour expliquer la destination de l'argent déposé
à la River National.

Ce qui était d'ailleurs, partiellement, la vérité. S'il en
avait eu vent, le Conseil de l'Ordre aurait pu reprocher à
Morton de s'être prêté à ces menues magouilles mais les
déclarations de Robbie mettaient Dinnerstein à l'abri de
toute poursuite judiciaire – dans cet État du moins – et la
fraude fiscale ne pouvait être retenue contre lui, puisque,
selon Robbie, Morty était persuadé que les sommes qu'ils
ne déclaraient pas étaient en totalité affectées à ces frais de
fonctionnement inavouables.

Pour Stan, tout cela s'emboîtait un peu trop bien.

« Il couvre son partenaire, George, et c'est un très mauvais calcul. Parce que, quel que soit le marché que je vais
passer avec lui, si je parviens à prouver qu'il a menti sur ce
point, il est bon pour le trou, direct et en express ! »

Je connaissais Morton Dinnerstein tout autant que
Feaver, c'est-à-dire peu, pour l'avoir croisé de temps à autre
autour de l'immeuble Lesueur, et, d'après ce que j'en savais,
Dinnerstein était l'intellectuel du tandem. C'était lui qui rédi-
geait les motions et les bilans préparatoires aux demandes
d'appel, qui tenait les fichiers à jour, pendant que Robbie

allait parader dans les prétoires. Ce genre d'arrangement avait déjà fait ses preuves, et j'étais loin de partager les certitudes de Stan. Feaver n'aurait sûrement pas risqué la prison dans le seul dessein de protéger son partenaire. Non, Morty avait vraiment quelque chose d'une créature d'un autre monde. Son aura de boucles blondes, qui allaient en se clairsemant avec le temps, moutonnait encore en épis désordonnés, autour d'un début de calvitie, comme un carré de chiendent. Outre sa claudication et son léger bégaiement, il avait une fâcheuse tendance à cligner les yeux qui s'accentuait pendant les longues pauses durant lesquelles il cherchait ses mots. Ce côté affable et doux de Dinnerstein et la symbiose qui s'était établie de longue date entre les deux hommes rendaient relativement plausible la version de Feaver – point que je défendis longuement, quoique sans grand succès, face à Sennett.

L'autre faille du récit de mon client était, aux yeux de Stan, qu'à aucun moment il n'avait eu le moindre contact avec Brendan Tuohey. Robbie reconnaissait que les accords tacites arrangés à son intention avec plusieurs juges avaient été conclus dans le rayon d'influence de Tuohey et, en quelque sorte, sous la force gravitationnelle du juge principal. Son hypothèse, que rien n'étayait de façon tangible, était que Brendan percevait une sorte de rente, un pourcentage sur les pots-de-vin que les juges recevaient de Robbie et de quelques autres de ses confrères. L'argent atterrissait entre les mains des deux sous-fifres, qui faisaient office de filtres entre Tuohey et tout ce qui touchait à la corruption : Rollo Kosic que Tuohey avait placé au poste d'huissier principal et Sig Milacki, un ancien flic qui avait jadis travaillé en tandem avec lui sur le terrain. Pour arriver jusqu'à Brendan, Sennett allait avoir besoin d'eux, ou de quelque autre témoin que Feaver pourrait prendre au piège.

« Croyez-moi, Stan, lui dit Feaver à son retour. Quelle que soit la haine que vous portez à Brendan, je vous coiffe au poteau. Je le connais depuis que je suis tout gosse et je pourrais vous en raconter de belles, sur lui. J'aime Morty comme un frère, mais est-ce que vous croyez que j'apprécie vraiment la façon dont son oncle m'a fait porter le chapeau, depuis tout ce temps ? J'ai beau savoir que ses deux sbires me couperaient immédiatement la langue pour se la faire monter en épingle à cravate, je serais prêt à vous le balancer – mais il se trouve que ça relève de l'impossible. Brendan est aussi méfiant qu'un vieux chat, et trois fois plus prévoyant. Si vous comptez le prendre la main dans le sac – excusez-moi, mais... c'est pas demain la veille ! »

Ce genre de défi n'était pas pour déplaire à Sennett. Je vis briller dans son regard cette petite flamme, ce frémissement furtif qui s'éveillait en lui face à tout adversaire qu'il jugeait sérieux. Il demanda à mon client de lui fournir autant de détails que possible. Robbie gardait des souvenirs précis et vivaces de toutes ces années où il avait fait des « cadeaux » à de nombreux juges. Il se rappelait pratiquement chaque occasion, chaque enveloppe discrètement remise à divers intermédiaires ou, très exceptionnellement, aux juges eux-mêmes, dans les toilettes hommes des bars ou des cafétérias. Malgré les soupçons qu'avait conçus Stan, concernant le rôle exact de Morty, malgré sa déception devant l'incapacité où se trouvait Robbie de le mener directement à Tuohey, le procureur fédéral était tellement fasciné par son récit qu'il ne gardait qu'à grand-peine sa façade habituelle de réserve glacée.

« Verriez-vous un obstacle à ce que vous continuiez de les verser, ces pots-de-vin, demanda-t-il à Feaver, comme l'entretien touchait à sa fin – si nous vous laissions exercer, toutes choses demeurant égales par ailleurs, pour confondre tous ces gens en enregistrant les transactions ? »

Celle-là, nous l'attendions de pied ferme. C'était l'atout maître que Feaver pouvait abattre pour échapper à la prison. En entendant la question, formulée à haute et intelligible voix de la bouche même de Sennett, Robbie se pinça le menton, qu'il avait long et effilé, tandis que le regard de ses yeux sombres semblait se concentrer vers l'intérieur. J'aurais presque pu sentir le vent tourner, en lui. Il ravalait les violentes émotions de ces quelques dernières soirées que nous avions passées ensemble et durant lesquelles il n'avait pas tari d'imprécations contre ce tyran de Sennett et ses infâmes pratiques – tout en souffrant le martyre devant le dilemme auquel il se trouvait confronté.

Et tout à coup, conformément à ce qui était, comme je devais l'apprendre par la suite, sa nature profonde, tout cela fut comme balayé. Il se redressa vivement sur le canapé pour faire face à Sennett et à l'agent fédéral qui l'accompagnait et, sans s'embarrasser de vaines rancunes, il leur balança tout crûment cette vérité qu'eux-mêmes venaient de lui souffler : « À votre avis, est-ce que vous me laissez vraiment le choix ? »

4

Ce que disait Tolstoï des familles à problèmes s'applique tout aussi bien aux négociations fructueuses : elles aboutissent toutes au même point, quoique chacune y parvienne par un chemin qui lui est propre.

Pour sa part, Feaver se fixa des buts très simples, dans ses négociations avec le ministère public. À la différence de la plupart des avocats qu'il m'avait été donné de représenter, il semblait s'être résigné à la perte de sa licence – un pis-aller inévitable, pour un homme qui admettait avoir soudoyé des juges. D'ailleurs, sa fortune était désormais plus que faite. En revanche, il était bien résolu à se défendre bec et ongles face aux autres pénalités et, en particulier, aux amendes que les pouvoirs publics comptaient bien lui faire cracher – et il ne voulait à aucun prix entendre parler de prison. Non pas tant pour lui-même, précisa-t-il, que pour pouvoir assister sa femme durant son inévitable déclin.

De son côté, Sennett exigeait que Robbie vaque à ses petites affaires équipé d'un micro et s'engage à témoigner par la suite. Le procureur tenait donc à l'inculper : la crédibilité du témoignage de Feaver serait démultipliée aux yeux du jury s'il commençait par plaider coupable des écarts de conduite dont il accusait les autres. Et enfin, le rôle de « sous-marin » de mon client devait être entouré du secret le plus absolu, en particulier auprès de son associé qui, sinon, aurait couru avertir son oncle de ce qui se tramait contre lui.

Après de laborieuses tractations, nous parvînmes à un accord : Robbie plaiderait coupable sur un chef d'accusation unique – manœuvres frauduleuses ayant fait obstruction à l'action de la justice. En supposant que Robbie fournirait les preuves qu'il espérait, le ministère public renoncerait à appliquer les sanctions prévues par la loi fédérale et se contenterait d'une période de probation assortie d'une amende de deux cent cinquante mille dollars.

Tout le monde se félicitait – raisonnablement – de cet arrangement, à l'exception du ministère de la Justice et, plus précisément, de l'UCORC, le Conseil de Contrôle des Opérations Secrètes, qui était chargé de la surveillance de toutes les actions souterraines dirigées contre des hauts fonctionnaires. L'UCORC avait été fondé dans la foulée de l'opération ABSCAM (cette botte secrète décochée vers le Capitole par le FBI), pour calmer les démangeaisons qu'éveillaient dans les rangs du Congrès les manœuvres de ce genre, et les dangers qu'elles pouvaient présenter pour d'innocents citoyens – ces « innocents » que l'UCORC tenait à protéger étant, en l'occurrence, les défendants des affaires dont Robbie s'apprêtait à corrompre les juges. L'UCORC déclara d'emblée qu'il n'était pas question pour le ministère de la Justice de sanctionner de près ou de loin des opérations qui léseraient les parties adverses ainsi que leurs avocats.

Sennett fit d'innombrables voyages à D.C., pour aller défendre son projet, et l'UCORC finit par lui accorder des aménagements : il avait le feu vert, à la condition expresse que Feaver ne truque que des affaires fictives. L'idée de base était que, tout comme ils avaient précédemment joué le rôle de cheikhs arabes dans le cadre de l'ABSCAM, les agents du FBI pouvaient assumer celui des parties opposées et de leurs avocats pour les dossiers fictifs que Feaver déposerait sur le bureau des juges suspects. Toute cette mise en scène exigeait bien sûr un dispositif plus lourd et plus onéreux que celui initialement prévu par Sennett. Il lui fallut plusieurs semaines d'une lutte opiniâtre dans les bureaux du ministère de la Justice pour faire ratifier ses requêtes budgétaires et obtenir les ressources humaines nécessaires. Nous en étions déjà à la mi-octobre et, naturellement, alors que tout semblait sur le point de se concrétiser, l'UCORC réserva à nouveau son accord.

Le hic, s'étaient-ils avisés, c'était que Robbie Feaver était désormais un escroc avéré. Le ministère public ne pouvait en aucun cas l'autoriser à pratiquer dans un système juridique fondé sur l'honneur et la parole donnée. Au cas où Feaver se laisserait aller à commettre le moindre des méfaits que l'on peut attendre d'un avocat véreux, c'était sur eux que retomberait le blâme. D'un point de vue plus pratique, le projet de Sennett n'offrait aucun garde-fou. Qu'est-ce qui leur garantissait que Robbie ne continuerait pas à graisser des pattes sur les affaires réelles qu'il devrait continuer à traiter, pour ménager sa couverture ?

Bref, l'UCORC exigeait à présent que mon client n'exerce plus que sous étroite surveillance policière. Robbie commença par renâcler, mais accepta finalement la présence à ses côtés d'un agent du FBI qui resterait en permanence à demeure, à son cabinet, par exemple dans le rôle de ce nouvel assistant juridique qu'ils avaient justement envisagé d'engager, Morton et lui, pour lui permettre de passer davantage de temps au chevet de sa femme. Dans le souci de faire paraître plus naturelle la présence de cet ange gardien qui ne le quitterait pas d'une semelle, Sennett suggéra que l'on choisisse pour ce poste un agent du beau sexe – une jeune dame, ou une demoiselle qui pourrait passer pour la dernière en date des nombreuses idylles de bureau que l'on connaissait à Robbie. Fin novembre, l'agent proposé pour ce rôle, une certaine Evon Miller, s'envola de D.C. et vint nous rejoindre, afin que l'ensemble des protagonistes de l'opération puissent se réunir et faire connaissance.

Conformément aux directives de Sennett, nous arrivâmes séparément au lieu de rendez-vous – un salon du Dulcimer house. À mon arrivée, Jim, l'agent qui avait assisté à la première entrevue avec mon client, était déjà installé aux côtés de Stan. Il faisait désormais partie du paysage et je finis par comprendre qu'il avait été chargé par l'UCORC de superviser l'opération. Le nouvel agent survint avec quelques minutes de retard. Nous l'entendîmes donner le nom de code, Petros, et la porte s'ouvrit sur une jeune femme qui pouvait avoir une trentaine d'années, assez grande, d'un physique plutôt agréable, taillée en athlète et solidement campée sur ses pieds. Ma première impression fut celle d'une fille vive et franche, au nez camus et légèrement retroussé, effacée dans son apparence et son maintien. Elle portait un jean et une chemise polo, et je repérai une infime trace de maquillage, sous la monture métallique de ses petites lunettes. Ses cheveux d'un châtain cuivré étaient rassemblés en une queue de cheval. À peine eut-elle mis le pied dans la salle qu'elle me parut cependant en proie à une sorte de malaise. Sourcils froncés, elle s'avança sur ses talons plats et serra les mains qui se tendaient, en évitant les regards fixés sur elle. Toujours aux aguets sur le terrain de la galanterie, Feaver s'empressa d'aller lui chercher au minibar un verre de jus de fruits qu'elle accepta avec un sourire poli.

« Ainsi, ma chère Evon... » – Robbie avait prononcé son prénom comme nous l'avions tous fait jusque-là, c'est-à-dire comme une version américanisée d'Yvonne ; mais elle secoua la tête.

« E*ven*, rectifia-t-elle. Comme dans "c'est bien ma veine". Au départ, ma mère aurait préféré qu'on prononce mon nom comme vous venez de le faire, mais personne ne m'a jamais appelée ainsi ! »

Je vis l'ombre d'un sourire courir sur les lèvres de Sennett. Le renard se tenait à l'affût. « Evon Miller » était un nom de guerre inventé pour la circonstance, tout comme ses faux papiers, au siège du FBI à Washington. Robbie n'avait pas saisi qu'Evon avait déjà commencé à jouer son rôle.

« Ah ! C'est exactement mon cas, s'empressa-t-il d'enchaîner. Vous savez, mon nom de famille. Tout le monde l'écorche. En fait, il se prononce "Faveur", comme dans "Faites-moi une faveur" ! »

Elle lui décocha un petit sourire mitigé, comme si elle n'avait reconnu qu'à contrecœur ce point commun, ce qui n'empêcha nullement Feaver de papillonner de plus belle en s'efforçant de se rendre indispensable. Mais elle avait visiblement été prévenue contre lui. Elle opposa un front d'airain à toutes ses initiatives, se contentant de répondre à ses bons mots par des hochements de tête minimaux. Lorsque Sennett nous invita à prendre place, elle était déjà venue s'installer dans le coin opposé de la pièce, le plus loin possible de Robbie.

Nous devions discuter des précautions à prendre pour nous assurer que ni la présence d'Evon, ni les affaires fictives ne feraient tiquer les collaborateurs de Feaver.

« Vous me disiez qu'elle était quoi, au juste ? me demanda-t-il, après coup. Agent fédéral ? Vous vouliez dire "garde-chiourme", non ? »

De mon point de vue, elle ne lui avait rien manifesté qui ne relevât de la politesse la plus élémentaire, mais je commençais à subodorer que Robbie supportait mal l'idée d'être placé sous une surveillance quasi permanente, dans son propre bureau. De fait, ni Stan, ni Robbie, ni moi-même n'avions la moindre idée de la véritable identité d'Evon Miller – pas plus que de Jim, ni d'aucun autre des agents spécialisés dans les opérations clandestines – les « ASOCs », selon l'acronyme consacré – qui allaient participer au projet. L'opération Petros, puisque telle semblait être désormais son étiquette, était placée sous le signe du minimum d'information utile, à savoir que tous les participants, y compris Jim et Sennett eux-mêmes, n'avaient accès qu'aux éléments qui leur étaient strictement indispensables pour jouer leur rôle. Cela en vue de réduire les risques d'une fuite critique, qui aurait pu faire capoter l'ensemble du projet.

Les seules informations que nous réussîmes à glaner, concernant le véritable CV d'Evon Miller, nous parvinrent par des voies détournées, et grâce, principalement, aux réserves initialement émises par Stan à son encontre. Il la trouvait moins assurée qu'il ne l'espérait et craignait que son style neutre et effacé ne la trahisse. Certains risquaient de trouver difficile à croire qu'une liaison ait pu se nouer entre une fille si discrète et un m'as-tu-vu du tonneau de Robbie. En privé, mon client s'amusa de cette objection et répliqua qu'il n'avait pourtant pas la réputation d'être « particulièrement difficile ». Quoi qu'il en fût, Jim, à qui l'UCORC avait confié la distribution des rôles et le choix des agents, persista dans son choix. Il avait la plus grande admiration pour le palmarès d'Evon et soutenait qu'elle avait le punch et la souplesse nécessaires pour déjouer tous les écueils de son rôle d'agent double.

« Il paraît qu'elle a participé aux Jeux olympiques... » me confia un jour Sennett. Il avait ponctué cette remarque d'un haussement d'épaules, indiquant qu'il n'en savait pas davantage. Nous étions à Warz Park où, chaque matin et aux aurores, Stan couvrait plusieurs kilomètres à petites foulées. Son obsession du secret était telle qu'il n'avait même pas parlé de Feaver dans son propre service. Pour couper court à toute question indiscrète, nous nous retrouvions donc au parc. Je m'étais acheté une tenue de jogging dernier cri et je lui emboîtais quelque temps le pas en trottinant, sur le bitume de l'allée ovale, puis nous nous asseyions sur un banc pour bavarder, comme à la faveur d'une rencontre fortuite. Ce jour-là, je devais lui remettre des documents – la version finale, paraphée et signée, de l'accord donné par Robbie concernant les charges qu'il acceptait d'assumer et son approbation écrite du pavé pondu par l'UCORC, où était décrit le protocole du projet Petros.

J'avais roulé les deux documents dans un quotidien du matin. Thanksgiving était déjà passé et on commençait à sentir arriver l'hiver, qui couvait dans le vent, comme un mauvais rhume.

Tout en ramassant le journal, l'air de ne pas y toucher, Stan me fit part du peu qu'il avait appris d'Evon. C'était pour le rassurer globalement, que Jim lui avait lâché l'histoire des Jeux olympiques, mais les raisons qui poussaient Stan à me livrer ce secret étaient nettement plus précises :

« Elle est bien plus coriace qu'elle y paraît, me dit-il. Arrange-toi pour que ton client se mette ça dans la tête. Qu'il n'aille pas s'imaginer qu'il pourra la rouler ou jouer au plus fin avec elle. S'il lui prend l'envie de faire le malin, nous en serons les premiers avertis. »

Je réprimai le petit sourire que m'inspirait généralement le côté gros bras de Sennett et qui avait le don de le mettre hors de lui. Je m'étais levé et trottais sur place pour me réchauffer. Stan se leva à son tour. « Dis-toi bien que j'ai jeté toutes mes forces dans la bataille, George, fit-il en me brandissant le journal sous le nez. Tous les gens qui me devaient une fleur, toutes les ressources disponibles. Mon crédit est totalement épuisé, à la banque des faveurs. Alors, si j'ai un conseil à te donner, c'est de ne surtout pas le laisser jouer au con, avec moi – et cela, non pas tant dans mon intérêt que dans le sien. Au moindre écart, vu les directives imposées par D.C., on arrête tout et on lui tombe dessus à bras raccourcis. Je compte sur toi pour t'assurer que ton client a bien compris les règles du jeu. »

Je lui réaffirmai que Robbie avait parfaitement conscience des enjeux. Si Stan le surprenait en flagrant délit de mensonge, il irait directement en prison – sans passer par la case départ. Mais Stan me martela le sternum d'un index menaçant. « Prends ça comme un conseil d'ami ! » dit-il et, pour plus de sûreté, il réitéra une fois de plus sa mise en garde, avant que nous ne poursuivions notre chemin le long de l'allée, dans la lumière blafarde du petit jour : « Parce que je serai le premier prévenu. »

Comme je l'ai annoncé d'emblée, c'est une histoire d'avocat, et à plus d'un titre. Au sens qu'elle rend compte de la mécanique inexorable du monde juridique, certes, mais aussi parce que je parle, comme le font souvent les avocats, en lieu et place de ceux qui ne peuvent le faire eux-mêmes.

J'ai été personnellement témoin de la plupart des épisodes du projet Petros, puisque, depuis le soir où Sennett lui était apparu sur son paillasson, Robbie avait exigé de ne jamais revoir le procureur fédéral qu'en ma présence. Mes souvenirs s'appuient donc sur ces centaines de conversations, sur toutes ces heures que j'ai passées avec les différents protagonistes, au fil des années, ainsi que sur les innombrables épaves que laisse la loi dans son sillage : documents écrits et sonores, rapports fleuves du FBI – les « 302 », selon le numéro de code désormais consacré.

Mais si je m'en tenais strictement à ces traces écrites ou magnétiques, mon histoire demeurerait incomplète. La vérité juridique va toujours un peu plus loin que les preuves matérielles. Elle relève aussi de ce que les avocats nomment « l'interpolation » – l'imagination, pour les esprits plus généralistes. La plupart des activités quotidiennes de mon client étaient placées sous la surveillance de cet agent dont le nom de code était Evon Miller et, pour pouvoir les restituer, j'ai dû combler certaines lacunes et imaginer librement son point de vue. Je ne saurais dire si elle se reconnaîtrait dans la totalité de ce que je lui ai attribué. Elle m'en a dit autant qu'elle pouvait m'en dévoiler, mais la majeure partie de sa version des faits demeure à jamais enclose dans le secret des règlements du FBI. Mes suppositions et mes déductions, toutes ces brèches que j'ai comblées – bref, tout ce que j'ai imaginé – ne seraient jamais considérées comme recevables devant une cour, mais elles sont à mon sens la seule voie qui puisse nous mener aussi près que possible de cette vérité – « toute la vérité » – qu'exige la loi, ainsi que la nécessité du récit.

Pour ce qui est de mon propre rôle, j'espère ne pas trop apparaître comme ces vieux soldats dont les exploits vont embellissant au fil des années. La partie que j'ai jouée dans le projet Petros n'avait rien d'héroïque et, à mon grand embarras, je dois même avouer que ma réaction, en comprenant ce que Sennett avait en tête lors de cette première entrevue dans son bureau, fut de me défiler sur-le-champ et de tout laisser tomber.

Durant toute ma carrière, j'avais scrupuleusement appliqué ce commandement sacré : Jamais tu n'offenseras un juge. Je riais consciencieusement de toutes leurs blagues. Quel que fût le sens où tombât leur verdict, y compris lorsque leurs décisions me semblaient dénuées de toute logique, je les en remerciais. J'évitais comme la peste les discussions concernant les talents, les compétences ou les travers de quiconque siégeait, ou avait siégé dans un tribunal, qu'il soit encore de ce monde ou pas. J'ai rarement rencontré un juge qui fût inaccessible à la rancune – et la revanche se trouve être l'un des privilèges du pouvoir absolu. Or, les rancunes que s'attirerait la personne qui représenterait Robert Feaver promettaient d'être du genre tenace. Non pas parce que tous les juges de notre comté étaient corrompus ou véreux – au contraire, la plupart estimaient, et avec raison, qu'ils avaient toujours levé assez haut leur robe, pendant des années, pour éviter de la souiller en exerçant sur les terrains embourbés de notre belle cité. Mais, quoi qu'ils fassent, ils seraient tous éclaboussés. Les journaux publieraient des caricatures représentant le palais de justice métamorphosé en une monstrueuse caisse enregistreuse. Dans tous les bars et à tous les matchs de foot, les ivrognes feraient assaut de plaisanteries douteuses chaque fois que l'on verrait un billet de vingt dollars sortir de la poche d'un juge. Eux qui avaient choisi de renoncer à l'Eldorado de l'exercice privé, pour le respect auquel pouvait prétendre un magistrat, ils se sentiraient mortellement floués, au grand bazar de la vie. Et qui serait le premier à blâmer, de leur point de vue ? Moi. Moi qui, à la différence de Robbie ou de Stan, serais le seul à avoir délibérément choisi de tremper dans cette affaire, en cédant au vil appât du gain.

Tandis que je descendais Marshal Avenue, après cette première entrevue que j'eus avec Stan dans son bureau, je me creusais donc la tête, en quête d'un moyen de m'en sortir. J'aurais pu exiger des émoluments exorbitants, ou prétendre que je venais de recevoir un coup de fil imprévu m'annonçant un procès qui me prendrait le plus clair de mon temps. Mais je savais que je ne m'en tirerais pas si facilement.

Disons, pour simplifier la chose, que je supportais mal de me voir dans un effet de contraste si peu flatteur aux côtés de Stan qui venait de me servir ce pathétique morceau de bravoure – l'histoire de son oncle Petros. Je ne suis jamais parvenu à élucider les termes de ce concours qui, toute ma vie, m'avait opposé à Stan Sennett, mais j'avais toujours eu le sentiment qu'il me damait perpétuellement le pion. En partie parce que j'avais choisi les fastes de l'exercice privé, alors qu'il menait l'existence austère et chaste d'un serviteur de la cause publique. Et en partie parce que, en tant qu'avocat de la défense, je procédais toujours par manœuvres détournées. Je cernais, j'englobais, je faisais blocage – et ce, le plus souvent, pour excuser la conduite de mes clients – tandis que le valeureux Sennett, frappant d'estoc et de taille, s'employait à faire triompher le bon droit. Au lendemain de la mort de mon père, je pris douloureusement conscience de ce plan sur lequel j'avais toujours redouté d'être comparé à Stan.

Âgé de vingt-deux ans et mon diplôme en poche, j'avais décroché une place de matelot sur un minéralier. C'était ce qui, à terme, m'avait amené de Charlottesville à Kindle County. Après quoi, je m'étais ostensiblement engagé dans la marine marchande pour échapper au Vietnam. Ce que je fuyais, c'était surtout le cocon étouffant de la Virginie du Sud et de ma famille : les insatiables ambitions sociales de ma mère et les diktats de mon père concernant ce qui seyait ou non à un véritable gentleman du Sud. Avocat comme moi, mon père vénérait un ensemble de valeurs qu'il considérait comme sacrées : le Christ, la patrie, la famille, le devoir et la Loi. Sur le tard, en voyant des confrères moins talentueux que lui (et surtout moins à cheval sur les principes) décrocher des postes qu'il convoitait depuis longtemps, il commença à subodorer que son intraitable vertu l'avait fait passer aux yeux de certains (et de son propre fils, en tout premier lieu) pour un vieux crétin.

Au sein de la démocratie encore un peu brute de Kindle County, où le respect et l'estime dont on était entouré n'avaient que peu de rapport avec l'échelle sociale, je pus librement accepter les compromis et les nécessaires ajustements qu'impose l'âge adulte. Mais la disparition de mon père avait réveillé en moi de vieilles peurs. N'avais-je pas renoncé à trop de ces valeurs qu'il exaltait ? J'étais ce qu'on peut appeler un honnête homme, bien sûr, mais je faisais rarement preuve de courage... Voilà précisément en quoi Sennett m'en imposait : il prônait une vertu proche de celle que préconisait mon père, faite de rigueur, de principes, d'intransigeance. Il croyait, de toute son âme et sans le moindre compromis, qu'un vaste abîme sépare le bien d'avec le mal. Dans son enfance, Stan avait quelque temps fréquenté le séminaire où il se préparait à la prêtrise dans l'église orthodoxe grecque, et j'avais toujours eu le sentiment que, pour lui comme pour mon père, la loi ne s'éloignait guère de Dieu lui-même. Pourtant, à la différence de mon père, Stan avait le cran d'admettre qu'ici-bas, les bonnes choses n'arrivent généralement pas par hasard. Je commence à présent à comprendre qu'une partie de moi-même avait toujours vu en lui l'homme que j'aurais pu deve-nir, si j'avais eu le cran d'être un fils plus loyal.

Quelque chose me disait donc que, si j'avais laissé tomber Robbie Feaver et son affaire, je n'aurais plus trouvé une seconde de paix, face à moi-même. Me remémorant les célèbres vers de Frost, sur le chemin auquel on a renoncé, je choisis, à l'exemple du poète, de suivre Robbie et Sennett, dans cette voie qui m'était si peu familière.

Janvier 1993

5

L'immeuble Lesueur, où nous avions nos cabinets, Robbie et moi, avait été construit juste avant la Grande Dépression, dans un quartier du centre-ville bâti sur un promontoire calcaire que les eaux vives de la Kindle ont choisi, depuis la nuit des temps, de contourner. L'immeuble porte le nom d'un obscur missionnaire français, le père Guy Lasueur, dont le nom fut par la suite écorché par les pionniers illettrés qui devaient marcher sur ses traces, deux siècles plus tard, jusqu'à cette région du Midwest.

Le Lesueur date donc de la grande époque de l'Art déco. De graciles sylphides voilent modestement leur nudité derrière les feuillages décoratifs forgés au centre des grilles de laiton de l'ascenseur, des bouches d'aération et du hall. Une coupole de vitraux multicolores, signés Louis Tiffany en personne, surplombe l'atrium haut de sept étages, attirant des nuées de touristes qui s'agglutinent sur le passage des autochtones pressés – lesquels se préoccupent en majorité davantage de problèmes juridiques ou financiers que d'esthétique ou de curiosités locales. Les bureaux du Lesueur ont été en majorité colonisés par des avocats, puisque l'immeuble se trouve au centre d'un triangle stratégique réunissant Federal Square et les diverses Cours Fédérales, d'une part, et de l'autre, cette poubelle architecturale qu'est la Cour Supérieure de Justice de Kindle County.

Vers la fin novembre, un avocat du nom de James McManis loua une suite vacante, au troisième étage – le secteur où les loyers sont les moins chers. Il affichait la cinquantaine épanouie et faisait des débuts tardifs dans l'exercice privé de la profession. Jusque-là, s'empressa-t-il d'expliquer à plusieurs de ses confrères, logés à la même

adresse et à qui il s'était spontanément présenté, il avait été
l'un des principaux cadres de la Moreland Insurance. Il travaillait à leur siège central d'Atlanta où il était responsable
du secteur dommages et intérêts. McManis leur raconta une
histoire compliquée sur les raisons qui l'avaient poussé à
quitter Moreland : sa femme avait tenu à déménager pour
venir s'occuper de sa vieille mère qui habitait Greenwood
County. Il souligna que ce brusque changement de cap stratégique de sa part avait reçu l'approbation du conseil d'administration de Moreland Insurance, qui avait accepté de lui
mettre le pied à l'étrier durant ses premiers mois de pratique,
en lui confiant tous les dossiers qui seraient déposés au tribunal de Kindle County contre des assurés de la Moreland.
À entendre McManis raconter son histoire, on ne pouvait se
défendre de subodorer qu'il l'avait quelque peu élaguée, tout
en l'expurgeant, et qu'il n'était qu'un quinquagénaire que ses
supérieurs n'avaient pas jugé irremplaçable – une victime de
plus des compressions de personnel sauvages, dont l'Amérique de la Récession s'était fait une spécialité.

Jim McManis eut tôt fait de se composer une équipe.
Chaque jour ou presque, on voyait arriver à son bureau un
nouvel employé. Un jour, c'était une secrétaire, le lendemain
un enquêteur, puis une réceptionniste, un assistant juridique
– qu'il présentait tous comme tels aux locataires du voisinage... mais qui étaient en réalité des agents du FBI, originaires d'États éloignés. Et puisque le cabinet James
McManis s'était vu confier dès le début de janvier non moins
de quatre affaires contre le cabinet Feaver & Dinnerstein, il
n'était pas rare d'y croiser Robbie, dûment escorté de sa nouvelle assistante, Miss Evon Miller. Quant à moi, je leur ren-
dais visite, à l'occasion. L'explication officielle de ma
présence (mais je ne me servais de cette couverture que du
bout des lèvres) était que j'intervenais sur ces dossiers en
tant que confrère, ayant recommandé Feaver à un client
potentiel et ayant mis en contact les intéressés. À ce titre, et
en échange d'une certaine collaboration, devait me revenir
un pourcentage substantiel des honoraires prétendument
perçus par Robbie. D'un autre côté, McManis s'était inscrit
à l'Association du Barreau de Kindle County et s'était joint
au « comité de réflexion chargé du code des usages dans les
procédures juridiques » – comité présidé par Stan Sennett
lui-même. Ce qui expliquait que Sennett était à son tour
devenu un pilier du cabinet McManis.

Nous y passions tous au moins une fois par semaine et davantage, les premiers temps. Lorsque nous devions nous y retrouver, nous arrivions à intervalles convenus avec à la main, qui une enveloppe, qui un attaché-case, pour nous donner contenance. En franchissant le seuil du hall de la réception, élégamment lambrissé de chêne rouge, j'avais le sentiment de regarder un feuilleton télé depuis l'intérieur de mon poste. Tout le monde jouait un rôle et jusqu'à ce que les portes chromées de la salle de réunion se soient refermées sur nous, chacun s'employait à créer une atmosphère d'activité des plus convaincantes. Les téléphones sonnaient, les imprimantes bourdonnaient, les employés allaient et venaient avec entrain. Personne n'avait jugé utile de m'informer de la véritable nature de leur travail, mais lors d'une réunion matinale, comme la porte était restée entrouverte, je pus glisser un œil dans l'un des bureaux environnants où j'aperçus toute une jungle d'écrans, d'équipements électroniques et d'appareils constellés de voyants lumineux et de petits cadrans digitaux.

Pour ce qui était de la prétendue Miss Miller, elle avait été, toujours selon la couverture officielle, la première à répondre à l'offre d'emploi que le cabinet Feaver & Dinnerstein avait fait paraître dans la *Lettre du Barreau*, début janvier. Dès le lendemain, elle avait été convoquée pour un entretien d'embauche auquel assistaient Mort, Robbie et Eileen Ruben, leur directrice administrative. Elle était arrivée vêtue d'un coquet tailleur bleu marine, sur un chemisier blanc à encolure plissée, éclairé d'un collier à double rang de perles qui n'avait pas dû quitter plus de trois fois son tiroir depuis qu'elle l'avait reçu, à sa sortie d'université, sans doute, pour fêter son diplôme. Elle avait troqué ses lunettes contre des verres de contact et, soucieux de parfaire sa métamorphose, selon les prescriptions de Sennett, le FBI lui avait offert un « relookage » complet chez Elizabeth Arden, sur Michigan Avenue, aux frais de la princesse. L'opération incluait, outre une décoloration qui avait laissé ses cheveux d'un joli blond doré, une nouvelle coupe dissymétrique, style « branché », dégradée à la tondeuse, avec une frange qui bouffait sur le côté, en direction de son oreille gauche.

Le premier jour qui suivit l'embauche de Miss Miller, Robbie lui avait fait faire le tour du propriétaire dans les couloirs du cabinet, avec sa complaisance coutumière. Pimentant ses commentaires de vannes pas toujours des plus légères, il lui avait décrit l'agencement général des locaux et présenté les autres employés. Il s'était rengorgé sans vergogne devant les éléments de décoration qui émaillaient les lieux. Des pièces d'art contemporain pour le moins prétentieuses et exubérantes – « expansions » de résine, « compressions » d'horloges géantes, rehaussées ou non de néons – s'agglutinaient sur le fond rose pêche du papier peint. Dans la salle de réunion, Evon découvrit la plus longue table qu'il lui eût jamais été donné de voir, en dehors d'un musée : une plaque de granit rose poli, ellipsoïdale, entourée de sièges design italiens, sur laquelle venait jouer la lumière oblique dispensée par l'immense baie vitrée qui s'ouvrait au trente et unième étage, dans la façade du Lesueur. La « salle du trône », lui annonça Feaver.

« Vous voyez que chez nous, ça ne lésine pas sur l'emballage..., fanfaronna-t-il. Si vous voyez ce que je veux dire... »

Elle ne voyait pas.

« Mon premier job, c'était chez Peter Neucriss. Je suppose que ce nom vous dit quelque chose, n'est-ce pas – qui n'a pas entendu parler de Peter Neucriss ? "Le maître du désastre", comme le surnommaient les journaleux. Peter, lui, il pouvait se permettre de faire dans la sobriété et la discrétion. Mais nous, nous ne sommes que Feaver & Dinnerstein – Qui c'est, ces clampins ? ! Alors, imaginez... Que ce soient les toubibs qui viennent chez nous faire leur dépositions en roulant les mécaniques, ou nos clients, qui sont en grande majorité des gens modestes, logés dans de petits pavillons de banlieue ou des appartements – pour eux, la seule chose qui compte, c'est : "Comment ça marche, cette boîte ? Est-ce qu'ils gagnent leurs procès ?" Il faut donc que ça saute aux yeux. Vous devez rouler en Mercedes, porter du Zegna, et les recevoir dans un bureau décoré comme pour la venue de Robin Leach en personne. C'est ce que je lui ai dit, à Morton, quand on a commencé : "Façon Beverly Hills, vieux..." »

Beverly Hills..., se dit-elle.

Feaver lui rappelait ces arrogants citadins qu'elle avait vus débarquer, du jour au lendemain, dans sa petite ville, après que deux stations de ski eurent éclos, tels deux comédons au front pur de ses montagnes... Une bande de forts en gueule insupportablement contents d'eux-mêmes, bronzés et dragueurs comme pouvait l'être Feaver avec ses gros godillots et son sourire visqueux... C'était à se demander s'il ne laissait pas une trace luisante sur son passage, comme une grosse limace.

Mais depuis dix ans qu'elle travaillait pour le Bureau, elle n'en était pas à son premier hurluberlu, ni à son premier macho. Dès sa première affectation, à Boston, elle avait dû louvoyer dans le milieu des drogués – et ça, difficile de faire pire ! Pour la présente mission, s'était-elle dit, il suffisait d'ouvrir l'œil, et de s'assurer que l'oiseau remplissait son contrat, qu'il se levait tous les matins à six heures, et qu'il ne se ferait pas descendre au procès. Quant à savoir si ce connard avait vraiment une case de vide, ou si c'était juste un air qu'il se donnait, ce n'était pas son problème. *Roger – message reçu – over & out !*

Ils étaient à présent dans le bureau de Feaver. Bonita, la jolie secrétaire latino, aux yeux généreusement tartinés de fard à paupières, et dont le front lisse s'auréolait d'une couronne de cheveux noirs, rendus cotonneux par un usage intensif des produits défrisants, était venue l'accueillir. Feaver s'acquitta au mieux de son rôle de nouvel employeur et lui déclina la liste de ses tâches : tenir le planning des dépositions, établir les demandes d'assignation à comparaître et de mise en demeure, remplir les papiers pour le tribunal... À l'occasion, elle pourrait même recevoir les clients, leur soutenir le moral, etc. Elle coordonnerait les informations et assurerait le suivi global.

« Ah, j'oubliais... ajouta-t-il. Vous verrez ça avec Bonnie, mais je ne lis jamais le courrier. En quinze ans d'exercice, je me suis fait pousser plusieurs ulcères à cause du courrier, mais maintenant que j'ai passé le cap des quarante ans, je sais que la vie est trop courte. Parce que je vais vous dire, un truc plus sûr que la loi de Newton : le facteur n'apporte jamais que de mauvaises nouvelles !

« D'abord, vous avez les motions de non-lieu. Un fléau. Pour chacun de nos dossiers, dans l'autre camp, on a en face de nous un cabinet juridique payé à l'heure. Et eux, non seulement ça ne leur coûte rien de nous envoyer n'importe quelle motion à la con qui leur passe par la tête, mais au contraire ! ça leur remplit les poches. Motion de non-lieu. Motion récapitulatoire. Motion de proposition de verdict. Motion de déclaration d'indépendance de Porto Rico. Motion de révision des motions précédentes – vous n'en croiriez pas vos yeux, ma chère ! Or, nous, on est payés au forfait, et personne ne nous file un rond pour répondre à toutes ces conneries. Mais il se trouve que, même si j'ai gagné sur dix motions, il suffit que je me plante sur la onzième, et j'ai perdu l'affaire... »

Feaver poursuivit sa description des catastrophes qui l'attendaient chaque matin dans son courrier : les lettres des clients auxquels un confrère avait fait les yeux doux et qui lui retiraient leur dossier, parfois au bout de plusieurs années de boulot ; les cris d'alarme lancés par les associations d'avocats mettant en garde la profession contre telle ou telle législation anti-plaignants, inspirée par le lobby des assurances – et, bien sûr, jamais la moindre trace des chèques qui devaient tomber, pour les affaires fructueusement négociées... !

« Bref, rien que des mauvaises nouvelles ! » conclut-il. Bonita, qui se tenait près du bureau de son patron, poussa un petit gloussement amusé et indulgent, avant de quitter la pièce. À la demande de Feaver, elle referma la porte derrière elle, coupant le sifflet au ronron du service, au grelot des téléphones et aux bourdonnements des divers appareils, qui ne leur parvenaient désormais plus que sous forme d'une rumeur feutrée. Evon sentit son pouls s'accélérer. C'était la première fois qu'elle se retrouvait seule avec lui.

« Alors... ? lui fit-il, ponctuant familièrement le mot d'un petit coup de menton dans sa direction. C'est quoi, au juste, votre vrai nom ? »

Elle resta un instant clouée sur place. « Evon, répondit-elle.

— Allez, quoi... Ce n'est pas un bal costumé. Vous, vous savez bien qui je suis.

— Je m'appelle Miller, Mr Feaver. Evon Miller. »

Il revint à la charge, insistant pour qu'elle lui indique sa situation de famille, et le nom de la ville d'où elle était originaire. Elle lui renvoya sans sourciller les réponses conformes à son rôle.

« **Seigneur** », soupira-t-il.

Le cabinet de Feaver était une vaste pièce qui contenait, outre son propre bureau, un canapé de cuir et des tables basses de style contemporain, à plateau de verre. Le sol disparaissait sous un immense tapis d'Orient, un Bokhara lie-de-vin, au centre duquel elle s'était plantée. Mâchoire serrée, elle le rappela sèchement à l'ordre. Ils n'étaient pas là pour jouer aux devinettes, fit-elle – et de lui assener la leçon, tant de fois serinée : « Ne jamais laisser tomber la couverture

– pas une seconde – pour éliminer tout risque de se trahir ou d'être pris en défaut. »

« On finit par prendre l'habitude de tomber le masque, fit-elle. Et à la longue, sous la pression, on finit invariablement par se trahir.

— Pour ce qui est de tenir mon rôle, vous pouvez me faire confiance, répliqua-t-il. Je suis un pro ! »

Il eut un mouvement du pouce en direction d'une console qui se trouvait derrière lui et où trônait une photo de sa femme. Le portrait représentait Mrs Feaver avant sa maladie, au sommet de sa forme et de sa beauté. Dans le cadre d'argent, Lorraine Feaver souriait, resplendissante, avec ses yeux d'améthyste pâle et ce menton un peu trop long et trop pointu qui conférait à son visage une sorte de distinction, l'élevant au-dessus de ceux qui ne parviennent qu'à être agréables ou charmants. Mais c'était une autre photo qu'il lui montrait : un gros plan en papier glacé le représentant, grimé, dans un costume de pirate, apparemment dans le cadre d'un numéro de music-hall. « Gala du Barreau 1990 », indiquait une petite plaque dorée, sous le cadre.

« Écoutez... nous allons devoir passer ensemble le plus clair de notre temps, fit-il. J'essaie simplement de préciser un peu l'idée que j'ai de vous. A priori, poursuivit-il, je serais porté à douter que vos pontes aient pu vous forcer à abandonner le nid familial, à votre corps défendant. J'en conclus donc que vous n'avez pas d'enfants – je me trompe ? »

Elle n'avait jamais su y faire, avec les gens. Il l'avait vu du premier coup d'œil et en avait déduit qu'elle se retrouverait pieds et poings liés, dans les limites d'une conversation courtoise.

« Eh non ! exulta-t-il. Pas d'enfants ! Et, en toute logique, pas de mari. Leur choix a dû se porter en priorité sur les célibataires. Difficile de demander à une femme mariée de laisser tomber sa maison pendant les douze mois à venir... Reste à savoir si vous êtes divorcée, ou si vous n'avez jamais sauté le pas – là, j'avoue que je sèche.

— Ça suffit !

— Relax, relax... ! » s'esclaffa-t-il. Il s'amusait comme un petit fou derrière son bureau, carré dans son fauteuil de cuir à armature chromée. « Je suis déjà au courant, pour les Jeux olympiques ! »

C'est ce qui acheva de la mettre hors d'elle : découvrir

que même là, au beau milieu d'une mission secrète, cet odieux détail l'avait précédée de cent lieues, comme un étendard flottant au sommet de sa hampe. En deux pas, elle fut sur lui et se pencha sur son bureau, ignorant délibérément ce frémissement furtif de son regard, qu'elle interpréta comme une tentative aussitôt avortée pour lorgner vers son décolleté.

« Écoutez, Mr Feaver... quand j'ai lu le 302 – ce rapport qu'on m'a transmis, vous concernant – j'ai cru comprendre que nous avions en face de nous des gens qui ne plaisantaient pas. C'est bien ce que vous nous avez dit, n'est-ce pas ? Certains de ces types ont des relations très peu recommandables. Je vous conseille donc d'agir en conséquence et de respecter ma couverture, comme si votre vie en dépendait – parce que, pour autant que je sache, c'est très précisément le cas. »

Il fronça les lèvres et, se tournant de trois-quarts, lui présenta une joue que sa barbe drue, même rasée de frais, faisait paraître bleutée. Ce type était velu comme un ours... Elle repéra quelques poils follets, qui s'aventuraient dans le col de sa chemise.

« Est-ce que vous porteriez un micro, par hasard..., fit-il. Selon George, ça n'aurait rien d'impossible. »

Je lui avais dit, plus exactement, que le ministère public ne prendrait pas le risque de collecter des heures et des heures de bande qui pouvaient receler des centaines de remarques idiotes, lancées dans le vide, mais susceptibles de se retourner contre lui ou contre Evon lors d'un contre-interrogatoire. Sans compter que l'enregistrement des conversations qui se tenaient dans un cabinet d'avocat posait d'épineux problèmes de confidentialité de la consultation juridique. Quoi qu'il en fût, restait que, dans la jungle tatillonne de la bureaucratie de DC, où les problèmes pratiques les plus flagrants se faisaient souvent éclipser par le souci de protéger ses arrières, l'UCORC avait pu insister pour tout enregistrer, de façon à disposer de la preuve formelle que Feaver avait été soumis à une surveillance sans faille.

« Vous ne voulez pas répondre ? demanda Feaver, comme Evon tournait les talons en direction de la porte.

— Non.

— Ce qui signifie que vous en avez un, fit-il.

— À votre place, je ferais comme si c'était le cas, point ! » J'avais été le premier à lui faire cette recommandation, puisque Evon était tenue de rapporter toute tentative douteuse ou tout acte qui pût porter atteinte à la crédibilité de Robbie, en tant que témoin du ministère public.

« Ah ! Je le savais ! J'aurais parié que vous étiez "sonorisée" ! » Et ravi, il battit des mains.

« Bien. Écoutez : je ne le suis pas. Et maintenant, tenez-vous-en à nos rôles respectifs – et n'en sortez plus !

— Et qu'est-ce que vous me diriez, si vous l'étiez ? »

Ça commençait à bien faire. Elle contourna le bureau et l'empoigna une seconde, par les épaules.

« OK, fit-elle. En d'autres circonstances, je vous aurais dit : "Si vous êtes candidat au suicide, parfait ! Supprimez-vous, c'est votre problème !" Mais le hic, dans cette affaire, c'est qu'en mettant votre propre vie en danger, vous risquez aussi la mienne. Alors, soit vous arrêtez votre cirque, soit c'est moi qui arrête les frais – et vous pourrez aller vous faire voir à la prison la plus proche, où vous devriez déjà vous trouver. »

Là-dessus, Feaver prit son temps. Il posa un regard pensif sur la main aux ongles manucurés qui avait à présent battu en retraite et leva vers elle son long visage.

« Hey ! fit-il, avec un sourire en coin qui voulait attester de sa bonne nature. Ne le prenez pas comme ça. C'était juste histoire de déconner un peu, entre nous... »

Ce qui, de son point de vue, n'était qu'à moitié faux.

« Allez, quoi... ! On va épingler des tas de méchants, à nous deux ! » lui lança-t-il, comme elle tournait les talons en direction de la porte.

Elle fit alors volte-face et, pointant le doigt sur lui : « Pour ma part, il me semble qu'on en a déjà épinglé un ! » dit-elle.

Je l'appellerai Evon, puisque c'est le nom qu'elle avait choisi. Elle me confia un jour que, dans son adolescence, elle avait traversé une période d'exaltation religieuse durant laquelle sa dévotion pour Dieu l'avait totalement aspirée hors de la vie ordinaire. Un peu comme si elle avait appris à léviter ou à quitter les limites de son propre corps. Elle se sentait à présent dans un état similaire. Être Evon Miller, c'était échapper à toute limite. Elle avait gravé dans sa mémoire les détails de son rôle. Trente-quatre ans. Issue d'une famille de Mormons. Née à Boise. Trois ans d'études de droit à l'université de Boise State. Elle avait épousé son petit ami du lycée, Dave Aard, mécanicien chez United Airlines, avec qui elle était partie s'installer à Denver et dont elle avait divorcé, en 1988. Elle avait ainsi stocké en mémoire une centaine de ces fragments, se constituant un passé imaginaire dont elle pourrait user, à l'occasion, pour pimenter un peu sa conversation. Même lorsqu'elle s'adressait à elle-même, elle s'appelait Evon. Elle mangeait les plats préférés d'Evon Miller et, lorsqu'elle faisait du lèche-vitrine, elle choisissait les magasins qui auraient plu à Evon. Heureusement, les goûts de cette dernière n'étaient qu'à peine plus affirmés que les siens : elle portait des jupes un peu plus courtes, des boucles d'oreilles un peu plus voyantes et des couleurs un peu plus franches. Et jusque dans son sommeil, c'étaient les rêves d'Evon Miller qu'elle rêvait.

Six semaines auparavant, l'agent responsable de la division de DesMoines, un certain Hack Bielinger, l'avait convoquée dans son bureau, qui n'était pas un bureau à proprement parler, mais une sorte de box muni d'une porte. Il tenait à la main un télex imprimé sur du gros papier jaune. Ce Bielinger ressemblait aux autres responsables sous les ordres desquels elle avait eu l'occasion de travailler. Il ne lui inspirait pas la moindre sympathie et, n'ayant gravi les échelons administratifs que grâce à son incapacité de travailler sur le terrain, il semblait nourrir une sorte de rancune pour les agents qui semblaient plus doués que lui sur ce plan. C'était un petit bonhomme tatillon et agité. On murmurait qu'il avait réussi à se faire pistonner pour entrer dans la maison malgré sa taille, inférieure de plusieurs centimètres au minimum requis.

« J'ai reçu quelque chose qui pourrait vous intéresser », fit-il.

En prenant connaissance du télex, elle eut soudain le sentiment qu'on lui avait branché le cœur sur du 3 000 volts. Le message émanait du service du directeur adjoint du Bureau, à D.C.

VEUIL CONF ACCEPT DE L'ASOC REFERENCE, POUR MISSION ORIGIN UCO K CNT. DUREE INDETERM. EST. DE SIX MOIS A DEUX ANS, EN SIT CAMOUFL TOT

Loin de chercher à la rassurer, Bielinger lui avait paru
encore plus tendu qu'à l'ordinaire. C'était un ordre du
Bureau. Ça ne rigolait pas... Il devait donner satisfaction à
ses supérieurs. Eh oui, Bielinger... Ils lui avaient passé un
coup de fil, la semaine précédente, expliqua-t-il. Officieuse-
ment. Il leur avait parlé d'elle, en leur assurant qu'elle ferait
l'affaire.

Ils cherchaient quelqu'un qui puisse tenir le rôle d'une
assistante juridique, avait-il poursuivi, avec un haussement
d'épaules. Le pourquoi de la chose restait pour lui un mystère. Mais il avait dû poser la question : pourquoi, « une » ?
Ses collègues masculins avaient invariablement ce genre de
réaction : c'étaient toujours les gonzesses qui décrochaient
les boulots les plus juteux, par les temps qui couraient...

Puis l'agent qui devait diriger l'opération avait pris
l'avion pour venir la rencontrer. Il lui demanda de l'appeler
par son prénom : Jim, tout court. Pas de nom de famille – la
règle du minimum d'information utile s'appliquerait strictement pour l'ensemble de la mission. Mais lui, au moins, il
lui était sympathique. Calme, intelligent, discret. La cinquantaine. Encore assez bel homme, malgré une petite tendance à s'empâter, à l'orée de l'âge mûr. De grosses lunettes
et une bonne touffe de cheveux gris qui lui retombaient sur
le front en mèches rebelles, lui donnant un air presque juvé-
nile. Il ne précisa pas d'où il venait, mais elle aurait parié
qu'il était de D.C. Cette réserve, ce raffinement feutré, ce
sens du détail... Il citait, toujours à bon escient, les noms
qu'il fallait. À voir sa carrure et la façon dont ses biceps lui
remplissaient les manches, elle subodora que ce Jim avait
été un sportif de haut niveau, à un moment ou un autre de
son existence, ce qui lui parut de nature à les rapprocher. Il
se dégageait de lui ce mélange de bien-être et de force tranquille qu'elle avait maintes fois observé chez d'anciens sportifs – chez les hommes surtout : c'était l'un des bons aspects
de ce genre de discipline, mais, hélas, ça n'avait jamais réussi
à « prendre » chez elle.

« C'est très dur, fit-il, parlant de la mission qu'il lui proposait. J'ai fait un boulot de ce genre pendant près d'un
an... » Il lui décrivit brièvement le cas. Il était en planque à
Wall Street. Il se faisait passer pour l'un des truands chargés
des opérations frauduleuses, dans un cabinet de courtage
boursier. Un cadre discret et terne qui truquait les comptes
et se chargeait de refourguer des actions volées. La mission

se solda par un magnifique coup de filet. Ils parvinrent à épingler trois pointures de la Cosa Nostra, enfonçant un clou de plus dans le cercueil de Gambino. Un tour de force. « J'étais très fier de notre travail... Le vendredi soir, les collègues vous célèbrent comme un héros – surtout si c'est vous qui payez la tournée ! » Un curieux petit sourire, aussitôt réprimé, était apparu sur ses lèvres. « Mais ne vous leurrez pas : c'est très dur. Dangereux. Vous êtes seul. Des vies dépendent de vos réflexes, de votre capacité de donner le change, de préserver votre couverture. Être sur le qui-vive, chaque seconde de chaque minute. C'est usant. » Il se répéta : c'est usant...

Elle s'était efforcée de l'écouter avec le plus grand respect mais, lui fit-elle remarquer, elle était déjà au courant de tout ça, avant même de commencer. Elle savait très précisément où elle mettait les pieds et elle était prête. Il lui demanda ce qui avait motivé sa décision.

« J'ai toujours eu ça en moi. Des réflexes et des nerfs d'acier... » répondit-elle. Ça, il avait dû le lire dans son dossier : elle était toujours la première à lever la main pour se porter volontaire, en cas de coup de feu. Le soir, le week-end – y compris quand il s'agissait de prêter main-forte aux flics de la police locale. Elle n'avait jamais réussi à se sevrer des plaisirs qu'elle avait découverts sur le terrain de jeu : réagir en se fiant à son instinct, au quart de tour, sans prendre le temps de réfléchir...

« Il doit y avoir autre chose, avait répliqué cet homme qu'elle connaissait à présent sous le nom de McManis. À eux seuls, les nerfs ne suffisent pas. C'est un sacré fardeau que vous vous préparez à endosser. »

Ils étaient dans une petite salle de réunion tristounette de la division de DesMoines, où l'élégance posée de McManis contrastait étrangement avec les stridulations des téléphones et l'agitation qui régnait de l'autre côté de la porte. Ses yeux, d'un gris pâle, avaient plongé dans les siens. Les cadres du Bureau essayaient toujours de s'immiscer dans vos pensées. Du temps où elle avait passé les tests, à sa sortie de fac, il y avait une série de questions psychologiques dont l'une surgissait encore, çà et là, dans la brume tumultueuse de ses cauchemars : « Si votre père et votre mère étaient en train de se noyer et que vous ne pouviez sauver que l'un d'eux, lequel sauveriez-vous ? » Un jour, il lui faudrait trouver la réponse juste...

Mais pour l'instant, elle esquiva d'un haussement d'épaules son regard scrutateur. Difficile de distinguer telle ou telle raison particulière. Elle en avait décidé ainsi, point. Pourquoi ? Allez savoir... mais la réponse de McManis avait éveillé un curieux écho quelque part au tréfonds d'elle-même.

« À vue de nez, avait-il dit, je crois que vous finirez par tirer ça au clair. »

6

Dès les premières réunions préparatoires, Robbie avait confirmé un fait que les limiers de l'administration soupçonnaient déjà – à savoir que, sur une période donnée, il n'y avait qu'un nombre restreint de juges avec lesquels il pouvait « s'entendre ». Sennett ne manqua pas de s'en étonner, puisque Tuohey avait un droit de veto sur toutes les affectations des dossiers dépendant de son service. Mais pour Robbie, ce n'était là qu'une manifestation des plus typiques de l'admirable instinct de conservation que pouvait déployer Brendan pour recouvrir ses traces. Le juge principal s'appliquait à renforcer la réputation de compétence et d'intégrité des juges qu'il chapeautait, et dont la bonne renommée ne pouvait que rejaillir sur lui, le nimbant d'une aura d'intégrité au-dessus de tout soupçon – tout en faisant passer les brebis galeuses pour les exceptions qui confirment la règle, ou pour l'inévitable marge de déchets générée par la voix des urnes, dans le cas de magistrats élus au suffrage universel.

Sur la douzaine de juges dont Robbie avait graissé la patte au fil des ans, une bonne partie n'étaient déjà plus en poste – soit pour cause de départ en retraite, soit parce qu'ils avaient été mutés dans d'autres secteurs. Si l'opération Petros portait ses fruits, Robbie s'efforcerait de réunir des preuves contre eux en fin de partie, au moment de conclure, mais viserait en priorité les quatre juges qui étaient encore en exercice et avec qui il avait toujours partie liée, à la Cour de Droit commun. C'est avec eux qu'il avait les meilleures chances de mener à bien les transactions de corruption qui, une fois fixées sur bande magnétique, deviendraient autant d'armes dans les mains du ministère public. Sennett pourrait ainsi se servir de ces juges pour déboulonner Tuohey.

Lorsque Robbie nous livra les quatre noms, je faillis tomber à la renverse, du moins pour deux d'entre eux. Sherman Crowthers avait été l'un des meilleurs avocats de la région, du temps où je débutais dans le métier. C'était un juriste redoutable, qui forçait sinon la sympathie, du moins l'admiration, tant pour son talent que pour les obstacles qu'il avait dû surmonter en tant qu'avocat noir. C'est dire si j'avais été attristé d'entendre citer son nom... Pour Silvio Malatesta, le deuxième juge de ma connaissance figurant sur la liste de Robbie, je refusais carrément d'en croire mes oreilles. Malatesta était un érudit, un vieux lettré binoclard n'émergeant que très rarement de son univers intérieur, sillonné en permanence d'une myriade de notions juridiques qui y gravitaient, telles des étoiles filantes, aussi abstraites qu'insaisissables. J'étais proprement sidéré à l'idée qu'un théoricien aussi éminent ait pu succomber aux grossières tentations qui font le lit de la corruption.

Quant aux deux derniers noms, je les aurais probablement devinés, si j'avais eu la présence d'esprit de m'avouer clairement ce genre de soupçons. Gillian Sullivan était une alcoolique invétérée. Cela faisait une bonne décennie qu'elle arrivait ivre à ses audiences de l'après-midi. J'avais reçu d'innombrables plaintes à son sujet, du temps où j'étais président du conseil de l'ordre. Du fond des vapeurs d'alcool qui lui embrumaient le cerveau, Sullivan ne devait situer que très vaguement la frontière séparant le bien du mal. Barnett Skolnick, le quatrième, était le frère de feu Knuckles Skolnick, lui-même intime de l'ex-parrain de l'administration du comté, Augustine Bolcarro. Ce vieux Skolnick était un vestige du parti de l'époque héroïque, où rien ne fonctionnait qu'à coups de passe-droits et de pots-de-vin.

Le premier problème auquel Stan se trouva confronté, dans l'organisation de l'opération, était qu'à la possible exception de Skolnick, qui aurait pu être tenté d'accepter de l'argent de la main de Robbie, tous les autres se protégeaient systématiquement derrière des intermédiaires : un parent, un subordonné, voire une petite amie. En mettant les choses au mieux, Sennett pouvait donc enregistrer plusieurs remises de pots-de-vin à ces différents porteurs de valises, puis épingler les intermédiaires, et passer un accord avec eux en les forçant à enregistrer la remise de l'argent aux juges à qui il était destiné. Mais ces messagers d'un genre un peu spécial avaient précisément été choisis pour l'infaillibilité de leur loyauté et il n'était rien moins sûr que Stan parvienne à détourner l'un d'eux – faute de quoi le projet Petros ne déboucherait que sur l'inculpation de quelques lampistes.

Pour pallier cet inconvénient, Sennett avait initialement espéré pouvoir arranger les cas fictifs de manière que les juges soient amenés à rendre une série de verdicts un tantinet « tirés par les cheveux », en faveur de Robbie. Ainsi, même sans la collaboration des intermédiaires, Stan aurait eu matière à contrer les juges en appelant à la barre un certain nombre d'experts juridiques qui seraient venus attester qu'aucun magistrat digne de ce nom n'aurait décemment pu rendre de tels arrêts. Mais Feaver l'en avait instamment dissuadé.

« Vous croyez au père Noël, les gars ! avait-il lancé à Sennett. Essayez de comprendre : vous avez d'un côté des juges qui gagnent quatre-vingt-dix mille dollars par an et, de l'autre, des avocats qui brassent des millions. Maintenant, appelez ça comme vous voulez – cadeau, pourboire, contribution, gage de reconnaissance ou prime d'assurance, pour la fois d'après... mais voici comment les choses se présentent : j'arrive avec une affaire que j'estime pouvoir gagner. Je tiens simplement à m'assurer que le juge ne s'emmêle pas les pédales dans ses paperasses et ses décisions. Bon... disons que je demande un petit coup de pouce, au cas où le verdict serait vraiment tangent et que la balance pourrait indifféremment pencher d'un côté comme de l'autre. Mais si je me pointe avec un vieux chien galeux et que je demande au juge de le caresser dans le sens du poil, comme si c'était Lassie en personne – ce que je vous garantis n'avoir jamais fait, pas une fois, en dix ans d'exercice ! – si je me lance dans ce genre de plan, la seule chose que ça me rapportera c'est, au mieux, que ce juge ne voudra plus entendre parler de moi. Et, au pire, Brendan risque de me voir venir et d'envoyer quelqu'un me mettre hors d'état de nuire – si vous voyez ce que je veux dire. Il ne vous restera plus qu'à passer l'aspirateur dans le bureau de Mr McManis, et à laisser la clé sous la porte. C'est peut-être un peu délicat à entraver pour vous, les mecs... Mais au palais de justice, tout le monde reconnaîtra votre patte, là-dessous. Si je me pointe avec une histoire à dormir debout, ils sauront immédiatement d'où ça vient : de ces... euh, eh bien, de vous, quoi... » – il avait réprimé à temps l'expression désobligeante qui avait failli franchir ses lèvres. Il marqua une petite pause, le temps de rectifier sa posture et de tirer sur ses poignets de chemise pour recouvrir sa gourmette de deux centimètres de tissu blanc. « De vous, de la Commission judiciaire ou du Conseil de l'Ordre – enfin, de quelqu'un qui essaie de leur faire des petits dans le dos... »

Chaque cas – le résumé des faits pour lesquels la partie plaignante s'estimait fondée à exiger réparation – devait donc être construit de façon à tomber à la limite du raisonnable. Sans être garantie à cent pour cent, la victoire de Robbie devait rester plausible. Pour la première affaire, le cabinet Feaver & Dinnerstein représentait prétendument un certain Peter Petros qui avait pris une mémorable cuite lors d'un match de basket. Comme il hurlait un chapelet d'obscénités à l'adresse de l'arbitre, il avait basculé par-dessus la balustrade des tribunes et n'avait dû son salut qu'à son état de relaxation éthylique, et à un heureux hasard qui l'avait fait atterrir sur le baldaquin d'un marchand de hot-dogs ambulant, avant de s'écrouler sur le béton du stade. Petros portait donc plainte contre Standard Railing, le fabricant de balustrade fictif, en soutenant qu'à cause du danger inhérent aux places situées dans les tribunes les plus élevées ses blessures étaient directement imputables à ce fabricant dont le produit n'avait pas joué le rôle préventif qu'on était en droit d'attendre de lui. Le cabinet James McManis, agissant au nom de Standard, avait aussitôt déposé une notion de non-lieu, faisant valoir que, même si tous les faits invoqués par Peter étaient exacts, le plaignant n'avait légalement pas matière à porter plainte. L'ensemble du cas avait été conçu de manière que la décision concernant la motion de non-lieu puisse être ramenée à un problème de pile ou face.

Le 12 janvier, Evon se rendit au palais de justice en compagnie de Suzy Kraizec, l'autre assistante juridique du cabinet, pour procéder, on ne peut plus normalement, à l'enregistrement de la plainte. C'était l'étape suivante – ce que Robbie appelait « faire atterrir le dossier sur le bon bureau » qui constituait le premier écart à la norme. Pour ce faire,

Robbie laissa un message sur le répondeur de Sig Milacki, lequel, en sa qualité d'ancien policier et de vieux complice de Brendan dans les forces de l'ordre, était à présent chargé de la coordination avec les shérifs adjoints qui assuraient la sécurité du tribunal. Robbie lui demanda un numéro de dossier pour une nouvelle affaire : « Petros contre Standard Railing ». La façon dont les choses s'enchaînaient ensuite, Feaver n'en avait qu'une vague idée – et il n'avait aucune raison d'aller y mettre le nez. Toujours est-il qu'au fil des années il avait remarqué, ou cru comprendre, que Milacki transmettait le message à Rollo Kosic, chef huissier du juge principal Tuohey, qui d'une façon ou d'une autre avait accès au système informatique chargé de l'affectation aléatoire des dossiers aux différents juges, et qui devait pouvoir le bricoler à sa guise.

Le lundi suivant, lorsque Evon revint au tribunal pour y prendre une copie de l'enregistrement de la plainte Petros, elle découvrit que l'affaire avait été assignée à Silvio Malatesta, l'un des juges de la liste de Feaver.

Nous tînmes à nouveau chapitre dans les locaux de McManis où les agents du Bureau Fédéral commençaient à fourbir leurs armes pour tendre le piège où devait tomber Malatesta, et tout d'abord son intermédiaire, un certain Walter Wunsch, un clerc grincheux, affecté au suivi des dossiers.

Selon un rituel bien établi et appliqué avec une rigueur digne d'un cérémonial religieux, Robbie ne remettait jamais le moindre sou à Walter avant la conclusion de l'affaire. Mais Stan, tout comme McManis, tenait à avoir un enregistrement dès que possible. Ce dernier supposait, avec raison, qu'il serait plus sûr de fournir à Robbie l'occasion de porter son micro dans des situations plus anodines et moins stressantes qu'une remise d'enveloppe à proprement parler. Stan brûlait de mettre la main sur une preuve tangible – d'autant que les têtes pensantes de l'UCORC lui imposaient un bilan d'opération mensuel, au terme duquel ils se réservaient le droit d'annuler toute l'opération, s'ils en jugeaient les résultats insuffisants. Robbie admit que rien ne lui interdisait, dans le déroulement normal des choses, de rendre une petite visite à Walter, lorsque ce dernier aurait enregistré sa réponse à la motion de non-lieu de McManis – juste pour s'assurer que Malatesta avait bien pris note des points forts de la position de son client. Il fut donc convenu que Robbie se rendrait « sonorisé » à cette entrevue qui aurait lieu dès l'enregistrement de la motion et de la réponse – c'est-à-dire quelque deux semaines plus tard.

Après la réunion, nous nous retrouvâmes, Robbie et moi, dans mon bureau. Je le laissai un moment seul, le temps d'aller donner quelques informations à ma secrétaire et, à mon retour, je le trouvai devant la baie vitrée, plongé dans la contemplation du paysage : une vue imprenable sur les gratte-ciel du centre-ville. Les nouvelles structures à armature d'acier, fuselées comme des supersoniques se mêlaient aux immeubles des années vingt, pour la plupart couronnés de variations architecturales imitées des siècles passés, des flèches gothiques aux coupoles du quattrocento et jusqu'à ce dôme scintillant, recouvert de céramique bleue, qui évoquait les mosquées d'Ispahan. À l'ouest, le fleuve déroulait ses eaux grises, mystérieuses, sous le ciel hivernal du Midwest. La morte-saison avait commencé pour de bon. La ville semblait prise comme sous un couvercle de brume. Je demandai à mon client s'il était satisfait des dispositions prévues pour l'enregistrement.

« À peu près, oui... » répondit-il.

J'avais jusque-là supposé que c'était la crainte d'être démasqué qui lui faisait adopter un profil bas, mais je découvris que son inquiétude avait bien d'autres sources. « Je vais franchir le pas », ajouta-t-il en tournant la tête vers moi.

À ce jour, j'avais envisagé toute l'affaire de mon propre point de vue. Ma mission était d'éviter la prison à Robbie et je me réjouissais de cet apparent succès. Mais je me rendis compte que mon client devrait faire le deuil de pas mal de choses : de son métier et de l'argent qui l'accompagnait – sans parler de sa réputation. Il allait devoir couper les ponts avec ce qui serait désormais pour lui une sorte de vie antérieure. Il s'apprêtait, en supposant que l'enregistrement se déroule comme prévu, à trahir Walter Wunsch en lui jouant un tour que ses amis et ses relations s'accorderaient à juger pendable, voire impardonnable. Il serait unanimement réprouvé par la communauté à laquelle il avait appartenu depuis toujours. Ce qu'il regardait disparaître dans le brouillard, cet homme qui s'était défendu dès notre premier entretien d'être un mouchard – ce n'était pas tant cette ville qui s'étendait à ses pieds, que les vestiges de son propre passé. Et l'image qu'il avait eue, jusque-là, de lui-même.

Selon le protocole imposé par l'UCORC, Evon devait accompagner Feaver durant toutes ses entrevues professionnelles – rendez-vous, réunions, dépositions, audiences au tribunal et jusqu'à ses entretiens avec des clients potentiels – pour pouvoir le soumettre à une surveillance constante.

La plupart des journées de Robbie commençaient très tôt, lorsqu'il devait assister à des audiences dans d'autres comtés, ce qui fait qu'au bout de quelques jours, durant lesquels Evon s'acclimata à la vie du bureau, le scénario exigea de Robbie qu'il passe la prendre chaque matin à sa porte. Arriver ensemble au cabinet présentait, d'autre part, l'avantage d'étayer la thèse de l'idylle de bureau.

L'équipe du FBI chargée de l'organisation lui avait installé un appartement à South River, dans un ancien entrepôt de matériel automobile reconverti en un immeuble résidentiel plus vaste qu'une forteresse. Le bâtiment avait été rénové et découpé en un dédale de duplex et d'appartements présentant le minimum de parties communes. L'équipe avait arrêté son choix sur cet immeuble parce que c'était le plus gros et qu'il était situé sur le chemin que devait parcourir Feaver pour se rendre à son cabinet. « Grand » impliquait « anonyme » et donc « préférable ». La couverture d'Evon supposait qu'elle évite de nouer la moindre relation de voisinage. Il suffisait parfois d'une conversation des plus amicales et des plus anodines, pour faire tout s'écrouler. Dès l'instant où Feaver la raccompagnait, aux alentours de dix-huit heures, jusqu'à celui où la superbe Mercedes blanche réapparaissait au coin de sa rue, le lendemain matin, elle avait le sentiment de se retirer dans un caisson d'isolation.

Mais le silence avait rarement le temps de s'installer entre eux durant leurs longs trajets quotidiens. Dès que Feaver n'était plus au téléphone – il disposait d'un petit cadran à touches intégré au tableau de bord, au-dessus de l'indicateur de température – il lui tenait de longues tirades sur le premier sujet qui lui passait par la tête. Ce type « bavassait pire qu'une durit pétée », comme aurait dit son père. Aurait-il pu garder pour lui ne fût-ce qu'une malheureuse idée ? Sous prétexte de l'aider à se familiariser avec le métier, il pérorait à jet continu, sans s'interroger une seconde sur le plaisir qu'elle pouvait prendre à écouter son baratin. Car il avait vite compris que la voiture était le seul endroit où il pouvait laisser sans risque tomber le masque et mettre le nez hors de la couverture. Il avait totalement renoncé à la cuisiner au bureau, mais une fois les portes de la Mercedes refermées sur eux, il devenait aussi intenable que ces collégiens chahuteurs qui ont besoin de savoir que la récréation arrive pour pouvoir se tenir tranquilles en cours. Il luttait pied à pied pour lui arracher certains détails, concernant sa véritable identité – lorsqu'il ne commentait pas à perte de vue leurs entretiens avec Sennett et McManis. Elle détournait carrément la tête, et regardait les immeubles de la grande métropole défiler derrière les vitres, ou se rencognait contre son dossier, paupières closes, en se pénétrant de l'odeur aromatique du cuir de son siège.

La plaque d'argent qui ornait son capot arrière portait l'inscription « S600 » – « le haut de gamme absolu », comme le lui serinait Feaver. Le cuir ivoire, constellé de petits trous d'aération avait le toucher crémeux de ces chaussures de chevreau qu'elle ne pourrait jamais s'offrir et le placage de noyer sombre lui rappelait les lambris de certains musées. Mais ce qui lui en imposait le plus, c'était le silence. Là-dedans, on se trouvait pris dans une bulle de confort. L'extérieur restait à l'extérieur. La lourde portière se refermait sur elle avec le déclic moelleux et feutré d'une boîte à bijoux.

Feaver était fou de sa Mercedes. Il ne l'avait que depuis quelques mois et lui citait à tout bout de champ son prix – vertigineux : cent trente-trois mille dollars – sans s'offusquer de ce que cette voiture avait dû coûter plus que la plupart des pavillons qu'ils croisaient, en parcourant la banlieue. Une fois à l'abri de cet élégant habitacle qui le protégeait aussi sûrement qu'une forteresse, Robbie devenait une particule aléatoire dont le comportement devenait de plus en plus difficile à prédire. Il sillonnait la ville comme s'il eût été à bord d'un vaisseau spatial. En revenant du tribunal de Grenwood County, par exemple, il passait voir sa mère, dont la maison de retraite se trouvait sur le chemin, ou faisait un saut chez Sparky, un boursicoteur qui devait lui revendre des tickets pour un match des Hands – Robbie voulait en faire cadeau à un collègue qui lui avait envoyé des clients. Il adorait « faire les boutiques ». C'était un inconditionnel des soldes et des magasins de luxe. Pour un oui ou pour un non, il faisait de fréquentes descentes dans les galeries commerciales où il s'adonnait à sa passion du lèche-vitrines. Après quoi, une fois revenu dans la voiture, il appelait sa femme pour lui décrire en détail ce qu'il lui rapportait à la maison, comme un chasseur de gros gibier commentant ses prises.

Il se sentait partout chez lui. Il était connu partout et de tous. Il ne pouvait entrer nulle part sans y retrouver des amis de dix ans, avec qui il partageait d'innombrables souvenirs. Pour lui, le monde entier n'était qu'une grande confrérie, un lieu où fusaient de partout des exclamations joyeuses, des blagues éculées et des éclats de rire tonitruants. Même lorsqu'il arrivait à une confrontation avec la ferme intention de faire rendre gorge à la partie adverse, sa soif d'en découdre ne l'empêchait nullement d'échanger avec son adversaire des salutations enthousiastes. Chez le tailleur où il commandait sa coûteuse garde-robe, il avait son vendeur attitré – Carlos, un réfugié cubain qui l'accueillait avec la poignée de main rituelle des « brothers ». Le magasin grouillait de clients semblables à Robbie, qui avaient uniformément l'air de sortir de chez leur coiffeur et dont l'air grave et inquiet, lorsqu'ils inspectaient le tombé de leur veston dans les miroirs, détonnait violemment avec l'arrogante nonchalance qu'ils affichaient au naturel, en flânant dans la rue.

Un jour, durant la troisième semaine de janvier, Feaver déclara sans crier gare qu'il devait aller voir un certain Harold – « Un client », expliqua-t-il. Il avait été victime d'un accident désastreux, une collision avec un camion de livraison. Evon eut peine à soutenir la vue du blessé, affalé sur le côté dans son fauteuil roulant, les bras et les mains couverts de plaies. Robbie n'hésita pourtant pas à lui saisir la main et, avec un culot digne d'un pilier de bar, lui assura qu'il lui trouvait une mine superbe. Puis il consacra une bonne vingtaine de minutes à parler avec lui des principaux événements de la prochaine saison de basket. Dans la voiture, il expliqua à Evon qu'il avait décidé d'aider Harold à survivre. Les différentes composantes de la partie adverse – le fabricant automobile, le département de l'équipement autoroutier de l'État, la compagnie de transport – faisaient traîner l'affaire depuis plus de neuf ans dans l'espoir que Harold finirait par casser sa pipe. Mais s'il venait à mourir, un dossier qui pourrait chiffrer aux alentours de vingt millions de dollars, sans compter les indemnisations – dommages et intérêts compensatoires pour les soins médicaux, dispensés à vie – ne rapporterait plus qu'un cinquième de cette somme, et la quasi-totalité du pactole irait à son assurance-maladie. Il ne resterait plus rien pour la mère de la victime, une matrone bien en chair, empaquetée dans une robe sans forme. C'était elle qui s'occupait de son fils depuis que sa femme l'avait quitté, juste après l'accident.

« Et vos honoraires ? s'enquit sèchement Evon. Eux aussi, ils se trouveraient réduits d'autant, je suppose ?

— Hé ! fit Feaver. Si je vous présentais Peter Neucriss, avant même de vous avoir dit "Enchanté !", il vous détaillerait la liste de toutes les BA qu'il a à son actif, depuis le temps qu'il prend fait et cause pour tous les gogos qui se font avoir. Mais ça, très peu pour moi... La règle du jeu, c'est que nous tâchons de récupérer un maximum d'argent pour les victimes, en réparation des torts qu'ils ont subis et tous ceux qui interviennent sur le terrain savent comment on compte les points. Les juges, les jurés, les clients, les adversaires, moi-même... nous le savons tous : c'est en milliers de dollars que se calcule le score. Plus je marque de points, plus grosse sera la somme que touchera mon client. Et, quoi qu'on puisse en dire, je vais vous en donner une traduction sommaire, mais juste : on peut lui mettre des petits chaussons roses et lui faire dire "maman !", à ce baigneur... mais il chante toujours la même chanson : *do, ré, mi...* ! » Il hocha vigoureusement la tête. « Ça, faut faire avec : c'est la règle du jeu. »

Et, comme d'ordinaire, il se rengorgeait dans cette insupportable autosatisfaction. De tous les individus doués de raison, il était vraiment le seul à avoir tout pigé !

« La règle du jeu ? Mais de quel jeu s'agit-il au juste ? répliqua-t-elle un jour, plutôt sèchement. On me le sert à tout bout de champ, ce vieux prétexte, mais tout le monde semble incapable de me dire précisément ce dont il s'agit. Quand vous dites "jeu", est-ce comme dans "Je mène le jeu", comme dans le cadre d'une compétition sportive, ou comme dans "je joue ma partie" ou encore comme dans "je t'ai joué un sale tour" ?

— Bien vu, fit-il.

— Alors ? » insista-t-elle.

Il agita la main devant son nez en un geste d'impuissance, face à la nuée des difficultés qu'elle avait soulevées. Ils traversaient des banlieues. Autour d'eux s'étendaient des lotissements où s'alignaient des pavillons récemment construits, avec des toits pentus et peu d'aménagements extérieurs. Depuis l'autoroute, elle vit au loin deux gamins qui se renvoyaient une balle dans le vent glacé.

« Merde, quoi..., fit Feaver, comme toujours incapable

de supporter bien longtemps son propre silence. C'est le jeu, quoi ! Un peu comme la vie – vous voyez... Ça n'a pas de but précis, sinon peut-être de prendre son pied – et encore... même ça, ça ne mène pas bien loin, en fin de compte. Vous trouvez que tout ça a un sens, vous, en y réfléchissant ? Vous trouvez vraiment que Dieu a créé un univers cohérent, bien ordonné ? C'est ça le plus drôle, avec la loi. On voudrait croire que ça ramène un peu de logique dans un monde qui n'en a pas – mais tu parles... ! »

Elle n'émit qu'un bref grognement, ce qui eut pour effet de le faire revenir de plus belle à la charge.

« Tenez... prenez la maladie de ma femme, par exemple... dites-moi un peu à quoi ça rime ? Hein – à quoi ? Pourquoi elle ? Pourquoi maintenant et pourquoi cette saloperie de maladie ? Ça ne tient pas debout. Pensez un peu à nos dossiers en cours : un ouvrier tourneur de quarante-huit ans, la machine tombe en panne et il coupe le jus pour voir ce qui cloche. Entre-temps, le contremaître revient. Il se dit que c'est un petit malin qui lui fait une blague, comme ça arrive au moins trois fois par jour, et remet le courant. Et une main de moins – une ! Un pompier qui rend des petits services chez une voisine, à ses heures. Il lui lave les vitres de la contre-fenêtre. Il descend deux minutes de son échelle pour aller chercher du produit à vitres, et vlan ! Le gamin de la maison, un bambin de trois ans, en profite pour grimper sur un tabouret, se pencher au-dehors et se casser la figure par la fenêtre ouverte. Mort à son arrivée aux urgences de l'Hôpital central. Et Harold... ? Tudieu ! Vous êtes un joyeux VRP, au volant de votre bagnole de service, lancée à cent trente sur l'autoroute, et la minute d'après, vous voilà réduit à l'état de légume, avec un fauteuil roulant pour tout avenir. C'est ça, le jeu : la balle heurte un caillou dans la surface de but... elle rebondit plus haut que votre gant, vous perdez les World Series – et vous n'avez plus que vos yeux pour pleurer. On vit dans un monde de ténèbres et de chaos, et même quand on fait mine de croire le contraire, c'est encore et toujours le jeu. On est tous sur scène. Tous occupés à balancer nos répliques. On joue à être celui ou celle qu'on essaie d'être sur le moment. Un avocat. Une épouse vertueuse – même si chacun de nous sait, dans un coin de sa tête que la vie est une chose beaucoup plus aléatoire et beaucoup plus bordélique qu'on ne peut supporter de l'admettre – OK ? » Ses yeux noirs avaient scintillé dans sa direction, malgré l'intensité du trafic sur l'autoroute. Cette véhémence soudaine avait quelque chose d'effrayant. « OK ? répéta-t-il.

— Non, dit-elle.

— Et pourquoi ? »

Elle avait croisé les bras et se demandait s'il méritait une réponse.

« Parce que je crois en Dieu.

— Mais moi aussi, fit-il. Il se trouve que c'est lui qui m'a fait, et ça ne change rien à l'idée que j'en ai. »

Elle ne put réprimer un glapissement d'exaspération. Faire assaut d'arguments avec un avocat... Mais qu'est-ce qu'elle avait dans le crâne !

Un matin de janvier, Feaver et Evon étaient dans la 600 et arrivaient presque en vue du bureau, lorsqu'ils se trouvè-rent pris dans un concert de klaxons, au beau milieu d'une file de véhicules bloqués. Loin devant eux, de gros nuages de ce qu'ils prirent d'abord pour de la fumée s'épanouissaient dans l'air glacial et s'élevaient en tourbillonnant au-dessus des feux orange clignotants et des toits d'un cordon de véhi-cules d'intervention municipaux et de barricades rayées. Progressant mètre par mètre, ils finirent par arriver en vue d'une équipe d'égoutiers vêtus de vestes matelassées et coiffés de casques de chantier jaunes. Ils se tenaient penchés sur une sorte de parapet portable qu'ils avaient posé autour d'une bouche d'égout, et n'avaient apparemment rien d'autre à faire que de hurler quelques mots de temps à autre, à l'in-tention de deux ou trois de leurs collègues qui étaient appa-remment descendus. Une jeune femme, coiffée du même casque et munie d'un petit drapeau rouge, se chargeait de canaliser le trafic sur une seule voie – d'où le ralentissement. Lorsqu'elle arrêta la Mercedes en brandissant son drapeau, Feaver abaissa sa vitre, ce dont profita le blizzard pour s'en-gouffrer.

« Dites donc, lui lança-t-il. Comment se fait-il que ce soit toujours la plus jolie qui se retrouve à tenir le manche ? » C'était une ravissante Noire au visage épanoui, avec de grands yeux et de hautes pommettes, que soulevait encore son grand sourire. Elle agita le bras pour l'engager à repartir.

« Vous la connaissiez ? » s'enquit Evon, tandis que la Mercedes redémarrait.

Il lui lança un coup d'œil surpris. « Ben non. Pourquoi ?

— Et vous lui balancez ça, comme ça ?

— Ben oui. Pourquoi pas ?

— Parce qu'elle pourrait s'en formaliser.

— Ben pourquoi ? Elle a eu l'air de s'en formaliser ?

— Mais à quoi ça rime, Feaver – si je peux vous poser la question... À quoi ? » Elle l'avait dit d'un ton circonspect, se voulant dépourvu de toute raillerie, comme de toute animosité. Elle avait toujours eu envie de poser ce genre de question à ce genre de type.

« Mais parce que... c'est vrai – elle est ravissante ! répondit-il. Vous croyez que c'est facile, vous, avec un casque de chantier sur la tête ? Moi pas ! Et vous croyez que c'est par hasard, qu'elle est jolie ? Imaginez un peu... elle s'est levée, ce matin. Elle s'est mis ce bandana dans les cheveux, alors même qu'elle savait qu'elle aurait un casque vissé sur le crâne toute la journée. Elle s'est regardé le pétard dans la glace, histoire de voir comment lui allait son jean... et pour qui elle a fait tout ça – hein ? » Pendant le trajet du matin, il conduisait en veste. Sa longue main, qui avait jusque-là ponctué ses propos, vint se poser sur sa cravate multicolore. « Eh ! Pour moi ! Et pour un million de types comme moi. Alors je lui suis reconnaissant et je lui dis merci – c'est tout.

— Vraiment tout ?

— Ouais, je me dis aussi que j'aurai peut-être l'occasion de repasser par son intersection, un de ces quatre. Nous attendrons peut-être ensemble au même feu rouge. Peut-être se préparera-t-elle justement à partir déjeuner... Évidemment, on peut toujours rêver... Mais, pour l'instant, je lui dis merci – oui, c'est tout. »

Ça, c'était du Feaver tout craché. Il n'avait rien d'un obsédé. Pas le genre à dérouler une langue de trois mètres de long, ni à faire du pogo en sautillant sur son érection comme sur un bâton à ressort ! Dans son genre, il avait du style. Mais il se tenait toujours aux aguets. Un missile à tête chercheuse, lancé dans le ciel à la recherche de la cible adéquate. Il s'approchait toujours d'un peu trop près pour vous parler. Sa femme était clouée chez eux, chaque jour un peu plus près de la mort, et il ne portait pas d'alliance. Tous les matins, en se laissant choir dans le siège passager de la Mercedes, Evon se sentait au bord de l'étourdissement lorsqu'elle humait le mélange de senteurs composites et concentrées qu'il répandait dans l'habitacle : eau de toilette, gel capillaire en spray, après-rasage, lotion pour le corps... Il était l'objet de luxe qu'il prisait le plus au monde – et il tenait à ce que ça se sache, comme si l'aura d'autosatisfaction qu'il dégageait pouvait suffire à faire tomber les femmes dans ses bras comme des mouches !

Dès le premier entretien qu'Evon avait eu avec McManis, ce dernier l'avait mise en garde :

« Notre "IC" – pour "informateur civil", doux euphémisme pour "balance" ou "indic" –, est précédé d'une solide réputation d'homme à femmes, l'avait-il avertie. Vous allez devoir la jouer fine, avec lui, parce que c'est tout à fait le genre à glisser insensiblement de la réalité à la fiction. » Jim lui avait donné ces trois règles de base : d'abord, ne jamais tolérer de sa part quoi que ce soit qui passe les bornes du supportable. Là-dessus, il l'appuierait sans réserves. Ensuite, ne pas s'offusquer de ses manières, et renoncer une fois pour toutes à le faire s'amender. « Enfin..., avait laissé tomber McManis – et il avait hésité suffisamment longtemps sur la manière de le dire pour lui faire comprendre que c'était là le point essentiel – ne pas se laisser séduire.

— Ça, pas l'ombre d'un risque ! » avait-elle répondu.

Pour l'instant, tout se déroulait à peu près sans heurts. Une fois, dans son bureau, elle avait surpris cette lueur matoise dans son regard, tandis qu'il lui demandait, l'air de ne pas y toucher, à quel moment Bonita était censée les surprendre en pleine action sur le canapé de cuir – une scène prévue par le scénario, mais qu'Evon espérait bien pouvoir sucrer. Elle l'avait aussitôt découragé d'un regard bref mais tranchant, et n'en avait plus jamais entendu parler.

Mais il n'y avait pas une femme dans le cabinet qui ne l'ait mise en garde. Les employées se retrouvaient pour le déjeuner et la pause café dans une sorte d'étroit cagibi, pompeusement baptisé « la cuisine » – un territoire où nul mâle ne se risquait plus d'une trentaine de secondes, le temps de se verser un café ou de prendre le sac de papier kraft qui contenait son sandwich. Pour planter ses jalons, Evon avait glissé dans la conversation que Robbie – comme c'était aimable à lui ! – passait la prendre tous les matins à sa porte. Oretta, l'une des secrétaires, s'était alors esclaffée : « Ma pauvre ! Si vous montez dans son taxi, attendez-vous tôt ou tard à ce qu'il vous réclame le prix de la course ! » Les éclats de rire stridents et égrillards de la joyeuse bande des copines avaient ricoché sur les portes métalliques des armoires à dossiers. Mais un peu plus tard, comme Bonita était sortie chercher un document dans le couloir, elle avait intercepté Evon.

« Vous savez... quand j'ai commencé ici, j'étais célibataire et... enfin, vous voyez, je me suis offert un peu de bon temps. » Sans citer de nom, elle jeta un bref coup d'œil par-dessus son épaule, en direction du bureau de Robbie. Jamais elle n'aurait passé avec succès le cap de l'entretien d'embauche, si elle n'avait réussi à accrocher d'une façon ou d'une autre l'attention de Robbie. Bonita achetait tous ses vêtements trop petits d'une demi-taille, pour mettre en valeur ses courbes déliées. « Par la suite, j'ai rencontré Hector et vous allez voir... si vous avez une relation suivie avec quelqu'un, il papillonnera un peu, mais il n'insistera pas, surtout si vous lui dites clairement de quoi il retourne. Tout ce qu'il veut, c'est qu'on l'aime. Il est comme ça... Un vrai gosse ! » conclut-elle, en refermant la porte du long placard encastré dans le mur. « Mais ne vous faites pas de bile... vous verrez : vous aussi, vous finirez par l'aimer ! »

Dans l'ombre charbonneuse de son fard à paupières qui lui faisait un regard de raton laveur, l'étincelle pénétrante et pénétrée de la conviction avait fait scintiller l'œil sombre de Bonita. Là-dessus, elle avait tourné les talons, laissant Evon en proie à un saisissement passager, proche de l'effroi.

7

L'agent qui régnait en maître absolu sur les gadgets constellés de voyants lumineux dont était tapissée la pièce attenante à la salle de réunion était un certain Alf Klecker, grand maître en surveillance électronique, détaché par le FBI sur le projet. Alf était un gai luron, joufflu, râblé et couronné d'une masse de longues boucles rousses, telles que je n'aurais pas cru que le FBI puisse en tolérer dans ses rangs.

Klecker, comme je l'appris par la suite, avait officié de nombreuses années à D.C. comme « poseur de micros pirates » – son rôle consistait à s'introduire subrepticement dans des locaux, avec la bénédiction d'un juge, pour y installer des récepteurs. Il s'était taillé une petite célébrité au FBI en s'enfermant plus de vingt-quatre heures dans le placard d'un concierge du Sénat, pour ne pas se faire démasquer, pendant l'opération ABSCAM.

Jusqu'au projet Petros, Alf s'était cantonné à la face cachée du Bureau, travaillant pour ce que les agents appelaient plus communément le FCI – le contre-espionnage. Il débarqua le 27 janvier pour appareiller Robbie en vue de sa première confrontation enregistrée avec Walter Wunsch. Il avait apporté un plein panier de trucs et de bidules dont l'utilisation sur le sol national n'était autorisée que depuis une date très récente. Les magnétophones à bandes, nous expliqua-t-il, avaient été définitivement détrônés – et l'usage du T-4, l'émetteur radio modèle standard dont étaient habituellement équipés les « ICs », devenait de plus en plus risqué, puisque n'importe quel gamin équipé d'un banal récepteur à ondes courtes, du type de ceux qu'utilisait la police, pouvait intercepter par hasard sa fréquence et capter son signal. Alf nous présenta un petit appareil qu'il appelait un « FoxBite ». Le dispositif avait été mis au point par un ancien agent du Bureau, qui s'était assuré une confortable retraite en vendant son brevet à ses ex-employeurs. Le gadget était gros comme un demi-paquet de cigarettes, épais de deux centimètres maximum, pour moins de deux cents grammes. Il ne contenait pas assez de métal pour mettre en branle les détecteurs et enregistrait les sons, non pas sur une bande magnétique analogique, mais sur des cartes à puces dont le contenu numérique devait passer par la carte son d'un ordinateur, pour être restitué.

Pour garder le contrôle sur les événements et avoir un double de l'enregistrement, au cas où le FoxBite aurait failli à sa tâche, Robbie serait équipé, de surcroît, d'un émetteur à peine plus gros, qu'Alf surnommait le « saute-fréquence digital », parce qu'il émettait sur les ondes un signal codé réparti sur une série de fréquences aléatoires. Un récepteur programmé pour capter et enregistrer informatiquement le signal du FoxBite serait posté dans une estafette banalisée, garée à proximité du tribunal.

Robbie secoua la tête en soupesant les deux appareils.

« J'ai un stylo qui enregistre sur microprocesseur..., fit-il remarquer à Klecker.

— Peut-être, fiston..., repartit le Roi de la Puce. Mais si vous faites écouter à un avocat de la défense une conversation enregistrée avec ce genre de gadget et que vous le laissiez repartir avec votre enregistrement sous le bras, vu la qualité du signal, vous pouvez vous attendre à le voir revenir le lendemain avec douze personnes qui vous jureront que, sur la bande, c'est bien "le paquet de frites" et non pas, comme vous le prétendez, "le paquet de fric" – soit dit sans vous froisser, George...

— Y a pas de mal », répliquai-je. À nous cinq – Evon, Robbie, McManis, Alf et moi, nous remplissions la petite salle de réunion. Le cabinet de McManis avait été conçu autour de cette pièce qui offrait le plus sûr des abris et restait invisible depuis la réception. L'ameublement, des plus spartiates, se réduisait à une longue table rectangulaire, bâtie d'un seul bloc et entourée de fauteuils baquets à roulettes en vinyle noir, qui juraient violemment avec les éléments de décoration hérités du précédent maître des lieux. Le bureau de McManis, comme la salle de réunion, était lambrissé sur deux murs du même chêne rouge que la réception. Partout, une luxueuse moquette imitant les tapis afghans, dans les tons roses, atténuait l'ambiance sonore.

« Celui-ci, il vous garantit la plus haute fidélité possible, poursuivit Alf. Je pourrai même vous dire quel genre de pompes le suspect aura aux pieds – et jusqu'à la marque de ses semelles. Garanti. »

Klecker montra à Robbie le holster de Velcro qu'il s'apprêtait à lui attacher à l'intérieur de la cuisse, pour fixer les appareils. Le fil du minuscule micro omnidirectionnel, un grain noir plus petit que l'ongle de mon auriculaire, sortirait par le haut de sa braguette, sous le rabat de sa ceinture de pantalon – Feaver s'était donc vu prier de choisir un costume de couleur foncée. Appliquant les deux appareils contre sa cuisse, il jeta vers Alf un coup d'œil dubitatif. « Je vais avoir l'impression de me trimbaler un filet à provisions entre les pattes !

— Ne vous en faites pas – c'est ce qu'ils disent tous, la première fois ! » répliqua McManis.

Nous nous entendions bien avec Jim, Robbie et moi. C'était le type même de l'agent du FBI, tel que le montrent les feuilletons télé. Solide, inébranlable, d'une humeur toujours égale. Je savais qu'il avait une formation juridique – sinon, jamais l'UCORC ne lui aurait confié une telle mission – mais, à ce détail près, son passé nous demeurait obscur, comme celui de tous les autres agents. Des années après l'affaire Petros, j'appris que son père était un ancien inspecteur de police de Philadelphie, ce qui ne me surprit qu'à moitié. J'avais toujours senti en lui l'assurance et l'enviable stabilité d'un homme qui pouvait se louer à la fois de ses origines et de la façon dont il avait fait prospérer sa mise de départ.

Jim s'employait à présent à rassurer Robbie. Il lui rappela tous les dispositifs de sécurité prévus pour parer à toute éventualité. Evon porterait une oreillette dissimulée derrière une mèche du côté le plus long de sa frange dissymétrique, artistement glissée derrière son oreille. Le minuscule appareil capterait un signal infrarouge périphérique en provenance du FoxBite, qui lui permettrait de suivre à distance toute sa conversation avec Wunsch. Elle se tiendrait à deux pas de la porte, prête à intervenir en cas de besoin. Jim lui-même serait posté à l'étage du dessous et Alf resterait dans le minibus, pour pouvoir appeler la cavalerie à la rescousse.

« Nous contrôlons la situation à cent pour cent, résuma Jim.

— J'espère ! » répliqua Feaver.

Il nourrissait pour Tuohey une crainte presque superstitieuse et semblait persuadé qu'il se ferait sinon tuer, du moins gravement endommager avant même d'avoir pu quitter le tribunal, s'il se faisait pincer avec le micro.

« Et maintenant... si les dames veulent bien sortir quelques instants... ! » fit Klecker à l'intention d'Evon. Il attendait que Feaver baisse son pantalon pour fixer le holster.

« Ça, vaudrait mieux ! jasa Robbie. Je préfère qu'elle ait l'esprit à ce qu'elle fait !

— C'est cela, oui ! » ricana Evon avant de battre en retraite dans le couloir.

Sennett arriva sur ces entrefaites et la trouva devant la porte. Lorsqu'ils pénétrèrent ensemble dans la pièce, McManis réglait les dernières formalités avec Robbie. Pour chaque enregistrement, Feaver devait signer une décharge attestant de son consentement. Les lois fédérales exigeaient qu'avant tout enregistrement audio ou vidéo le ministère public ait obtenu un mandat délivré par un juge, ou, à défaut, le consentement écrit de l'une des parties impliquées dans la conversation. Le protocole de l'UCORC exigeait en outre que le FoxBite soit contrôlé à distance au moyen d'une télécommande actionnée par l'un des agents – de façon à ne laisser à Robbie aucune possibilité de choix sur ce qu'il enregistrerait ou non. McManis actionna l'interrupteur et alla s'asseoir sur l'un des sièges baquets, dirigeant discrètement sa voix vers le micro caché sous la ceinture de Robbie :

« Ici l'agent spécial NDC James McManis », commença-t-il. (Il me fallut un certain nombre de mois pour comprendre le sens de cet acronyme : « nom de code ».) Il annonça la date et l'heure et donna une description détaillée de l'entrevue qui devait avoir lieu entre Feaver et Wunsch.

Evon et Robbie écoutèrent les instructions de dernière minute. Faire parler Wunsch et s'arranger pour qu'il s'exprime verbalement. Les gestes, les mimiques, les mouvements de tête – tous les signaux visuels seraient perdus pour le micro. Feaver se mit à plisser le front en cadence, tout en roulant les épaules, selon ce qu'il présentait comme une technique de relaxation mise au point par Stanislavski lui-même. Enfin, McManis leva les pouces et nous nous alignâmes tous à la porte de la salle pour serrer la main de Robbie. Elle avait la froideur de la pierre lorsque arriva mon tour de lui souhaiter bonne chance.

Le Tribunal d'Instance de Kindle County, qui date des années cinquante, porte la marque indélébile de cette époque où tout ce qu'on construisait était carré. Le bâtiment avait les proportions d'un arsenal, aussi long que haut et fait de briques rouges doublées, à l'intérieur, de vingt bons centimètres de plâtre. Il avait été bâti sur ordre d'Augie Bolcarro, qui y voyait sans doute un monumental témoignage de son éternelle reconnaissance aux syndicats des différentes corporations. Pour donner à l'ensemble cette touche de solennité que requérait la loi, on y avait ajouté un dôme des plus classiques, à la Bulfinch, qui surplombait le bâtiment, laissant filtrer une lumière grisâtre qui suintait à travers la verrière centrale. Un assortiment de guirlandes de béton, représentant des effigies de la Justice et d'autres personnages antiques, ornait la corniche plate ainsi que le portique en cantilever, suspendu par de grosses chaînes couvertes de vert-de-gris. Depuis toujours, ce bâtiment avait été plus communément désigné comme « Le Temple » et l'expression

était désormais si galvaudée qu'elle avait perdu toute conno-
tation ironique.

Conformément à l'image que se faisait Feaver de lui-
même et de son passé d'acteur, son trac se dissipa dès qu'il
se trouva plongé au sein de l'action. Il sortit de l'ascenseur
au huitième étage et pilota Evon en direction du petit couloir
où était situé le bureau de Walter Wunsch, premier clerc du
juge Malatesta.

Walter faisait partie de la faune du tribunal depuis ses
dix-neuf ans. Le conseiller municipal de son quartier lui
avait alors décroché son premier poste de garçon d'ascenseur – poste que certains pistonnés occupaient encore jusqu'à une date très récente, bien après l'automatisation des
ascenseurs. Mais Walter avait rapidement pris du galon. Il
était à présent lui-même membre de la commission de son
district et jouissait d'une influence considérable sur le terrain politique. À en croire Robbie, cela faisait des décennies
qu'il servait d'intermédiaire à de nombreux juges.

C'était un homme anguleux, long et sec, et d'humeur
uniformément revêche. Feaver me l'avait décrit toujours
sanglé dans un gros costume de drap, même au plus chaud
de l'été, planté derrière son bureau avec une raideur toute
germanique, les mains toujours dans les poches et laissant
tomber, quel que fût le sujet abordé, des opinions invariablement impitoyables et sans appel. Les enregistrements révélèrent en outre, chez lui, un certain sens de l'humour, dont la
férocité ne manquait pas de me rappeler celle de Sennett, en
privé.

« Vous voyez, ces gens qui vous regardent d'un air
sinistre, comme s'ils mouraient d'envie de vous étrangler ?
nous avait expliqué Robbie. Acides, caustiques... pince-sans-
rire. Ça, c'est Walter. Et pour lui, ça n'est pas une figure de
style – il ne rigole jamais ! »

On attribuait ce tempérament sombre à une enfance
particulièrement difficile et houleuse, mais Robbie ne put
nous fournir de plus amples détails.

Walter était à son bureau et regardait d'un œil mauvais
les piles de dossiers qui s'amoncelaient devant lui, lorsque
Robbie et Evon arrivèrent sur le pas de sa porte. Il leva la
tête comme à contrecœur.

« Hey, Walter ! s'exclama Feaver. Alors, l'Arizona ! ? Tu
as eu beau temps ? » Robbie lui avait offert un stage de golf
à la fin de l'automne, au terme d'une affaire qui avait traîné

en longueur pendant des années, avant de se conclure avantageusement pour Robbie et son client.

« Pphh ! Beau temps ! Canicule, tu veux dire ! rétorqua Walter. Cinquante degrés, pendant deux jours. Je rasais les murs quand je descendais en ville, pour me dénicher un coin d'ombre. Je me sentais dans la peau d'un cafard foireux !

— Et ta femme ? – ça lui a plu ?

— Ça, c'est à elle qu'il faut poser la question. Elle était contente, ça, oui... parce que je ne pouvais pas faire de golf ! Ravie, même. Pour le reste, faut pas me demander ! » Il déplaça quelques piles de papiers sur son bureau et demanda à Robbie ce qui l'amenait dans les parages.

« Une notification de réponse. » Il se tourna vers Evon qui lui tendit le document, et en profita pour la présenter à Walter, plantant discrètement les clous de sa couverture. Walter s'efforça, sans grand succès, de faire preuve d'amabilité. Comme l'avait prédit Robbie, son sourire lui-même gardait quelque chose de malveillant. Quelle que fût son humeur, Wunsch n'était jamais très agréable à regarder. Il avait le teint cireux, la peau grêlée et les épaules tombantes. Sa taille s'épaississait autour d'une petite bedaine – Walter était l'un de ces grands échalas sur lesquels la nature s'amuse à greffer quelques bourrelets de graisse d'un comique incongru. Le bout de son gros nez rougeaud s'écartait résolument de sa trajectoire et il était autant dire chauve. Les quelques cheveux qui s'accrochaient à la peau de son crâne y restaient collés en petites mèches grises, luisantes de graisse.

« Très bien, ma chère... » fit Robbie. Il passa le bras autour des épaules d'Evon, à l'intention de Walter, profitant visiblement de la situation – sur le moment, elle n'aurait pu lui opposer aucune résistance sans se trahir. « Si vous nous laissiez quelques instants, moi et Mr Wunsch. Nous avons à nous raconter des histoires un peu trop gratinées pour des oreilles féminines... »

Evon alla s'asseoir dans le couloir sur un banc de bois, à portée d'émission des infrarouges.

« La dernière en date ? » entendit-elle dès que la porte se fut refermée. C'était la voix de Wunsch.

« La dernière quoi ?

— Tu veux que je te fasse un dessin..., fit Wunsch.

— Eh ! Si je pouvais m'envoyer la moitié de ce qu'on m'attribue...

— C'est-à-dire le dixième de ce que tu racontes !

— Walter... il me semblait qu'on était potes, à un moment, non ?

— Autrefois, ouais – à l'époque où le thon à l'huile coûtait vingt-neuf cents la boîte ! Alors, celle-là... combien de temps elle va te durer ?

— Un petit bout », répliqua Robbie. Sa voix, telle qu'elle parvenait à Evon, avait effectivement les inflexions visqueuses d'un carter victime d'une fuite d'huile... « Tu sais qu'elle pourrait t'aspirer une balle de golf à travers un tuyau d'arrosage, Walter ! »

Evon sursauta et, instinctivement, jeta un coup d'œil dans le couloir. De l'autre côté de la porte s'installa un long silence durant lequel Walter parut réfléchir, peut-être absorbé dans les considérations chagrines que lui inspirait sa femme.

« Bon. Qu'est-ce que tu m'apportes, aujourd'hui – à part tes trucs de jardinage ? » s'enquit-il enfin.

On entendit les craquements de l'enveloppe dont Robbie sortait le document. Il recommanda à Walter de le faire lire au juge.

« T'inquiète. Silvio lit tout. D'un bout à l'autre et jusqu'au dernier mot. Seigneur ! Certains jours, c'est à croire s'il ne se prend pas pour la Vierge Marie. Je me demande s'il a jamais réussi à piger le sens du mot "baratin". »

Là-dessus, il y eut un claquement plus sourd, celui que fit l'enveloppe en atterrissant sur une autre pile de paperasses, dans l'un des placards. L'opinion que se faisait Walter de l'intérêt de cette « notification de réponse » ne faisait pas l'ombre d'un doute.

« Walter... J'ai une affaire sur les bras.

— T'as toujours quelque chose sur les bras – enfin... à t'entendre !

— Un dossier fumant. Responsabilité totale. Mon client présente de graves lésions cérébrales. Il est courtier au Future Exchange. Un dossier d'un million de dollars. Si je parviens à contrer cette connerie de motion de non-lieu, l'assureur va devoir salement cracher au bassinet. Tôt ou tard – ça n'est qu'une question de temps.

— Des lésions cérébrales... je vois. Ce qui explique qu'il t'ait confié son affaire ! Dis donc, Feaver... tu vas bientôt me débarrasser le plancher, ou tu comptes la louer au mois, cette chaise ? »

Comme Robbie changeait de position, dans une salve de

bruissements parasites, sa voix baissa d'un ton et Evon dut redoubler de vigilance. Le drame se nouait. Il s'apprêtait à tendre ses filets. Sans doute s'était-il penché sur le bureau.

« Celle-là, je te la confie en mains propres, Wally. Arrange-toi pour qu'il y jette un œil – et le bon !

— Eh ! Je suis simple employé, moi, ici.

— Tout juste, murmura Robbie. Tout juste – c'est d'ailleurs pour ça que le père Noël t'a à la bonne.

— T'es vraiment bon qu'à planter tes salades, Feaver ! Casse-toi, avec ton tuyau d'arrosage, là... Tu pues le fumier !

— Allez, Walter... fais-moi plaisir, d'accord ?

— Ça, je croyais que c'était son rayon, à la demoiselle ! »

Evon s'était levée et attendait de l'autre côté du couloir, lorsque la porte s'ouvrit à la volée sur le passage de Feaver. Elle avait parfaitement entendu les deux dernières répliques, sans l'aide de son micro. Quelqu'un d'autre que Walter en aurait rougi jusqu'aux oreilles, mais le clerc, s'apercevant soudain de sa présence, lui décocha un regard d'une effronterie frôlant la grossièreté, le long de son nez tordu, avant de se replonger dans les piles de paperasses sous lesquelles disparaissait son bureau.

L'enregistrement fut un succès. Dès le retour de Robbie, Klecker nous le repassa, en présence de Sennett et de quelques autres agents. Feaver avait été parfait. Pas la moindre trace de nervosité et, avec sa subtilité coutumière, il avait poussé Walter à se compromettre verbalement. Sennett se fendit de quelques compliments, mais il n'était visiblement qu'à demi satisfait de certaines réponses de Wunsch.

« Qu'est-ce que ça peut bien vouloir dire – "Je suis simple employé ?" Ou lorsqu'il dit que le juge "se prend pour la Vierge Marie"... ? »

Feaver avait quelque peine à ne pas perdre patience. Sa prestation l'avait éprouvé et il s'était mis en retard pour un important rendez-vous avec le médiateur d'une compagnie d'assurances. Je crus comprendre qu'il estimait avoir mérité des félicitations plus enthousiastes.

« Écoutez, Stan, fit-il. C'est du Walter tout craché. C'est sa façon d'être et de s'exprimer. Vous ne vous attendiez tout de même pas à ce qu'il se penche vers ma braguette en déclarant de but en blanc : "Salut mon lapin... dans le genre escroc, je suis ce qui se fait de mieux !" Là, j'ai dû lui appuyer un peu sur les doigts de pied. Mais le fric, faites-moi confiance – il va le prendre. »

Avant que Feaver ne lève l'ancre, je le retins une seconde en tête à tête pour le féliciter. Notre retour dans la salle de réunion fut salué par une rafale de rires gras qui, pour une raison qui me demeurait obscure, semblaient éclater aux dépens d'Evon. Elle s'était levée et avait battu en retraite du côté des placards, la mine passablement renfrognée. Dès qu'elle aperçut Feaver, elle lui annonça qu'il était plus que temps de partir. Une fois à l'abri de la Mercedes, il lui demanda ce qui s'était passé.

« Rien », répondit-elle.

Il insista, et revint plusieurs fois à la charge.

« C'était Alf, si vous tenez à le savoir, finit-elle par lâcher. Il nous a fait une parodie plus que convaincante de mon expression, au moment où ils ont repassé la fameuse réplique. »

Derrière les verres fumés qu'il portait pour conduire dans cette vigoureuse lumière hivernale, Feaver mit un certain temps à retrouver la trace de ce dont il était question. Le tuyau d'arrosage... Et comme elle l'aurait volontiers parié, il ne manifesta pas la moindre gêne.

« Hé ! L'essentiel c'est que Walter l'ait gobée... mon histoire ! fit-il, tout sourire. Il a dû se dire que vous aviez un sacré coffre !

— L'estomac solide, oui ! Vous avez tous une petite case de vide, les mecs ! C'est vraiment plus fort que vous, hein ? Il faut toujours que vous rouliez les mécaniques !

— Et encore... j'avais mis la pédale douce ! Venant de moi, Walter en a entendu bien d'autres ! » Il se lança dans une histoire mettant en scène une jurée avec qui il avait eu une aventure, durant la dernière semaine d'un procès, mais se ravisa et préféra changer de sujet. « Nom de nom ! s'exclama-t-il. Qu'est-ce que je raconte... ! Walter a même travaillé pour un juge avec qui j'avais un peu... ben, euh... folâtré !

— Un juge !

— Une femme, évidemment... – longue histoire !

— Le contraire m'eût étonnée ! » Une femme flic équipée d'un gilet à bandes optiques phosphorescentes leur fit signe d'accélérer, pendant que la Mercedes traversait une intersection. Le trafic de l'après-midi s'intensifiait.

« Écoutez... ça fait partie de mon personnage – d'accord ? C'est un atout pour moi, face à quelqu'un comme Walter. Je suis une sorte d'incarnation de ses fantasmes. Vous savez, y a des gens, comme ça – je ne sais pas pourquoi, mais ils se complaisent dans l'idée qu'ils loupent quelque chose et que les autres sont mieux lotis qu'eux. Mais ça n'est jamais qu'un jeu – OK ? Vous voyez ce que je veux dire... vous n'allez sans doute pas en croire un traître mot, et j'aurais du mal à vraiment vous l'expliquer, mais... Quelque temps après notre mariage, j'arrêtais pas. Tout juste si je prenais cinq minutes, pour récupérer – mais maintenant... » Il eut un haussement d'épaules fataliste, dans son pardessus de cachemire. « Maintenant, voyez... je me sentirais minable. Déloyal. De toute façon, je ne vais pas tarder à retrouver ma vie de garçon – ça viendra toujours assez tôt. »

Ses yeux restaient invisibles derrière ses lunettes, et c'était aussi bien. Elle demeura confondue devant la nonchalance avec laquelle il lui assenait les vérités les plus crues, mais refusa net de se laisser déstabiliser par cette tactique.

« Vous prenez un malin plaisir à m'humilier – et ne venez pas me dire que ça n'est qu'un jeu !

— Ah ! Super ! Je l'attendais, celle-là ! Vous humilier. Vous dégrader. Vous avilir. Allez-y ! déballez-les tous... le best-off de Gloria Steinem ! Pourquoi les femmes tiennent-elles tant à se convaincre que les désirs des hommes ne peuvent s'exprimer qu'à leurs dépens ? Et nous, alors ? Vous imaginez, toute notre vie, esclaves de cette gaule irréductible ?

— Je vous plaindrai quand j'aurai le temps !

— Hé ! se récria-t-il. Nulle part vous ne trouverez un type qui aime les femmes plus que moi. Sans blague ! Vous êtes ce qui se fait de mieux sur cette planète. Et pas seulement à l'horizontale, hein ! C'est vous qui empêchez le monde de voler en éclats ! »

Elle lui jeta un bref coup d'œil pour s'assurer qu'il parlait sérieusement, mais elle eut tout de même quelque peine à s'en convaincre. Sur le trottoir, un jeune type marchait en tirant derrière lui une valise à roulettes. Il portait des après-ski, un gros polaire rose fluo et, en dépit de la température extérieure, un short. Un skieur, se dit-elle, un skieur qui s'apprête à partir en vacances. Et, l'espace d'un instant, sans cesser de hocher la tête à l'intention de Feaver, elle sentit ce petit choc douloureux, à l'idée des grands espaces enneigés qu'elle porterait toujours en elle. Le pays natal...

« Écoutez... poursuivit Feaver, c'est notre couverture, non ? Que ça vous plaise ou non, il faut jouer le jeu – pas vrai ?

— Il faut jouer le jeu... soupira-t-elle, résignée.

— Alors cessez de me mettre des bâtons dans les roues – OK ? Vous n'arrêtez pas de me mettre en garde contre ce qui risque de nous trahir, mais vous faites un bond de trois mètres chaque fois que je vous regarde avec l'ombre d'un sourire. Relax, Max ! Je ne suis pas du genre à me couper. J'ai pigé le topo – ça, vous pouvez me croire !

— Et quel est-il au juste, ce topo ? »

Il eut une petite moue et s'amusa quelque temps à promener une main hésitante sur les cadrans de son tableau de bord.

« Est-ce que je peux vous donner un petit conseil ? J'ai été acteur, voyez... Vous êtes au courant non ? Ça doit figurer en bonne place dans mon CV, mon bilan ou mon dossier – bref, dans les renseignements que vos collègues ont rassemblés sur moi...

— Je sais, oui. Vous m'avez dit : votre numéro de caf'conc...

— S'il vous plaît..., fit-il. Non. Ça, ça n'est qu'un hobby de retraité. Là, je vous parle de ma jeunesse. Au lycée, à la fac. C'était mon rêve. J'ai toujours voulu monter sur les planches. J'ai travaillé comme serveur au *Kerry Room*. J'ai balayé la salle et passé la serpillière à l'*Open Door*. J'avais ce truc, chevillé au corps. Rien que de me trouver près de quelqu'un que j'avais aperçu sur une scène, ça me mettait en transe – même s'il n'avait fait que traverser le plateau dans un costume de maître d'hôtel... Je voulais qu'il me touche, qu'il me transmette un peu de son pouvoir magique. Ce doit être pour ça que j'aime tant plaider devant un jury. Vous voyez, dans le fond, je ne suis qu'un cabot frustré. » Sa main gantée affermit sa prise sur le volant de bois, comme s'il accusait le choc, devant la révélation de cette passion impossible. Au bout d'un moment, il retrouva le fil de sa démonstration.

« Vous, au cabinet, vous racontez à tout le monde que vous vous appelez Evon Miller, mais la seule idée de m'effleurer la main vous file des aigreurs. C'est comme si vous disiez : "Je peux jouer mon rôle – je peux débiter froidement des chapelets de mensonges, faire n'importe quoi – tout, mais pas ça ! Parce que ça, c'est moi, c'est ce que je suis..."

Mais franchement, si je peux me permettre, c'est un point de vue d'amateur. *La matière première de l'acteur, c'est lui-même*, disait Stanislavski. Vous ne pouvez pas vous ériger en juge, ni tenir hors du coup tel ou tel aspect de vous-même, comme si c'était une sorte de sanctuaire. C'est comme quand on prend du LSD : pas la peine d'essayer, si vous devez flipper toute la nuit en vous demandant quand vous allez réatterrir. »

Elle n'avait aucune lumière sur ce chapitre, répliqua-t-elle, mais elle ne put réprimer un sourire en tournant la tête vers la vitre sur laquelle se déposa un petit nuage de buée, presque aussitôt dissipé par le souffle chaud du climatiseur. Pas de doute, il savait y faire, ce Feaver. Il lui présentait ça comme le garçon de ferme de la blague, qui emmène les filles dans le tas de foin : « Ben quoi ? vous avez une meilleure idée, vous, pour nous réchauffer ? »

« OK, poursuivit-il. Un exemple concret... Une fois, pendant un stage d'été, j'ai joué avec Shaheen Conroe. Vous voyez, la Conroe de *La Pointe*... à la télé... ? » Evon n'avait jamais vu cette émission. Le nom de l'actrice lui disait effectivement quelque chose, mais surtout parce qu'il apparaissait çà et là dans la liste des lesbiennes les plus en vue, qui se partageaient les faveurs des magazines branchés.

« Cette fille... quel talent ! On jouait Oklahoma, et elle faisait Ado Annie, la fille qui ne sait pas dire non. Moi, j'étais Ali Hakim, le mec avec qui elle s'envoie en l'air.

— Déjà enfermé dans votre emploi, hein ? »

Il eut une mimique renfrognée, mais s'abstint de relever. « Bien. Voilà qu'arrive notre grande scène. Shaheen ne s'est jamais cachée de ses préférences sexuelles... À ce moment-là, elle filait le parfait amour avec une des maquilleuses, au vu et au su de toute la troupe. Mais sur scène, on devait s'embrasser, un vrai baiser. Et, pendant ces quelques secondes, je la sentais littéralement prête à fondre entre mes bras – au tréfonds d'elle-même... Voyez, tout juste si j'osais me retourner vers le public, après ça ! Parce que, pendant trente secondes, elle avait totalement lâché prise. Et c'était ce qui faisait d'elle une grande actrice : ce total abandon de soi-même. C'est ça, le talent !

— Minute ! » fit-elle. Sa main s'était instinctivement agrippée à son accoudoir. « Minute ! Je me demande si je vous ai bien compris. Vous êtes un tombeur si redoutable,

que rien ne vous résiste, pas même une goudou notoire –
une autre. C'est bien ça ? »

La voiture fit une brève embardée. « Quoi ? Mais pas
du tout ! La vache... vous avez cru que je vous traitais de
lesbienne ?

— Pourquoi – j'ai fait erreur ? Ça ne me ferait ni chaud
ni froid, notez bien.

— Hé ! Ça, c'est votre problème – pas le mien !

— M'enfin, ça tombe sous le sens, non ? Sinon, qui irait
cracher sur une si belle occasion ?

— La vache... » lâcha-t-il, en se garant devant le bureau
du médiateur. Il lui lança un coup d'œil incendiaire. Il avait
l'air à deux doigts d'exploser, mais il se contenta de verrouil-
ler les portières et retrouva presque aussitôt le sourire. Pour
une fois, elle avait réussi à lui clouer le bec !

8

*Qui c'est, ce Peter Petros, et pourquoi n'en ai-je jamais
entendu parler ?*

Le Post-it, signé Dinnerstein, avait été collé sur la plainte
qu'Evon avait laissée dans son panier à courrier, et sur
laquelle Mort était apparemment tombé par hasard en cherchant tout autre chose. Ça n'était rien moins qu'une surprise,
puisqu'ils savaient tous que ce moment finirait par arriver,
ce qui n'empêcha pas le cœur d'Evon de battre la chamade
en découvrant le petit papier. Elle se précipita dans le
bureau de Feaver.

McManis n'avait cessé de lui rappeler que Dinnerstein
serait leur principal écueil, dans cette mission. Personne
n'était plus que lui susceptible de percer au jour l'affaire
Petros, et, s'il découvrait le pot aux roses, ils n'auraient
aucun moyen infaillible de l'empêcher de filer droit chez ton-

ton Brendan. Il était d'autant plus dangereux qu'on avait peine à le considérer comme une menace, avec son bégaiement et cette manie qu'il avait de toujours parler sur le ton de l'excuse. Dans son enfance, Mort avait été victime de la polio, qui lui avait laissé un léger handicap. Sa claudication s'était quelque peu accentuée lorsqu'il avait atteint l'âge mûr, avec l'apparitions des effets tertiaires de la maladie. Mort était plutôt grand et bien bâti, mais il dégageait une impression puérile. Quelques années plus tôt, quand ils avaient commencé à toucher ce que Robbie appelait du « vrai fric », son associé avait tenté de le « relooker », et l'avait emmené faire la tournée de ses magasins favoris, dans le centre-ville. Mais aucun costume ne semblait fait pour Morty. Les pantalons lui flottaient à la taille, ses pans de chemise refusaient opiniâtrement de rester sous sa ceinture, et il faisait des accrocs dans l'alpaga de ses costumes italiens en se cognant aux angles de son bureau.

Leur amitié remontait à présent à plus d'une quarantaine d'années. Ils étaient devenus inséparables à l'époque où le père de Feaver avait délaissé le foyer, lorsque Estelle, sa mère, avait demandé à celle de Mort, Sheilah Dinnerstein, leur voisine, de garder Robbie pendant qu'elle irait au travail. Depuis, Mort et lui ne s'étaient jamais lassés l'un de l'autre. Le plus souvent, Feaver déjeunait avec son partenaire et, chaque matin, en arrivant au bureau, ils prenaient quelques minutes pour faire ensemble ce qu'ils appelaient « le point du jour », rendez-vous quotidien dont ils profitaient, semblait-il, pour parler de tout sauf du boulot. Quand Evon venait à passer dans les environs, les bribes de conversation qu'elle captait çà et là avaient toujours trait à leurs familles. Robbie suivait de près les études des deux fils de son associé, et Mort devait être la seule personne à laquelle il répondait autrement que par un geste fataliste, quand il lui demandait des nouvelles de sa femme ou de sa mère.

Feaver m'assura qu'il n'avait jamais eu le moindre accroc avec son partenaire, dans leur pratique commune. Mort tremblait comme une feuille dès qu'il franchissait le seuil d'un prétoire. Il se chargeait donc de tout ce que Robbie avait en horreur : la gestion, les finances et le fonctionnement du cabinet, la rédaction des documents, des requêtes, des dépositions, des diverses motions de routine – et, par-dessus tout, de l'assistance psychologique dont leurs clients, qui se sentaient pour la plupart dans le rôle de la victime, avaient cruellement besoin.

La légendaire patience de Mort était pourtant mise à rude épreuve, lorsque Evon et Robbie arrivèrent devant sa porte. Morton avait gagné à pile ou face le droit d'occuper le bureau le plus agréable car situé au coin de l'immeuble et il l'avait aménagé dans le style colonial. Les rayonnages et son bureau lui-même étaient envahis de photos de famille – sa femme et ses deux fils étaient tous trois assez bruns de peau – et d'une collection de souvenirs sportifs : des ballons de basket couverts d'autographes, des gravures représentant des stars de l'athlétisme ; un ticket d'entrée à l'un des matchs que les Trappers avaient joué à guichets fermés, vingt ans plus tôt, trônait dans un petit cadre. Morton avait en ligne une cliente potentielle, qui envisageait de porter plainte contre son propriétaire, disait-elle. Il avait mis la communication sur haut-parleur.

« C'est mon petit ami – il avait un peu bu... Hal – c'est son nom... Il a débarqué chez moi, et il m'a sorti deux ou trois trucs – alors moi, je lui en ai sorti quelques autres. Et là, il m'a balancée par la fenêtre, carrément. Je me suis cassé un bras, et j'ai encore le genou droit qui me fait un mal de chien. » À en juger par le ton et le débit de sa voix, la correspondante était au bord de la crise de nerfs. Elle s'interrompit. Morton passa une main dans ses boucles, dont les touffes allaient en s'éclaircissant. Chaque jour, plusieurs « clients » appelaient ainsi, sans crier gare, et, pour la plupart, sans leur apporter la moindre affaire digne de ce nom. Certains s'adressaient directement à la réception, mais, en majorité, ils appelaient après avoir vu le grand placard publicitaire du cabinet Feaver & Dinnerstein dans les pages jaunes. Robbie évitait ce genre de coup de fil comme la peste, et laissait systématiquement Evon s'en dépatouiller. En l'espace de trois semaines, elle avait eu au téléphone non moins de deux correspondants qui avaient décidé, le plus sérieusement du monde, de poursuivre tel ou tel service public, pour avoir failli à assurer leur protection contre des rencontres indésirables avec des extraterrestres. Mais Morton, lui, filtrait à peine ses appels. Il avait toujours quelques minutes à consacrer à tout le monde. Dans les cas, exceptionnels, où la plainte se révélait quelque peu fondée, il dirigeait son correspondant vers de jeunes confrères qui débutaient dans le métier, et pour d'autres, encore plus rares, il acceptait de s'occuper du dossier. Mais, conformément à un vieux dicton local, les bonnes actions de Mort restaient rarement impunies...

« Vous disiez donc que c'était contre votre propriétaire, que vous vouliez porter plainte..., rappela-t-il à son interlocutrice.

— Hé ! se récria-t-elle. Vous êtes avocat, vous, ou quoi ? »

Dinnerstein posa sur son haut-parleur un regard incendiaire. « Disons, répliqua-t-il, que j'ai du moins un diplôme à mon nom accroché à mon mur, en face de mon bureau.

— Non, sans blague – vous êtes vraiment avocat ! ? Alors, renseignez-moi : est-ce que je peux porter plainte contre quelqu'un qui est déjà au trou ?

— Vous pouvez, évidemment, mais ça ne vous avancera pas à grand-chose.

— Tout juste ! Vous voyez bien, que je ne peux pas me retourner contre Hal. Il ne me reste donc plus que mon propriétaire.

— Parce que votre petit ami vous a "balancée par la fenêtre" ?

— Parce que ma fenêtre n'est pas protégée par une contre-fenêtre grillagée.

— Ah, fit Mort – il réfléchit une seconde. Puis-je me permettre de vous demander votre poids ?

— Je ne vois pas en quoi ça vous concerne.

— J'entends bien, dit Morton, et j'espère que vous excuserez cette indiscrétion, mais dans le cas d'un plaignant qui pèserait un peu plus que la Fée Clochette, je ne vois pas comment un jury de ce pays pourrait considérer qu'une contre-fenêtre constitue une protection, en cas de défenestration. »

La femme bredouilla un instant, en prenant la mesure du problème.

« D'accord, mais je suis tombée dans une flaque – ça, c'est un fait ! J'ai une copine qui s'est fait pas mal de blé en attaquant son propriétaire parce qu'il avait laissé des flaques se former autour de la maison.

— Si vous aviez dérapé *dessus* un jour de grand gel, peut-être, mais pas si vous êtes tombée *dedans*.

— Z'êtes sûr que vous êtes vraiment avocat, vous ? »

Avec tout le tact requis, Morton prit congé de son interlocutrice.

« T'aurais dû lui demander si elle ne s'y était pas noyée, dans sa flaque ! s'esclaffa Robbie. Pour moi, elle avait tous les symptômes d'un manque d'oxygénation du cerveau ! »

Mort balaya d'un haussement d'épaules cette gentille raillerie de sa bonne volonté. Y avait-il une autre façon de le prendre... ? Ce genre de vanne avait pris valeur de rituel, entre eux, et Morton ne put retenir un éclat de rire strident, quand Robbie lui fit une parodie de sa réplique sur la Fée Clochette. En dépit de sa voix parlée, qui était la suavité même, Morton avait un rire ululant et haut perché, qui retentissait d'un bout à l'autre du couloir. Ils avaient un répertoire de blagues d'initiés qui leur étaient personnelles, et qui échappaient presque toutes à Evon.

« Je voulais t'en parler, de cette affaire... » lui annonça enfin Robbie, en lui tendant la plainte de Peter Petros. Il avait toujours dit haut et clair que les dossiers bidons ne passeraient pas éternellement inaperçus, aux yeux de son partenaire. Ils avaient toujours choisi ensemble les affaires sur lesquelles ils décidaient d'investir leurs efforts. Sans compter que, tôt ou tard, Morton tomberait sur un dossier qui lui serait totalement inconnu, puisque l'une de ses principales fonctions était justement de passer au crible les paperasses, pour détecter et corriger les erreurs, dont les méthodes brouillonnes de son associé favorisaient la prolifération.

McManis avait semblé sérieusement préoccupé par les possibles retombées d'une telle découverte, bien plus que Sennett, qui s'en remettait totalement à Robbie pour manœuvrer avec Morton. Ils avaient cependant consacré plusieurs heures à la préparation de cette passe délicate.

Au départ, le plan était d'envoyer au cabinet une série d'agents qui se présenteraient comme de nouveaux clients, mais, à terme, Stan avait imaginé une solution nettement plus élégante. Quand Morton tomberait sur les dossiers – s'il finissait un jour par tomber dessus – il suffirait de recourir à un bouc émissaire tout trouvé : moi. George Mason, dont le cabinet se trouvait justement quelques étages au-dessous, était devenu une nouvelle source d'affaires en sous-traitance. Et, en tant qu'ancien président du conseil local de l'ordre des Avocats, ce Mason était très à cheval sur les paperasses et le travail administratif, qui étaient, selon le code des bons usages de la profession, la condition de base pour toucher les reports d'honoraires. Les entretiens avec les clients se déroulaient donc dans son bureau – et non au cabinet Feaver & Dinnerstein. Et Mason se chargeait personnellement de rédiger le brouillon des plaintes, et de celle-là en particulier, ce qui expliquait que Mort n'ait pas eu à se préoccuper des préparatifs habituels.

Je fus le seul à ne pas m'extasier sur l'habileté de ce plan. À la différence de ces avocats spécialisés dans les procès criminels, qui se considèrent comme des soldats engagés dans une perpétuelle guerre de position contre le ministère public, je ne voyais aucun inconvénient à encourager mes clients à coopérer avec les procureurs, lorsque cela servait à leurs intérêts. Leurs intérêts – pas les miens ! De mon côté, j'avais une sorte de patrimoine à défendre. Bien qu'elle se fût délibérément alliée par son mariage avec la branche la plus désargentée d'une vieille famille virginienne, ma mère avait tenu à afficher clairement les couleurs de la distinction sociale qu'elle estimait être la sienne et qu'elle plaçait au-dessus de tout, en me donnant le prénom du plus illustre de mes ancêtres. George Mason, l'auteur présumé du célèbre « Tous les hommes naissent égaux... », subséquemment emprunté par Jefferson, tout comme le texte des dix premiers amendements de la Constitution, qu'il avait rédigé en collaboration avec son ami Patrick Henry. Le fardeau de l'héritage de George Mason – le « vrai », comme je le surnommais à part moi – s'est révélé plutôt encombrant, dans ma vie professionnelle, mais j'ai toujours eu le sentiment qu'en me faisant le défenseur des droits des accusés je faisais acte d'allégeance à mon auguste parent et à son idéal. Je ne tenais donc pas à déroger à mes propres yeux — sans même parler de mon image professionnelle, qui dépendait étroitement de ma réputation d'infatigable pourfendeur du ministère public — et à compromettre mon nom en le laissant apparaître dans les dossiers de cette vaste magouille gouvernementale que promettait d'être l'opération Petros.

Mais Sennett insista : il fallait bien justifier mes fréquentes entrevues avec Robbie et McManis, qui, un jour ou l'autre, risquaient de faire tiquer un habitué de l'immeuble. Et, par ce biais, ce serait Feaver, non moi, qui se chargerait de l'épandage du « purin ». Robbie pouvait envoyer à mon cabinet des lettres mentionnant, çà et là, nos relations professionnelles. Il me suffirait tout juste de calquer ma conduite sur celle que me dictait mon rôle de défenseur, pour justifier les confidences qu'il me ferait. Stan argumenta adroitement, et je finis par me retrouver jusqu'aux genoux dans le bourbier ordinaire où pataugent la plupart des avocats de la défense.

Robbie servit donc l'histoire à Dinnerstein, et lui expliqua le rôle qu'avait joué ce brave vieux George Mason. Les yeux de Morty clignèrent plusieurs fois derrière les reflets liquides de ses lunettes cerclées de métal, déformées par un usage quotidien trop intensif et dont la monture formait un angle plutôt curieux, au-dessus de son gros nez. Naturellement, Evon n'en revint pas de l'aplomb avec lequel Robbie lui assena ce mensonge, à cet ami pour qui il professait par ailleurs le dévouement le plus absolu – tout comme de l'ingénuité de Morton qui, au bout de tant d'années, n'avait toujours pas appris à déjouer les facéties de son partenaire.

Robbie répondit aux interminables questions techniques que Mort lui posa ensuite, après quoi il prit congé de lui, et escorta Evon vers la sortie, laissant son associé rassuré et on ne peut plus satisfait.

Evon m'appela aussitôt pour me dire que le plan s'était enclenché, afin que je ne tombe pas des nues, au cas où je viendrais à rencontrer Dinnerstein dans le hall de l'immeuble. Mais, à mes yeux, la nouvelle n'avait rien de réjouissant. J'avais dépisté dès le début un subtil contre-courant du côté de Sennett, et je pressentais que cet emprunt de mon nom pour couvrir le scénario Petros ne serait qu'un coup d'essai. Tôt ou tard, il finirait par me demander de proférer un vrai mensonge, ou d'entraîner Robbie dans une manœuvre douteuse – non plus au nom des intérêts de mon client, mais de ceux de la cause publique pour laquelle l'opération Petros était d'une importance vitale – voire au nom de la vieille amitié qui nous liait, Stan et moi. Il finirait par me demander de l'aider à mener à bien sa mission aux dépens de la mienne. Et le plus troublant était que, vu la curieuse géométrie de mes relations avec Stan et l'état de désarroi qui était le mien, je n'aurais su dire quelle eût été ma réponse...

9

Le vendredi après-midi, Feaver et Dinnerstein ouvraient le bar dissimulé dans les placards en bois de rose de la salle du trône, et invitaient le personnel du cabinet à prendre un verre. Evon refusa poliment de boire de l'alcool et, comme quelqu'un lui en demandait la raison, déclina les commandements de l'église de Jésus-Christ des Saints du dernier jour pour quelques-unes des employées, qui n'avaient jusque-là qu'une vague idée des mœurs mormones. L'ambiance était à la détente. On parlait des événements de la semaine et du Superbowl qui aurait lieu le dimanche suivant – Dallas contre Buffalo. Deux des avocats maison s'étaient lancés dans un grand débat de fond sur la politique du « ni vu ni connu » récemment annoncée par Clinton, concernant les homosexuels dans l'armée. Rashul, le jeune Noir chargé de la photocopieuse, s'était discrètement envoyé plusieurs verres bien tassés de la bouteille de Macallan à quatre-vingt-dix dollars pièce sortie de la réserve du patron, et tentait de contourner les défenses d'Oretta, qui avait pourtant une trentaine d'années de plus que lui.

Naguère, à la tombée de la nuit, Feaver aurait détourné une ou deux de ses secrétaires, parmi les plus accortes, pour les entraîner dans les bars du centre-ville, « faire la tournée des Grands Ducs », comme il disait. Mais ce soir-là, conformément au scénario prévu, il quitta la salle peu après six heures, Evon sur les talons, et ils se retrouvèrent à son bureau, laissant tout le monde sur l'impression qu'ils comptaient bien se concocter un petit tête-à-tête des plus croustillants pour terminer la soirée.

« Dites donc... c'est un super truc, ça, fit-il en rassemblant les papiers qu'il voulait emporter dans son attaché-case. Ce plan mormon... »

La porte du bureau était restée entrebâillée. Evon la referma d'un geste un poil plus brusque qu'elle ne l'escomptait.

« Pas ici, Feaver, siffla-t-elle. Vous connaissez aussi bien que moi le règlement. »

Feaver aussi s'était offert plusieurs scotchs d'affilée. Il fit volte-face, et se jucha sur l'accoudoir de son fauteuil de bureau, son attaché-case sur les genoux. Son nœud de cravate bâillait. Il avait relevé ses manches de chemise.

« Le règlement, ouais ! grinça-t-il. Ça me rappelle l'armée... » Il se tâta le crâne. « Reste quand même une question que je me pose : est-ce qu'ils vous ont laissé le choix, quand ils vous ont proposé cette mission – ou est-ce qu'ils vous ont désignée d'office comme volontaire ? Le FBI, ça doit pas être vraiment l'endroit où on peut se permettre d'envoyer chier son chef, si ?

— Je croyais vous l'avoir déjà dit, Feaver. Nous n'allons pas éternellement jouer à ce petit jeu !

— Ah non ? Moi qui espérais qu'en chemin, vous me raconteriez vos aventures aux Jeux – les Grands, je veux dire. »

Message reçu. Il était à cran. La fausse note sur laquelle ils s'étaient quittés après l'entrevue avec Walter, quand elle l'avait accusé de l'étiqueter, avait empoisonné l'ambiance de toute la semaine. Par là-dessus, l'alcool n'avait rien arrangé. Ils étaient à bout, l'un comme l'autre, et elle n'était pas moins frustrée que lui. Elle le fixa droit dans les yeux, sans desserrer les dents.

« Si vous me mettiez sur la piste..., insista-t-il. Indiquez-moi juste votre discipline... Sports d'équipe ? Athlétisme ?

— Attendez. J'ai une autre idée. J'appelle le procureur fédéral, et je lui dis de tout remballer, parce que, vu l'obstination que vous mettez à finasser avec moi, nous allons finir par nous entre-tuer. Vous n'avez qu'à filer directement vous faire incarcérer à Marion – et moi, je pourrai rentrer chez moi, tranquille. La solution me paraît idéale, pour tout le monde.

— Moi, les gros bras, vous savez... j'ai toujours eu ça en horreur – même quand il s'agit de mecs ! »

La colère le rendait dangereusement imprévisible. Il quittait rarement sa façade d'insouciance, mais, quand c'était le cas, ça pouvait l'entraîner assez loin. La fin de cette dernière réplique avait claqué comme un fouet, à travers les quelques mètres qui les séparaient.

« Je ne rigole pas, Feaver. J'envisage sérieusement de jeter l'éponge.

— Bien. Super. Annulez tout. Parce que je suis loin d'avoir terminé. Il y a encore deux ou trois trucs que je tenais à vous dire. Je sais que vous ne m'aimez pas – inutile de prétendre le contraire – OK ? Je me doute bien que vous avez vos raisons, et qui sait, certaines ne sont peut-être pas si mauvaises. Mais j'ai des nouvelles fracassantes pour vous, madame l'Agent Spécial Bidule : moi non plus, je ne vis pas les jours les plus heureux de ma vie – ça, à aucun point de vue, OK ? En mettant les choses au mieux, je ne vais pas tarder à me retrouver devant un jury. Mon meilleur ami risque de perdre sa licence à cause de moi, et je ne pourrai plus jamais me balader en ville le nez au vent, sans me demander si quelqu'un ne me guette pas au prochain coin de rue pour me planter un couteau entre les omoplates – et encore, en mettant les choses au mieux. Si ça tourne au vinaigre, je me prends effectivement un aller simple pour Marion, où j'aurai tout intérêt à m'abstenir de me coucher sur le ventre, ne fût-ce qu'une minute. Et, quoi qu'il arrive, je vais devoir vous supporter encore, vous et votre tronche de pisse-froid, à raison de seize heures par jour, quel que soit l'endroit où je me trouve, à la possible exception des toilettes hommes, à la porte desquelles vous consentez à m'attendre.

« Alors, en ce qui me concerne, si vous décidez de débarrasser ce plancher de votre cul de peine-à-jouir, rassurez-vous, je serai le premier à applaudir, et des deux mains ! Cela dit, n'allez surtout pas croire que je ne sais pas reconnaître une menace en l'air quand j'en vois passer une, hein ! Votre cher Sennett, il m'a tout l'air d'avoir de grandes dents, comme la mère-grand du petit chaperon rouge ! Mais la mienne, de grand-mère, aurait plus vite fait de se faire élire au Vatican, que lui d'annuler le projet sur la seule foi de vos récriminations. Dans cette chaîne alimentaire, le seul maillon qui soit aussi faible que moi, c'est vous, mon enfant... et vous savez comme moi que votre carrière de super-agent-secret s'achèverait à la seconde où vous mettriez le pied hors de ce bureau. J'ai fait six mois comme réserviste dans la Marine, pour éviter le Vietnam, et j'en connais un bout sur les boîtes dynamiques qui exploitent les talents des petits loups dans votre genre. Au premier échec, pour eux, vous êtes moins que rien. Une sous-merde. Vous voilà coincée, ma belle – tout comme moi. Alors, prenez-le un ton plus bas et cessez de rouler les mécaniques ! »

Elle perçut une vague de colère lui remonter le long de la nuque. Elle s'était sentie toute sa vie à la merci de ses humeurs. Elle n'avait encore que deux ou trois ans, qu'on lui reprochait déjà son air triste. « Tu plisses le front, ma fille ! Les filles ne prennent pas cet air sombre et renfrogné » – eh bien, elle, si.

« En ce cas, je vais devoir vous mettre mon pied au cul, pour vous apprendre à vous tenir, dit-elle.

— C'est ça, oui ! » Il partit d'un long éclat de rire, à gorge déployée – le genre qui vous attire immanquablement une beigne, dans un bar.

« Mais vous me mettez au défi, on dirait... Vous savez que j'en ai étalé qui faisaient deux fois votre poids ! ? Du temps où je travaillais au Bureau de Boston, j'en ai attrapé un qui mesurait plus d'un mètre quatre-vingt-dix pour cent cinquante kilos, et je l'ai plaqué à terre. Je lui avais passé les menottes avant même que les flics municipaux ne se pointent.

— Je crains que vous m'ayez mal compris... Pourquoi cette obstination à me prouver que vous êtes la mieux montée ? »

Réprimant un premier mouvement de recul, elle le somma de se lever, et prit fermement appui sur ses pieds écartés.

« Tu cherches la bagarre, mon chou ? Je suis ton homme ! minauda-t-il. Alors, tu veux qu'on se mette à l'aise – on ne garde que nos slips kangourou ? » Des deux mains, il lui fit signe d'approcher du bureau, derrière lequel il restait perché.

« Debout, Feaver ! Fini de rigoler. Tu vas voir ce qui va t'arriver. À moins que Mr "Je-roule-pour-vous" ait peur d'une femme d'un mètre soixante-dix... ? » Elle approcha à trois pas, et, d'un coup de pied, envoya balader ses chaussures sur le tapis rouge sombre.

Il ferma les yeux une seconde pour réfléchir, et se vidangea les poumons avant de se lever. Puis, ôtant la veste qu'il venait de passer, il se ramassa sur lui-même, les poings levés, dans la position d'un lutteur. Sa montre et sa gourmette étincelaient sur ses bras velus.

« OK, fit-il. Tu veux jouer les durs – amène-toi, ma poule ! »

Elle s'était brusquement plaquée au tapis, et avait roulé sur une main, fauchant le genou droit de Feaver d'un croc-en-jambe fulgurant, avant qu'il n'ait eu le temps de se retourner. L'espace d'un instant, comme il s'affalait lourdement, déséquilibré par sa clé de jambes, elle fut prise de panique en voyant sa tempe passer à deux doigts d'un coin du bureau. Seigneur ! – avait-elle perdu la tête ? Comment aurait-elle pu expliquer... ? Heureusement, il atterrit sans encombre sur le sternum. Elle entendit l'air s'échapper de ses poumons avec un sifflement qui lui rappela vaguement celui d'un pneu crevé.

Elle lui demanda si tout allait bien. Sans même se donner la peine de répondre, il se hissa laborieusement sur ses pieds, d'abord en prenant appui sur un genou. Il épousseta sa chemise dont le tissu était maculé d'une traînée sombre, jusque sous la poche de poitrine, ornée de losanges blancs, ton sur ton. Il se frotta à cet endroit d'une main prudente. À la lenteur étudiée de ses gestes, elle comprit qu'il s'était cogné. Lorsqu'il ouvrit enfin la bouche, ce fut pour dire : « Deux chutes sur trois ! »

Il contourna le bureau et ôta deux chaises de son chemin. Il souleva une table basse, qu'il posa sur le canapé, avant de venir se planter au milieu du tapis rouge sang, et écarta à nouveau les bras.

« Maintenant, on va avoir de la place ! fit-il. T'es une rapide, ça, rien à dire. Mais là, tu peux venir. Je suis prêt. C'est quand tu veux !

— Écoutez... je voulais juste vous prouver que je ne rigolais pas. Je ne vous veux pas de mal, mais je ne vais pas supporter vos conneries six mois de plus ! Je tiens à ce que vous preniez les choses au sérieux – moi, et ce que nous faisons ensemble.

— Quoi... t'as peur ? » riposta-t-il.

Elle détourna la tête, exaspérée, et, tandis qu'elle regardait encore dans l'autre direction, plongea vers sa taille. Mais elle ne l'avait pas touché, qu'elle savait déjà que sa manœuvre ne réussirait pas. Ils avaient vu les mêmes films, et il s'attendait à ce genre d'attaque. Il esquiva sur le côté, et l'attrapa par le bras, avant de passer les siens autour de sa taille et de la ceinturer. Cela fait, il l'arracha du sol, les bras dangereusement proches de ses seins. Il était nettement plus grand qu'elle, et nettement plus fort et plus stable qu'elle ne se le figurait. Elle tenta de se libérer en lui envoyant un coup de coude dans le bras, puis passa un pied derrière son genou. Pour toute réplique, il la laissa brusquement choir sur le tapis, et s'affala sur elle avant qu'elle n'ait eu le temps de s'écarter, pesant de tout son poids sur son arrière-train. Elle tenta vainement de se relever en battant l'air de son bras, mais il le lui immobilisa, et lui fit une clé au cou.

« OK ? fit-il. Si on se calmait un peu, maintenant ? »

Avant même d'avoir entendu la voix, elle sentit sa prise se relâcher.

« Oh, m... merde ! » s'écria Eileen Ruben, depuis le seuil. La directrice du service administratif avait la voix graillonneuse et perpétuellement enrouée d'une vieille fumeuse, et, sur la tête, les vestiges oxygénés de ce qui, bien des années plus tôt, se fût appelé un « chignon banane ». L'ersatz de cigarette qu'elle avait eu au bec pendant toute la semaine, dans le cadre de sa énième tentative de laisser tomber le tabac, resta pris dans son rouge à lèvres, tandis que sa mâchoire s'abaissait en un hoquet de surprise.

« On faisait juste un peu de catch..., expliqua Robbie.

— Et puis quoi encore ? » ricana Eileen avant de refermer la porte. Il avait bondi sur ses pieds, et avait retrouvé son aplomb et son entrain coutumiers.

« Z'avez vu ça ? Pas mal, hein ? Tout va pour le mieux. Dès lundi, Eileen se fera une joie de raconter à tout le monde qu'on a déjà réussi à faire quelques galipettes sur le tapis. Cent pour cent conforme au plan ! »

Ça, il n'aurait pu mieux dire... Mais Evon, elle, n'avait pas la moindre envie de rire. Il lui fallait toujours un bon moment pour retomber sur ses pieds, après ce genre de dérapage.

« Bon. Revenons à nos histoires d'hommes, fit-il. Qu'est-ce que vous diriez d'un petit apéro en ville, pour enterrer la hache de guerre – ça vous irait ?

— Je ne bois pas. » Elle se leva à son tour, et entreprit de rajuster sa jupe. Son collant avait vrillé autour de sa taille, de presque cent quatre-vingts degrés. Elle mit le cap sur les toilettes dames pour rectifier le tir, et en sortant, lui lança un coup d'œil par-dessus son épaule. « Je suis mormon », lui rappela-t-elle.

Elle n'était pas mormon. Son père avait reçu une éducation religieuse, et elle aurait dû, elle aussi, en passer par là, si sa mère s'en était tenue à la promesse faite à sa belle-famille. Mais la vie passe, disait sa mère, et, au fil des années, vous finissez par découvrir ce qui vous convient... À l'époque de la naissance de Merrel, sa sœur aînée, sa mère avait tout laissé tomber. Elle n'avait apparemment plus le moindre doute sur le camp qu'aurait choisi leur père.

Ils étaient originaires d'une bourgade des environs de Kaskia, Colorado, un village des Rocheuses, qu'Evon avait vu proliférer pendant son adolescence, brutalement tiré de sa torpeur par le débarquement des stations de sports d'hiver, des centres commerciaux et des cinémas multiplex. Mais, pendant les premières années de sa vie, les habitants de la Kaskia Valley avaient vécu dans une sorte d'intimité. Chez Evon, ils étaient sept enfants. Elle était la cinquième – le chiffre aux alentours duquel on s'attend à ce que les enfants se sentent un peu perdus, dans leur propre maison, et ce fut plus ou moins le cas pour elle. Cette maison en perpétuelle effervescence, où s'agitaient neuf personnes – dix après que Maw-Maw, sa grand-mère maternelle, fut venue s'y installer –, tourbillonnait autour d'elle comme un cyclone. Pour elle, ses parents existaient avant tout à travers les rapports que lui transmettaient ses sœurs : « Mets pas tes coudes sur la table – M'an n'aime pas quand tu mets les coudes sur la table ! » Une enfance de seconde main en quelque sorte, durant laquelle elle s'était trop souvent sentie isolée, ignorée et en total décalage avec le reste du monde.

Elle faisait figure de canard boiteux, et en avait bien conscience. Elle souriait toujours à contretemps, disait « oui » quand il fallait dire « non », et comprenait les blagues avec trois secondes de retard. Elle était affligée d'une croupe trop ronde, qui semblait bizarrement détonner avec le reste de sa personne, même quand elle se croyait par ailleurs au sommet de sa forme. Elle était mal à l'aise avec les étrangers, et trouvait toujours le moyen de s'emmêler les pinceaux. Les gens la jugeaient distante et brusque, mais le vrai problème, c'est qu'elle n'avait jamais eu le sens des nuances ni de l'atmosphère. Quelle que fût la question qu'on lui posait, elle y répondait sans détour, au premier degré, en toute franchise – il ne lui serait même pas venu à l'idée de faire autrement. Et quand elle sentait les gens s'éloigner d'elle, c'était toujours la même explication qui lui venait à l'esprit : personne ne connaissait la vraie Evon. Elle correspondait si peu à l'image qu'elle donnait d'elle... Ce qu'elle était, au fond d'elle-même, n'avait que peu de rapport avec ce qu'en percevaient les gens.

C'est dans cet état d'esprit morose, celui où avait baigné toute sa vie, qu'elle regagna son appartement. Son épaule l'élançait encore. Elle avait dû se faire un bleu, à un moment ou à un autre, pendant la bagarre. En revoyant la scène, elle se sentit prise d'un irrépressible fou rire, mais la honte, tel un fil noir, lui enserrait toujours le cœur. Sa mission était de soumettre l'IC à une surveillance sans faille, mais comment le contrôler, ce Feaver ? Il était totalement incontrôlable – à moins que ce ne fût elle qui ait complètement perdu les pédales ?

Son appartement était plutôt agréable. C'était un petit deux pièces, équipé d'un mobilier de style motel, qui avait été installé par l'équipe d'intervention que Jim appelait « les Déménageurs ». Le terme lui était demeuré mystérieux jusqu'à ce qu'elle les voie débarquer, avec leur camion et leurs uniformes appartenant à une grande boîte de transport. Toutes les affaires qu'elle comptait emporter avaient été passées au crible. Et tout ce qui pouvait permettre de remonter la trace de ce qu'elle avait été à DesMoines, la semaine d'avant, tous les appareils portant un numéro de série, et jusqu'aux boîtes des médicaments qu'elle prenait pour ses allergies – tout avait été remplacé. Evon Miller était une sorte de poupée Barbie, livrée avec des accessoires flambant neufs.

Une fois dans les lieux, les Déménageurs avaient tout passé au peigne fin, pour débusquer d'éventuels micros : les murs, le sol, les angles de toutes les fenêtres, et lui avaient laissé une interminable liste de directives, de choses à faire et à ne pas faire. Le chef d'équipe lui avait remis un portefeuille contenant un permis de conduire, des cartes de crédit, une carte de sécu, et même une mutuelle privée, et les photos de trois fillettes, supposées être ses nièces. « Je serais vous, je résisterais à la fièvre acheteuse..., l'avait-il mise en garde en feuilletant les pochettes de plastique. Le montant des factures sera déduit de votre salaire ! »

Elle s'était postée devant le miroir de l'entrée, abondamment éclairé par une rampe d'ampoules, et, l'épaule soulevée, tentait d'évaluer les dégâts. Peut-être trouverait-elle le temps de passer chez un masseur pendant le week-end. Cette idée éveilla en elle un sursaut d'espoir, le souvenir jusque-là enfoui du paradis perdu qu'avaient été pour elle les vestiaires des stades, et la perspective d'un moment de réconfort, une oasis dans la morosité du week-end. Du lundi au vendredi, elle restait sur la brèche. En descendant de la Mercedes de Robbie, elle allait s'entraîner au gymnase, puis, sur le chemin du retour, s'achetait des plats tout préparés, qu'elle réchauffait au micro-ondes. Dans la soirée, en faisant sa lessive ou son *ESPN*, elle dictait son « 302 », le résumé de ses faits et gestes de la journée, sur une micro cassette, qu'elle rangeait dans un compartiment de son attaché-case et qu'elle déposait le lendemain chez McManis, sous un prétexte ou sous un autre.

Mais les week-ends traînaient en longueur. Le dimanche, elle appelait sa mère ou sa sœur depuis un téléphone public, qu'elle choisissait chaque semaine différent, et parfois situé à des kilomètres de chez elle. L'aéroport avait ses faveurs, parce qu'elle avait une vue imprenable d'un bout à l'autre du grand hall, et aurait immédiatement repéré une éventuelle filature. Dans un mois, quand la chose ne risquerait plus de surprendre personne, elle pourrait retrouver quelques-uns des autres agents de l'équipe McManis. Mais, pour l'instant, elle était seule. Elle irait regarder le Superbowl dans un bar sportif, à quelques rues de là, en descendant une O'Doul. Elle pouvait supporter ce genre de solitude. Ça faisait partie de son entraînement et elle l'avait déjà fait maintes fois.

Elle dévisagea la femme que lui renvoyait le miroir. Cela faisait à présent un mois qu'elle avait l'impression de voir quelqu'un d'autre, en passant devant son propre reflet. Ce masque que lui composait ce maquillage ! Elle avait déjà porté des lentilles de contact sur le terrain, mais cette nouvelle coupe, et surtout cette nouvelle couleur, dans ses cheveux, lui faisaient toujours flageoler les genoux. On aurait dit qu'elle était tombée entre les mains d'un coiffeur pris d'un incoercible mal de mer... Elle qui avait toujours eu horreur des chichis. Un jour qu'elle se préparait à aller à l'église, un dimanche de Pâques, lui semblait-il – elle devait avoir quelque chose comme onze ans – elle avait surpris une conversation entre sa mère et Merrel, dans le couloir. Sa sœur lui avait bouclé les cheveux au fer à friser, et l'avait un peu pomponnée.

« Elle n'est pas chou comme ça, la petite ? » avait demandé Merrel. « Très, très ! » avait répliqué sa mère, avant de laisser échapper, sous forme d'un long soupir, le trop-plein de soucis qu'elle se faisait pour elle. « Mais que veux-tu... elle, elle ne cassera jamais trois pattes à un canard ! » Pas comme Merrel, voulait-elle dire. Merrel, la perle de la famille, qui avait représenté le comté à deux reprises, pour l'élection de Miss Colorado.

Pour elle, ça avait toujours été une discipline de base – s'arrêter devant un miroir pour voir ce qu'il lui renvoyait. Elle avait ressenti comme une cruelle humiliation leur décision de la faire travailler ainsi travestie, peinturlurée, méconnaissable. La vie n'était-elle pas assez déroutante, en soi ? Et elle, comment avait-elle pu se laisser infliger une chose pareille ?

Elle ne voyait que trop bien où elle voulait en venir – au constat désabusé de cette déception que lui inspirait à présent cette mission, attendue avec tant d'espoir. Elle fit à nouveau la grimace, plissant les paupières au souvenir de la douleur qui lui cisaillait l'épaule et qui lui rappela sa bagarre avec Feaver. Quand elle rouvrit les yeux, la lumière des ampoules nues, alignées au-dessus du miroir, lui agressa cruellement le regard. Elle voyait tout, dans les moindres détails, jusqu'aux grains de poudre sur ses joues, ou les traînées de couleur artificielle de son blush. Ses yeux verts s'étaient concentrés en ces deux petits points noirs rétractés, qui semblaient en elle les derniers bastions où s'était retranchée sa vérité. Elle savait, à présent. Elle n'avait su que répondre à McManis, quand il lui avait demandé pourquoi elle avait accepté cette mission, à DesMoines, mais elle comprenait ce qui l'avait mise dans une telle effervescence, et ce qui la plongeait à présent dans un tel découragement.

Elle avait trente-quatre ans. Pour nombre de gens – et une partie d'elle-même ne pouvait se défendre de leur donner raison – la meilleure part de sa vie était d'ores et déjà derrière elle. Sa jeunesse se réduisait à un disque de métal de dix centimètres de diamètre, dans une petite vitrine spéciale, sur la bibliothèque de ses parents. Elle avait son boulot, ses dossiers, son chat, ses frères et sœurs, ses nièces, ses neveux, l'église le dimanche, avec répétition de chorale le jeudi soir. Mais elle se réveillait en pleine nuit, parfois durant de longues heures, le cœur battant d'une angoisse qu'elle-même ne parvenait pas à s'expliquer. Ses rêves surnageaient de temps à autre, juste à fleur de conscience, et elle se sentait tenaillée par cette certitude : quelque chose ne

tournait pas rond, dans sa vie. Puis, il y avait eu ce petit télex
jaune, issu du service du directeur adjoint du FBI, et qu'elle
avait reçu comme une décharge à haut voltage, en plein
cœur. Des acronymes, des capitales. Le jargon du Bureau...
Mais elle avait immédiatement déchiffré le message, et
c'était comme si ces mots codés s'étaient soudain mis à
chanter. Aventure... Mission importante... ! L'occasion de
coiffer au poteau ses collègues masculins, au lieu d'être perpétuellement réduite à ramer dans leur sillage. Mais le plus
beau, la cerise sur le gâteau, la note qui résonnait en elle le
plus intimement, et de la manière la plus exquise, restait
inaudible pour toute autre oreille que la sienne. Pour six
mois, pour un an... qui sait, pour toujours... ? Quelqu'un
d'autre. Cette chance... cette occasion providentielle. Pouvoir
enfin être quelqu'un d'autre.

Février

10

J'avais depuis longtemps fait part à Robbie de ma surprise, concernant Silvio Malatesta. J'avais eu l'occasion de travailler avec lui dans le cadre d'un comité de réflexion sur les institutions judiciaires, pendant mon mandat de président du conseil local de l'Ordre des Avocats de Kindle County et il m'était apparu comme un homme des plus estimables, doublé d'un esprit brillant, quoique facilement égaré dans les nébulosités de ses pensées. Avant d'accéder à son poste de juge, il avait enseigné le droit à la Blackstone Law School, dont Robbie était justement un ancien. Malatesta était un spécialiste du droit civil. Il disséquait à longueur de cours les affaires les plus épineuses et les plus insolites qui comparaissaient devant la cour d'appel. Rien dans son parcours ne semblait le prédestiner à ce genre de faux pas. Robbie, lui, ne s'embarrassait pas de ce genre de finasserie. La plupart des juges résistaient à la tentation, mais certains, allez savoir pourquoi, y succombaient... Et, à l'en croire, il était pratiquement impossible de prédire lesquels.

Selon la version de Walter Wunsch, Malatesta, comme tant d'éminents juristes, avait attendu avec impatience ce siège de juge qui lui offrirait l'occasion de mettre en pratique ce qu'il avait étudié tant d'années sous forme d'abstractions et de cas d'école. N'ayant pas de relations dans la politique, Silvio s'en était remis au leader de son propre quartier en ce domaine, un certain Toots Nuccio, magouilleur de renom, célèbre pour ses relations peu recommandables et l'efficacité de son bras – qu'il avait très long. Toots lui décrocha un siège dans les six mois, mais Silvio eut tôt fait de découvrir qu'en échange de ses bienfaits ce mauvais génie ne se contenterait pas de quelques coups de chiffon sur sa lampe.

De temps à autre – toujours selon Wunsch – Toots l'appelait pour suggérer le chemin qu'il souhaitait voir prendre aux affaires que devait traiter Malatesta. La première fois, le juge lui avait fait remarquer ce qu'un tel coup de fil avait de déplacé. Toots avait éclaté de rire et lui avait raconté la triste histoire d'un certain journaliste, récemment attaqué par un agresseur anonyme, qui lui avait jeté au visage un jet d'acide. L'aventure avait coûté la vue au journaliste – le dernier en date, précisa Nuccio, à avoir fait preuve d'ingratitude envers lui... « Avec moi, c'est donnant donnant », avait conclu le politicard véreux. Silvio avait eu bien trop peur pour songer à se rebeller et, au fil des mois, il avait appris à accepter les enveloppes qui lui arrivaient après les coups de fil de Toots. Il avait même trouvé l'énergie pour demander une nouvelle faveur : son affectation à la Cour de Droit commun. C'était donc, à présent, les fidèles de Tuohey – Kosic et Milacki – qui lui transmettaient les instructions concernant les avocats à favoriser. Malatesta s'exécutait, dans l'espoir de siéger un jour à la cour d'appel, où il aurait davantage l'occasion d'officier dans le domaine de la théorie pure, et où les verdicts étaient conjointement portés par trois juges, ce qui réduisait d'autant les risques de corruption.

Sans doute à cause de cette incertitude qu'il sentait planer sur lui, Malatesta pouvait être imprévisible, voire déconcertant, dans ses décisions, et il le fut pour l'affaire Petros. Début février, Evon trouva dans le courrier une convocation pour une confrontation orale portant sur la motion de non-lieu déposée par McManis. Stan et Jim sursautèrent tous deux, quoique pour des motifs différents. Malatesta aurait pu récuser la motion sans organiser la moindre audience. Il lui suffisait d'un bref document écrit. Sennett avait beau chercher, il ne voyait décidément pas pourquoi le juge avait pris le risque d'attirer l'attention sur l'affaire en provoquant une telle confrontation publique. Il craignait que Wunsch et Malatesta n'aient vu clair dans le jeu de Robbie. Feaver balaya cette objection d'un haussement d'épaules : « Ça, pas de danger ! répliqua-t-il. Silvio n'a jamais eu les yeux en face des trous... »

Les soucis de McManis, eux, étaient d'ordre pratique. Il n'était jamais intervenu dans un prétoire en tant qu'avocat. Bien sûr, depuis le temps qu'il exerçait au FBI, il avait maintes fois eu l'occasion de venir témoigner à la barre. Mais jamais il n'avait plaidé une cause devant un juge. Pour la première fois, Evon vit affleurer dans sa conduite quelques traces de nervosité. Le jour de l'audience, Robbie fit un saut au cabinet de Jim pour enfiler son harnachement et signer les déclarations de consentement. Pour éviter que les piles du FoxBite ne se déchargent, en cas d'attente prolongée dans la salle d'audience, Evon se chargerait de l'enclencher sur place avec une télécommande. McManis affichait une mine sombre et desserrait à peine les dents. Robbie le rassura en soulignant que, vu les circonstances, plus il aurait l'air maussade et renfrogné, mieux ça vaudrait – mais McManis était trop crispé pour goûter à sa juste valeur ce trait d'humour. Il portait un costume bleu, des plus classiques, sur une chemise blanche. Ses cheveux, qui avaient d'habitude une légère tendance à s'ébouriffer, étaient pris dans un gel capillaire, formant un casque brillant.

Evon et Robbie partirent de leur côté pour le tribunal. Feaver semblait particulièrement détendu, ce jour-là. Au moment où il allait monter dans l'ascenseur, sous la vaste rotonde du Temple, quelque chose lui accrocha l'attention et il fit demi-tour pour filer droit vers le comptoir de journaux et d'articles divers qui se trouvait à l'autre bout du hall, et dont il héla le tenancier par son prénom : « Leo ! »

L'homme, un aveugle, affichait la soixantaine bien mûre et une imposante bedaine. Sa canne blanche était accrochée à une patère, à côté du présentoir du fond, où s'alignaient paquets de cigarettes, tubes d'aspirine et piles de journaux. Il portait une chemise amidonnée, d'une blancheur irréprochable, mais son rasage laissait à désirer. Ses verres fumés étaient restés près de la caisse. Il tourna vers eux ses prunelles inertes, d'un bleu laiteux.

Ils échangèrent, Feaver et lui, des considérations désabusées sur les dernières défaites des Trappers – la sempiternelle complainte des supporters frustrés, qui se reprenaient pourtant à espérer, à l'approche de l'entraînement de printemps. Pendant la discussion, Robbie s'empara de deux paquets de chewing-gums sur l'un des présentoirs qui se trouvaient à la caisse. « Qu'est-ce que tu me piques, là ? demanda le vieux.

— Un paquet de chewing-gums, répondit-il.

— Un ? J'ai comme l'impression que t'as fait main basse sur tout le rayon !

— Un seul, Leo. » Se tournant vers Evon, il lui fit un

grand clin d'œil en lui montrant les deux paquets. Elle était trop sidérée pour prononcer ne fût-ce qu'un son.

Feaver assura l'aveugle qu'il n'en avait pris qu'un puis, tirant de sa poche la pince alligator dont il se servait pour rassembler son argent, il déposa dans le réceptacle de plastique un billet de cent dollars. Le petit plateau était décoré d'une photo prise dans la masse du plexiglass : une pin-up souriante, portant le logo des cigarettes Kool. Le vieux s'empara du billet et le palpa minutieusement, insistant sur les coins qu'il fit rouler entre le pouce et l'index.

« Qu'est-ce que c'est ?

— Un dollar, Leo.

— Ma parole, tu ne sais pas dire d'autre chiffre, aujourd'hui ! Si on te demande combien il y a d'œufs dans une douzaine, tu vas répondre "un !", c'est ça ?

— Je te dis que c'est un dollar, mon vieux.

— Sans blague ! Si tu crois que je ne te connais pas, Robbie !

— T'as ma parole, Leo. Je te jure qu'il y a un grand "un", imprimé là – juste sous ton pouce ! » Feaver avait peine à se retenir d'éclater de rire. Il s'amusait comme un petit fou. « Mais va pas me le mettre dans ton tiroir-caisse avec les autres, hein ! Glisse-le bien à part, sous une pile – c'est un numéro spécial !

— Spécial ! C'est ça, oui... » Le vieil aveugle fit une petite encoche dans un coin du billet et, soulevant son tiroir-caisse, il déposa dans le plateau quelques pièces de menue monnaie que Robbie ramassa.

« Va falloir arrêter de me le faire, ce coup-là, Robbie.

— Hé ! Pourquoi j'arrêterais ! À la semaine prochaine, tonton Leo ! » Il attrapa la main du vieil homme, l'attira à lui et déposa un baiser au sommet de son crâne.

Comme ils rebroussaient chemin vers les ascenseurs, Robbie expliqua à Evon que Leo était le plus proche cousin de son père. Dans leur jeunesse, ils étaient copains comme cochon, son père et lui. « Il a perdu la vue à treize ans, suite aux oreillons, mais mon père ne l'a jamais oublié. Ça, ma mère le lui a toujours reconnu, même quand il a pris la clé des champs : "Il n'a pas laissé tomber Leo – voilà au moins un reproche qu'on ne peut pas lui faire !" »

Evon avait suffisamment entendu la voix de Mrs Feaver mère dans le haut-parleur du téléphone du bureau pour s'apercevoir que son fils avait fidèlement reproduit le timbre de voix et les inflexions de la vieille dame. Elle ne put retenir un éclat de rire et, ravi de ce succès, Robbie l'imita aussitôt.

« Ma mère invitait souvent le cousin Leo. Vous voyez... en arrivant de l'école, je les trouvais tous les deux, assis dans le salon, à prendre le thé en rigolant comme deux bossus dans une taverne. J'adorais voir Leo. Il peut être vraiment de bonne compagnie, quand il veut. Il me racontait des tas de trucs sur mon père. Des chouettes histoires. Le genre de chose que les gamins aiment s'entendre raconter : comment ils avaient réussi à échapper aux griffes de Flavin-le-Mauvais-Œil. Comment ils s'y prenaient, mon père et lui, pour aplatir des pennies sur les rails de chemin de fer. Leurs jeux, leurs inventions, tout ça. Quand je le trouvais chez moi, assis en tête à tête avec ma mère, je pensais ce que tout mioche aurait pensé à ma place – voyez... mais j'aurais tout de même préféré que ce soit mon père. » Il promena autour de lui un regard mélancolique. Les sonnettes des ascenseurs tintaient. Une odeur de bacon frit s'exhalait de la cafétéria. « Et devinez un peu comment il a eu son stand ? demanda-t-il.

— Grâce à vous ?

— J'avais déposé une demande pour lui, évidemment, mais qu'est-ce que ça valait, venant de moi ? Pas un clou. Je ne parierais pas qu'aucune huile se donnerait la peine de lever le petit doigt, pour moi – ne fût-ce que pour me tenir la porte de l'ascenseur... Non. Vous savez qui je suis allé voir ? Vous savez qui a écouté la triste histoire de Leo ? Qui a tout arrangé avec le juge Mumphrey, les membres du conseil et les autres pointures à qui il fallait faire les yeux doux – vous devinez ? »

Elle ne devinait pas.

« Brendan. Brendan Tuohey. Eh oui. » Il lâcha un son étranglé et lui lança un autre regard chagrin. À court d'arguments, elle lui indiqua sa montre. Robbie avait totalement oublié l'heure. « Merde ! » dit-il, en fronçant les sourcils dans un moment de découragement absolu. Puis, apercevant dans sa main les paquets de chewing-gums, il les tendit à Evon en se tapotant la mâchoire. « Mes bridges... » expliqua-t-il, en montant dans l'ascenseur qui venait d'accoster.

Il flottait dans la salle d'audience du juge Malatesta la même atmosphère, à la fois fonctionnelle et compassée, que dans le reste du tribunal. Des chaises de bois blanc à dossiers droits et un ensemble de tables assorties étaient installées à l'avant de la salle, pour les membres de la cour. L'estrade des témoins se trouvait en contrebas de celle du juge qu'elle jouxtait, et les bureaux de la greffière et de l'huissier principal étaient situés à proximité immédiate de celui du juge, tandis que la tribune des avocats était au centre, à quelques mètres de là. Tout était carré. Au mur, juste derrière le juge et encadré de deux drapeaux, était accroché le monumental sceau de l'État. Sur le mur ouest, face aux fenêtres, pendait dans son cadre doré un portrait de feu Augustine Bolcarro, que tout le monde s'accordait désormais à appeler « le Maire ».

L'audience avait commencé. Les avocats entraient et sortaient, l'attaché-case à la main et le pardessus sur le bras. Jim entra seul, de son côté, et, raide comme la Justice, fila s'asseoir à l'autre bout de la salle pour attendre que le dossier soit appelé. Il se gardait bien de glisser le moindre coup d'œil dans leur direction et, de temps à autre, se tapotait les lèvres d'un doigt machinal.

Dans la cuirasse de gros drap sombre qui lui tenait lieu de costard, Walter annonçait les dossiers. Il se tenait à son bureau surchargé de paperasses, juste devant l'estrade du juge avec qui il échangeait les documents, récupérant les dossiers qui venaient d'être traités et remettant à Malatesta ceux dont il allait avoir besoin pour l'affaire suivante. Lui aussi fit mine de ne pas les reconnaître, ce qu'Evon n'interpréta pas comme un signe spécialement positif. L'inquiétude de Sennett l'avait troublée. Si, pour une raison ou pour une autre, le juge tranchait en faveur de McManis durant cette audience, l'ensemble du projet serait remis en question. Il serait délicat d'expliquer à D.C. – et partout ailleurs – ce qui avait causé cet échec de leur informateur. C'était la première fois que l'efficacité de Robbie et sa crédibilité se trouvaient concrètement et directement mises à l'épreuve.

« Petros contre Standard Railing, dossier 93 CL 140... » annonça Walter d'une voix léthargique, au bout d'une demi-heure qui leur parut interminable. Evon ouvrit son attaché-case et actionna la télécommande du FoxBite. Depuis l'estrade des avocats, Robbie et McManis déclinèrent leurs noms et qualités pour la greffière, une jeune Noire qui prit note de ces renseignements sans même lever les yeux vers eux. Evon suivit Robbie sur l'estrade et, conformément aux instructions, se tint un mètre en arrière. McManis s'était muni de plusieurs pages de notes, jetées sur du papier jaune

grand format. De près, Silvio Malatesta n'avait pas plus que
quelqu'un d'autre la mine d'un magistrat véreux, songea
Evon – mais cela n'était pas pour la surprendre. Elle s'était
laissé dire qu'il en allait de même pour la corruption et les
braquages de banque : on y trouvait une inévitable proportion de margoulins nés, mais, tout aussi souvent, des gens
qui semblaient au-dessus de tout soupçon et que rien ne
semblait prédestiner à ce genre de faux pas.

Malatesta relevait manifestement de cette dernière catégorie. Il avait l'allure d'un gentil tonton gâteau, avec ses cheveux poivre et sel qui commençaient à se raréfier sur le
dessus et ses gros verres à monture noire, derrière lesquels
on voyait frétiller ses petits yeux vifs, comme deux poissons
dans leur aquarium. Même sous sa robe, il semblait que ses
vêtements lui flottaient légèrement sur le corps. Le col de sa
chemise bâillait à son cou. Il s'humectait les lèvres avant de
prendre la parole, ce qu'il faisait avec une componction guin-
dée d'ecclésiastique.

« Eh bien, Messieurs... fit-il en souriant aux avocats.
Voici un cas des plus intéressants. Des plus intéressants,
vraiment... Je vois que les documents que j'ai ici ont été éta-
blis et rédigés avec le plus grand soin, de part et d'autre.
Les deux parties ont manifestement bénéficié d'un conseil
juridique de très haut niveau. Alors, je me tournerai d'abord
vers le représentant de Standard Railing. Maître... euh,
McMann ? »

Jim répéta son nom.

« Voilà. Maître McManis – merci. La partie défenderesse
fait valoir que nul ne devrait se laisser aller à boire au point
de perdre totalement conscience du danger, en tentant
ensuite de faire assumer à un tiers la responsabilité des accidents qui en découlent. L'argument qu'oppose Mr Feaver à
celui de Standard Railing me semble, euh... des plus spé-
cieux : les garde-corps des tribunes devraient selon lui,
comme leur nom l'indique, être conçus de manière à prévenir toute chute, quelle qu'en soit la cause – que le plaignant
soit tombé parce qu'il a été bousculé par un tiers, délibérément ou non, parce qu'il a spontanément trébuché ou parce
qu'il s'est effondré sous l'effet de l'alcool ne devrait pas entrer
en ligne de compte. À en croire Mr Feaver, une balustrade
serait donc un produit assimilable aux tondeuses à gazon
ou aux composés pharmaceutiques, dont les fabricants sont
strictement responsables de tout accident résultant de leur

usage. Sur ce point, je dois dire que la jurisprudence varie, et tranche tantôt en un sens, tantôt dans l'autre. »

Dans ce qui parut un accès soudain de sa mauvaise humeur foncière, Walter bondit de son siège, interrompant le juge dont le bureau se trouvait à hauteur de ses yeux. Il se dressa sur la pointe des pieds pour poser l'index sur un papier parmi ceux qu'il venait de passer au juge. De toute évidence, Malatesta venait de s'emmêler les pédales. Il bâillonna de sa paume le micro destiné au public, pour écouter le rappel à l'ordre de Walter. Puis il reprit, avec sur les lèvres un petit sourire confus.

« Bien, fit-il. Effectivement, effectivement... j'avais prévu d'entendre les deux parties présenter leurs arguments respectifs, mais comme vient de le souligner Mr Wunsch, notre emploi du temps risquait d'être un peu chargé, ce matin... ce qui fait que j'ai signé dès hier au soir un arrêt récusant la motion de non-lieu déposée par Mr McManis, ici présent. Nous n'allons donc pas revenir sur ce qui a été fait, et telle sera la décision de la Cour, qui prie les représentants des deux parties de bien vouloir accepter ses excuses. La procédure suivra donc son cours... »

Malatesta eut un nouveau sourire, plutôt équivoque, et demanda à Walter de fixer une date pour la prochaine audience. Dans le bref silence qui suivit, on n'entendit plus que le murmure de la soufflerie sous l'estrade et le grattement du stylo de Walter qui notait ce que venait d'annoncer le juge.

« Mais, Votre Honneur... » lança soudain McManis et la tête de Robbie pivota brusquement dans sa direction. McManis s'était affaissé sur son siège, l'air consterné. Sans lui laisser le temps d'ajouter un mot, Feaver remercia le juge, tourna les talons, et sortit en entraînant Evon. Il décocha au passage un bon coup de pied dans le tibia de Jim. Comme Evon jetait un dernier regard par-dessus son épaule, elle aperçut McManis qui avait entrepris de rassembler ses papiers.

Lorsque Jim fit son entrée dans la salle de réunion, Klecker avait déjà désamorcé le FoxBite et débarrassé Feaver de son harnachement.

« Mais, Votre Honneur ! » s'exclama Robbie, à peine eut-il franchi le seuil. En temps normal, McManis était bien trop circonspect et trop réservé pour prêter le flanc à ce genre de raillerie. Robbie avait visiblement décidé de mettre à profit cette rarissime opportunité. « Qu'est-ce que vous aviez derrière la tête ? s'écria-t-il. Vous vouliez vraiment convaincre Malatesta de changer d'avis ? »

Mi-goguenard, mi-penaud, McManis se laissa choir sur l'un des sièges baquets, la cravate en berne. L'expérience le laissait visiblement sur les rotules. La confusion, l'inspiration du moment..., expliqua-t-il. Fort de tout ce qu'ils avaient préparé, il avait instinctivement réagi comme l'aurait fait un véritable perdant. Du moins, l'exclamation de McManis avait-elle un mérite évident : celui de corroborer leur couverture, ce qui avait simplifié d'autant le travail de Robbie. Evon et Klecker hélèrent deux ou trois agents qui passaient dans le couloir pour leur faire entendre la bande.

« Mais c'est vous, le pigeon ! s'écria Feaver. C'est tout de même bien vous qui êtes censé le perdre, ce procès ! »

Nous arrivâmes, Sennett et moi, au moment précis où Robbie revenait à la charge. Entre-temps, Klecker avait transféré le fichier son mémorisé par le FoxBite sur le disque dur de l'ordinateur. Il nous fit réécouter le bref dialogue entre Robbie, McManis et Malatesta. Après audition, McManis secoua la tête et déclara qu'il ne comprenait toujours pas ce qui s'était passé dans la tête de Malatesta. Pourquoi convoquer une audience pour annoncer aux deux parties une décision prise la veille au soir ? Mais Sennett, lui, avait une explication...

« C'est la meilleure façon de se blanchir, vis-à-vis des archives, répondit-il. Il couvre ses arrières. Ce type n'est décidément pas tombé de la dernière pluie... Ça va lui servir d'excuse pour tout le reste. Face à cette décision, qui est on ne peut plus tangente, il convoque cette audience pour bien nous montrer que pour lui le résultat, la décision finale, n'a strictement aucun intérêt.... Il avait carrément oublié la décision qu'il avait prise la veille ! Si quiconque venait à lui poser la moindre question sur l'affaire, la transcription de l'audience d'aujourd'hui serait la pièce maîtresse de sa défense. Il n'est plus question pour nous de laisser filer la moindre maille – Malatesta s'engouffrera aussitôt dans la brèche ! »

Un murmure étouffé et admiratif vibra dans l'air confiné de la pièce. Jusque-là, certains des agents n'avaient peut-être pas compris pourquoi Sennett avait été placé à la tête de l'opération... Il soutint un instant leurs regards – du haut de son mètre soixante-cinq, il était le plus petit des présents –

et les dévisagea un à un, comme pour mieux laisser infuser
sa mise en garde et son autorité dans les esprits.

11

En total contraste avec l'enthousiasme exubérant qu'il
manifestait dans tous les autres domaines, Robbie était
d'une surprenante discrétion pour tout ce qui concernait
Lorraine. Les premières semaines, il n'en avait presque rien
dit à Evon, comme pour souligner que ses accords avec Sennett s'arrêtaient au seuil de sa maison et qu'ils ne pouvaient
faire intrusion dans cette partie de sa vie. Mais après tout ce
temps passé dans le sillage de Robbie, Evon en avait appris
un peu plus long sur la maladie de Rainey. Elle avait glané
certaines informations auprès de Mort et du personnel et, à
la faveur de ses allées et venues dans le bureau de Robbie,
elle avait saisi des bribes de ces innombrables coups de fil
guillerets qu'il passait à tout moment à sa femme, ainsi que
des conversations d'une tonalité nettement plus sobre qu'il
tenait avec les multiples intervenant qui s'occupaient de Lorraine : médecins, auxiliaires para-médicaux, infirmiers, ainsi
qu'avec la garde-malade qui travaillait chez eux vingt-quatre
heures sur vingt-quatre. Il lui arrivait même de lâcher
quelques remarques ponctuelles, concernant sa femme, mais
là où il se serait d'ordinaire lancé dans une cascade de
digressions proliférantes, il se limitait à une phrase ou deux.
Il lui avait récemment fait part de ses soucis relatifs à l'alimentation de la malade. « On est obligé de tout lui mixer.
Vous imaginez ? De la purée de steak... un muffin en purée !
Enfin, encore une chance qu'elle puisse encore percevoir
leur goût... » Et son visage avait pris l'air pensif et distant de
qui contemple la mer.

Ce ne fut donc pas une mince surprise pour Evon, lorsque, vers la mi-février, il lui proposa de lui présenter sa femme. Les hasards du travail les avaient amenés dans le quartier pour rendre visite à un client potentiel – Sarah Perlan, une petite bonne femme bien en chair qui voulait poursuivre le club de tennis local pour s'être foulé le tendon d'Achille en trébuchant sur une balle perdue qui avait roulé sur le trottoir. Après leur entrevue avec Sarah, Robbie proposa de rendre visite à Lorraine. Evon hésitait à imposer sa présence à la malade, mais il insista. Lorraine lui avait demandé à plusieurs reprises de lui présenter sa nouvelle assistante.

« J'ai dû pas mal lui parler de vous... » Ses sourcils noirs s'arquèrent comme s'il eût été le premier étonné, devant un phénomène aussi inexplicable...

En franchissant le seuil, on ne pouvait s'empêcher d'imaginer à quoi avait pu jadis ressembler la maison. Un peu maniaque sur les bords, Rainey Feaver... Elle avait joué la carte de la sobriété à outrance et n'avait mis chez elle que des objets et des meubles blancs. Comme lui avait un jour fait remarquer Robbie, sur le mode plaisant, son living était le genre d'endroit où un gamin de trois ans lâché un quart d'heure avec un biscuit au chocolat à la main ferait autant de dégâts qu'un cyclone.

Mais la maladie avait son propre sens esthétique. Hors de ses propres murs, Robbie surnommait sa maison « le petit musée du paramédical ». C'était devenu une sorte de terrain d'essai et de salon d'exposition pour tout appareil, du plus simple au plus complexe, qui eût la moindre chance d'améliorer un tant soit peu ce qui restait de vie à Lorraine. Le long de la rampe de noyer ouvragé qui courait dans le grand escalier surplombant le salon, un appareil de levage spécialisé se déplaçait sur des rails noirs de graisse. Des mains courantes métalliques avaient été fixées à tous les murs, comme dans un hôpital, et d'innombrables sonnettes électroniques, que Rainey utilisait naguère pour se faire aider, parsemaient le salon.

Le pied sur la première marche de l'escalier, il se tourna vers Evon. « Vous êtes sûre de pouvoir supporter ça ? »

Un peu tard pour s'en préoccuper... Mais ils ne pouvaient plus tourner casaque. À vrai dire, Evon n'avait jamais été très brave, face à la maladie. Maw-Maw, sa grand-mère maternelle, paralysée à la suite d'une opération des lombaires qui avait mal tourné, était venue vivre chez eux quand

Evon avait quinze ans. À cet âge, son existence entière reposait sur la performance et la forme physique, et elle était
littéralement prise de terreur en présence de la vieille
femme. Elle réprimait ses haut-le-cœur quand un drap ou
une couverture glissait, dévoilant la jambe de sa grand-mère,
réduite au diamètre d'une crosse de hockey. Elle tâchait de
s'en tenir le plus loin possible. « C'est pas contagieux, tu
sais ! » lui avait un jour lancé sa mère, avec la délicatesse qui
la caractérisait.

Cette fois-ci, c'était pire. Le déclin de Maw-Maw avait
été long et douloureux, mais naturel. Rainey Feaver, elle,
n'avait que trente-huit ans, et elle se mourait. Il n'y avait
aucun espoir. Aucun. Certains patients – une minorité bien
délimitée des victimes de cette terrible maladie – pouvaient
survivre vingt ans avec ce mal, qui proliférait lentement en
eux. Stephen Hawking en était l'exemple le plus célèbre.
Mais le cas de Lorraine était plus banal. Sur ses deux jambes
un jour, le lendemain trébuchant à chaque pas, elle s'était
retrouvée, un an et demi plus tard, en fauteuil roulant. Ses
mains avaient progressivement perdu toute force. Elle ne
pouvait plus lever les bras au-dessus de sa tête, ni même
tenir un crayon. Et à présent, deux ans et demi après le diagnostic de son mal, elle ne pouvait plus se nourrir seule, ni
même avaler correctement. Elle avait besoin d'aide pour se
tenir sur le siège des WC. Elle avait perdu tout contrôle sur
ses glandes salivaires et, quelques mois plus tôt, il avait fallu
les irradier pour empêcher la malade de se noyer dans sa
propre salive. « Ma chère Evon, lui avait dit Robbie. Je sais
qu'il n'y a pas d'Oscar de la pire maladie.... Ça, dans mon
boulot, on est bien placé pour le savoir. » Le corps humain
pouvait se désagréger à un point et d'une manière qu'on
n'imaginait même pas, fût-ce dans ses pires cauchemars.
Mais celle-ci, cette « putain de vacherie de maladie », comme
il se plaisait à le répéter, était sûrement l'une des plus
cruelles et des plus sournoises. Votre corps vous désertait
peu à peu. Les muscles volontaires s'affaiblissaient, étaient
parcourus de contractures douloureuses, puis cessaient totalement de fonctionner. Vous perdiez les uns après les autres
vos mouvements les plus infimes. Le clignement des paupières s'en allait généralement le dernier. Et le malade se
transformait peu à peu en une masse inerte, tout en gardant
l'intégralité de ses fonctions cérébrales. Rainey pensait,
voyait, sentait. Elle avait des perceptions, et pire, disait Rob-

bie, des sensations. Internes et externes. La sclérose latérale amyotrophique abolissait la motricité, mais certes pas la capacité de souffrir. Rainey souffrait abominablement, sans même pouvoir se tordre de douleur, ni porter la main à l'endroit qui lui faisait mal pour apaiser un peu le muscle tiraillé par les crispations.

Ils avaient tout essayé. Homéopathie, phytothérapie, acupuncture. Ils s'étaient portés volontaires pour essayer des médicaments qui n'en étaient encore qu'au stade de l'expérimentation et leur candidature avait été acceptée pour un traitement de trois mois qui n'avait nullement ralenti le déclin de la malade. Ils avaient même consulté une sorte de pythonisse qui leur avait sorti une ridicule machine de son invention, avec des tubes à vide et une longue baguette de néon clignotante, qu'elle avait promenée en ululant sur le corps de Rainey. La scène aurait été comique, s'ils ne s'étaient pas sentis si humiliés, l'un et l'autre, face aux abîmes irrationnels de leur désespoir.

Leur chambre, car Robbie y dormait toujours, débordait de gadgets. Evon se glissa jusqu'au seuil de la pièce sans le franchir. Rainey était aux toilettes. En attendant son retour, Robbie passa la chambre en revue en lui montrant certaines des machines qu'il lui avait déjà décrites. Il y avait un « ascenseur Hoyer », une sorte de monte-charge qui permettait de hisser la malade jusqu'à son fauteuil roulant quand elle s'en sentait la force. Sur la table roulante ajustable, se trouvaient un micro et un « Easy Writer » – un appareil pour tenir les crayons. Il y avait aussi un tourne-pages automatique, pour lire les livres et deux télécommandes actionnant la grande télé panoramique. Près du lit scintillait un écran d'ordinateur, avec un alphabet sur lequel Rainey pointait les lettres, quand elle renonçait à faire l'effort de parler.

Tout cela avait dû coûter une fortune – les yeux de la tête. Avec les honoraires du personnel soignant, la facture s'élevait à plus de deux millions. Elle avait plusieurs fois entendu Robbie citer ce chiffre. Il n'allait pas tarder à crever le plafond fixé par son assurance-maladie et avait déjà engagé des poursuites contre la compagnie, pour plusieurs milliers de dollars de dépenses qu'elle refusait de couvrir. Mais dans ce genre d'épreuve où les adoucissements n'étaient que trop rares, l'argent en était un et, Dieu merci, Robbie en avait – de pleins tombereaux. Ses revenus étaient deux cents fois supérieurs à ceux de la plupart des familles que ce genre de maladie menait au seuil de la ruine. Dans leur cas, comme le lui avait un jour confié Morton, Rainey mourrait bien avant d'avoir pu dépenser tout ce que possédait Robbie.

Les opérations pour ramener Lorraine des toilettes avaient commencé. Evon attendit dans le couloir, tandis que Robbie prêtait main-forte à l'aide-soignante, une minuscule Philippine répondant au nom d'Elba. Depuis le couloir, Evon entendait les exhortations qu'ils adressaient à la malade pendant qu'ils la transbordaient dans son fauteuil.

La veille au soir, un dimanche, Robbie était allé à un mariage. Rainey était trop faible pour pouvoir l'accompagner mais, ayant promis à sa mère de l'y emmener, Robbie avait joué les gardes-malades pendant toute la soirée, avant de ramener sa mère à la maison de retraite où elle avait pris pension. Pendant ce temps, Rainey avait somnolé entre deux crises de crampes. Elle avait dû manquer le retour de son mari, tout comme son départ, le matin même, car Robbie entreprit de lui décrire la soirée par le menu.

« Un de ces mariages juifs plus vrais que nature ! Il n'y manquait rien – il y avait même des sculptures en pâté de foie ! Excellent, le buffet... mais côté vin, c'était un peu juste. Ça n'a pas empêché mon oncle Harry de se prendre une sacrée cuite, comme d'habitude ! Il était tellement bourré qu'il ne s'est même pas rendu compte que son bridge était tombé dans les WC... Il a tiré la chasse ! »

Rainey lui répondit dans un murmure – une sorte de marmonnement d'outre-tombe, chevrotant et bourdonnant, dont chaque syllabe se terminait en coup de glotte, comme un hoquet. Sa parole s'éteignait de jour en jour et, là encore, Robbie avait prévu des moyens palliatifs : un synthétiseur vocal contrôlé par ordinateur que Rainey pourrait manœuvrer tant qu'il lui resterait la moindre motricité volontaire, ne fût-ce qu'un fléchissement de sourcils. Evon avait capté des discussions entre Robbie et d'anciens collègues de sa femme – des spécialistes de l'informatique qui restaient à l'affût de la moindre occasion de lui venir en aide. Les appareils étaient déjà achetés et se trouvaient quelque part dans la maison, mais les Feaver tenaient à différer autant que possible leur mise en service. Quel que fût le confort qu'ils pourraient apporter à la malade, une fois qu'elle les utiliserait, rien ne la protégerait plus de l'ombre que faisait planer sur elle ce nouveau pas franchi en direction du déclin.

« ... à quatre épingles ! lui répondit-il. Tout le monde s'était fait beau. Inez s'était acheté une robe à trois mille dollars – ne me demande pas où elle avait pu les dénicher, ces trois mille dollars ! Mais à peine arrivée, voilà qu'elle tombe nez à nez avec Susan Schultz, qui portait exactement la même. Ensuite, c'est ma tante Myrna qui a débarqué dans cette espèce de fourreau blanc acrylique, moulé comme c'est pas permis. Une femme qui a, quoi... la soixantaine, au bas mot ! Et au travers du tissu, de son collant, et tout et tout, on apercevait les contours du tatouage qu'elle a sur la fesse – on ne choisit pas sa famille, hein ! J'ai emmené ma mère sur la piste de danse avec son fauteuil et je lui ai fait faire quelques valses. Elle était aux anges, tu penses ! »

Le murmure de Rainey se fit à nouveau entendre.

« Moi aussi, j'ai regretté que tu n'aies pas pu venir », fit-il, un ton en dessous.

Il lutta pour ne pas s'appesantir sur ce moment de découragement. Quels que fussent ses propres états d'âme, vis-à-vis de sa femme, Robbie avait résolu d'être pour elle le bon petit génie de l'optimisme. Evon l'avait maintes fois entendu contrecarrer au téléphone les constatations de déclin que lui faisait Lorraine, en lui opposant certains autres détails qui semblaient démentir les sombres prédictions des médecins. Plusieurs fois par jour, il allumait son PC pour lui envoyer des messages électroniques – quand il venait d'apprendre une nouvelle blague, par exemple. « E-mail... » avait-il expliqué à Evon. Une innovation que Lorraine lui avait fait découvrir. À présent, sa voix avait pris un ton plus enjoué que jamais pour lui annoncer l'arrivée d'Evon. Elle rassembla ses énergies.

Le diffuseur de parfum d'ambiance ne parvenait pas à masquer totalement le cocktail d'odeurs composites qui flottait dans la grande pièce. Sécrétions corporelles, crèmes, lotions, relents de graisse de machines... Quand elle s'avança dans la pièce, Robbie était occupé à masser le bras de Rainey, pour soulager une crampe. La malade était installée dans son fauteuil roulant, un impressionnant appareil équipé d'un moteur, d'un rembourrage sophistiqué et de roues nettement plus petites que ce qu'on a coutume de voir sur ce genre d'engin. Robbie lui en avait décrit le fonctionnement. Le fauteuil pouvait non seulement pivoter sans le moindre heurt dans toutes les directions, grâce à un joystick, mais aussi basculer en avant, en position érigée, ce qui permettait à Lorraine, une fois qu'elle était harnachée dedans, d'aller par exemple accueillir des invités sur le pas de sa porte. Ce soir-là, elle y était simplement assise, soutenue et maintenue de tous côtés par deux ceintures au niveau de la taille et de la poitrine. Elle portait un luxueux ensemble de jogging dont tous les zips avaient été remplacés par des bandes Velcro. Au coin de ses lèvres émergeait un tube recourbé et relié à une bouteille d'eau distillée, dont le goutte-à-goutte permanent remplaçait sa salive.

En dépit de tout cet attirail, la beauté de Rainey Feaver ne l'avait pas totalement désertée, même si elle paraissait dix ou vingt ans de plus que sur le portrait du bureau. L'atrophie musculaire l'avait affreusement amaigrie. Sa tête s'inclinait légèrement sur l'épaule gauche, mais chaque jour, elle demandait encore à son aide-soignante de la maquiller, et sa chevelure, d'un beau noir d'ébène, n'avait pas perdu ses reflets. Même creusés et aiguisés par la maladie, ses traits restaient saisissants de beauté. Les yeux de la femme de la photo avaient fixé sur Evon leur rayon violet, toujours alerte et plein de vie.

Evon fit du mieux qu'elle put. Elle avait tellement entendu Robbie parler de Rainey. Il était si fier de son courage...

Son malaise n'échappa pas à Lorraine, qui manœuvra laborieusement ses lèvres pour articuler quelques mots. Mais les muscles de sa bouche ne répondaient qu'à peine. En désespoir de cause, Evon se tourna vers Robbie. « Quelle bonne idée, d'être venue », traduisit son mari. Il enchaîna en lui expliquant que certaines consonnes lui étaient devenues imprononçables – surtout les « l » et les « r ». Il caressa la main de sa femme avec un sourire. « De toute façon, tu as toujours eu ce petit côté "JAP[1]" n'est-ce pas, ma chérie ?

— Humou' noi' », fit-elle, au prix d'un douloureux effort. Evon éclata de rire avec Elba et Robbie mais, malgré toutes les mises en garde, la vivacité d'esprit de Lorraine restait sidérante – d'autant plus qu'elle ne rendait compte que d'une infime partie de tout cet univers émotionnel et mental qui ne pouvait plus s'exprimer. L'éclat de rire qui avait traversé Rainey en une légère ondulation s'acheva en une

---

1. Jewish American Princess – Riches héritières juives, qui font l'objet de plaisanteries génériques, un peu comme les Belges en France. Ici, le jeu de mots fait évidemment référence à l'accent « japonisé » de la malade – (*NdT*).

quinte de toux. Comme tous ses réflexes, celui-là aussi était affaibli et, pour redresser la malade, la frêle Elba dut la faire basculer en avant et lui tapoter quelque temps le dos de sa main creusée en cupule, le tout en lui gazouillant de sa voix modulée quelques mots de réconfort.

Lorsqu'elle eut retrouvé son souffle, Lorraine reprit la conversation là où elle l'avait laissée, comme si de rien n'était. La vie, pour elle, c'était désormais ce qu'elle pouvait grappiller, entre les gouttes. Elle interrogea Evon sur son travail. « Depuis quand... ? D'où êtes-vous... ? » Elle se cantonnait aux questions de trois syllabes. Robbie se penchait sur elle et jouait les interprètes. Même dans ces conditions extrêmes, face à cette malade, Evon répondit conformément à la couverture. Robbie avait soigneusement passé toute l'affaire sous silence auprès de sa femme. Pas question de lui dévoiler quoi que ce fût.

« Où habitez-vous ? demanda Rainey. Qua'tier ? » Elle devait s'étonner de ce qu'Evon soit encore aux côtés de son patron, à cette heure tardive de la fin d'après-midi. Robbie lui décrivit le rendez-vous avec Sarah Perlan, et lui expliqua qu'il s'apprêtait à raccompagner Evon chez elle en voiture. Il n'avait pas refermé la bouche que le double sens que pouvaient revêtir ses paroles lui apparut soudain. De son côté, Rainey capta son apparente anxiété et, dans le moment de flottement dont Robbie profita pour improviser une explication – Evon venait juste d'emménager et n'avait pas encore de voiture à elle –, une atmosphère soudain plus fraîche s'installa dans la pièce. Rainey Feaver avait dû avaler plus que sa part de couleuvres, surtout en ce qui concernait les autres femmes et, quand Robbie essayait de lui en faire gober une de plus, elle le subodorait aussitôt. Son visage effilé ne pouvait plus guère refléter d'expressions, mais ses paupières papillotèrent douloureusement, tandis que son beau regard s'assombrissait.

« Ve'ez ici... » fit-elle pour Evon. Elle jeta un coup d'œil vers Robbie, mais l'affectueuse prévenance dont il entourait son épouse excluait apparemment toute velléité de la contredire. Il laissa à Evon sa place à côté du fauteuil. Elle dut se pencher encore un peu sur elle, parce qu'elle n'avait pas entendu, la première fois.

« I' ment tout 'e temps... » Suivit une seconde de battement. Super, songea Evon, lorsqu'elle eut capté le message. Fameux coup de pouce à la crédibilité du principal témoin à charge du ministère public ! Une déclaration spontanée de la personne qui le connaît le mieux au monde... Rainey se concentra, le temps de reprendre quelques forces, puis revint à la charge.

« I' ment, su'tout... ne 'e c'oyez pas – jamais... »

Evon prit soudain conscience qu'il s'agissait là d'une mise en garde, en partie dictée par un désir de revanche, mais aussi par une certaine solidarité féminine. Robbie n'était pas digne de foi. Il ne fallait pas croire à ses protestations de sincérité et, s'il lui promettait le mariage, lorsqu'il serait veuf, ce n'était qu'un autre de ses mensonges. Le regard de la malade la transperça de part en part, tandis que son message faisait mouche. Mais Robbie vola à son secours : « Ça n'est pas un secret, mon trésor ! Elle sait déjà tout ça. Suffit de rester quelque temps à mes côtés pour s'en apercevoir ! » Il était venu se planter derrière le dossier du fauteuil, et riait tout seul de sa propre facétie. « Mais pour découvrir mes bons côtés, il lui faudra quelques années de plus...

— Que'ques a'ées de p'us, oui... » Et elle poursuivit sur ce ton monocorde et embourbé : « Pou' a'ors, je se'ai mo'te, et toi, heu'eux... »

Robbie mit un certain temps à encaisser ça. Il promena un instant sa langue à l'intérieur de sa joue et lui lança un regard à la fois digne et grave, chargé d'une supplique muette : « Ne dis pas ce genre de choses... » – mais il garda le silence. Il se pencha vers elle pour rectifier la position de ses jambes sur les plaques de mousse découpées à ses mesures et, toujours sans un mot, se tourna vers Evon pour la raccompagner.

Dans la voiture, au bout de quelque temps, il brisa le silence. « Ils vous sortent de ces trucs... les malades atteints de SLA, voyez. C'est une conséquence de la maladie. Certains neurones du tronc cérébral sont atteints, et ils perdent tout contrôle de leurs impulsions. Ça a des côtés assez drôles, en un sens. Leur ironie par exemple. Lorraine n'était pas du tout du genre expansif. Tout s'accumulait, là-haut, dans sa caboche. Elle faisait des trous de cigarettes dans mes costumes. Elle balançait mes Havane dans les toilettes. Une fois, elle a même mis du poivre de Cayenne dans mon slip de sport ! Vous imaginez où elle voulait en venir... » Il eut un bref sourire admiratif pour le tempérament de sa femme. « Mais dire clairement ce qu'elle avait en tête, ça, jamais !

Maintenant, misère ! Ce que je peux me faire remonter les bretelles ! »

Evon ne voyait vraiment pas ce qu'elle aurait pu ajouter. Elle n'avait toujours pas fini de prendre la mesure de ce qui s'était abattu sur Rainey et Robbie. Ce qu'elle venait de vivre la laissait sur un étrange saisissement, comme si son cœur avait tenté de s'échapper de sa poitrine.

La Mercedes accosta le long du trottoir, à quelques mètres de l'auvent brun qui abritait la façade de son immeuble et sous lequel les passants filaient à toute allure le long des briques rafistolées du trottoir – chapeautés, gantés, engoncés dans leur manteaux, impatients de retrouver la chaleur de leurs pénates. Elle ne connaissait aucun de ses voisins. Il se dégageait de l'ensemble du quartier une impression insulaire. Les campagnes successives de rénovation et de réhabilitation n'avaient pas totalement chassé les précédents occupants des lieux. Le matin, il n'était pas rare de croiser des clochards et des junkies endormis dans les entrées nouvellement décapées à la sableuse, ou entre les arbustes qui luttaient contre le blizzard, dans leurs coquettes jardinières de bois verni. Les habitants du quartier avaient pris l'habitude de s'occuper de leurs oignons, sans regarder personne.

La main sur la poignée de la portière, elle se tourna vers Feaver et, tâchant de dissiper son malaise, elle le regarda, dans l'espoir de lui transmettre quelque chose, dans son expression. En retour, c'est tout un arc-en-ciel d'émotions qui coururent sur son visage, à lui.

« Vous savez ce que c'est, un *yahrzeit* ? » lui demanda-t-il. Elle fit signe que non. « C'est une bougie, une sorte de cierge que les Juifs allument pour commémorer l'anniversaire d'une mort dans la famille. Une mère, un frère... Chaque année, on allume le cierge. Et c'est la plus triste des choses. Il brûle jour et nuit dans une sorte de verre d'eau. Si vous vous réveillez en pleine nuit, vous voyez ce truc qui vacille dans le noir. C'est la seule lumière de la maison. Ma mère en allumait une pour sa sœur et, juste avant son attaque, je me trouvais sur place, voyez. Parce que je passe la voir très tôt, le matin... il faisait encore nuit. J'ai regardé la bougie qu'elle avait allumée près du poêle, cette petite lumière tristounette qui tremblotait en noircissant les bords du verre, et je me suis dit : "Ça, c'est Rainey. Voilà ce qu'elle est devenue. Une bougie qui se consume lentement et qui se transforme peu à peu en une petite flaque de cire molle, où sa flamme finira par s'éteindre. Voilà Rainey..." »

Il s'affaissa contre son volant de noyer. La minute qui suivit lui parut ne jamais devoir prendre fin. Elle attendit, mais il ne releva pas les yeux. Elle mit alors pied à terre et le regarda démarrer en trombe. Il exécuta un demi-tour impeccable, malgré la densité du trafic, et repartit à toute allure en direction de chez lui.

12

Le protocole de l'UCORC prévoyait d'éviter tout procès dans les affaires fictives. Il aurait fallu un budget digne d'Hollywood pour mettre en scène toute une salle d'audience avec accessoires, témoins et figurants pour les deux parties. Sans compter que cela augmentait d'autant les risques d'erreur. Le plan A était donc que Robbie obtienne l'approbation du juge sur une motion susceptible de faire basculer dans son sens l'ensemble de l'affaire, ou qu'il le fasse trancher en sa faveur sur quelque autre point essentiel, de façon à pouvoir considérer le problème comme favorablement résolu et témoigner sa gratitude au juge, comme d'habitude, sous forme d'une enveloppe. Le rejet par le juge Malatesta de la motion de non-lieu présentée par McManis nous permettait donc d'orchestrer l'enregistrement de la première « remise d'enveloppe », mettant en scène Walter Wunsch. À partir de là, l'opération cesserait de se cantonner à ce que les agents avaient surnommé les « préliminaires », pour en venir aux faits – le véritable délit. Si tout se déroulait comme prévu, Walter serait leur première proie, leur première inculpation, et la première personne sur laquelle ils pourraient accentuer la pression pour faire tomber les têtes, lorsque Stan aborderait la phase ultime – le siège de la forteresse Tuohey.

Deux semaines environ après l'audience présidée par Malatesta, Robbie téléphona à Walter, pour lui annoncer que la décision du juge avait contraint McManis d'accepter un arrangement dans l'affaire Petros contre Standard Railing. Il lui proposa de le retrouver à leur lieu de rendez-vous habituel, un parking qui jouxtait le tribunal. L'après-midi, Klecker arriva au cabinet de McManis avec un autre de ses gadgets à la James Bond – une caméra vidéo miniature, équipée d'un objectif à fibre optique dissimulé dans la charnière d'un attaché-case bidon, qui ressemblait à s'y méprendre à celui de Robbie. McManis l'inspecta sur toutes les coutures avant d'opposer un veto définitif à son utilisation.

« C'est la première fois que Robbie va remettre une enveloppe équipé de son micro. L'opération me paraît assez délicate en l'état. Inutile de lui imposer ce surcroît de complication. Pour la caméra, on verra plus tard.

— Jim..., plaida Sennett, manifestement déçu. Les jurés voudront voir l'enveloppe changer de main. Si nous n'avons qu'une bande audio, et si Robbie n'arrive pas à faire parler Walter de l'argent de façon explicite, tout ça ne vaudra pas un clou. »

Mais McManis demeura intraitable. Il faisait rarement usage de l'autorité dont l'avait investi l'UCORC, concernant les aspects pratiques de l'opération. En théorie, c'était à Stan qu'il revenait de déterminer le genre de preuve qu'il leur fallait, et à Jim de prendre les décisions tactiques pour les obtenir. Mais, d'ordinaire, Jim laissait Stan procéder comme il l'entendait – et, cette fois, Sennett eut toutes les peines du monde à accepter sa décision de bonne grâce, sans trop lui laisser voir qu'il bouillait intérieurement. Il s'empressa de changer de sujet : comment Robbie pourrait-il glisser une allusion directe à l'argent – procédé strictement prohibé par l'étiquette tacite, mais néanmoins rigoureuse de cette jungle. Feaver suggéra d'arriver avec quinze mille dollars au lieu des dix mille habituels. La justification qu'il donnerait de cette prodigalité découlait, curieusement, d'un écueil qui tarabustait Sennett depuis plusieurs jours.

À cette date, Stan avait imaginé et mis au point six plaintes fictives mais, à sa grande surprise, trois d'entre elles avaient atterri sur le bureau de Malatesta, tandis qu'aucune n'avait été assignée à Barnett Skolnick. Or Sennett était particulièrement impatient d'épingler ce juge, qui était le seul à traiter sans intermédiaire avec Feaver. Robbie n'avait pas la moindre raison de se plaindre de cette répartition. Son seul objectif était prétendument de faire attribuer ces affaires à des juges avec lesquels il pourrait « s'entendre ». Néanmoins, avec ces trois dossiers exceptionnels qui étaient récemment venus s'ajouter au planning de Malatesta, Feaver se devait de lui témoigner un « surcroît de reconnaissance » – surcroît qui fournirait l'excuse idéale pour parler de la somme que Robbie remettrait à Walter Wunsch.

Tout cela eut pour corollaire un trou de cinq mille dollars dans le budget de l'opération. Non sans inquiétude, McManis signa un chèque sur le compte du cabinet McManis – chèque dont il n'ignorait pas qu'il lui faudrait des heures de paperasses pour le faire approuver par D.C., et qu'il n'aurait jamais terminé avant la fermeture des banques. En désespoir de cause, Sennett passa quelques coups de fil. Il s'éclipsa, et ne revint qu'une demi-heure plus tard avec une enveloppe contenant cinq mille dollars en espèces, qu'il tira de la poche de son pardessus. Il les avait obtenus en échange d'une reconnaissance de dette signée de sa main auprès de la Drug Enforcement Administration, qui gardait toujours de grosses sommes sous le coude, à titre d'appât.

Chacun des billets que remettrait Robbie fut alors photocopié pour pouvoir être identifié s'il refaisait surface lors d'une perquisition, ou autre. Même sous sa bande, la liasse de billets – des cent et des cinquante dollars, pour la plupart, entrelardés de quelques vingt – avait presque trois centimètres d'épaisseur. D'habitude, Robbie livrait le fric dans une cartouche de cigarettes. Wunsch était un gros fumeur. Il faisait partie de ces forcenés que l'on voyait faire les cent pas devant le Temple sans manteau, qu'il pleuve ou qu'il vente, tétant leur cigarette comme s'ils avaient tenté de la consumer en trois bouffées pour pouvoir revenir au galop reprendre place en salle d'audience, avant le retour du juge.

Enfin, Robbie se laissa harnacher. Il baissa son pantalon – sans plus guère d'états d'âme, cette fois – puis il prit la cartouche de cigarettes sous le bras, tandis qu'Evon enfilait son manteau. Elle resterait dans la voiture pendant l'entrevue avec Walter – lequel aurait certainement tiqué si Robbie lui avait remis l'argent en présence d'un tiers. Mais il était indispensable qu'Evon eût au moins le temps d'apercevoir Wunsch, pour pouvoir confirmer que c'était bien sa voix qui figurait sur l'enregistrement, et de manière à désamorcer d'éventuelles objections de la part de la défense durant le futur procès. Elle devait aussi garder un œil sur Robbie, pour pouvoir témoigner qu'il n'avait pas eu la possibilité matérielle de garder l'argent par-devers lui. Et, pour couper court à tout soupçon en ce sens, McManis soumettrait Feaver à une fouille en règle dès son retour.

« Maintenant, vous connaissez votre partie ? demanda Sennett lors de ses dernières recommandations à Robbie. Débrouillez-vous pour lui parler de l'argent et essayez de savoir ce que Malatesta peut bien faire de tout ce liquide. Les services du fisc n'ont rien trouvé de louche, de son côté. »

Cette remarque dut faire tiquer McManis, qui leva brusquement la tête. La rivalité était féroce entre les différents services, et Jim n'était apparemment pas au courant de cette participation du fisc à ce stade de l'enquête – quoiqu'il eût tout de même dû s'y attendre plus ou moins. Dans cet univers où tout gravitait autour des moyens mis en œuvre pour épingler les méchants, les agents du fisc, qui avaient frappé les premiers à la porte de Robbie, n'allaient pas se laisser si facilement mettre sur la touche. Néanmoins, connaissant Sennett, je le soupçonnais fort d'avoir simplement tenu à remettre Jim à sa place, en lui rappelant lequel des deux avait en main le plus grand nombre de secrets dans le jeu du pouvoir. Vu l'importance de ce premier dessous-de-table, Stan tenait à rester à l'écoute pendant sa remise, ce qui impliquait que je fusse, moi aussi, invité à me joindre à McManis et à Klecker au fond de l'estafette de surveillance. Nous nous rendîmes séparément au nouveau centre administratif fédéral, où un garde nous laissa pénétrer dans le parking, après vérification de nos justificatifs. Notre véhicule était un Aérostar gris, trapu, portant sur le côté un décor ivoire d'un style passablement tape-à-l'œil. La seule lumière qui parvînt dans le fond provenait de deux grosses lentilles optiques dépolies placées de part et d'autre du véhicule et grâce auxquelles on avait une image confuse, mais en grand angle, du monde extérieur. Le sol était jonché de câbles, et Klecker s'était agenouillé sur le tapis de caoutchouc pour se rapprocher des voyants et des cadrans lumineux des appareils électroniques solidement fixés par des serre-joints d'acier, eux-mêmes rivés au sol. L'atmosphère confinée était fortement chargée d'une odeur de caoutchouc. Comme le van quittait le garage, nous nous installâmes, Sennett, McManis et moi, sur des strapontins fixés à la cloison,

avec instruction expresse de garder le silence et de ne rien
faire qui puisse gêner les techniciens dans leur travail.

Joe Amari, un type d'un certain âge dont ce n'était manifestement pas la première mission sous les ordres de Jim, et
qui avait été présenté comme l'enquêteur du cabinet fictif
McManis, avait pris le volant. Joe avait le teint mat des Sici-
liens, et sur le crâne, une brosse de cheveux si noirs, si fournis et si parfaitement disciplinés, qu'elle semblait sortir des
rayonnages d'un fourreur. Il avait l'allure d'un grand mala-
bar râblé et coriace – ce qu'il était. Il avait déjà à son actif
une douzaine d'opérations de ce genre, pour la plupart dans
les milieux de la mafia.

Le parking municipal, qui jouxtait le tribunal, était une
construction à ciel ouvert, du même brun beige que le
Temple. Selon le plan, Wunsch devait déjà être en train de
rôder au niveau zéro, dans son vieil imper Chesterfield. Robbie passerait près de lui en voiture, sans donner le moindre
signe de reconnaissance, et s'engagerait sur la rampe d'accès
qui montait en vrille jusqu'à l'étage supérieur et qui, à cette
heure-là, était généralement déserte. À l'heure prévue, nous
entendîmes le moteur de la Mercedes qui se garait, le frein
à main qu'on serrait, la portière qui s'ouvrait, puis les pas de
Robbie, en direction de l'ascenseur. Si tout se passait comme
convenu, lorsque les portes marronnasses de l'ascenseur
s'ouvriraient, Walter serait dedans.

Ils avaient utilisé cette cabine des années durant, Robbie
et lui. C'était une vraie boîte à sardines. Elle avait grand-
peine à contenir ne fût-ce que quatre personnes, et avait
connu des jours meilleurs. Le carrelage du sol avait presque
entièrement disparu, et, à force d'être utilisée comme telle
par un certain nombre de vagabonds, il y régnait une puan-
teur digne d'une pissotière. La vieille guimbarde ne se déplaçait qu'à une vitesse infinitésimale, et dans un fracas infernal
où dominaient les couinements des câbles et les hurlements
des freins, qui grinçaient comme des conduits sous pression
dès que la machine ralentissait pour s'arrêter. Pratiquement
personne ne l'utilisait pour monter – et a fortiori pour
descendre. Robbie engagea la conversation avant même que
la porte ne se soit refermée.

« Seigneur, Wally ! Le vieux m'a fait mouiller mes chaussettes, avec ses hésitations à la Hamlet. Je lui avais préparé
un compte rendu on ne peut plus clair et détaillé. Qu'est-ce
qu'il attendait de plus ? Des signaux de fumée ?

— Merde. Comme si tu ne connaissais pas Silvio ! Les trois quarts du temps, il ne sait même plus si on est hier, demain ou aujourd'hui. Sans compter qu'il suffit de lui chuchoter "annulation en appel" à l'oreille, pour lui coller un infarctus, à ce vieux con ! Il a la hantise de se faire taper sur les doigts en haut lieu et ça le met dans tous ses états, le pauvre. Il doit s'imaginer qu'il y a quelqu'un, quelque part, qui s'amuse à surveiller ses dossiers ! » Une annulation en appel risquait d'attirer les soupçons sur l'affaire concernée. Malatesta, comme Stan l'avait déjà déduit, tenait à éliminer jusqu'au moindre risque. « Et crois-moi, pour celle-ci, j'ai dû le travailler au corps, et pas qu'un peu ! J'ai dû lui moucher le nez et lui torcher le cul, avant qu'il ne se décide à faire ce qu'il fallait. Enfin, bref... » conclut-il d'un ton qui sous-entendait « venons-en aux choses sérieuses ».

Robbie l'informa qu'il lui avait apporté ses cigarettes préférées. On entendit clairement le bruit du carton que l'on déchirait.

« Ouaip, fit Walter au bout d'un moment. C'est la bonne marque. OK.

— Quinze paquets.

— Mmh-mmh, fit Walter sans s'émouvoir.

— Tu vois je tiens à me rappeler au bon souvenir du vieux. Je veux qu'il sache que je suis réglo... Parce que tu vas pas mal me voir, dans les semaines à venir... » Robbie signala à Walter les trois futurs dossiers. Comme on pouvait s'y attendre, ce ne fut pas la reconnaissance qui étouffa Walter. Il répondit sur un ton des plus hargneux : « J'espère que tu vas pas continuer à nous prendre pour la Cour des miracles – parce qu'après celle que tu viens de nous pondre, là, je te prie de croire que Silvio va rentrer la tête dans sa coquille un bon moment !

— Eh ! Ça n'avait rien d'un miracle. J'avais des arguments béton !

— Merde, répliqua Walter. C'est pas exactement ce que je me suis laissé dire. T'as plutôt intérêt à t'assurer que le père Noël m'aura à la bonne, cette année. Et qu'il me mette en tête de sa liste !

— Je vais lui écrire, pour qu'il n'oublie pas ton petit soulier.

— Putain...

— Attends une seconde. Tiens... regarde. » On entendit le craquement caractéristique d'une brochure que je savais être celle d'une agence de voyages, et que Robbie avait tirée de sa poche. Comme tous les autres convoyeurs, Walter s'attendait à recevoir un généreux pourboire – mais il ne voulait pas entendre parler de liquide. Il avait clairement dit à Robbie qu'il n'en avait déjà que trop, faisant sans doute allusion à ce que devait lui reverser Malatesta de son côté. Mais, plus probablement, tout indiquait que Mrs Wunsch avait fini, au fil des années, par découvrir toutes les cachettes où son mari était susceptible de planquer son bas de laine, et, à en croire Walter, faisait régulièrement main basse dessus. Il préférait donc les avantages en nature, et n'hésitait pas à appeler Robbie pour lui demander telle ou telle chose qui avait retenu son attention. Robbie expédiait le tout à la maison de campagne de Walter, où sa femme ne se rendait que rarement. Récemment, il lui avait offert des voyages dans divers paradis pour golfeurs, tous frais payés. Il lui fit l'article pour la station que vantait la brochure, en lui montrant les photos.

« Bon. OK – d'accord. Je vais y aller, finit par lâcher Walter. Mais écoute un peu. Vu les sueurs froides que m'a filé ton histoire, et le fil qu'elle m'a donné à retordre, je me suis dit que... j'ai vu des clubs avec manche de fibre de carbone sur-dimensionné – si tu vois ce que je veux dire. Sur mesure. Du bon matériel. »

Après quelques récriminations de circonstance, Robbie accepta de les inclure dans le lot, et enchaîna sur les sujets chers au cœur de Sennett.

« Dis-moi, Wally, y a un truc que j'ai toujours voulu te demander sur le vieux. Ça fait des années que ça me turlupine. Chaque fois que je le vois au tribunal, il est habillé comme un clodo. » À en juger par le bruitage, Walter approuva cette description d'un ricanement acerbe. « Et quand je le croise dans la rue, il est toujours au volant de ce vieux tas de boue...

— Sa Chevy 83.

— Il habite toujours avec sa femme à Kewahnee, dans ce vieux bungalow qu'il tient de sa mère – arrête-moi si je me trompe. Alors, l'un dans l'autre... je ne peux pas m'empêcher de me demander ce qu'il en fait. »

Un ange passa entre les deux interlocuteurs. Durant quelques secondes, on n'entendit plus que le hurlement des rouages de l'ascenseur, et les craquements de la brochure que Walter fourrait dans sa poche. Wunsch ne semblait guère apprécier ce soudain accès de curiosité.

« Où tu te crois, Feaver – dans un jeu télévisé ? Tu t'imagines peut-être que je lui demande des comptes ? Il peut bien le claquer comme il veut, et même se torcher avec – qu'est-ce que ça peut te faire ? Toute façon, j'ai jamais réussi à comprendre ce qu'il a dans le chou – alors... » Un autre silence s'installa, ponctué presque aussitôt de l'abominable fracas des freins de l'ascenseur. Les portes s'écartèrent à grand bruit, et on entendit le froissement des vêtements et les pas de Wunsch qui vidait les lieux. Il y eut soudain un autre bruit de rebond, sourd, inattendu. La voix de Wunsch s'éleva à nouveau. Il avait dû interposer la main entre les amortisseurs de caoutchouc des portes. À l'autre bout de l'estafette, McManis dressa l'oreille, impatient de comprendre les raisons de ce revirement inopiné.

« Écoute, fit Walter. Il y a pas mal de demande pour ces clubs. On ne peut les avoir que sur commande, et avec plusieurs semaines de délai – OK ? Alors, si je veux les avoir à temps, faudrait que tu les commandes tout de suite.

— Entendu », répliqua Robbie. Les portes se refermèrent enfin sur lui, étouffant la rumeur extérieure qui se répercutait en arrière-plan, dans le parking en plein air.

Dans l'estafette, tandis que les haut-parleurs nous transmettaient le bruit de l'ascenseur, puis celui des pas de Robbie regagnant sa Mercedes, et enfin le ronron du moteur qui redémarrait, notre joie éclata. Walter Wunsch venait de confirmer sa réservation pour un petit séjour dans un établissement pénitentiaire fédéral, et avait d'emblée fourni suffisamment de détails compromettants sur Malatesta, pour que l'enregistrement puisse servir à le forcer à accuser le juge et à corroborer ses dires, une fois qu'il se serait mis à table. Stan brandit le poing, pouce levé. Il quitta son siège pour faire le tour de l'habitacle, plié en deux à partir de la taille, pour distribuer des poignées de main – en commençant par Jim, notai-je.

Puis, comme Amari démarrait à son tour pour nous ramener au cabinet, je me sentis quelque peu en décalage avec cette explosion de joie. J'étais heureux de ce premier succès, bien sûr, mais ces événements m'avaient ébranlé au-delà de toute attente. Depuis toujours, j'avais eu vent de certaines malversations au sein de la Haute Cour de Justice de Kindle County. À l'époque où j'avais commencé à exercer comme avocat commis d'office, à la fin des années soixante, un certain Zeb Mayal, un petit cadre du parti qui faisait, à l'occasion, office de bailleur de fonds, pour l'argent des cautions, tenait ses propres audiences, dans un prétoire du secteur du centre-ville. Au vu et au su de tous, il dictait ses instructions à tous les présents – y compris bien souvent au juge lui-même. Au Tribunal de Grande Instance, sur l'autre rive du canyon creusé par l'US 843, je me suis toujours senti dans la peau d'un outsider. J'avais été initié à la logique de la loi dès la table familiale, où j'entendais mon père parler des grands principes juridiques de décision – moments qui garderont à jamais leur aura magique dans mon souvenir, comme le cercle de lumière blanche sur une scène obscure. Je ne comprenais pas ceux pour qui la Loi n'était qu'une sorte de commodité ou un simple lubrifiant des forces sociales – et, en retour, ils ne savaient vraiment pas que faire de moi. Je n'avais pas de protecteur – ni membre du conseil, ni paroisse, ni chapelle dont me réclamer – et j'opposais un front d'airain à quiconque me conseillait de prendre quelques mesures simples, pour pallier ce handicap : vendre au moins quelques tickets de tombola pour une collecte de fonds, par exemple... Avec le temps, j'ai compris que le système en vigueur, quel qu'il fût, avait pour principal objectif, entre autres, de mettre sur la touche les canards boiteux dans mon genre – léger accent du Sud, manières irréprochables, costumes Brook Brothers et diplôme d'Easton. Mes pareils avaient leur avenir tout tracé dans les gratte-ciel du centre-ville, au milieu des costards cravate. La plupart des habitués du Tribunal de Grande Instance savaient qu'ils n'auraient pas pesé bien lourd dans les cours fédérales, ce qui était leur excuse principale, quoique jamais explicitement invoquée, pour « s'arranger » entre eux. Et, conformément à leur attente, j'ai effectivement fini par m'éclipser pour aller dans cet autre monde, celui des tribunaux fédéraux, où l'on notait quelques marques de favoritisme, çà et là, mais où, à la possible exception de quelques membres véreux de la brigade des stups, ne sévissait aucune corruption à proprement parler.

Les histoires que racontait Robbie, concernant les pratiques qui sévissaient, étaient révoltantes, bien sûr, mais elles m'embrasaient l'imagination, en ce qu'elles me laissaient subodorer bien d'autres secrets que j'avais souvent effleurés sans les élucider, pendant toutes ces années que j'avais passées sur « l'autre rive ». Dans les répliques badines qu'il avait échangées avec Walter, je reconnaissais en filigrane la rude sagesse de leur univers clandestin : je connais ta face cachée et je te montre la mienne. Les impératifs de la loi, les règles et les devoirs que nous impose la société, y compris cette fameuse différence des classes dont on nous rebat les oreilles – tout cela n'est, en dernière analyse, qu'une vaste esbroufe, aussi intangible et illusoire qu'un rêve. Sima-grées à part, la sombre vérité, celle que nous seuls osons appliquer et qui, partant, nous investit d'un pouvoir quasi invincible, c'est qu'en définitive nous sommes tous au service de nos appétits les plus égoïstes. Tous. Nous tous.

Jusqu'au dernier.

« Du hockey sur gazon ?

— Oui. Une discipline olympique plus ancienne que le basket.

— Ça, je savais ! Sans blague. J'étais au courant. Atten-dez... Il y a eu des joueurs qui sont morts, si je me souviens – au Pakistan, non ? Il y en a toujours un qui arrive à se faire assommer, avec ce truc, là... cette espèce de spatule...

— La crosse.

— La crosse. Dangereux, ce truc-là ! »

En guise de réponse, elle retroussa sa lèvre pour lui montrer la cicatrice rose qui lui marbrait la gencive. Les yeux de Robbie, où miroitaient les lumières de la rue, firent rapidement la navette entre elle et la circulation. À peine revenu de sa surprise, il eut un hochement de tête respec-tueux, presque servile, dans l'espoir manifeste de prévenir tout regret ou toute crainte de sa part, maintenant qu'elle avait commencé à lui cracher le morceau.

Mais elle ne regrettait rien. C'était une belle soirée. Ils étaient encore portés, l'un et l'autre, par l'exaltation de ce succès obtenu aux dépens de Walter. Et, en toute sincérité, il aurait fini par trouver – pour le hockey. Quinze jours plus tôt, il s'était offert un bouquin – *Tout ce que vous vouliez savoir sur les Jeux olympiques* – et çà et là, pendant le trajet, il lui balançait certains faits (dans le plus parfait coq-à-l'âne, le plus souvent) pour l'appâter. Il avait pris la liste dans l'ordre alphabétique, en commençant par « aviron » et « boxe ». Il y mettait un enthousiasme touchant, enfantin, tournant en dérision son propre acharnement. Quand elle le rabrouait, il lui opposait une moue de petit garçon déçu. Ce matin-là, il avait attaqué avec l'escrime, et le soir, il n'avait eu aucun mal à déchiffrer le sourire d'Evon. Elle ne lui révélait là qu'une fraction de ce qu'elle finirait bien par lui dévoiler, tôt ou tard – maintenant que l'affaire était bien engagée et que les inculpations semblaient devoir suivre. Il avait vu juste, dès le départ : il était trop bon acteur pour se trahir.

« Les Jeux olympiques... » siffla-t-il, sidéré d'admiration. Les mecs étaient tous les mêmes ! Ça le renversait, qu'une femme puisse surpasser leurs propres fantasmes dans la vraie vie. « Ça a dû être comme de vivre un rêve. »

Et en un sens, c'était bien ce qui lui était arrivé. Un rêve. C'était en 1984. Le bloc soviétique avait boycotté les Jeux ; aucune des équipes qui s'étaient mises sur les rangs n'était à son top niveau, cette année-là, et sa gloire en avait été considérablement atténuée – à ses propres yeux, du moins.

« Wow ! Vous deviez tout de même avoir l'étoffe d'une star, hein ? Forcément.... Pour arriver jusque-là ! »

L'étoffe d'une star ? Elle se sentit prise d'une légère torpeur, dans la Mercedes surchauffée. Quelque temps, elle avait espéré l'avoir. Au lycée, elle était la meilleure du Colorado – où seulement la moitié des établissements scolaires concouraient pour les championnats. Elle avait été candidate pour le titre d'athlète féminine de l'année, et avait décroché une bourse en Iowa, dans l'un des meilleurs programmes d'études aménagées du pays. Le top absolu, à l'ouest du Mississippi. À l'époque, elle avait de grands espoirs. Elle fut sélectionnée en deuxième année de fac pour l'équipe nationale senior – ce qui signifiait qu'elle allait suivre une préparation intensive pour les Jeux. Mais deux de ses coéquipières d'Iowa, dont elle savait qu'elles la dépassaient de la tête et des épaules, faisaient elles aussi partie de l'équipe. Elles, c'étaient des stars, des vraies. Pas Evon. Elle était allée jusqu'aux Jeux, mais n'avait jamais percé dans la profession. Lorsque quelqu'un évoquait devant elle le principe de Peter, « s'élever jusqu'à son plus haut niveau d'incompétence » – ça lui rappelait douloureusement sa propre expérience. Elle avait lutté pied à pied pour se hisser au niveau des meilleurs mondiaux, et avait fini par découvrir qu'ils auraient toujours une longueur d'avance. Lorsque son équipe décrocha la médaille de bronze, elle s'était dit que cette troisième place n'était que trop méritée. Trop...

À Feaver, elle présenta une version simplifiée : elle n'avait pas fait carrière, point.

« Mais vous y *étiez* ! » Cette seule idée semblait le mettre en transe, sans doute parce qu'elle entrait en résonance avec une résurgence de ses propres désirs frustrés de briller sur les planches. Il cherchait auprès d'elle un avis d'expert – les impressions de quelqu'un qui avait réussi et qui, avec un peu de chance, saurait lui expliquer pourquoi, lui, il avait loupé le coche. Où avait-elle puisé la force nécessaire pour payer le prix de ce succès ? D'où cela lui était-il venu... L'étincelle ? Le feu sacré ?

Elle lui opposait des réponses laconiques, lui décrivant les longues séances d'entraînement quotidiennes. Il lui était arrivé de s'endormir la crosse à la main, l'esprit toujours absorbé par les différentes passes qu'elle devait se remémorer – et ça n'avait rien d'exceptionnel. C'était ainsi chaque soir, ou presque. À l'université d'Iowa, elle avait passé plus d'une année sans prendre ne fût-ce qu'une semaine de vacances. Thanksgiving n'avait été qu'un long week-end d'entraînement pour préparer le championnat, et Noël, un stage dans le New Jersey. Jusqu'au 4 juillet, qu'elle avait sacrifié au Tournoi National des Jeunes Espoirs. Le sport avait envahi son planning au point qu'il lui avait fallu six ans au lieu de trois pour préparer son diplôme.

Le hockey avait foré une sorte de tunnel dans sa vie, un long passage durant lequel elle avait à peine aperçu la lumière du monde extérieur. Lorsqu'elle avait soudain émergé à l'air libre, elle s'était sentie éblouie et estourbie comme ces spéléologues qui retrouvent soudain la lumière du jour après un long séjour sous terre.

Mais au-delà de toutes les descriptions qu'elle pouvait lui donner de sa propre expérience, elle ne détenait pas la réponse à ses questions. Elle n'avait ni son exubérance, ni son ouverture d'esprit, ni sa malléabilité... – là-dessus, elle lui laissait le choix des termes. Jamais elle n'avait trouvé le moindre plaisir ni le moindre réconfort à s'épancher auprès du premier venu, comme il le faisait. Cette voie s'était ouverte devant elle, toute tracée. Elle s'y était engagée, dans le sillage de son père qui avait été un as du base-ball. Malheureusement, comme un arc électrique, le talent paternel avait dû sauter une génération... Evon avait pour elle sa puissance et cette rapidité fulgurante, inattendue de la part d'une personne aussi solidement charpentée – ainsi que cette précision synthétique qui lui permettait d'anticiper simultanément la trajectoire de la balle, de sa crosse et de son propre corps. Pendant les matchs, tandis que l'aiguille des secondes lui serrait le cœur comme un ressort qu'on remonte, que l'univers connu se réduisait à ce terrain de cent mètres sur cent, et sa population aux vingt-deux filles qui le sillonnaient, une sorte d'état de grâce mêlé de furie, et venu d'elle ne savait où, s'emparait d'elle. À ce moment-là, enfin, elle était pleinement elle-même – non plus cette gamine godiche et maussade qui errait comme une étrangère dans sa propre maison.

Son père semblait aux anges, quand elle jouait. Il arpentait les bas-côtés du terrain et détournait parfois la tête, trop ému pour suivre l'action. Mais sa mère, elle, ne s'intéressait jamais beaucoup au jeu, même quand elle rentrait victorieuse, avec ses cheveux qui lui dégoulinaient sur les joues en mèches humides, son maillot couvert de boue, ses chaussettes et ses genouillères trempées qui bâillaient sur ses chaussures. Souvent, en fin de match, elle avait l'impression d'être revenue à la case départ et de se retrouver tout aussi inadéquate et vaguement indésirable. Pas seulement parce qu'elle excellait sur des terrains qui restaient traditionnellement réservés aux hommes, mais parce que cette passion, cette furie explosive qui l'avait propulsée à travers le terrain, dévoilait quelque chose d'elle. Un peu comme sa mine renfrognée... Quelque chose que les autres préféraient ne pas savoir.

« J'avais ce talent, et je l'ai cultivé. Pour ce que ça m'a rapporté ! » conclut-elle d'un haussement d'épaules. Elle ne tenait pas à s'appesantir là-dessus. La Mercedes était venue accoster en souplesse en face de l'auvent de l'entrée joliment rénovée de son immeuble.

« Et comment ça a marché, pour votre équipe ? Vous avez décroché une médaille ? »

Levant la main, elle l'interrompit d'un geste, coupant court à ses investigations. Elle n'avait pas oublié les mises en garde corrosives de sa mère – ne jamais faire étalage de ses atouts, ne pas pavoiser, et, par principe, elle détestait aller trop loin et trop vite. Mais cette fois, là n'était pas le problème.

« J'ai fait de mon mieux, Robbie. Mais voilà bien longtemps que j'ai tourné la page. Maintenant, c'est du passé... »

Il tombait une sorte de neige fondue qui faisait scintiller les rues, et qui le lendemain matin se transformerait en brouillard. Dans la lumière miroitante, elle sentait sur elle le regard fixe dont il la couvait. Lui aussi devait en être passé

par là, se dit-elle. Renoncer à ses idées de grandeur... Le chagrin lui alourdissait les traits.

« Eh oui... » soupira-t-il, et il laissa s'écouler un certain
temps avant de reprendre la parole : « Ça serait un tantinet
déplacé, si je vous invitais à dîner, je suppose... Qu'en pensez-vous ? »

Qu'en pensait-elle ? Elle soupesa un instant la question... mais non. Trop tôt, trop risqué. Bien sûr, il accusa le
choc.

« OK. Comme vous voudrez », fit-il, trop déprimé pour
soutenir son regard. Sa déception, comme tout en lui, s'ex-
primait avec une telle exubérance...

Ah, la barbe ! se dit-elle. Et après... ?

« On a eu la médaille de bronze, fit-elle.

— Sans blague ! Vraiment ? »

Elle leur consentit ce petit plaisir, à l'un comme à
l'autre : se complaire un instant dans cette éphémère ferveur
dont il l'enveloppait. Une médaille. Une médaille olympique !
Il semblait à deux doigts de s'envoler, de dévotion. Elle ne
succombait que très rarement au péché d'orgueil, se méfiant
du rude atterrissage qui pouvait l'attendre au tournant, mais
ce soir-là, sans doute contaminée par l'admiration de Feaver,
elle laissa éclater sa fierté. Oui, elle l'avait fait. Sa résolution
prise, elle avait réussi à grimper jusqu'au sommet et en avait
rapporté le trophée tant convoité. Mais, par une curieuse ironie du sort, Feaver aussi semblait connaître le prix de ce
genre d'envolée.

« Difficile de redescendre, après avoir atteint un tel sommet, non ?

— Très, répondit-elle. D'autant que vous découvrez tout
à coup que tous les autres ont déjà plusieurs mesures
d'avance sur vous, dans la vie normale. »

Ils bavardèrent encore un bon moment, et, avant de la
laisser descendre de voiture, il lui tendit la main – pour la
féliciter, songea-t-elle sur le moment.

Mais un instant plus tard, comme son pied se posait sur
le trottoir, elle eut une autre idée de ce qu'il avait voulu faire.

La paix.

13

« Ce qui fait jaser, nous expliqua Robbie, c'est que Kosic et Milacki se trimbalent toujours collés aux semelles de Brendan, comme deux vieux chewing-gums. Les gens se posent des questions, genre, "mais qu'est-ce qu'ils lui doivent, à la fin ?" Surtout Rollo, qui a vécu plus de trente ans dans un studio au sous-sol de cette grande baraque de pierre de taille que Brendan possède à Latterly, sur la rive ouest. Toute sa vie, Rollo lui a tenu lieu de bras droit. Il paraît qu'ils étaient de la même paroisse, mais que, Brendan étant son aîné de quelques années, ils ne se sont vraiment rencontrés que le jour où ils ont été incorporés dans le même régiment, en Corée. Quoi qu'il en soit, ils se sont retrouvés ensemble à l'assaut des coteaux de Suki Waki, ou Dieu sait où, sous une pluie de balles, et là, mon Brendan a tout juste le temps de lever le petit doigt que vlan ! un Chinetoque surgit d'un buisson, et vide son chargeur dans le corps de Rollo. Quand il raconte l'histoire – j'ai bien dû l'entendre huit cents fois – on voit la scène comme si on y était : vous savez, quand le héros se trémousse sous l'impact des balles, parce qu'il est déjà mort avant même d'avoir atteint le sol. Bref, Rollo est en miettes, mais le valeureux Brendan n'est pas du genre à jeter l'éponge si facilement – il se charge le Rollo sur l'épaule, et se le trimbale pendant une demi-heure jusqu'au sommet de la colline, jusqu'à ce qu'il lui trouve un toubib. D'ailleurs, soit dit en passant, ça n'est pas du flan – étoile d'argent à l'appui, et tout le tintouin... »

Robbie marqua une pause, le temps de décocher en direction de Sennett, assis à l'autre bout de la table, un regard lourd de sens : quand il s'agit de défier l'ennemi, Brendan Tuohey n'a pas froid aux yeux.

« Une fois remis sur pied, Rollo s'est littéralement trans-formé en héros du Roman de la Table ronde, ou du Livre de Ruth : "Je te suivrai ; où tu iras j'irai... !" J'ignore les termes exacts de leur accord, naturellement, mais depuis, ils ne se sont quasiment plus quittés : Brendan s'engage dans la police, Rollo devient flic ; Brendan est nommé procureur adjoint, Rollo se retrouve dans l'équipe de son service ; Bren-dan décroche un fauteuil de juge, et deux mois plus tard, Rollo est nommé premier huissier de sa chambre. »

Évidemment, cette cohabitation n'avait pas manqué de provoquer quelques ricanements à peine voilés, nous fit remarquer Robbie, mais à son humble avis, leur association s'arrêtait à ce qu'on en voyait : deux vieux croûtons, céliba-taires plus qu'endurcis, dont l'intimité se bornait à péter à table, ou à se trimbaler en slibard dans leur living. D'ailleurs, depuis maintenant plus de vingt ans, Brendan avait une liai-son avec Constanza, sa secrétaire, mariée par ailleurs – ce qui lui convenait parfaitement, au vieux bouc. Un jour, il avait expliqué à Robbie que pour lui, les femmes c'était comme les perroquets : « Joli plumage, lui avait-il dit, mais, côté ramage, ce que ça peut vous casser les oreilles ! Pour rien au monde, je n'irais me mettre ce genre de bestiole sur le dos à plein temps – à mi-temps, d'accord, ça reste viva-ble. »

Un jour qu'il était d'humeur badine, Tuohey lui avait servi une tirade plutôt ébouriffante, visant à lui démontrer qu'à tout prendre, la compagnie de la bouteille était préfé-rable à celle des femmes. Kosic, qui ne disait pratiquement jamais rien à personne, semblait faire fidèlement écho à toutes ses prises de position. Lui aussi avait une chère et tendre, une veuve qui se trouvait être sa cousine au deuxième degré – ce qui, providentiellement, leur interdisait d'envisager un éventuel mariage.

De l'avis de Robbie, les bases de l'association Tuohey-Kosic étaient non pas le sexe mais l'argent. Brendan avait étendu les fonctions de Kosic bien au-delà de celles d'un simple porteur d'enveloppes. Le « loyer », pour reprendre le terme de Robbie, que lui réglaient un certain nombre de juges pour rester en poste, était versé à Kosic, et n'allait jamais plus loin. Depuis plus d'une décennie, Robbie n'avait jamais vu Brendan mettre la main à la poche, ne fût-ce que pour s'acheter le journal. Kosic payait tout – les dépenses de la maison, depuis le téléphone jusqu'à l'électricité – par des mandats qu'il achetait au hasard, dans diverses banques et bureaux de change. Brendan n'avait jamais eu de carte de crédit, et ne se servait de son compte en banque qu'exceptionnellement. Les courses, les vacances, l'habillement, les dettes de jeu qu'il contractait à son Country Club, et jusqu'à la petite rente qu'il versait à Constanza, tout était réglé par Rollo. « Je suis parti sans portefeuille », disait-il à ceux qui ne le connaissaient pas, ou peu. Les autres ne se donnaient plus la peine de demander. Incidemment, et presque de but en blanc, Brendan vous sortait un laïus qu'il prétendait issu en droite ligne des rudes leçons que la grande dépression avait enseignées à sa pauvre mère, concernant les méfaits du crédit et les vertus des espèces sonnantes et trébuchantes. Robbie n'avait jamais entendu ce genre de chose dans la bouche de sa sœur Sheilah, la mère de Morton. Ce n'était qu'un écran de fumée de plus. Brendan avait toujours une mesure d'avance sur ses ennemis imaginaires.

Ce petit exposé sur Kosic se tenait quelques jours après la remise des quinze mille dollars à Walter, et c'était la mise en garde faite par ce dernier à Robbie – « Vaudrait mieux pas nous prendre pour la Cour des Miracles » – qui était à l'ordre du jour de la réunion. Avant même de lancer les opérations, Sennett et McManis savaient qu'ils ne pourraient monter qu'un nombre restreint de « coups » sur une période donnée. Une subite pléthore d'affaires « spéciales » finirait par éveiller les soupçons de Tuohey et de sa bande. Morty se poserait des questions devant ce soudain afflux d'affaires en provenance de mon cabinet. Les juges finiraient par tiquer en voyant rappliquer chaque semaine le tandem Robbie-McManis, catalogué une fois pour toutes dans leur numéro de frères ennemis, comme le duo Hepburn/Tracy. D'un autre côté, D.C. soumettait Stan à une pression constante : il leur fallait des résultats. Sennett avait déjà mis dans la confidence une petite équipe de procureurs fédéraux adjoints, qui nous demeuraient invisibles, et auxquels il ne faisait que très rarement allusion, mais dont la présence souterraine se manifestait sous les espèces des tombereaux de paperasses que générait chaque nouvelle affaire.

La répartition des dossiers restait source de difficultés. En dehors de celles attribuées à Malatesta, deux affaires avaient atterri dans le cabinet de Gillian Sullivan, temporairement injoignable. Elle s'était, pour quelque temps encore, attiré les projecteurs de la presse, qui la tenait dans son collimateur, suite à une remarque incongrue faite sous l'empire de la boisson à un avocat hispanique, qui était arrivé en retard à l'une de ses audiences. Un seul dossier avait abouti chez Sherman Crowthers, qui s'en occupait avec le flegme qu'on lui connaissait, et toujours pas le moindre chez Barnett Skolnick – le seul juge qui acceptât de recevoir personnellement l'argent de Robbie... celui que Sennett brûlait d'épingler pour désamorcer les objections de Washington.

Stan avait alors suggéré à Feaver de faire transférer vers Skolnick au moins l'une des affaires confiées à Malatesta.

« Pas de problème, Stan ! s'était esclaffé Robbie. Je décroche immédiatement mon téléphone et j'explique à Kosic que le FBI désirerait piéger en priorité le juge Skolnick... » Sans compter, souligna-t-il, que ces temps-ci, Rollo semblait favoriser Malatesta, peut-être parce que son planning était accaparé par ailleurs par une grosse affaire de pollution, qui avait limité ses rentrées d'argent accessoires. McManis y vit aussitôt l'occasion de rectifier le tir :

« Excellente excuse pour demander à Kosic le transfert d'un dossier, lança-t-il. Pendant un certain temps, comme vous l'a clairement signifié Walter, mieux vaut que Malatesta ne prenne pas le risque de trancher en votre faveur. Maintenant, supposons que vous ayez un besoin impératif et urgent d'assurer le coup pour l'un de ces dossiers... »

Naturellement, Stan piaffait d'excitation à la perspective d'enfoncer si vite la garde rapprochée de Tuohey. Mais Robbie l'en dissuada.

« Je ne m'attaquerai pas de front à Rollo. On se parle, bien sûr. Il se pointe de temps à autre dans un de mes bars favoris, et je lui paie un coup. Mais c'est pas le genre de personne qu'on appelle. C'est lui qui décroche son téléphone, selon son bon plaisir. Moi, je ne l'appelle jamais. Et, quoi qu'il arrive, pas question d'aller lui raconter des bobards. Ça ne prendrait pas. Suivez toujours votre propre pente, et si possible en la remontant, fit-il, citant un autre de ses théâtreux favoris.

— Bien sûr que ça prendrait ! C'est tout à fait dans vos cordes », fit McManis, d'un ton lénifiant. Jim avait enlevé ses lunettes, comme il le faisait généralement lorsque quelque chose requérait de sa part une attention toute spéciale – ce qui me portait à penser que ses lunettes n'étaient qu'un élément de son camouflage. Il poursuivit en exaltant les talents de comédien et de vendeur de Robbie. Ce serait un jeu d'enfant pour lui, lui expliqua-t-il, que de provoquer une rencontre qui aurait l'air tout à fait fortuite. « N'oubliez pas que nous disposons de certains moyens, fit-il avec un geste du pouce en direction de l'extérieur – en référence à Joe Amari. Il nous suffit de filer Kosic quelque temps. Dès qu'il se pointera en territoire connu, nous vous préviendrons. »

C'était la première fois qu'il forçait la main à Robbie. Jim était un modèle de mesure et de prudence, mais il avait comme moi remarqué chez Feaver cette soudaine réticence. Une nervosité que je ne lui avais jamais vue, depuis deux mois que j'étais son avocat. Rien à voir avec une baisse de régime fortuite ou un accès de trac avant de passer à l'action. Robbie était tout simplement vert de trouille.

Vers la fin février, un après-midi où Robbie et Evon venaient d'une réunion de préparation avec Heidi Brunswick, une cliente qui devait faire une déposition le lendemain, Bonita passa une communication à Robbie. Il se figea derrière son bureau, dans son grand fauteuil de cuir, et écouta en silence. Evon craignit un instant que ce ne fût une mauvaise nouvelle, venant de Lorraine. Mais il conclut l'appel par un retentissant « T'es vraiment la meilleure ! », avant de raccrocher. Puis il demanda à Bonita, via l'Interphone, de prévenir d'urgence Morton, qui était en réunion dans la salle du Trône. « On est partis ! » lança-t-il à Evon. Suz, l'autre assistante, se vit intimer l'ordre de terminer avec Mrs Brunswick, et Robbie, après s'être confondu en excuses auprès de sa cliente, fonça vers la porte.

« Un nouveau », confia-t-il à Evon dans l'ascenseur. Mais ça, elle l'avait déjà deviné à sa mine. Après ces huit semaines passées dans son bureau, elle avait vu Robbie dans tout un assortiment de circonstances, allant de la simple entrevue à la confrontation capitale, et même une fois, lors d'un véritable procès, qui s'était soldé par un compromis juste après la procédure de sélection du jury. Rien – rien ne les mettait, Mort et lui, dans une transe comparable à celle où les plongeait la perspective de signer avec un nouveau client. Tous leurs voyants d'alerte se mettaient à clignoter, comme s'ils avaient détecté une odeur de poudre. Le fait que les jours de Robbie étaient comptés, pour ce qui était de sa vie professionnelle, mais qu'il pouvait toujours espérer recevoir sa part d'honoraires sur les affaires qu'il signait maintenant, n'enlevait évidemment rien à son enthousiasme. Pour lui, la conquête d'un nouveau client était un plaisir en soi, un moment de vérité, le test suprême qui, s'il le passait avec succès, lui confirmait qu'il avait réussi à convaincre au moins une personne, qu'il était le meilleur de sa catégorie, dans tout le comté.

Cette nouvelle affaire était ce que Robbie appelait « un gros coup » – ce qui sous-entendait d'importants dédommagements en perspective. La cliente potentielle était une femme de trente-six ans, mère de trois enfants. La veille, son médecin l'avait renvoyée chez elle en l'assurant qu'elle souffrait d'une banale bronchite, et que la douleur qu'elle avait à la poitrine ne tarderait pas à se calmer d'elle-même. Or les ambulanciers venaient de l'emmener au service des urgences, à l'hôpital des Sœurs de la Charité. La patiente était dans un état semi-comateux, encore agitée des spasmes d'un accident coronarien de sombre pronostic. Evon était désormais suffisamment initiée à la ténébreuse alchimie de ce métier où l'on transmutait le malheur en or pur, pour comprendre que les dédommagements seraient démultipliés en cas de décès de la patiente, qui laisserait derrière elle trois orphelins. Feaver fit grimper le compteur de la Mercedes à 120 sur l'autoroute. C'était l'administratrice de l'unité de soins intensifs de l'hôpital qui l'avait mis sur le coup.

« On a été bons amis, un moment », expliqua-t-il.

Il semblait connaître l'hôpital comme sa poche. Il poussa d'une main assurée les grandes portes, actionnées par des pompes hydrauliques. Son trench-coat ouvert flottant dans son sillage comme une cape, il fonça au service administratif.

La directrice était une femme superbe. Une Afro-Américaine, avec quelque chose d'autre... un soupçon de sang polynésien, peut-être. Ses hautes pommettes dénotaient une beauté atavique, ancestrale. Elle pouvait avoir dans les trente-cinq ans et s'habillait avec goût. Une grande écharpe haute couture était nouée autour de ses épaules. Robbie l'embrassa sur la joue, et elle lui passa le bras autour de la taille pour l'accueillir dans son bureau, avant de l'entraîner vers le couloir, à l'autre extrémité duquel se trouvait la salle d'attente des urgences.

Le local était littéralement pris d'assaut. Les gens qui étaient assis sur les sièges de plastique, disposés sur quatre rangs, affichaient pour la plupart cet air traqué, désorienté, et comme estourbi par l'excès d'angoisse. Une jeune femme aux traits soufflés, avec les cheveux en bataille, berçait dans ses bras un nouveau-né, tandis que deux garçonnets d'environ trois ans escaladaient les sièges d'alentour en semant la panique. Elle les interpellait d'une voix dure, et de temps à autre levait vers eux une main menaçante, pour leur balancer des claques qu'ils avaient déjà appris à esquiver. Elle finit cependant par coincer un des galopins, dont les hurlements firent vibrer les murs de la petite pièce.

Un jeune Noir se tenait le bras, vêtu seulement, en dépit de la température extérieure, d'un jean et d'un simple tee-shirt blanc maculé d'une grosse tache de sang déjà séchée. Un pansement sommaire de gaze et de sparadrap lui masquait l'épaule. Une femme d'un âge assez avancé – sa mère, sans doute, songea Evon – attendait près de lui, engoncée dans un gros manteau marron. De temps à autre elle secouait la tête d'un air chagrin. Son garçon s'était pris un coup de couteau.

Au dernier rang, se trouvaient les gens que Robbie était venu voir – la famille de cette femme, qui, quelque part derrière les rideaux, à quelques dizaines de mètres de là, luttait contre la mort. Parmi eux, un type rondouillard, quoique encore assez jeune, avec un teint blême et une calvitie naissante, semblait être le mari. Il avait les mains jointes, comme s'il priait, et paraissait totalement désemparé. À ses côtés, se tenait un couple plus âgé. L'homme avait un visage rude et porcin, et des cheveux sombres. Un paquet de cigarettes émergeait de sa poche de chemise. Près de lui, sa femme avait la mine épuisée de quelqu'un qui a longtemps pleuré. Sa mâchoire en tremblait encore. Elle fondit à nouveau en larmes en apercevant Robbie et l'administratrice. Elle frémissait d'impatience à l'idée de raconter son histoire. Robbie s'assit aussitôt près d'elle et lui saisit la main, sans même prendre le temps d'ôter son imper.

« Robbie Fever », lui dit-il, et Evon aurait juré qu'il avait prononcé ainsi – « Fever », comme dans la chanson, et non « Feaver », comme d'habitude. Tirant une luxueuse boîte de sa poche, il lui présenta sa carte. Un peu plus loin, la fille aînée, une gamine de neuf ans, s'était installée à l'écart. Elle avait dû insister pour venir avec les grands. Elle était impeccablement vêtue et ses longues boucles, d'un châtain indéfinissable, étaient soigneusement peignées. Elle s'était affaissée sur son siège, les yeux fixés sur ses genoux. Elle seule semblait prendre la mesure de la catastrophe, et sonder l'abîme qui menaçait d'engloutir toute la famille.

Au bout de quelques minutes, Robbie sortit un bloc-notes, et se mit à écrire. Il restait suspendu aux lèvres de ses interlocuteurs, qui se relayaient pour lui raconter leur histoire. Dix minutes plus tard, Morty fit son entrée, se hâtant avec lenteur sur ses jambes bancales. Il s'installa sur le siège qui séparait celui du père et celui de la fillette, et s'adressa d'abord à la petite. Il ne parlait qu'à peine, ne tentant aucunement de la dérider. Il se contentait d'attendre ses réponses. Lorsque enfin il parvint à obtenir un hochement de tête d'approbation, il sortit de son attaché-case un livre de jeux et de mots croisés avec un crayon, puis se tourna vers le père.

Les deux avocats en étaient là, cernant la famille sur les deux flancs, lorsqu'un médecin appela : « Rickmaier... ? Les parents de Cynthia Rickmaier, s'il vous plaît ? » Il avait gardé ses gants et son costume du bloc opératoire, y compris le petit calot vert. Deux jeunes femmes lui emboîtaient le pas à quelques mètres, l'une vêtue du même costume chirurgical, l'autre d'une longue blouse blanche avec un stéthoscope autour du cou. Le chirurgien, dont les minutes devaient être comptées, dut prendre Robbie et Morton pour des membres de la famille, car il les invita à le suivre, en même temps que les autres, dans une salle attenante, où il commença à parler, à peine la porte se fut-elle refermée sur eux. Au bout de quelques phrases, la vieille femme poussa un cri strident, viscéral. Son chagrin la poussa dans un coin de la pièce. Là, prostrée, elle leva les yeux vers un crucifix, et, à travers ses sanglots, poussa une longue lamentation, qui franchit ses lèvres sans même prendre forme de mots articulés. Son mari lui jeta un regard douloureux et comme surpris. Il secoua la tête. Le docteur parlait toujours. Robbie écrivait quelques notes sur son bloc, de temps à autre, jusqu'à ce que l'une des internes s'en aperçoive et lui enjoigne de poser son crayon. Il se leva alors, et, rejoignant dans son coin la mère de la morte, lui passa le bras autour des épaules.

Entre-temps, Morton avait amené la fillette près de son père, qui, même debout, gardait les mains jointes. Il ne parlait qu'à peine, mais ses larmes coulaient derrière ses lunettes. La petite vint se blottir contre lui, et, de l'autre côté, Morton lui prit la main. Lui aussi pleurait en silence. Ce qui surprit davantage Evon, c'est que Robbie lui-même, lorsqu'il revint vers les autres membres de la famille, était en larmes. De vraies larmes qui ruisselaient, lui laissant sur le visage des traces scintillantes. Evon, elle, ne pleurait jamais. Une autre des rudes leçons du terrain : pas de larmes. Si tu souffres – tu serres les dents.

Au bout d'un certain temps, Robbie se mit à parler des problèmes pratiques avec la famille. Il leur proposa une adresse de funérarium. Il fit signe à Evon d'approcher et lui donna un numéro de téléphone. En quittant la pièce, elle le vit ouvrir son attaché-case pour en sortir le contrat. Elle en connaissait déjà les termes par cœur. « Nous, soussignés, confions au cabinet juridique Feaver & Dinnerstein le soin de nous représenter, etc. » Il le fit passer, avec son stylo Mont Blanc, au veuf qui s'était effondré sur une chaise. Il avait glissé le bras autour des épaules de la petite, et ses yeux ne quittaient pas la grande horloge. La mère de la défunte exigeait qu'il signe. Ils n'allaient pas encaisser ça sans rien faire. Il fallait faire payer les responsables. Ceux qui avaient fait ça à Cynthia. Elle ne quitterait pas cet hôpital tant que la procédure ne serait pas engagée.

Lorsque Evon revint, Robbie s'était levé. Ses yeux étaient secs, son pardessus reboutonné, le contrat en sûreté dans sa mallette, qu'il serrait sous son bras. Il embrassa la belle-mère, et eut avec elle un dernier aparté. Avant de partir, il recommanda aux deux hommes, et même à la petite, de ne rien dire à personne de toute l'affaire – de ne surtout pas répondre aux questions de la compagnie d'assurances, et de renvoyer au cabinet tous les coups de fil qu'on leur passerait à ce sujet. Morton resta près de la petite.

« Prenez note de ceci, lança Robbie à Evon dès qu'ils se retrouvèrent dans la Mercedes. Il faudra appeler à Ozman County, pour avoir la date et l'heure de l'examen médico-légal. Il va falloir y assister. Tout dépend de l'heure que le médecin légiste déterminera pour l'infarctus principal. S'il estime que ça remonte à trois jours, le toubib peut prétendre que le mal était déjà fait, et que, même s'il avait diagnostiqué correctement l'accident coronarien, hier, personne n'aurait réussi à la sauver. » Robbie indiqua à Evon les coordonnées d'un pathologiste dont il souhaitait la présence à l'examen – un expert qui pourrait éventuellement contester les conclusions du coroner.

Puis il parut se plonger dans ses pensées, ce qui apaisa quelque peu les craintes d'Evon – elle avait, un instant, redouté qu'il ne laisse soudain éclater sa joie. Ils avaient rejoint l'autoroute, et après l'agitation des urgences, la Mercedes était un havre de paix. L'hôpital se trouvait loin du centre, au-delà de la grande banlieue. Ils traversaient de vastes champs enneigés, encore hérissés des chaumes du maïs récolté en automne.

« Je peux vous poser une question ? » Elle avait fini par briser le silence. En elle s'était levé un maëlstrom de sentiments qu'elle ne se connaissait pas. « Le jour de notre rencontre, vous avez dit que votre nom se prononçait *Feaver*, comme dans "faites-moi une faveur" – mais je viens de vous entendre dire *Fever* – et ce n'est pas la première fois. C'est même ce que vous dites, la plupart du temps.

— *Fever, Feaver*, j'utilise les deux. Du temps où je voulais devenir une star, je préférais *Fever*, évidemment. Ça sonnait plus torride ! Maintenant, c'est selon. J'ai dû essayer de vous taper dans l'œil, le premier jour. » Il haussa les épaules avec cette ironie fantasque que lui inspiraient ses propres défauts. En fait, une majorité de gens, dans son entourage, disaient *Fever*. « Sans compter l'aspect relations publiques », ajouta-t-il.

Elle le regarda sans comprendre.

« Au départ, c'était Faber – dans le pays d'origine de ma famille. C'est une de ces histoires d'immigrants. Mon grand-père avait du mal à se faire comprendre. Il a essayé de faire corriger à l'officier de l'immigration ce qui était inscrit sur les papiers. C'est ainsi que Faber s'est transformé en Feaver. Mais vous savez, certaines personnes, quand elles entendent Faver – Faber, elle pensent "Juif". Alors, je deviens "Fever"... Pour les Rickmaier, par exemple. Ça aussi, ça fait partie du jeu. »

Elle en resta bouche bée pendant quelques instants. Robbie eut un petit sourire. Comme d'ordinaire, il se délectait de sa mine outrée.

« Et vos larmes, tout à l'heure – ça aussi, ça faisait partie du jeu ?

— Faut croire. C'est plus ou moins notre spécialité, à Morton et à moi. Vous savez, la compétition est rude. Tout avocaillon qui se respecte est persuadé d'être le plus grand, le plus beau, le plus fort et tient à le démontrer. On s'arrache les contrats. C'est à qui encaissera les plus gros honoraires, et, dans les prétoires, c'est à qui en imposera le plus. Comme avec ces gens... Une affaire en or – OK ? Le bruit va se répandre à la vitesse de la lumière. Les gens vont venir leur parler. Leurs tantes, leurs cousins, le flic du quartier, le prêtre de la paroisse – tout le monde va venir frapper chez les Rickmaier, pour leur dire qu'ils connaissent des avocats plus chevronnés et plus réputés que Feaver & Dinnerstein. Et je vais devoir leur coller aux baskets pendant au moins trois semaines pour y mettre bon ordre. Certains confrères essaieront de nous casser du sucre sur le dos, auprès de nos clients, en leur demandant : "Est-ce qu'ils ont pleuré avec vous ?" Genre : "C'est leur tour favori. Est-ce qu'ils ont fait le beau en vous rapportant vos pantoufles ?"

— Mais c'est bien ça ?

— Quoi ça ?

— Un tour. Vous êtes capable de pleurer à volonté ? »

Il lui demanda de tenir le volant, et appliqua deux doigts à la racine de son nez, en un geste qui évoquait une posture de méditation. Lorsqu'il se tourna vers elle, quelques instants plus tard, des gouttes scintillaient au bord de ses paupières. Elles roulèrent sur ses joues dès qu'il cligna les yeux. Mais son masque de gravité laissa filtrer un sourire matois.

« Pas mal, hein ? » fit-il en reprenant le volant. Elle le regarda : il s'était carré contre son dossier de cuir ivoire, les joues encore humides, se rengorgeant de la surprise que cet exploit ne manquait jamais de provoquer. Il trouvait si prévisible ce mépris qu'elle lui manifestait, découvrit-elle. Et par là-dessus, à travers l'agitation révoltée qui faisait rage en elle, émergea une sorte de pressentiment. N'était-ce pas plutôt elle qu'il menait en bateau ?

« Vous pouvez donc pleurer comme ça – aussi facilement que je ferme le poing ?

— Pas tout à fait. Je dois d'abord me mettre en condition.

— Comment ?

— Je pense à quelque chose de triste.

— Comme par exemple ? À quoi avez-vous pensé à l'instant ? »

Il fit « non » d'un menton boudeur. Pas question de lui livrer ses ficelles.

« Moi, je vous ai dit, pour les Jeux olympiques.

— Rien à voir, fit-il. Ça, c'était un fait. D'ailleurs, j'avais deviné.

— Et moi qui vous l'ai confirmé... » fit-elle, et elle ajouta : « comme une idiote. »

Il lui jeta un coup d'œil inquisiteur, apparemment pour déterminer si elle était sincère dans cette réprimande qu'elle s'adressait à elle-même. Elle lui présenta un visage plus hermétique et plus figé. Ils roulèrent un kilomètre ou deux, dans un silence que seul venait troubler l'agaçant chuintement des pneus sur la route verglacée.

« La petite, lâcha-t-il enfin.

— Pardon ?

— C'est à elle que j'ai pensé. À cette gamine. Je me suis imaginé son réveil, demain matin. Ce moment où elle ouvrira les yeux, l'esprit encore embrumé de pensées vagues – son école, un film qu'elle a vu, ou le rêve qu'elle vient de faire, et ça lui reviendra, comme une flèche en plein cœur. Elle se souviendra qu'elle n'a plus de maman. Elle va se trouver plongée dans une frayeur terrible, de plus en plus profonde, parce qu'elle est loin d'être bête. Elle sentira qu'elle ne peut même pas encore s'imaginer l'ampleur de son chagrin. Voilà ce que j'ai pensé.

— Ce n'est donc pas un jeu de votre part – ces larmes ?

— Comment ? »

Elle répéta la question.

« Il me semblait pourtant vous avoir expliqué tout ça, fit-il – pour ce qui est du jeu. » Agacé, il tourna la tête à mi-chemin entre la route et elle. « Vous ne comprenez pas ? Ce que je viens faire dans cet hôpital, dans les salons funéraires – partout où je vais pêcher des contrats ? Je vais les voir, ces gens, et je leur dis : vous souffrez. Vous souffrez abominablement, mais je peux améliorer votre sort. Faites-moi confiance. Je partage votre peine. Je vous obtiendrai des dédommagements. Je calmerai votre colère. Mais, de toute évidence, ça n'est jamais qu'un jeu. Le chaos et les ténèbres... vous vous souvenez. Pour pouvoir faire vraiment quelque chose pour cette petite, il faudrait que je sache ressusciter les morts – je me trompe ? Évidemment, une jolie petite cagnotte, c'est toujours bon à prendre – mais...

— Vous vous en fichez donc !

— Comment ! Vous croyez peut-être que je passe parfois quatre nuits blanches d'affilée en période de procès pour des gens dont je me fiche ? » Il avait posé les yeux sur elle, et ne regardait absolument plus la route. Il fit bifurquer la Mercedes sur une aire de repos, où les tables de pique-nique avaient été retournées pour ne pas s'écrouler sous leur chargement de neige. Leurs pieds de bois brun sombre, croisés, se dressaient comme des bras qu'on agiterait pour attirer l'attention. « C'est vraiment ce que vous croyez ? »

Elle se mordit la lèvre, effrayée. La colère lui avait assombri les yeux. Il s'apprêtait à lui servir une autre de ces tirades dont il avait le secret, et elle l'attendait de pied ferme. Avec joie, même. Les rares moments où Robbie Feaver sortait un peu de ses gonds étaient les seuls où on pouvait l'amener à une certaine sincérité. À présent, son charme un poil trop apprêté se nuançait d'une certaine noblesse.

« Écoutez – j'aime être sous les projecteurs. Je ne crache pas sur l'oseille, et j'adore descendre la rue tout auréolé de l'aura du vainqueur, quand je viens de remporter une affaire. Mais, diantre ! – vous pensiez vraiment que c'était pour moi, que je leur graissais la patte, à ces juges ? Sans blague ? Je ne supporte pas l'idée de devoir aller trouver ces gens, et de leur dire : "J'ai perdu, et vous aussi. À la trappe, l'espoir ! Il ne vous reste que vos yeux pour pleurer, et ça ne va pas aller en s'améliorant..." J'ai horreur de devoir leur annoncer ça. Voilà pourquoi c'est un jeu. Ils en ont besoin – et moi aussi, j'en ai besoin. » Emporté par son monologue, il lui avait un instant pris les mains. Lorsqu'il les lui lâcha, elle n'aurait su dire si c'était parce qu'il avait soudain pris conscience de la précarité de ce geste, ou s'il avait seulement battu en retraite devant l'éclair qu'avaient dû lui lancer ses yeux. Il ramena ses mains sur son écharpe multicolore, et répéta ces mots en sourdine juste avant de passer la première : « Ça n'est jamais qu'un *jeu*. »

14

Quelques jours plus tard, comme Robbie et Evon s'apprêtaient à quitter le cabinet, McManis appela pour leur anoncer qu'Amari avait suivi Kosic jusqu'à l'un des bars dont

Robbie était un vieil habitué, un établissement des plus sélects, à l'enseigne de « Latitudes ». Le bras droit de Tuohey s'y trouvait encore. Après une brève escale qu'ils firent au bureau de McManis, le temps de s'équiper, ils partirent au pas de course, en slalomant dans la foule de la sortie des bureaux, sur les trottoirs illuminés par les phares des véhicules bloqués dans le trafic. Contre toute attente, Feaver affichait un moral d'acier. Sans doute la crainte quasi superstitieuse que lui inspirait Kosic avait-elle été momentanément éclipsée par la perspective d'un petit pèlerinage dans cet endroit, qui avait été l'un des hauts lieux de sa vie de noctambule, jusqu'à ce que l'aggravation de l'état de sa femme ne lui interdise ce genre de sortie.

Les longues baies vitrées de Latitudes donnaient sur Cahill Street, mais pour entrer dans le bar, on devait traverser le hall d'une galerie marchande cossue, dans les vitrines duquel s'alignaient d'élégants mannequins sans tête. Le docteur Goodbody, le club de fitness où Robbie avait pris un abonnement, se trouvait au sous-sol. Après l'entraînement, lui expliqua Robbie, les véritables aficionados de la forme restaient au bar du club, à s'envoyer des jus de carotte et des steaks de soja. Lui, il se joignait plus volontiers aux habitués de Latitudes, qui s'y retrouvaient après leur séance de step, de tennis ou de muscu, pour s'offrir une tequila et en griller une petite – histoire de vérifier si les efforts qu'ils s'imposaient pour entretenir leur forme pouvaient leur valoir un petit bonus plus immédiat que la seule bonne santé.

Au-dessus de la porte d'entrée se balançait une enseigne noire, d'un design raffiné, et l'architecture intérieure était d'une élégante sobriété. Des tables de granit poli, des balustrades chromées, rutilantes. Des lampes italiennes figurant des arums retournés diffusaient savamment leur lumière intimiste. Le costume-cravate semblait de rigueur. Certains clients déambulaient dans la salle du rez-de-chaussée autour du bar – un grand arc de granit et de bois. D'autres avaient pris place sur la mezzanine tapissée de dalles d'ardoise, qui semblait flotter au milieu d'un nuage de fumée.

Ce fut un véritable chœur d'exclamations qui s'éleva dès que Robbie émergea de la porte à tambour.

« Hé ! Mais c'est ce vieux chasseur d'ambulances ! » s'exclama un type qui fendit la foule pour venir serrer Robbie dans ses bras. C'était Feaver, en plus massif et en plus bovin. Le teint mat, vêtu avec recherche, les cheveux coiffés en arrière, formant une sorte d'ogive sur la nuque. « Où tu t'étais fourré, nom d'un chien ! Tu t'étais installé à plein temps à l'hosto, histoire de mieux convaincre les infirmières de distribuer ta carte à tous leurs patients subclaquants ? Hé ! Tu devrais carrément t'offrir un numéro vert : 1-800-PARAPLÉGIQUES »

Doyle Mersing était agent immobilier. Il glissa un bras autour de la taille d'Evon, tout en lui serrant la main.

« Venez donc prendre un verre avec nous ! » lança-t-il. Deux femmes encadraient le tabouret qu'il venait de quitter. La première pouvait avoir la trentaine bien mûre, et l'autre guère plus – toutes deux arborant des coiffures élaborées et des ongles brillamment manucurés. Elles avaient la cigarette à la main, et semblaient avoir juste ce qu'il faut de plomb dans l'aile. Des divorcées, songea Evon. Ni l'une ni l'autre ne portait d'alliance, et on sentait chez elles, sous leur façade de gaieté primesautière, un fond plus las et plus blasé. Le regard d'Evon s'attarda sur Sylvia, la brune, qui semblait avoir des vues sur Robbie. Ça lui parut étonnamment prévisible. Une sorte de phénomène naturel. Une fleur orientant sa corolle vers le soleil. Sylvia avait entrepris de le bombarder de questions. Elle repoussa d'un revers de main les mèches qui lui balayaient le front, pour pouvoir le contempler tout à son aise. Chacune des blagues qu'il hasardait lui faisait pousser, ainsi qu'à sa compagne, des hurlements de rire extasiés. Après l'une de ces explosions de joie, Evon remarqua que la main de Sylvia s'était posée sur le bras de Robbie. Sans doute ne considérait-elle pas sa présence comme un obstacle...

Evon se détourna du bar pour lever la tête vers le nuage de fumée, de musique et d'éclats de voix – ces émanations de l'optimisme à la fois béat et désespéré dont était chargée l'atmosphère du café. Elle ne s'était jamais sentie à sa place dans ce genre d'endroit. Ils auraient pu la démonter pièce par pièce et la remonter comme une poupée Barbie, chez Elizabeth Arden, qu'elle n'aurait toujours pas valu un clou, chez Latitudes. Même en se faisant passer pour quelqu'un d'autre, elle était tout bonnement incapable d'afficher cet air d'intérêt franc et direct, dénué de toute crainte, que projetaient toutes les Sylvia du monde. Comment faisaient-elles ? C'était pour elle un insondable mystère.

Lutese, la barmaid, était une superbe Noire aux traits vigoureux, maquillée à la perfection. Les ombres qui lui soulignaient les yeux dramatisaient admirablement son regard. Elle approchait du mètre quatre-vingts, avec une plastique impeccable. Ses ongles, très longs et vernis d'un jaune mordoré, se recourbaient comme des griffes. Lutese était voyante de profession, lui expliqua Robbie – ce qu'elle prit, au premier abord, pour une autre de ses facéties.

« C'est la pure vérité, fit Lutese. Et j'exerce toujours, de temps à autre. Vous, par exemple – je peux vous dire que vous feriez bien de l'avoir à l'œil, cet oiseau, quand vous l'amenez ici. Il garde toujours plus d'un fer au feu, et il n'a pas la langue dans sa poche ! Un vrai perroquet ! » Robbie partit d'un grand éclat de rire, mais Lutese surenchérit : « Surveillez-le bien, c'est un conseil d'amie. C'est comme les pies, vous savez... ça se précipite sur tout ce qui brille !

— Bref, je suis une vraie volière à moi tout seul.

— Sans compter son petit côté étourneau... »

Mersing, qui était allé se chercher des cigarettes, tapota le fond de son paquet du plat de la main en s'installant sur son tabouret.

« Alors... qu'est-ce que vous racontez, depuis la dernière fois ? » demanda Robbie. Malgré le brouhaha, Evon entendait clairement dans son oreillette chacune des phrases qu'il prononçait. Elle était un peu désorientée par la façon dont l'appareil amplifiait la voix de Feaver, l'imposant au-dessus du fond sonore. Klecker avait accroché le FoxBite à sa cuisse en quatrième vitesse, et ne s'était pas privé de râler : « Vous allez capter beaucoup trop de bruit de fond ! On n'entendra que le tintement des verres et les conversations des voisins. Avec un son pareil, la défense se débrouille toujours pour démontrer par A plus B aux jurés que le type qui a dit "C'est moi qui ai fait le coup" se trouvait à la table d'à côté. » Mais Robbie n'avait pas fléchi. Sa seule chance de coincer Kosic, c'était dans ce genre d'endroit, lorsque le fidèle factotum de Tuohey aurait quelques verres dans le nez. Mais, pour l'instant, Feaver ne semblait pas pressé de se mettre à sa recherche.

« Alors, quoi de neuf ?

— Pas grand-chose, répondit Mersing. Tu sais, ta copine, celle que tu appelais PRN, on la revoit, de temps en temps.

— Ah, oui ? Dites-lui qu'elle a le bonjour de Robbie. » Il inclina son verre pour observer les bulles qui montaient. « PRN... murmura-t-il avec un sourire.

— Petite robe noire », traduisit Mersing, pour Sylvia. Puis il engagea la conversation avec Robbie sur un dénommé Connerty, qui avait été marié trois fois, mais jamais plus d'un an. En ce moment, on le voyait beaucoup en compagnie d'une personne que Mersing surnommait « la Sicilienne ».

« Celle qui brille dans le noir..., fit Robbie.

— Sans blague ? » Ils éclatèrent de rire en chœur.

Sylvia s'était littéralement lovée autour de Robbie. Son bras s'était glissé sous le sien, et elle l'attirait à elle, depuis le tabouret où elle restait perchée. Ses genoux, gainés d'un voile de nylon brillant, s'étaient écartés suffisamment pour permettre à la hanche de Feaver de venir se loger entre eux. Une crise de fou rire secoua Mersing, Robbie et leurs deux amies. La blague demeurait totalement hermétique à Evon.

Elle se détourna à nouveau, et sentit tout à coup monter en elle une bouffée de désir, qui la cloua sur place. Ça lui arrivait inopinément, comme ses règles, toujours de façon un peu indésirable, avec une force si concentrée et si dévastatrice qu'elle craignit, l'espace d'une seconde, de laisser échapper un cri. Puis, Dieu merci, ça s'en allait comme c'était venu. Mais même après coup, elle en tremblait encore de la tête aux pieds, comme une sonnerie après l'alarme. Elle hésita une minute à troquer son Perrier citron contre un remontant plus efficace – mais Feaver s'éloigna soudain du tabouret de Sylvia. Il avait repéré Kosic. Il laissa à Lutese un généreux pourboire et mit le cap sur Rollo, entraînant Evon dans son sillage.

Il lui avait décrit Kosic comme un vieil anchois fraîchement sorti de sa boîte, et, munie de ce seul signalement, Evon localisa à son tour ce grand échalas, jaune comme un coing, qui descendait son verre en silence à l'autre bout du bar. Juste au-dessus de lui, sur la mezzanine, un pianiste jouait des succès de Broadway. À ce qui était, selon Robbie, son habitude, Rollo buvait seul. Si quelqu'un venait s'asseoir sur le siège voisin, il se décalait d'une place et, si le tabouret d'à côté n'était pas libre, il se plongeait dans la contemplation du mur et des bouteilles alignées en face de lui. Il n'adressait la parole qu'à Lutese ou à ses collègues barmaids avec qui il faisait un effort d'amabilité – si on peut parler d'amabilité lorsqu'il s'agit d'échanger quelques banalités de comptoir. Il posait deux billets de vingt dollars sur le bar en prenant place sur son tabouret, et repartait quand il ne lui en restait plus que dix, qu'il laissait comme pourboire. Tandis que Robbie et Evon approchaient, Kosic surprit son propre reflet dans le miroir du bar, et tapota délicatement de la main ce qui lui restait de cheveux.

« Hello, le grand K ! Quoi de neuf ? » Robbie prit d'assaut le tabouret resté libre, au côté de Kosic, qui eut un léger hochement de tête, et téta sa cigarette. Là-haut, le pianiste attaqua une réduction revue et corrigée de « Yesterday ». Tout de noir vêtu, le musicien croonait nonchalamment, s'apprêtant à affronter une soirée de plus, une nuit où il ululerait dans le vide, pour les seules oreilles à lui prêter attention : celles des clients dont les plans de drague avaient tourné court et qui s'offraient une soirée de vague à l'âme. Ce fond musical allait être un écueil de plus, se dit Evon, mais personne n'y pouvait rien. D'ailleurs, restait à faire parler Kosic...

Lorsque Robbie la présenta à Rollo, ce dernier se dévissa le cou pour la regarder par-dessus son épaule, et la détailla effrontément, de la tête aux pieds. Visiblement, lui non plus ne se sentait pas chez lui dans cet endroit où l'air lui-même semblait frétiller de prétentions à l'élégance. Kosic portait un vieux veston de tweed sur une chemise écossaise délavée. Ses cheveux, rares, noirs et gras, dont la coupe n'était plus qu'un vague souvenir, lui balayaient le col. La peau de son visage semblait desséchée par l'alcool.

Robbie fit un signe en direction du piano-bar, au-dessus de leurs têtes, et tâcha de détendre l'atmosphère : « Tu la connais, celle du type qui débarque dans un rade, et qui pose une valise sur le bar... Il en sort un Steinway miniature et une espèce de petit bonhomme, haut de trente centimètres, qui se met au piano, et joue pendant une demi-heure. Après quoi, le type fait passer le chapeau, genre, "Par ici la monnaie !" Le barman en reste bouche bée. "Super, votre numéro !" s'extasie-t-il. Mais l'homme à la valise fait la grimace : "Tu parles, mec.... Y a vraiment que moi pour tomber sur un génie sourdingue. T'imagines bien que c'était pas un 'pianisse' de trente centimètres, que je lui avais demandé !" »

Rollo fit la tête d'un type qui mord dans un citron. Sa bouche se tordit en un semblant de sourire, et il secoua la tête en écrasant son mégot. Il buvait un Old-Fashioned[1], et sa main droite, dont l'index restait replié vers l'intérieur, ne quittait que rarement son verre. Comme l'avait expliqué Fea-

---

1. Cocktail à base de whisky, avec des cerises à l'eau de vie – (*NdT*).

ver, l'ongle de ce doigt avait un aspect curieux, évoquant une vieille coquille de noix. Il avait été broyé du temps où Rollo était sous les drapeaux, un jour où il chargeait un obus dans une pièce d'artillerie. Il avait repoussé noir et fripé. Selon Robbie, cet ongle était le seul signe qui puisse permettre d'augurer de l'état d'esprit de Rollo, qui affichait constamment, quoi qu'il arrivât par ailleurs, ce masque morbide dénué d'expression. Mais quand il pointait sur vous son index mutilé que déshonorait cet hideux moignon, ça sentait franchement le roussi.

Pour le moment, Kosic prit la queue de sa cerise entre le pouce et le majeur, et la fit un instant tourner entre ses doigts, avant de descendre d'un coup le contenu de son verre. Il garda en bouche l'un des glaçons, qu'il entreprit de mastiquer. Robbie et Evon le regardaient faire, sans piper mot. Comme Lutese approchait, Robbie posa un billet de cinquante dollars sur le bar, et offrit son tabouret à Evon. Les regards de Robbie et d'Evon, et même celui de Rollo, suivirent Lutese, qui sortait ses cartes et les disposait d'une main souple et sûre, nullement entravée par ses ongles dorés dont l'extrémité se recourbait, comme des becs de perroquet.

« Et chez toi ? » entendit-elle. C'était Kosic qui avait posé la question à Robbie, presque dans un murmure, apparemment persuadé qu'elle n'écoutait pas. Il avait une voix ténue et haut perchée, presque une voix de haute-contre. Peut-être ce timbre curieusement placé expliquait-il sa réticence à prendre la parole, supputa-t-elle.

« Pas terrible », répliqua Robbie.

Kosic émit un grognement, qui pouvait aussi bien être la réponse aux mauvaises nouvelles concernant la santé de Lorraine, que sa façon de remercier Lutese pour le verre qu'elle venait de poser devant lui.

« Écoute, attaqua Robbie. C'est un vrai coup de pot de te trouver là, parce que j'avais justement besoin de te parler. Tu vas peut-être pouvoir me donner un tuyau. Je peux t'en parler, hein ? On est dans un bar... ici, je ne dois pas être le seul à venir raconter ses problèmes. » Robbie s'esclaffa. Quand Evon coula un regard dans sa direction, elle vit Kosic s'enfourner un autre glaçon dans la bouche. « Enfin, bref, j'ai un pépin avec un dossier que j'ai fait enregistrer, il y a une semaine ou deux. » Robbie précisa l'intitulé de l'affaire.

« Sur qui t'es tombé ? » demanda platement Kosic. Il eût

été impossible de dire si cette question couvrait un oubli sincère ou feint.

« Malatesta.

— Super juge, fit Kosic. Connaît son boulot... »

Lutese tirait les cartes sur le plateau de granit du bar, apostrophant les figures comme si elles avaient eu des oreilles pour l'entendre.

« Sûr ! entendit Evon dans son récepteur. Et en temps normal, ajouta Robbie, je serais enchanté de tomber sur lui. Mais là, il m'arrive un gros pépin. Une affaire de droit du travail. Mon client repeignait un atrium, et l'échafaudage s'écroule. Accident gravissime – lésions vertébrales massives. Énorme hernie discale sur L4 et L5. L'autre jour, je l'appelle pour lui confirmer que la procédure est engagée – tu sais, ils aiment bien qu'on les tienne au courant... – et il me fait : "Excusez-moi, mais je suis un peu dans le coaltar, là. Je reviens de chez mon médecin, et il m'a appris que j'avais un cancer du poumon – stade IV..." Un cancer ! Et je me retrouve avec ce problème sur les bras : l'affaire ne vaudra pas un clou si l'assurance apprend que la victime de l'accident a un pied dans la tombe, pas vrai ? Ceinture, pour le manque à gagner sur les revenus futurs ! »

Avec un luxe de précautions, Robbie entreprit d'exposer à Kosic les inconvénients qu'il y avait à faire juger le dossier par Malatesta. Pour que Robbie puisse garder une petite chance de récupérer quelques indemnisations, il faudrait que le juge mette fin très rapidement aux procédures de communication des éléments du dossier, tandis que Robbie tâcherait de parvenir le plus vite possible à un accord. Mais Malatesta refusait de façon quasi systématique de suspendre l'accès au dossier – seul le juge Skolnick procédait ainsi... Les récriminations de Walter n'avaient fait que le confirmer : Malatesta refuserait d'emblée tout écart au protocole de communication, dans un tel cas.

« Ce qui fait que je me retrouve le bec dans l'eau », conclut Robbie.

Il avait présenté la chose, selon les prescriptions de Sennett et de McManis, non pas comme une requête qu'il leur soumettait, mais comme une mise en garde : tout le monde serait perdant, si l'affaire était jugée par Malatesta. Tout en parlant, Robbie s'était concentré sur l'écran de télé fixé au-dessus du bar – une course de motocross dont les concurrents pataugeaient dans la boue. Evon s'était ostensiblement plongée dans la contemplation du piano. Jetant un œil par-dessus son épaule, elle vit que les petits yeux de Kosic res-taient braqués sur Robbie. Ils irradiaient un rayon haute-ment concentré, et létal. Elle vit son index, celui qui portait l'ongle noir, s'agacer sur la petite gouttière, au milieu de sa lèvre supérieure, qu'il tripota un certain temps sans desser-rer les dents.

Robbie capta le signal, et embraya aussitôt sur le basket – l'équipe d'Indiana avait battu les Hands à plate couture la semaine passée. Kosic ne se donna pas la peine de manifes-ter le moindre signe d'intérêt. Il descendit de son tabouret, et vida son verre, qui ne contenait quasiment plus que de la glace fondue. Au même moment, Lutese posa la dernière de ses cartes – une dame rouge, qu'elle contempla d'un air sidéré. Lorsque ses grands yeux bruns se posèrent à nouveau sur Evon, elle y lut un certain effroi. « La dame aux deux visages vit un mensonge ! » laissa-t-elle tomber.

Evon n'aurait su dire si Kosic avait entendu ce verdict. Toujours est-il qu'il quitta le bar et s'éloigna, sans un mot d'adieu.

L'enregistrement était inutilisable, ou tout comme. Au moment critique, selon les instructions de Klecker, Robbie s'était légèrement voûté, en se penchant en avant pour cana-liser le son vers le micro, dissimulé, cette fois, sous sa cra-vate. Mais le piano et le chant interféraient avec chaque phrase. On aurait dit que Robbie parlait entre les mesures dans un karaoké. Une chanteuse, dont Evon n'avait même pas remarqué la présence, couinait en quasi-permanence « Oh, now I long for yesterday-ay-ay-ay... ». L'enregistrement n'aurait même pas permis d'établir que Kosic avait entendu ce que lui avait dit Robbie. Mais il l'avait entendu, et comment ! Elle avait été saisie par la vague d'énergie mena-çante, presque tangible, qu'il avait dégagée. Robbie, aussi, en avait eu froid dans le dos. Nous étions accourus, Sennett et moi, au cabinet de McManis, où nous nous étions retrouvés dans la salle de réunion pour écouter les résultats. La rage de Feaver s'était fixée sur Stan.

« Ils vont me buter, dit-il. Si je continue à mettre la pres-sion comme ça, ça ne va pas tarder. J'en ai trop dit. Beau-coup trop ! »

Sennett fronça le sourcil.

« Écoutez, Stan, reprit Robbie. Vous pensez peut-être que je me fais des frayeurs. Mais il se trouve que Brendan est la seule personne de ma connaissance qui soit vraiment un tueur. Et il ne s'en cache pas, notez. Il a tué, en Corée, à mains nues ou tout comme. Et il recommencera, si nécessaire. Je sais de source sûre qu'il a commandité des meurtres, et je pèse mes mots. C'est d'ailleurs pour cette raison qu'il s'accroche à son poste. L'argent n'est qu'une partie de l'explication. Il tient à rester aux commandes, pour pouvoir supprimer telle ou telle personne, en cas de besoin. »

Moi-même, j'avais peine à le croire. La plupart des menaces qui sont proférées, y compris dans les rangs de la mafia, relèvent généralement de l'intimidation. J'avais peine à imaginer qu'un juge principal puisse commanditer et orchestrer l'exécution d'un adversaire. » Robbie jeta un œil autour de la table. Alf, Jim et Joe Amari affichaient le même masque incrédule. Comme le lui avait naguère fait remarquer McManis, les « ICs » étaient toujours effrayés de ce qu'on leur faisait faire.

« Bien. Puisque vous insistez, je vais vous raconter un truc, fit Robbie en plongeant les yeux successivement dans ceux de chacun de ses interlocuteurs. Vous vous rappelez ce que je vous ai dit, de Brendan et de Constanza, sa secrétaire. Ils ont une liaison qui dure depuis vingt ans. Elle est ravissante. Un bijou. Un petit bout de femme d'un mètre cinquante avec un corps de déesse, et ce beau type mexicain – des traits d'Irlandaise, avec les hautes pommettes d'une Indienne. Elle a dépassé la cinquantaine, mais elle a toujours cette beauté atavique, calme et digne. Et elle est mariée – ça, c'est une autre histoire. Elle a deux enfants, un garçon qui n'a jamais rien su faire de ses dix doigts, et une fille, très capable, elle.

« Eh bien, figurez-vous que Brendan s'en est occupé, de ses gosses – un peu comme il l'a fait pour moi, franchement. Il a toujours veillé sur eux, il s'est inquiété de leur avenir, etc. Enfin, bref, la fille se retrouve à l'université – avec une bonne bourse d'études, évidemment – et, comme les gosses de son âge, elle fait sa crise d'adolescence, et se dégote un petit ami. Un Noir. Mais un brave garçon, vraiment... pas du tout le mauvais bougre, quoiqu'un peu grande gueule, bien sûr, mais quoi, à dix-neuf ans, hein... ! Constanza, elle, son sang ne fait qu'un tour. Pas seulement à cause de sa couleur de peau – non, c'est pas tout. S'il avait été noir mais catholique, ça aurait pu passer. Mais là, pas question. Trop c'est trop. La fille, évidemment, commence par se rebeller, mais après quelque temps, vous voyez... la vie continue. Elle aime beaucoup sa mère, et elle finit par dire bye-bye à son petit ami. D'autant plus qu'elle vient de rencontrer un autre brave petit gars – Portoricain, cette fois, ce qui, pour maman, revient à tomber de Charybde en Sylla – mais celui-ci, au moins, il a été élevé chez les frères. Alors, bon, cette fois, ça fait la rue Michel. Sauf qu'Artis, le premier, ne l'entend pas de cette oreille. Il téléphone. Il s'accroche. Il suit la fille dans la rue. Et tout s'écroule dans sa vie. Il déprime. Il sèche ses cours. Il fait une vraie fixation. Il est au bord du désespoir, jusqu'au jour où, après s'être envoyé quelques rails, il braque la fille de Constanza et son nouveau chevalier servant. Il assomme le Portoricain d'un coup de crosse, et tient la gamine en joue, menaçant de la violer. Finalement, il se contente d'une petite branlette en sa présence – grand bien lui fasse !

« Alors Constanza file direct voir Brendan qui, comme vous savez, a des alliés partout. Il n'a jamais rompu avec ses anciens potes de la police. Il lui suffit de donner l'alarme pour que le môme se retrouve avec trente flics aux trousses. Après quoi, il s'arrange pour qu'Artis n'obtienne pas de mise en liberté sous caution, et qu'il ait droit au traitement spécial, durant son séjour en prison – jusqu'à ce qu'il ait l'anus comme un chou-fleur vinaigrette. Mais ça ne s'est pas arrêté là. Sans doute parce qu'auparavant, Brendan s'était personnellement chargé de prévenir le môme, à plusieurs reprises : "Laisse tomber ou sinon..." – et maintenant c'est "sinon". Il décroche son téléphone, appelle Toots Nuccio, son copain de toujours. Et Brendan, toujours égal à lui-même, ne demande jamais rien de façon explicite. Non. Il lui met juste la puce à l'oreille, il lui dit "Alors, tu es au courant de ce qui est arrivé à ma secrétaire et à sa petite... ? Incroyable, le culot de ce gorille – on se demande de quel zoo il a pu s'échapper ! Quand on pense qu'on foule le sol de la même planète que ce genre d'individu... Je ne supporte pas l'idée de respirer le même air que lui."

« Point à la ligne. Et tout est dit, pour Artis. Ciao, au revoir, bye-bye, sayonara ! On l'a retrouvé mort, avec les parties arrosées d'acide de batterie – et, comme de juste, la police s'est empressée de classer l'affaire sous la rubrique "règlements de comptes entre gangs".

« Mais voilà où réside le vraie génie de Brendan. Il a fait en sorte que tous ceux qui le côtoyaient aient vent de l'histoire. Ses empreintes n'étaient nulle part, évidemment. Mais il a raconté partout l'histoire de ce pauvre Artis, avec un petit sourire entendu. "Voilà qui porte à croire qu'il y existe effectivement un Dieu, quelque part..." – mais c'était un tout autre message qu'il fallait lire entre les lignes.

« Alors, pour moi, ça ne fera pas un pli. Si l'oncle Brendan vient à apprendre que je le moucharde, je ne vaudrai guère mieux qu'Artis. À la première occasion, il me fait étriper comme un vulgaire merlan. Il n'aura plus qu'à venir lorgner les derniers battements de mon cœur, sur le bord du quai. »

Il se trouvait que moins d'une semaine plus tôt, la juge Gillian Sullivan, toujours harcelée par la presse pour son intempérance notoire, avait demandé un arrêt maladie de trois mois – officiellement, pour cause de surmenage. Entre-temps, la plupart des affaires qui étaient portées à son planning furent donc réassignées. Les deux dossiers fictifs enregistrés par Robbie, et qui restaient en souffrance dans son service, furent réattribués, l'un au juge Crowthers et l'autre à Barnett Skolnick. Dans la foulée de cette redistribution générale, la plainte du peintre en bâtiment atteint du cancer se trouva attribuée à ce dernier, avec pour seule explication : « Réassigné pour raisons administratives ». Kosic était donc passé outre ses soupçons, si tant est qu'il en ait conçu, et avait accédé à la demande de Robbie – mais cela, nous ne l'apprîmes que plus tard. Ce soir-là, nous restions sur l'impression que Robbie s'était appliqué à nous insuffler, lui y compris, avec tout son talent de narrateur : nous nous étions attaqués à forte partie. Nous avions en face de nous de vrais tueurs, dont on ne foulait pas impunément les plates-bandes.

Au retour, dans la Mercedes, l'ombre de la peur et de la déception leur ôta un certain temps toute envie de parler, tandis que Robbie se glissait dans le trafic qui s'écoulait à nouveau plus librement, dans les rues sombres. À un feu, ils furent pris sous la lumière vacillante d'un lampadaire qui battait de l'aile – ce qui rappela à Evon un certain détail.

« Pourquoi, "elle brille dans le noir" ?

— Ses implants », répliqua-t-il, avec un sourire las.

Elle s'esclaffa, mais sans complaisance, et riposta par une remarque acide concernant la gent masculine.

« Hé ! fit-il, et vous croyez qu'elles valent mieux, les clientes de chez Latitudes ? Elles sont toutes à la recherche d'un type plein aux as, qui les entretienne.

— J'ai horreur de ce genre de remarque. Ça cache une telle frustration !

— Qui n'est pas frustré ? Ils le sont tous – pour la plupart. Les mecs, les nanas – tous ! Ils sont tous désespérément seuls, et ils savent que ça ne va pas aller en s'arrangeant, au fil de la soirée. Ils se sentent seuls et minables. Ils savent qu'ils devront se contenter de ce qui passera à leur portée. Si je devais rebaptiser cette boîte, je l'appellerais le PTMC – "Plus Triste mais Moins Con".

— Mais vous adoriez ça, fréquenter ce genre d'endroit – pourquoi ?

— Ne me dites pas que vous n'êtes jamais allée dans un bar ! »

De ce genre-là, pas exactement. Bien sûr, elle s'était offert quelques petites escapades. Après les Jeux, lorsqu'elle avait cessé de considérer son propre corps comme un sanctuaire, elle avait tenu à se rendre compte de ce qu'elle avait loupé. Elle avait été de toutes les sorties du vendredi soir, dans les bars attitrés des agents fédéraux, dans tout le pays. Elle avait participé à ces beuveries obligées où l'on s'abrutissait consciencieusement d'alcool – sans autre but que de se préparer au sexe. Mais ça lui était vite passé. Pour elle, ces soirées étaient des bavures, au mieux, et au pire, de cuisants souvenirs dont elle rougissait encore. Elle eût été incapable de les évoquer avec la nostalgie rêveuse d'un Robbie. Loin de s'en attrister, il avait retrouvé tout son entrain, dès qu'il avait poussé la porte de la boîte. Quand elle lui répéta sa question : « Qu'est-ce que vous y trouvez, à ce genre d'endroit ? », il dodelina de la tête en une sorte de dénégation.

« Eh bien, je suis toujours en quête du mythe, figurez-vous. Comme tous les gens qui vont traîner là-dedans. Le mythe, vous savez... L'amour ? Celui qui finira par me rendre meilleur. Qui m'aidera à mûrir, à m'aimer moi-même.

— Mais ça ne marche pas », dit-elle. C'était la première constatation qu'elle émettait en son propre nom mais, comme il fallait s'y attendre, il ne comprit pas que la remarque ne s'appliquait pas à lui.

« Sur le moment ? Séduire, parvenir à ses fins ? Bien sûr, que ça marche. Et ensuite, au pieu ? Ça marchait, et comment ! Parce que j'étais vraiment à ce que je faisais – et elles aussi. C'est le genre d'expérience où vous renoncez à toute esbroufe, non ? Au-delà de tous les échecs qu'on a pu accumuler dans sa vie. J'oublie tout. Je n'ai plus de passé, plus de cabinet, plus de femme malade qui m'attend à la maison. Et elle non plus. Je n'ai plus qu'à être heureux, et elle aussi. On peut partager notre plaisir. Je peux devenir un type formidable, je peux faire son bonheur. Et elle aussi, pareil, pour moi. Pour une heure ou pour une nuit – purée... ça suffit pour s'aimer, cet échange de bonheur.

« Vous savez, parfois, j'ai l'impression de me réveiller en sursaut, d'ouvrir les yeux. Genre, "qu'est-ce que je fous dans ce lit, à partager l'intimité de cette personne dont j'ignorais jusqu'à l'existence, six heures plus tôt". Et je me pose la question : "En quoi ce serait un mal ?" Qu'est-ce que ça a de si condamnable ? Pour moi – vous savez, je ne suis pourtant pas de ces mecs qui ne pensent qu'à ça – mais c'est vraiment extraordinaire. Voilà. Extra–ordinaire ! répéta-t-il en détachant les deux parties du mot. C'est ainsi que je l'entends, ce mot. »

Il s'était laissé emporter. Il glissa un coup d'œil vers elle dans la pénombre de la voiture. La radio croonait en sourdine. Elle ne trouva rien à répondre à cela. L'abandon total avec lequel il parlait de lui-même, comme s'il se fût agi de quelqu'un d'autre, cette façon de s'ouvrir à lui-même, quitte à en faire profiter quiconque se trouvait à portée de voix, avait quelque chose d'époustouflant.

« Le problème, c'est vers la fin, poursuivit-il. Bien sûr, à la fin, ça ne marche plus. Seigneur, certaines fois, après coup... tout juste si j'aurais pu supporter de rester une minute de plus. J'avais envie de prendre mes jambes à mon cou – l'embarras, sans doute. Vous savez, le désir peut m'entraîner très loin. Quelquefois, je ne vois même plus ce que j'ai pu lui trouver. Mais le pire, c'est sans doute de mesurer ce qui nous sépare. Elle, de son côté, avec ses cours à l'école d'esthéticiennes, son père flic qui se bourre chaque soir la gueule au brandy, ou sa vieille bigote de mère... Elle a sa vie, et ce n'est pas notre escapade d'une nuit qui y changera quoi que ce soit. D'ailleurs, c'est la même chose avec toutes les femmes. Je ne reste jamais toute la nuit. Même quand j'étais célibataire, même avec Lorraine. Après nos fiançailles, bien sûr... mais avant, jamais. Et même les premières fois, avec Rainey – elle ne comprenait pas. Elle me disait : "Allez, Robbie, reste, ce soir..." Je restais, mais j'aurais été incapable de fermer l'œil. Incapable.

« Mais vous voyez... dans un an, dans deux ans – n'importe quand... ! fit-il, avec cette même confiance sans faille en lui-même et en l'avenir. Donnez moi trois single-malt, un vendredi soir, l'ambiance du bar, la fumée, les voix qui hurlent pour couvrir le fond de musique – le grand jeu, quoi ! Et je démarrerai au quart de tour, comme un seul homme. Le Mythe. Le gros lot. Je la repérerai, de l'autre côté du bar, et je me dirai : "Voilà. C'est elle. Si j'arrive à me la faire, je suis un mec !" »

Evon ne se représentait que trop bien la scène... Robbie, l'avocat cousu d'or, entouré de sa petite cour de Sylvias, aperçoit une perle – plus jolie, plus jeune, plus parfaite – celle qui, l'espace d'un instant, fera de lui un homme plus beau, plus fort, plus puissant. Une remontée de ce qui l'avait submergée dans le bar se manifesta à nouveau, quoique plus brièvement, et elle détourna le regard pour contempler les grands immeubles sombres qui défilaient derrière la vitre. Il aborderait cette jeune beauté si parfaite et lui demanderait ce qu'elle préférait – « Les chiffres pairs, ou impairs ? » Ça, elle le voyait, aussi clair que de l'eau de roche ! Il accueillit sa prédiction d'un éclat de rire. Elle lui demanda ce qu'il lui dirait ensuite.

« Tout le monde préfère les chiffres pairs ! fit-il – c'est du moins ce qu'on dit.

— Et ensuite ?

— Aucune idée. Je lui parlerais sans doute de moi. Ce que j'aime, ou pas. Je détestais les films d'horreur, étant gosse et je ne les aime toujours pas. Vous si – je me trompe ?

— Non.

— Bien sûr. Mais j'aime le tonnerre. La plupart des gens ont horreur de ça. Boooom ! C'est génial, non ? » Il fit claquer l'une contre l'autre ses mains gantées.

« Et ensuite ? s'enquit-elle.

— Je vous demanderais de quoi vous avez peur. Mais vraiment peur, vous voyez – une peur bleue. Ça, ça fait mouche à tous les coups.

— Quel genre de réponses récoltez-vous ?

— Eh bien... tout dépend de votre degré d'alcoolémie. J'ai entendu de tout. Le cancer du sein, évidemment – ça, c'est un hit. Conduire la nuit ou dans la neige. Le viol, aussi. Les araignées. Les rongeurs. Les ascenseurs. Une femme m'a un jour confié – et elle m'a vraiment fait craquer, en m'avouant ça – qu'elle ressentait toujours un petit choc, en entendant couler une chasse d'eau. Et il y a tout un tas de choses, que les gens ne pourraient même pas nommer. Le Père Fouettard, les bruits de pas, les chocs dans la nuit...

— Et vous, quel genre de peurs leur avouez-vous ?

— La vérité ? J'invente ! Je leur dis ce qu'elles veulent entendre. Si elles me disent le cancer du sein, je fais : "Seigneur ! Mon père est mort d'un cancer du sein ! Un cas rarissime chez les hommes – deux sur dix mille. Mais je suis mort de trouille à la pensée que ça pourrait m'arriver."

— Et c'est un pur mensonge ?

— À ma connaissance, mon père se porte comme un charme.

— Mais elles gobent ça.

— Certaines. Celles qui veulent tenter leur chance avec moi. Soit elles y croient, soit elles se disent qu'au moins, j'essaie de les mettre à l'aise – pour qu'elles n'aient plus la moindre appréhension, en abordant l'étape suivante... vous voyez ? »

Elle s'abstint de tout commentaire. « Lorsque la soirée s'est idéalement déroulée, poursuivit-il, si le dîner a été parfait, arrosé d'un bon vin – le genre qui vous fait des trous dans les chaussettes – ensuite, nous rentrons chez elle, ou au Dulcimer... et je lui pose toujours cette question... » L'espace d'une seconde, il osa tourner la tête et soutenir son regard. « Où préférez-vous que ma main se pose, en premier ? » Elle eut la sensation fugace qu'une rivière électrique se répandait entre ses omoplates.

« Veux-tu que j'approche tout doucement, dans ton dos... et que je pose mes mains sur tes hanches ? Ou préfères-tu que j'effleure tes seins, en les touchant à peine... un semblant de caresse. Un souffle – juste assez pour en faire durcir les pointes, qu'elles en deviennent presque douloureuses, sous tes vêtements...

— Pas de ça ! fit-elle dans un souffle. Ce n'est pas de moi que nous parlons... » Les mots avaient eu peine à se frayer un passage dans sa gorge. En ouvrant la bouche, elle avait d'abord eu l'intention de lui intimer l'ordre de ne pas prononcer un mot de plus.

« Je prends mon temps, pour les vêtements. Je n'ai jamais été du genre pressé – déshabillez-vous ! Genre compteur de taxi. Avec certains, une fois achevés les travaux d'approche, c'est : "Bon ! Finissons-en..." Mais moi, j'ai toujours tout mon temps. La jupe... le chemisier. J'aime les couches successives. Chaque nouvelle partie, je la découvre comme un joyau. Wow ! Ce coude... cette épaule ! Puis, je cède à une impulsion soudaine. Je lui glisse la langue dans l'oreille par exemple – mais je m'arrange toujours pour que ça soit bien amené. Chacun est tellement différent, pour ce qui est des petites manies du plaisir. Plus fort, moins vite. Ici, et pas là... J'essaie toujours de savoir. Je veux que nous soyons parfaitement libres. Une telle aime frotter mon paf entre ses seins, et une telle ne peut jouir que si je lui mets le doigt dans le trou de balle. Mais c'est toujours un cadeau. Toujours ! Même si ce n'est qu'un coup tiré à la hussarde, dans une cabine téléphonique. Je garde précieusement en moi quelque chose de chaque femme avec qui j'ai fait l'amour. Elles sont toutes extra-ordinaires ! » conclut-il.

Elle avait écouté cette dernière tirade sans piper mot. On a parfois peine à croire que la vie ait pu continuer, autour de nous. Le monde a tourné et vous vous retrouvez là, sans trop savoir ce qui vous est arrivé. Evon était plongée dans ce genre d'incertitude. Quelque part dans la ville, le klaxon d'un camion poussa un rugissement s'abîmant vers le grave. Elle avait été à deux doigts de lui enjoindre de se taire, pour de bon. S'il avait continué, elle le lui aurait demandé. Mais il s'arrêta de lui-même.

« Alors... ! revenons aux choses sérieuses. De quoi avez-vous peur ? » s'enquit-il. Elle s'esclaffa. Il insista. Inutile de dévoiler quoi que ce soit de son identité d'origine, dit-il, mais elle ne pouvait se contenter de jouer ainsi les Grands Inquisiteurs. « Racontez-moi... Quelle est votre plus grande frayeur ? »

Le regard d'Evon s'échappa par la fenêtre. Il était près de neuf heures du soir. Sur leur gauche, un garçonnet qu'on avait dû envoyer faire une course à l'épicerie du coin attendait le feu rouge, cramponné à un sac à provisions en papier kraft. Il était sorti sans manteau, malgré le froid.

« La mort, fit-elle.

— Ça ne compte pas. Tout le monde en a peur.

— Non... vous voyez, c'est bizarre. J'en prends conscience, à certains moments – comme une bande magnétique qui se déroulerait en boucle, dans ma tête. Un jour, tout ça s'arrêtera... Un jour, tout ça s'arrêtera... Un jour, tout ça s'arrêtera... je vois les lumières s'éteindre. J'assiste à ma propre disparition. Je suis pétrifiée d'horreur. Je peux à peine bouger. Je suis horrifiée. » Et seule... ce qui, en un sens, était le pire. Cette solitude, totale et irrévocable. Mais elle se garda bien de lui livrer ce détail.

Il prit son temps. Les reflets du macadam balayèrent le pare-brise, tandis que la Mercedes redémarrait à un stop. Cette fois encore, cet instant de silence et de gravité conféra à sa beauté une certaine profondeur.

« Et vous, demanda-t-elle. C'est quoi, votre grande angoisse ?

— Moi ? » Il secoua la tête.

« Allez...

— On ne rit pas – d'accord ? Ça fait partie du contrat. Un jour une petite m'a confié qu'elle avait peur de voir ses pieds enlaidir avec l'âge. Je n'ai pas ri. Elle était totalement sincère... »

Elle promit, mais il attendit un bon moment avant de poursuivre.

« Il m'arrive de me réveiller, la nuit – je sais que c'est ridicule. Mais bon, je me réveille... Il fait noir... et je ne sais plus qui je suis. Je suis cloué sur place. Je ne pourrais même pas dire si c'est l'effroi qui m'empêche de me souvenir, ou si c'est l'inverse. Bien sûr, je me souviens de mon nom. Si quelqu'un m'appelait, à ce moment-là – "Robbie !" Je pourrais sans doute répondre. Mais je n'ai plus l'impression d'être rattaché à quoi que ce soit. Je flotte. Je tâtonne dans le noir et j'attends – j'attends... jusqu'à ce que ça me revienne. Qui je suis, ce que je suis... le noyau. Mais je suis mort de peur. Ça ne vous paraît pas complètement loufoque ?

— Nnh-nnh.

— Vous dites ça pour me faire plaisir.

— Non. Absolument pas. » Elle tâcha un instant de se rappeler à l'ordre, de se souvenir de sa mission, mais finit par succomber, une fois de plus.

« Moi, en ce moment, c'est pareil. Exactement... En mission secrète, avec cette identité d'emprunt. J'ouvre les yeux et je me pose la même question : Qui suis-je ? Qui suis-je ? Comme si je devais attendre qu'on vienne me le confirmer... »

Ils arrivaient devant son immeuble.

« Effrayant, fit-il.

— Pire », répondit-elle.

Elle se tourna vers lui, mais il eut le bon sens – ou l'intuition – de ne pas bouger d'un pouce. Il fallait la laisser venir à lui, mais, en une milliseconde, il comprit que, même en

cet instant, ce n'était pas ce qu'elle choisirait de faire. Elle
laissa passer un moment de douleur – une douleur si forte
et si familière qu'elle l'accueillait presque comme une vieille
amie, et elle lui adressa un signe de tête, un seul – avant de
s'extirper du luxueux cocon de la Mercedes. Puis elle entreprit de se frayer un chemin entre les congères qui s'accumulaient sur le trottoir, courbant les épaules sous le blizzard
glacé du Midwest, en direction de son petit deux-pièces.

Mars

15

« Je connais des macchabées qui ont l'esprit plus alerte que Barnett Skolnick, s'esclaffa Robbie Feaver. Quand vous êtes en face de lui, vous vous demandez : Seigneur, comment ce vieux veau a-t-il réussi à décrocher son diplôme ? Et puis, vous vous souvenez qu'il n'a jamais eu besoin de passer le moindre examen... c'est son frère, Knuckle, qui lui a arrangé le coup. »

On murmurait que ce genre de tripatouillage, lors des examens d'admission au Barreau, était le cadet des péchés de feu Knuckle Skolnick, disparu depuis des années. Il en avait arrangé et falsifié bien d'autres... Ce vieil acolyte de Toots Nuccio avait été porté au pouvoir par la même vague d'influence – un mélange de relations dans la politique locale, renforcées par des liens à toute épreuve avec la mafia. Il devait son surnom à sa main droite, mutilée lors d'une infâme ratonnade à laquelle il s'était livré dans les années quarante. Il avait longtemps été cadre du parti, pour le sec-teur du centre-ville – et l'heureux propriétaire d'un impor-tant cabinet d'assurance qui prospéra mystérieusement en assurant les services municipaux.

D'après la rumeur publique, nous raconta Robbie, Knuckle s'était trouvé contraint et forcé de dégotter un poste de juge à son frère Barnett, qui était tout bonnement trop bête pour exercer dans un cabinet. « Il serait infoutu de remonter sa braguette sans consulter le mode d'emploi, ce pignouf ! Maintenant, au moins, avec l'âge, il a l'allure d'un vrai juge. Une belle auréole de cheveux blancs... Mais il se contente de trôner sur son estrade, avec cet air bonasse et paniqué : "Doux Jésus – je vous aime, tous autant que vous êtes, mais soyez gentils – venez surtout pas me poser des questions trop difficiles !" Avec trente ans de métier derrière lui, il ne saurait toujours pas vous expliquer ce qu'est un témoignage indirect, même en cochant les cases dans un questionnaire à choix multiples ! Dieu seul sait quelle dette Brendan avait pu contracter envers son frère, mais Skolnick siège ici depuis que Tuohey a été nommé juge principal. »

L'après-midi touchait à sa fin et le soleil s'offrait un enterrement de première classe. On aurait dit qu'avant de disparaître sous l'horizon il avait décidé de forer un trou incandescent derrière la rivière. Nous avions sorti les verres et les biscuits apéritifs, et, rassemblés dans la salle de conférences, nous écoutions Robbie nous brosser un portrait détaillé, dans la grande tradition orale. À présent, tous les agents de l'équipe de McManis s'étaient donné le mot. Dès que Feaver prenait la parole, ils venaient s'entasser dans la salle pour profiter de ses récits-fleuves. Les manches de chemise retroussées, les mains virevoltant dans l'air autour de lui, Robbie était un conteur-né. Il savait captiver son auditoire, et entretenait soigneusement le contact, se ralliant chacun par un petit signe de connivence : un bref sourire, un coup de menton résolu. À le regarder faire, je ne pouvais me défendre d'admirer. Devant un jury, il devait être redoutable.

« Cela dit, quand on voit Barnett, il est quasi impossible de lui en vouloir. Je sais que vous aurez du mal à avaler ça, Stan, mais au fond, c'est un brave type. Il n'a jamais fait de mal à une mouche – croix de bois, croix de fer ! S'il prend les enveloppes, c'est uniquement parce que son grand frère lui a dit que ça se faisait. Il y a même une histoire qui circule. Je vous la livre pour ce qu'elle vaut, évidemment, mais elle n'est pas piquée des hannetons... C'était il y a vingt ans, à l'époque où il débutait dans le métier. Il jugeait des affaires de divorce. Je ne pourrais pas vous citer le nom des avocats, mais c'était des pointures, des types qui avaient le bras long et pouvaient parler à n'importe quel juge d'égal à égal. Alors, bon, l'audience démarre, Skolnick préside les débats, et tout à coup, suspension de séance. Il se retire dans son bureau, et convoque les avocats. Et là, de sa petite voix à la Mickey Mouse, il leur sort : "Messieurs, je dois vous signaler que vous m'avez remis des enveloppes équivalentes, et que je me vois donc contraint de trancher en mon âme et conscience..." »

Selon Robbie, Skolnick aurait longtemps utilisé comme intermédiaire son ancien greffier, un juif hassidique du nom de Pincus Lebovic. Ce Pincus vous fixait de ses yeux bleus, matois, derrière les broussailles de sa barbe et de ses papillotes. Toujours vêtu d'un costume sombre, hors d'âge, il régnait sur le protocole des audiences avec une poigne confinant à la tyrannie. Il était inflexible. Il paraît même que, de temps à autre, ce type interrompait les procédures, sous couvert de changer le rouleau de son sténotype, et prenait le juge à part dans son bureau, pour lui donner ses instructions, voire pour le rappeler à l'ordre. Pincus était le véritable cerveau du tandem. C'était lui qui réglait tous les arrangements entre Skolnick et les avocats.

Lorsqu'au printemps dernier le septième enfant de Pincus, son premier garçon, fut frappé par la méningite. Coma profond. Le gamin resta des jours et des jours suspendu entre la vie et la mort. Pincus, sa femme et ses fils, campaient à son chevet. Ils priaient, ils chantaient pour lui, près du petit corps inanimé, suppliant le garçonnet, dès qu'il revenait un peu à lui, de ne pas les quitter. Et le petit s'est rétabli. Personne ne connaît les termes exacts du contrat que Pincus avait passé avec le Très-Haut, mais après ça, c'était un autre homme. Il était devenu presque bon, et ne prenait plus ce ton revêche qu'avec ceux qui l'abordaient en tant que porteurs d'enveloppes. Car, à présent, il refusait avec la dernière énergie de se prêter, de près ou de loin, à tous ces micmacs infâmes.

Ce qui fait que, plusieurs mois durant, la chambre de Skolnick fut frappée d'une sorte d'embargo sur la corruption. Barney était trop bonne pomme pour se défaire de son greffier. D'ailleurs, qui savait ce que Pincus, dans l'état de grâce qui était devenu le sien, aurait pu aller raconter, si Stew Dubinski et ses pairs, chargés de la rubrique judiciaire du *Tribune*, s'étaient avisés de l'interroger sur les raisons de son départ...

Pendant quelques semaines, le juge parvint à convaincre sa secrétaire de s'occuper des enveloppes, mais Eleanor est mariée à un officier de police dont les principes moraux se résument à quelques règles simples, telles que « vivre et laisser vivre ». Fermer les yeux, c'était une chose, prendre une part active à la magouille, c'en était une autre. Il y avait mis le holà. Skolnick, âgé de soixante-huit ans, aurait pu décider de raccrocher, mais cela impliquait de désobéir à Tuohey – ce qui se serait soldé pour le pauvre petit juge par une rétrogradation, une affectation dans un secteur moins prisé

– la division des affaires immobilières, ou pire, celle des mineurs – bref, les portes de l'enfer ! Une blessure narcissique dont un homme tel que Barney, déjà affligé d'un léger doute (plus que justifié) concernant ses propres capacités, ne se serait jamais relevé. En désespoir de cause, Skolnick s'était donc résigné à traiter de la main à la main avec un noyau restreint d'habitués au-dessus de tout soupçon. Dont Robbie.

Skolnick avait au moins eu la jugeote de ne jamais accepter d'argent dans les murs du tribunal. Il avait institué un rituel assez grotesque – ceux qui voulaient lui graisser la patte lui laissaient un message de la part de « la personne avec qui il doit déjeuner le lendemain », et effectivement, le lendemain, à midi et demi précises, l'avocat venait se poster au bord du trottoir, en face du tribunal, muni d'une enveloppe bien garnie, et affichant une mine furibonde. Skolnick arrivait alors dans sa Lincoln, et, reconnaissant ce visage familier, se garait près de lui en double file, et lui demandait ce qui n'allait pas. L'avocat lui racontait alors une histoire de voiture en panne – son véhicule avait été volé, embarqué par la fourrière, accidenté, etc. Le juge offrait de le déposer quelque part, et l'emmenait faire un tour en ville – balade dont son passager profitait pour glisser l'enveloppe entre le dossier et le siège du fauteuil passager. Robbie s'était déjà prêté à ce petit jeu en septembre dernier, juste avant que Stan et ses petits copains n'atterrissent sur les jolies dalles de son perron. Il allait incessamment devoir rendre une seconde visite à Skolnick, au début du mois de mars, parce que le juge avait tranché en sa faveur un jour ou deux seulement après l'arrivée sur son bureau du dossier précédemment attribué au juge Sullivan. Dans l'affaire Hall contre Sentinel Repair, il avait donné raison au client de Robbie, un chauffeur paralysé à la suite d'un accident provoqué par une panne de freins, et avait condamné le garage qui s'était chargé du contrôle technique du véhicule à lui verser des dommages et intérêts.

À la différence de son confrère Malatesta, Skolnick avait traité l'affaire d'une façon relativement sommaire, se contentant de rédiger une brève sentence écrite. Robbie devait à présent lui annoncer qu'il avait négocié un bon compromis pour le compte de son client, et lui laisser une enveloppe en remerciement des services rendus.

Quant à Sennett, il était soumis à une pression sans

cesse croissante de la part de D.C., qui réclamait des résultats tangibles pour justifier les frais engagés dans le projet. En haut lieu, on voulait voir tomber les têtes. Outre le fait que ce serait un grand scoop – le premier versement d'argent sale en direct, la première transaction sans intermédiaire entre Feaver et un juge – Sennett voulait une prestation impeccable, éblouissante... du Technicolor !

L'après-midi précédant le rendez-vous de Robbie avec Skolnick, Klecker fit un saut à la section réservée aux voitures des juges, au premier étage du parking du tribunal, non loin de l'endroit où Robbie et Walter s'étaient retrouvés. Avec l'aide de quelques agents du cru qui faisaient le guet dans toutes les directions, il creva au pic à glace trois pneus de la Lincoln. Lorsque Skolnick quitta son service en fin de journée, coiffé de son vieux chapeau de taupé et muni de son cache-nez tricoté main par une de ses petites-filles, les agents lui filèrent discrètement le train, et avertirent Alf par radio. Au moment même où Skolnick arrivait près de sa voiture bancale et constatait les dégâts, Klecker déboucha de la rampe d'accès au volant d'une dépanneuse. Il freina sec, et sauta de la cabine du véhicule, arborant une superbe casquette et une combinaison de mécano maculée de graisse, plus vrai que nature. Alf portait un bridge, en souvenir de ses exploits dans l'équipe de hockey sur glace de son lycée, dans le Minnesota. Il avait ôté ses fausses dents pour faire plus vrai et, à en croire ses collègues, dès qu'il ouvrait la bouche pour articuler un son, on ne pouvait s'empêcher de se dire : « Au secouls, j'ai clu voil un vilain glos minet ! »

« Alors... ! Ils vous ont pas loupé, vous aussi...? demanda-t-il.

— Hah ? » répliqua Skolnick, qui n'était toujours pas revenu de sa mauvaise surprise.

Alf l'informa que quelques jeunes vauriens avaient apparemment lancé un raid contre les véhicules du parking, bousillant les pneus d'un certain nombre de voitures, au hasard. Il lui proposa de le dépanner en emmenant la Lincoln. Vu l'heure tardive, il ne pouvait pas lui promettre de la rendre dès ce soir, mais il s'engageait à la lui livrer le lendemain matin, dès huit heures, à sa porte. Il lui consentirait une bonne remise sur le prix des pneus et sur le tarif de dépannage – en espérant que le juge se souviendrait de lui la prochaine fois qu'il aurait besoin d'un petit coup de pouce, au cas où il aurait un problème pour se faire régler une facture, par exemple.

Lorsque Skolnick récupéra sa Lincoln, elle avait reçu quelques petites améliorations. Outre les trois Dunlop X80 neufs, qui avaient été montés, comme promis, elle était équipée d'un nouveau rétroviseur avec micro et objectif à fibres optiques incorporés. Ces appareils étaient reliés à une caméra à 2.4 GHz télécommandée, dissimulée dans le plafond de l'habitacle. Les fils passaient dans les montants creux du châssis du pare-brise, d'où ils allaient se connecter à la boîte de raccordement, sous le capot, de sorte que la caméra s'alimentait directement sur la batterie du moteur.

« Ce qui s'appelle frire le poisson dans son propre jus... ! » exulta Alf, radieux, lorsqu'il nous décrivit son dispositif. Nous nous étions réunis chez McManis vers les onze heures trente du matin, le 5 mars, pour préparer le rendez-vous avec Skolnick. La caméra, qui était déclenchée à distance, fonctionnait sur le même principe qu'un téléphone portable. Elle émettait un signal noir et blanc sur quatre bandes de fréquences. Ce signal pouvait être capté, ainsi que le signal son, depuis une estafette de surveillance, dans un rayon de cent cinquante mètres. Pour pallier de possibles interférences, Robbie se munirait en outre d'une partie du FoxBite, le module d'enregistrement, qui serait cette fois fixé au creux de ses reins, pour éviter tout bourrelet révélateur lorsqu'il serait assis près de Skolnick, sur le siège de cuir écarlate de la Lincoln.

Comme d'habitude, une place m'était réservée dans l'estafette, aux côtés de Sennett et de McManis. Nous croisâmes un bon moment aux alentours du tribunal, le temps que Skolnick vienne prendre Feaver. Dans l'estafette, où flottait l'âcre odeur des appareils électroniques, Klecker crapahutait au milieu de ses câbles, qui jonchaient le sol comme un nid de serpents. Un petit moniteur, muni d'un écran de douze pouces et d'un magnétoscope, était venu s'ajouter à la pyramide des appareils utilisés pour l'entrevue avec Walter dans l'ascenseur.

« C'est parti », lança Joe Amari depuis la cabine, à l'avant. Robbie était monté dans la Lincoln. La fonction officielle de Joe, sur le projet Petros, était la surveillance. Sennett l'avait autorisé à se constituer une équipe triée sur le volet parmi les agents de la division locale du Bureau. En se faufilant dans le flot des véhicules, il faisait de temps à autre un signe de la main vers telle ou telle autre voiture. Au cas où, il portait un micro-casque avec serre-tête, qui perturbait quelque peu la ligne parfaite de sa chevelure, mais Klecker tenait à ce qu'il se serve le moins possible de la radio du bord, pour éviter de parasiter le signal de la caméra. Pour la même raison, il avait éliminé la partie émettrice du FoxBite.

Pour l'instant, sa mission consistait à filer la Lincoln d'assez près pour que la caméra puisse être déclenchée via la télécommande que Klecker avait en main. Bien que le signal vidéo pût être transmis à bonne distance, la télécommande à infrarouge qui le déclenchait ne marchait, elle, que dans un rayon de dix mètres. À en juger par l'air plutôt crispé dont Sennett avait dicté ses ordres aux techniciens, il avait dû avoir quelque peine à convaincre Moira Winchell, Juge principal à la Cour fédérale du district, de lui signer un mandat pour l'installation de cette caméra. La nature même de cette intrusion avait dû l'épouvanter – ô combien ! Outre sa qualité de juge, la présidente Winchell n'était-elle pas, elle aussi, propriétaire d'un véhicule privé ? Stan avait rappelé aux agents les restrictions imposées par le juge, à savoir que la caméra ne commence pas à filmer tant que Feaver n'aurait pas effectivement pris place sur le siège passager de Skolnick.

« Mise à feu ! » s'écria Amari, et le petit moniteur noir et blanc s'éveilla à la vie. Nous nous penchâmes tous vers lui comme un seul homme, tandis que Klecker activait le magnétoscope.

La corruption des juges ne date pas d'hier. En droit commun, avant même qu'il n'existe des lois et des règles codifiées, on utilisait le terme et le principe de « pots-de-vin » : un cadeau destiné à s'attirer la bienveillance d'un arbitre. La corruption instituée date de l'époque où le roi Jean signa la Grande Charte et constitua les cours de justice. Mais elle existait sans doute bien avant... Lorsque Adam tenta de négocier avec Dieu lui-même, pour obtenir une compagne, n'a-t-il pas offert à l'Éternel quelque avantage en nature – sous forme d'une côte première, par exemple... ? Ce à quoi nous nous préparions à assister avait donc le parfum capiteux de tout vice ancestral.

Les premières images étaient floues. On se serait cru dans une sorte de chaudron infernal, dans lequel Robbie et Skolnick se trouvaient réduits à l'état de masses sombres et vaporeuses. Klecker lança ses instructions à Amari, tandis que les doigts de Alf pianotaient furieusement sur les boutons de la télécommande. Comme c'est souvent le cas, l'image commença par devenir illisible avant de s'améliorer. C'est le moment que choisit Skolnick pour s'engager dans Lower River, une voie couverte où régnait une quasi-pénombre. Mais lorsqu'il émergea à l'air libre, une image relativement nette apparut à l'écran. On reconnaissait très bien Feaver et Skolnick, légèrement déformés par le grand angle. Dès que notre estafette se laissait un peu distancer, les pixels de l'image avaient tendance à s'aligner de façon fantaisiste, et on voyait des tranches de Robbie et de Skolnick glisser hors de l'écran. Mais lorsque Amari parvenait à nous maintenir à sept ou huit voitures de la Lincoln, la réception redevenait fiable.

Les deux hommes commencèrent par échanger de cordiales salutations, et passèrent en revue un certain nombre de sujets de conversation, comme deux vieux copains. Appliquant les recommandations de McManis, Robbie se plaignit, lui aussi, de s'être fait crever les pneus dans le parking du tribunal, ce qui leur fournit l'occasion de râler en chœur contre cette ville et contre le malaise général de la société.

« Ces satanés gosses... tu parles d'une plaie ! Une bande de brise-fer, s'exclama Skolnick, en levant un index boudiné. Pour un peu, ils seraient presque pires que nous ! » ajouta-t-il, débonnaire. Il correspondait trait pour trait à la description de Robbie. Râblé, rondouillard, avec un gros nez épaté, et ce front majestueux, nimbé de cheveux blancs qu'il coiffait en arrière et qui culminaient au sommet de son crâne, à la Pompadour.

Skolnick demanda des nouvelles de Mort, dont il connaissait le père, apparemment, pour l'avoir côtoyé dans quelque organisation juive, puis il lui posa des questions sur sa femme.

« Aïe, aïe, aïe, Robbie... » fit-il, un ton plus bas, lorsque Feaver lui eut présenté un bref rapport, dénué de tout effet oratoire, rendant compte de la progression dévastatrice du mal. « Ah, mon pauvre garçon ! Je suis vraiment navré pour vous deux, fit Skolnick. Vraiment. Je suis de tout cœur avec vous. Mais elle a encore de la chance, dans son malheur : pour elle, tu es comme un roc dans la tempête.

— Moi, juge ? Non, c'est elle qui est formidable. Chaque soir, en rentrant du bureau, je la regarde droit dans les yeux, et je n'y vois jamais que du courage. » La voix de Robbie s'était un peu fêlée sur ces derniers mots, et Skolnick, tout en conduisant, avança la main vers la sienne, qu'il effleura un instant. Juste au centre de l'image, sur le moniteur. Sennett, qui était assis en face de moi, eut un haussement de sourcils catastrophé imaginant l'influence que pourrait avoir sur un jury une compassion aussi sincère.

Chassant ses idées noires, Robbie ouvrit son attaché-case, dont il tira avec précaution l'enveloppe préparée par les agents. Il avait repéré d'avance l'angle de prise de vue de la caméra, et tenait l'objet contre lui, de façon à bien le présenter à l'objectif. Puis, conformément à l'étiquette qui semblait de rigueur pour ce genre de scène, il laissa l'enveloppe glisser de ses doigts sur le siège, et de là, légèrement hors champ, il la poussa dans la fente, à la base du dossier. Skolnick, qui était pourtant censé rester aveugle à ces manœuvres, pour pouvoir tout nier par la suite, oublia, comme il fallait s'y attendre, de tenir son rôle. À un moment, il détourna carrément la tête pour regarder ce que fabriquait Feaver. Il eut néanmoins le bon sens de ne faire aucun commentaire.

« Alors, Robbie, quoi de neuf ? demanda-t-il d'un ton neutre. Ça faisait un moment que je n'avais pas eu de tes nouvelles. J'ai été surpris de voir que tu avais appelé.

— Une nouvelle affaire, juge », annonça Feaver avant de décrire le dossier que Kosic avait transféré du bureau de Malatesta. Stan tenait absolument à ce que Robbie demande une faveur sur-le-champ, concernant cette affaire. S'il s'était contenté d'apporter de l'argent pour le premier dossier, celui du conducteur de camion, précédemment attribué à Gillian Sullivan, un avocat avisé aurait pu tenter de faire passer cette enveloppe pour un simple cadeau, puisque Robbie n'avait jamais touché mot à Skolnick de l'histoire du camionneur. Stan voulait donc pouvoir établir sans conteste le lien entre la remise d'argent et la demande d'intervention favorable – fût-ce pour un tout autre dossier. Robbie donna une version très convaincante de l'histoire du peintre frappé par le cancer – sans toutefois se cacher de vouloir embobiner la partie adverse.

« Vous voyez, juge, ce qu'il me faudrait, c'est une suspension de l'accès au dossier. L'avocat de la défense – c'est cet empoté de McManis – n'a pas la moindre idée de cette histoire de cancer. Mais s'il commence à farfouiller dans les dossiers médicaux, là... patatras ! Il va tout comprendre. Et ensuite, pour récupérer le moindre sou de dommages et intérêts sur le manque à gagner, bonjour ! Tout sera par terre... "Nous sommes vraiment navrés d'apprendre que vous êtes à demi paralysé, mais toute façon, vous bilez pas – bientôt, vous serez mort !" Voilà pourquoi j'ai besoin d'une suspension. Le temps d'obtenir un bon compromis avec McManis. Et le pire, c'est qu'il est veuf, ce pauvre bougre, ce qui fait que si je n'emporte pas le morceau, ses trois petits se retrouveront non seulement sans mère et sans père, mais sans même un pot de chambre pour pisser !

— *Oy vay* ! soupira Skolnick. Quel âge, les petits ?

— L'aîné n'a que huit ans.

— Seigneur ! » fit Skolnick.

Sennett fit à nouveau la grimace. Robbie improvisait brillamment, alignant les mensonges avec un naturel confondant, mais, tout en brossant ce sombre tableau des malheurs de la victime et de sa famille, il introduisait un élément de justification, pour ainsi dire humanitaire, au délit qu'il poussait Skolnick à commettre. Ce dernier eut tôt fait de lui expliquer que, pour lui, tout ça n'était que pure routine :

« Tu sais comment ça se passe, chez moi, Robbie... Dès qu'une partie dépose une motion de non-lieu ou une motion de décision préliminaire – bref, quelque chose qui peut totalement infléchir le cours de l'affaire, je suspends la communication des pièces du dossier. Je fais comme ça depuis vingt-six ans. Il te suffit donc de déposer une motion, disons, de jugement préliminaire, à partir des faits présentés par les deux parties, et je suspendrai. C'est comme ça que ça se passe, chez moi – ça te va ? »

Skolnick eut un haussement d'épaules, comme si tout cela avait totalement échappé à son contrôle. « Tu ne veux quand même pas que je te la ratifie, ta motion de jugement préliminaire ? Ça, c'est même pas la peine d'y penser ! La seule idée m'en filerait une poussée de boutons ! » Le juge frissonna de rire. Un jugement sur les thèses présentées par les parties adverses aurait fait remporter le procès à Robbie sur la seule base de sa plainte et de la réponse de McManis. Un cas rarissime. En face de moi, les sourcils de Sennett s'étaient froncés de plus belle. Gentiment mais fermement, le juge venait de délimiter le domaine du possible en soulignant qu'il n'envisageait pas une seconde d'en enfreindre les limites.

« J'espère que ça n'est pas pour ça que tu tripotes ton siège, ajouta Skolnick. À cause de cette nouvelle affaire. »

Comme nous tous, Robbie se trouva un instant désarçonné par cette allusion inattendue à l'enveloppe.

« Non, juge... ça, c'est pour Hall. Nous avons obtenu des résultats mirobolants, après que vous leur avez cloué le bec, sur leur motion pour faire classer ma plainte. C'est pour ça que je tenais à vous voir. » En termes voilés, Robbie avait rappelé à Skolnick la première affaire, celle du camionneur dont les freins avaient lâché. Skolnick parut fouiller dans ses souvenirs, les yeux obscurcis par l'effort. Il répondit d'un vigoureux hochement de tête.

« Non, Robbie. Ça, c'était Gillian. Elle avait déjà rendu sa décision, quand j'ai eu le dossier. Nous, on s'est contentés de faire suivre. Tu devrais aller lui rendre visite. Pauvre femme. » Suivirent quelques considérations apitoyées sur l'état du juge Sullivan et son combat contre la bouteille. Habilement, Robbie promit à Skolnick d'aller aussi rendre une petite visite à Sullivan... mais Skolnick secoua la tête de plus belle. « Non, non, non ! fit-il. Tu vas reprendre ça – et il se risqua à faire un geste en direction de l'enveloppe. Ramène-moi ça chez toi. »

« Ah, merde ! » hurla Sennett. Son cri avait fait trembler les parois du van. À l'avant, Amari écrasa le frein, et se retourna pour voir ce qui n'allait pas. Stan lui cria de continuer, mais il s'était écoulé une seconde de trop. Nous avions loupé le feu suivant. Tandis que la Lincoln s'éloignait, nous vîmes l'image onduler, puis vaciller, et enfin s'éteindre pour se dissoudre en un nuage de neige. Le son s'interrompit à son tour, remplacé par une rafale de friture. Klecker actionna en vain ses boutons et ses cadrans, tandis que Sennett lâchait une bordée de jurons, le visage tordu en un rictus de désespoir.

Le temps qu'Amari ait suffisamment rattrapé la Lincoln pour revenir à portée d'émission, Feaver et Skolnick étaient passés à un autre sujet. Ils ne firent absolument plus aucune allusion à l'enveloppe. Avant de déposer Robbie à un coin de rue, près du Lesueur, Skolnick lui avait raconté quelques blagues juives triées sur le volet – dont la plus belle était celle de Yankel le fermier. Il y a bien longtemps, sur le vieux continent, Yankel était allé au marché s'acheter une vache laitière. Il en voit deux. La première, explique le vendeur, coûte cent roubles. Elle est de Brisk, et elle est assez robuste pour mettre au monde tout un troupeau. L'autre est de Minsk. Elle ne coûte que dix roubles, mais ne pourra mettre bas qu'une seule fois. Par ailleurs, la vache à dix roubles avait nettement meilleure mine que l'autre. Yankel décide donc de faire des économies, et l'achète. Une fois chez lui, il la fait couvrir une première fois avec succès, mais la fois d'après, elle se met à botter férocement dès que le taureau l'approche. Stupéfait, Yankel va consulter le rabbin de Shtetl, qui a réponse à tout.

« Elle serait pas de Minsk par hasard, ta vache ? » demande le rabbin.

Yankel ouvre de grands yeux devant tant de perspicacité – comment a-t-il pu deviner ?

Le rabbin se caresse longuement la barbe.

« Eh... répond-il. C'est que ma femme aussi, est de Minsk. »

Alf ne put réprimer un grand éclat de rire, mais se bâillonna de la main en voyant la mine de Sennett qui piaffait littéralement de rage sur son strapontin. Lorsque Robbie prit pied sur le trottoir, Stan pointa sur McManis un index furibard, et exigea de savoir pourquoi Joe avait brusquement pilé à un moment si mal choisi. Tous les regards évitaient le sien. Les paupières sombres de Sennett se refermèrent, et soudain sa main s'éleva, avant de se poser sur sa poitrine.

« C'est ma faute, dit-il. Entièrement ma faute. » Et il le répéta un certain nombre de fois. En une trentaine d'années, j'avais eu le temps de constater que ce qu'il exigeait d'autrui était toujours fixé un cran au-dessous de ce qu'il s'imposait à lui-même. Il mettrait sans doute plusieurs jours à s'en remettre. Figé sur son petit siège pliant, Sennett inspirait à tous les présents un sentiment que sa personne n'éveillait qu'en de rarissimes occasions, et qui était bien le dernier qu'il souhaitât inspirer. La pitié.

Sachant que Feaver reviendrait au Lesueur, Evon avait reçu pour mission de l'attendre dans le cabinet de McManis, où elle se chargerait de le débarrasser de son équipement et d'éteindre le Foxbite. Elle l'attendait donc dans la salle de réunion et rongeait son frein, en se tapotant les dents de l'ongle du pouce, irritée par tant de suspense, au moment où Shirley Nagle, la réceptionniste, lui transmit un appel de Jim. Il téléphonait sur la ligne haute sécurité de l'estafette, pour lui expliquer ce qui avait capoté. Amari s'était laissé distancer par Skolnick dans le trafic, et avait mis un certain temps à le rattraper. Ils avaient laissé s'écouler quelques minutes avant d'éteindre la caméra, dans l'espoir qu'ils finiraient par voir Skolnick se pencher pour prendre l'enveloppe. Mais il n'en avait rien été, ce qui pouvait suggérer (et ne manquerait pas de le faire, du point de vue de l'avocat de la défense), que l'argent n'y était plus, parce que Robbie l'avait emporté.

« Ne dévoilez surtout pas à Feaver nos problèmes d'enregistrement, lui recommanda-t-il. Avant de désactiver le Fox-Bite, amenez-le à décrire en détail ce qui s'est passé. Après quoi, vous le soumettrez à une fouille en règle. S'il vous dit que Skolnick a pris l'argent, ça sera notre seul élément corroborant. »

Feaver fit son entrée quelques instants plus tard. Lorsque Evon lui demanda si tout s'était bien passé, il leva ses deux pouces, toujours gantés, mais lui fit signe en direction de son propre dos, où le magnétophone tournait toujours. L'un des éléments du protocole que Robbie tâchait d'appliquer, avec plus ou moins de succès, était précisément d'éviter tout bavardage inutile pendant les enregistrements. La plus inoffensive des remarques pouvait se révéler dangereuse, lors d'un contre-interrogatoire. « Aujourd'hui, nous allons devoir parler », fit Evon, et elle lui promit de tout lui raconter plus tard.

Robbie expliqua qu'il avait simplement repoussé d'un geste la suggestion de Skolnick, qui voulait qu'il reprenne l'argent. Ils avaient un peu discutaillé par gestes, mais Skolnick avait fini par accepter l'enveloppe avec un long soupir et un haussement d'épaules.

Elle lui demanda ensuite de se lever. « Je vais devoir vous fouiller. »

Les yeux de Feaver s'étrécirent, et elle y vit passer une étrange lueur, à la fois incrédule et égrillarde. Il se leva, les bras grands ouverts. « Mais je vous en prie... faites comme chez vous ! »

Ce n'était certes pas la première fois qu'elle devait fouiller un homme. Le règlement n'encourageait pas ce type de pratique, mais quand vous arriviez la première sur les lieux d'une arrestation, vous ne pouviez pas rester à vous tourner les pouces en attendant que le suspect vous sorte un cran d'arrêt de quinze centimètres. Mais jusque-là, elle n'avait jamais fouillé que des inconnus. C'était étrange. Comme lors de leur bagarre, il lui parut plus grand et plus costaud qu'elle ne se l'imaginait. Elle lui palpa les jambes et retourna ses poches de pantalon, passant le plus vite possible sur l'entre-jambe. Elle craignit tout à coup qu'il ne tente un geste inconvenant – lui maintenir la main à l'endroit stratégique, ou propulser son pelvis vers l'avant. L'idée lui vint à l'esprit qu'elle aurait dû demander à Shirley d'assister à l'opération. Mais il ne bougea pas d'un cheveu. Il avait suffisamment le sens de la mise en scène pour comprendre l'effet désastreux qu'une telle tentative, immortalisée par la bande son, aurait pu avoir sur leur crédibilité, à l'un comme à l'autre. Elle était la plus gênée des deux. Elle lui demanda de se retourner, et répéta la même série d'opérations par-derrière. Elle termina par une fouille en règle de son pardessus et de sa mallette, avant d'éteindre le FoxBite.

« J'espère que ça vous a été aussi agréable qu'à moi.

— Écoutez, mon vieux... je viens de dire dans le micro que je n'avais rien trouvé d'intéressant dans votre pantalon ! »

Ses mains se crispèrent sur sa poitrine, feignant l'arrêt cardiaque fulgurant, mais il garda le sourire. La vanne. Le sous-entendu. Bien sûr... Il avait interprété sa boutade comme un pas dans sa direction.

À présent, il commençait à soupçonner que la caméra n'avait pas marché comme prévu. McManis avait demandé à Evon d'écouter immédiatement ce qu'avait enregistré le FoxBite, et de le leur faire savoir dans l'estafette. Robbie ôta le micro qui était passé dans une de ses boutonnières, enleva sa chemise, et se débarrassa de l'appareil avec un soupir de soulagement. Il avait le dos meurtri à l'endroit où le siège l'avait maintenu contre ses vertèbres. Klecker avait expliqué à Shirley comment transférer les informations contenues dans les cartes à puce de l'appareil vers le disque dur de son ordinateur. Shirley vint les aider et se chargea des opérations de transfert, après quoi tous trois se penchèrent vers les haut-parleurs.

À l'instant critique, lorsque Feaver et le juge avaient exécuté cette pantomime pour savoir qui garderait l'enveloppe, on entendait quelque chose. Tous deux, en fait, avaient murmuré « Allez, quoi... » Mais rien n'indiquait clairement ce qu'il était advenu de l'argent. La seule preuve directe que Skolnick l'ait empoché restait la parole de Robbie, et Sennett avait posé d'emblée que, face à la parole d'un juge, le témoignage d'une personne qui s'était reconnue coupable ne ferait sûrement pas le poids, devant la plupart des jurys.

« Ça, on s'en serait douté ! fit McManis lorsque Evon l'appela. Tout ce à quoi on laisse une chance de déconner s'arrange toujours pour le faire ! » Il demanda à parler à Robbie, et le félicita pour sa prestation.

Après quoi, Feaver, qui avait posé sa chemise déboutonnée sur ses épaules, l'enleva à nouveau, et demanda à Evon de l'aider à se débarrasser de la sangle du Foxbite, que l'on avait fixée autour de ses hanches, pour plus de sécurité, avec des mètres et des mètres de sparadrap.

« Tirez dessus un bon coup, ça va faire un mal de chien. » Il avait vu juste sur ce point. Une toison broussailleuse de longs poils bruns et drus lui recouvrait le haut du corps, se densifiant sur la poitrine et le long de la ligne médiane de son ventre. Dévêtu, il faisait songer à un lémurien, ou à un gentil nounours qu'on aurait eu envie de caresser. Klecker avait suggéré un débroussaillage préalable à la tondeuse, mais McManis s'y était opposé. Cela aurait pu paraître curieux chez son tailleur, son médecin, ou au club de gym où Robbie allait encore parfois s'entraîner le week-end.

« Ne vous inquiétez pas – je n'ai fait que ça toute ma vie ! » répondit-elle. Elle entailla l'adhésif avec des ciseaux, puis détacha les extrémités sur quelques millimètres, juste au-dessus de la crête iliaque, là où la peau se faisait plus fine. Ils n'étaient plus séparés que de quelques centimètres. Elle prit son souffle, aspirant une bouffée de sa chaleur et de son odeur, un mélange de cosmétiques et de son parfum *sui generis*. Elle sentait sa masse à quelques centimètres d'elle, l'empreinte tactile de ce thorax velu. Les gens que l'on dit physiquement beaux ont conscience de leur beauté. Il émanait de Robert Feaver un mélange d'assurance, d'autosatisfaction, et d'attention constante au regard d'autrui. Quand il s'approchait à moins de cinquante centimètres, c'était comme s'il avait ôté une chemise de plomb, qui, en temps normal, contenait toutes ces radiations.

« Prêt ? » fit-elle.

Il posa les mains sur ses épaules pour se stabiliser. « Jurez-moi que vous n'allez pas y prendre plaisir.

— Ma mère m'a toujours défendu de mentir. Accrochez-vous ! » Elle cala ses genoux contre les siens pour mieux prendre appui, et détecta, à cet instant, un imperceptible ébranlement – comme s'il avait été parcouru par un frisson. Les mains de Feaver se crispèrent plus fort sur ses épaules. Cela ne dura qu'une demi-seconde. Elle évita son regard, avant d'écarter d'un coup sec les deux extrémités, s'étonnant elle-même de la vigueur et de la férocité de l'éclat de rire qui lui échappa, lorsqu'il étouffa un petit cri de douleur.

16

Ayant failli à la promesse qu'il avait faite à D.C. de leur livrer un juge, Sennett se rabattit sur Malatesta. Il avait déjà songé à poser un micro dans le bureau même du juge, mais le juge principal Winchell avait refusé net d'autoriser ce procédé, qui comportait un risque évident de violation prolongée du secret d'un fonctionnement judiciaire qui devait garder une présomption d'innocence. Comme pour la pose de la caméra dans la voiture de Skolnick, elle exigeait d'avoir une preuve formelle qu'un incident délictueux bien précis allait avoir lieu.

Le seul moyen d'obtenir une preuve directe contre Malatesta était donc d'orchestrer une entrevue enregistrée entre Robbie et le juge suspect. En dehors du tribunal, Feaver n'avait jamais parlé à Malatesta plus de quelques instants d'affilée, et, à ses yeux, l'idée semblait difficilement réalisable. Mais Sennett était le dos au mur. S'il ne faisait pas tomber au moins un juge, il craignait que Washington ne lui coupe les vivres dans quelques semaines, à l'occasion du prochain bilan. Ils avaient réuni contre Walter des preuves consistantes, mais rien ne garantissait que le premier clerc accepterait de témoigner contre Malatesta. Dans le cas contraire, il ne disposait pas d'un dossier assez concluant contre le juge pour le faire inculper, si le projet Petros était annulé. Mieux valait donc envoyer Robbie sur-le-champ. McManis n'approuva que du bout des lèvres, mais finit par donner son accord, malgré les objections de Feaver, qui persistait à prédire que ça ne marcherait pas.

Amari mit en place un dispositif de surveillance permanente de Malatesta, qui ne tarda pas à mettre en évidence que les occasions de rencontre fortuite entre Feaver et Malatesta étaient effectivement très rares. En dehors de ses heures de travail, Malatesta ne sortait qu'accompagné de son épouse, un petit bout de femme d'un mètre quarante-cinq ou cinquante, qui trottinait à ses côtés sur de vertigineux talons aiguilles, et qu'Amari surnommait « Minnie Mouse ». Or, Minnie ne quittait pas son mari d'une semelle. Elle allait avec lui à l'église, chez leurs fils, voir leurs petits-enfants, et même au concert. Car elle était harpiste, et, plusieurs fois par semaine, le juge trimbalait son instrument dans leur vieux break. Le soir, il l'accompagnait aux concerts qu'elle donnait, à l'occasion de mariages ou d'autres manifestations mondaines, où le son ténu de sa harpe se perdait habituellement dans le brouhaha des voix et les tintements des cristaux. Silvio se mettait dans un coin discret, et applaudissait, tout aussi discrètement, après chaque morceau.

Au bout d'une semaine de surveillance constante, Amari en vint à la conclusion que le meilleur moment, et le seul, pour aborder le juge serait la sortie de ses cours. Car il était maître de conférences à la Blackstone Law School, où il avait longtemps enseigné à temps complet. À présent, il n'y travaillait plus qu'à mi-temps. Le mardi et le mercredi midi, il parcourait à pied les quelques centaines de mètres qui séparaient le tribunal des bâtiments de la Blackstone, construits dans les années trente. Il marchait tête baissée, ruminant son exposé du jour, et franchissait le porche d'entrée néogothique, abondamment ornementé, pour pénétrer dans le hall lambrissé de chêne sombre. En dehors des cours, rapporta Amari, ses habitudes étaient celles d'un homme qui aurait eu trente ans de plus. Il faisait toujours de longues pauses aux toilettes – et c'était précisément là que Robbie avait une chance. Pour prévenir toute intrusion, Klecker jouerait les concierges. Il barricaderait l'entrée, à l'aide d'une de ces petites pancartes jaunes communément utilisées par les services d'entretien de l'établissement, qui passaient effectivement tous les jours à seize heures. Klecker ne craignait pas d'attirer l'attention. Qui remarquerait la pré-

sence d'un type passant une serpillière dans les W-C ? Mais
la moindre broutille suffisait à faire capoter ce genre d'opération. Au cas où quelqu'un entrerait immédiatement sur les
talons de Malatesta, par exemple. Les risques d'échec restaient cependant tolérables. Si on lui posait la moindre question, Alf répondrait en polonais, et s'éloignerait, laissant
Robbie et Malatesta échanger des propos de circonstance.

La prépondérance du rôle que jouent les toilettes, dans
la plupart des procès pour corruption de fonctionnaires ou
de magistrats, m'a toujours laissé rêveur. Depuis que j'exerce
dans ce qu'on appelle le « crime en col blanc », dont les
affaires de corruption sont, autant dire, le pain quotidien, je
suis toujours tombé au minimum une fois par an sur une
affaire dont au moins une péripétie essentielle s'était tenue
dans les W-C. Pourquoi les margoulins choisissent-ils de se
retrouver devant des urinoirs pour se passer de l'argent
sale... voilà une question qui n'a pas fini de m'intriguer.
Parce qu'ils n'ont qu'une main de libre, et que ni l'un ni
l'autre ne pourrait dégainer une arme à l'improviste ? Parce
qu'ils sont d'emblée exposés, et, en quelque sorte, en état de
vulnérabilité ? Ou pour démontrer, par antithèse, que l'argent n'a pas d'odeur ? Je pressens là-dessous quelque chose
de profondément symbolique...

Le 18 mars, un jeudi à onze heures trente, Robbie fut
donc harnaché, et prit le chemin de Blackstone. Ayant lui-
même fait ses études dans l'établissement, il pourrait, au
besoin, expliquer sa présence par une quelconque activité
relative au Club des anciens élèves. Evon l'accompagnait
comme témoin, là encore, pour attester que Malatesta était
la seule personne à être entrée dans les lieux, et, partant, que
c'était bien lui qui parlait dans l'enregistrement.

Feaver marqua une pause sur le seuil du grand hall d'entrée gothique. Des relents d'encaustique, mêlés d'odeurs de
siphon, leur assaillirent les narines. Il jeta autour de lui un
regard circulaire, qui remonta jusqu'au sommet des voûtes
en ogive, soutenues par des arcs-boutants. Cela faisait des
années qu'il n'avait pas mis le pied dans ces murs. Des
années...

« Des mauvais souvenirs ?

— Quelques-uns, oui. Je ne tiens pas spécialement à
tomber sur l'ancien doyen. Il aurait un arrêt cardiaque s'il
venait à apprendre que j'exerce !

— Il devait pourtant se douter que c'était avec l'intention d'exercer que vous prépariez votre diplôme.

— Bien sûr. Mais le temps que je me décroche ce fichu diplôme, il m'avait catalogué, et vous imaginez bien que je ne devais pas être sur sa liste des favoris pour l'examen d'entrée au barreau ! » À son habitude, Robbie s'amusait de ses fredaines passées.

Un instant plus tard, il pénétra dans les toilettes hommes, et s'enferma dans une cabine, conformément au plan. Evon s'installa en face de la porte, sur un banc de chêne, d'où elle avait une vue imprenable sur l'entrée des W-C, et Alf apparut une minute et demie plus tard, sifflotant une polonaise de Chopin, et muni d'un seau et d'une pancarte. Il ouvrit la porte, et la maintint ouverte, ce qui eut pour effet immédiat d'inciter l'usager qui se trouvait précédemment dans les lieux à mettre les voiles.

À midi cinq, Malatesta arriva, vêtu d'un pardessus dans lequel il semblait flotter, comme dans tous ses vêtements. Il s'arrêta net en avisant Alf et sa pancarte, mais ce dernier se fendit d'un geste magnanime, et Malatesta entra, avec un petit sourire de remerciement.

Dehors, grâce à son oreillette, Evon entendit s'ouvrir la porte de la cabine, et reconnut les pas de Robbie sur le carrelage. Le script prévoyait qu'il vienne prendre place devant l'un des urinoirs – bruit caractéristique des fermetures Éclair des braguettes... Malatesta se posta à la place d'à côté, en fredonnant en sourdine un thème musical, peut-être inspiré de celui d'Alf.

« Hey, monsieur le juge ! s'exclama Robbie. Enchanté. Robbie Feaver...

— Ah, oui ! Mr Feaver... Quelle bonne surprise ! Comment allez-vous ? »

Robbie s'excusa de ne pouvoir lui serrer la main, et Malatesta émit un petit rire de gorge, aussitôt étouffé. Le juge, comme on pouvait s'y attendre, ne fit pas preuve d'une grande prolixité, en matière d'humour de pissotières. Robbie lui demanda ce qui l'amenait dans la maison, et Malatesta lui brossa un bref résumé des cas qu'il comptait aborder ce jour-là, pendant son cours d'assignation des risques.

« Ah, l'affaire *Ettlinger* ! lança Robbie. Un verdict qui est resté pour ainsi dire le cul entre deux chaises...

— Ce n'est tout de même pas aussi simple, objecta Malatesta.

— Du point de vue de la partie plaignante, je veux dire. C'était une cote mal taillée.

— En ce sens, peut-être », fit le juge sur fond de cascade. La chasse d'eau s'était déclenchée. Klecker avait bien recommandé à Robbie de ne parler de rien avant la chasse, conseil qui devait être le fruit d'une précédente expérience, dans un environnement comparable. La voix de Robbie baissa d'un ton.

« À propos, juge..., fit-il. Je voulais vous remercier. Pour le dossier Petros – OK... ? Super, votre verdict. Les dédommagements ont dépassé nos espoirs. »

S'ensuivit un silence qui s'étira de façon inquiétante. Malatesta, comme devait par la suite nous l'expliquer Robbie, était tout bonnement ébahi. Sa main s'éleva pour venir effleurer la branche noire de ses lunettes. Vu la circonspection de Silvio et les faibles chances de succès de l'opération, le scénario exigeait que Robbie ne prenne aucun risque, et ne parle qu'à mots très couverts. Il avait pour consigne de mettre fin à la conversation au cas où Malatesta serait trop ouvertement sur la défensive. À en juger par le silence prudent que gardait Robbie, Evon pensa qu'il craignait déjà d'avoir passé les bornes. Elle l'entendit faire quelques pas, puis actionner le robinet du lavabo. Un instant plus tard, sur fond de froissement de serviette en papier et contre toute attente, ce fut la voix de Malatesta qui s'éleva.

« Mais au contraire – c'est moi qui devrais vous remercier, Mr Feaver. »

Au tour de Robbie d'en rester bouche bée.

« Je vous en prie, monsieur le juge, fit-il après un battement. Tout le plaisir a été pour moi – en toute sincérité. J'ai le plus grand respect pour votre compétence. J'apprécie énormément ce que vous faites. Je voulais juste m'assurer que vous le sachiez.

— Mais ça ne m'a pas échappé, Robbie.

— Soyez sûr que j'ai tout fait pour vous le montrer.

— Vos papiers étaient excellents, Feaver. Excellents ! À vrai dire, la majorité des avocats manifestent rarement un si grand respect pour la Cour. D'ailleurs, il faut bien reconnaître que tous n'ont pas vos ressources. Vous avez fait des recherches très poussées – exhaustives, je dirais. Vos confrères ne citent que trop rarement la jurisprudence en provenance d'autres États ou des Cours fédérales, surtout lorsqu'elle garde un intérêt aussi... actualisé. Et, de fait, c'est ce détail qui a fait pencher la balance en votre faveur. Un problème délicat, notez bien – mais vos arguments l'ont emporté haut la main. Inutile de s'interroger sur ce qu'en aurait pensé la Cour d'appel... nous attendrions encore leur réponse. Vous savez, à ma sortie de l'université, j'ai été l'assistant du juge Hann, de l'US District Court, et il ne cessait de me répéter : les avocats s'imaginent qu'ils se font contrer. Ils pensent avoir perdu leur procès. Mais c'est de mon nom qu'est signée la décision, et, en cas d'appel, c'est sur moi que retombe la faute, si j'ai commis une erreur. » Malatesta émit un petit rire, au souvenir de ce sage précepte. « Gageons qu'il se réjouirait avec moi de cet arrangement fructueux que vous avez obtenu. »

Robbie, qui avait écouté tout cela sans trop savoir sur quel pied danser, s'emmêla à nouveau les pédales : « Euh... parce que vous n'étiez pas au courant ?

— Ah, vous me l'aviez dit ? Ça a dû me sortir de l'esprit... » Vlan ! Un couvercle de poubelle retomba en claquant. « Mais j'ai la conviction que ça valait mieux pour tout le monde – n'est-ce pas ? Bien sûr que oui. Ce que veulent les parties, c'est un arrangement qui soit applicable de part et d'autre, et non d'être citées comme des cas d'école dans les manuels. Évidemment, je ne peux m'empêcher de me demander ce qu'en aurait dit la Cour d'appel, mais, en l'occurrence, nous n'avons plus qu'à considérer l'affaire comme résolue, et à passer à la suivante. Affaire jugée – n'est-ce pas ? » Malatesta eut un autre petit rire, à mi-chemin du toussotement. Le bruit de ses pas s'éloigna de quelques mètres. « À très bientôt, à l'audience, Mr Feaver ! J'espère que notre prochaine affaire sera tout aussi... intéressante.

— N'ayez crainte... elle le sera ! »

Lorsque Evon vit sortir Malatesta, on eût dit qu'il avait le sourire aux lèvres. Son pardessus plié sur le bras, il partit en direction de l'amphi où il devait donner son cours. Deux étudiants l'abordèrent pour lui poser des questions.

« La vache ! s'écria Robbie dès que McManis eut débranché le FoxBite – ils étaient revenus au bureau. Quel barge ! Ce type est complètement à la masse. Une minute, il est là, avec vous, et la minute d'après, pfffou ! » Le bras de Robbie décrivit un grand arc de cercle dans l'air.

J'avais été convoqué dès le retour de mon client. Klecker avait terminé les opérations de transfert des données et de duplication, et avait rembobiné l'enregistrement, lorsque Stan fit son entrée.

« Rusé ! » fit Sennett, lorsqu'il eut écouté. Il affichait son sourire des grands jours. « Très rusé. Il dit exactement ce qu'il veut dire. Il remercie tout le monde. Personnellement, j'adore cette remarque sur l'excellence de vos "papiers", Feaver – les grosses coupures, surtout, je suppose ! »

Des éclats de rire fusèrent parmi les agents qui étaient venus aux nouvelles.

« J'ai beaucoup aimé "l'intérêt actualisé", glissa Evon. Personne n'avait relevé cette réplique. Alf leur fit ré-écouter cette partie de l'enregistrement. Robbie avait dû bouger un peu à ce moment, et ses mots s'étaient un peu télescopés. Mais nous n'eûmes aucune peine à les reconnaître à notre tour. « Le vieux renard ! fit Sennett. Ce numéro du visiteur fraîchement débarqué d'une autre planète... ! Mais là, on le tient. Quel régal que cette mise en garde au sujet de la Cour d'appel ! » Stan ne se retint que d'extrême justesse d'ajouter un « je vous l'avais bien dit ! » triomphal, mais il le pensa si fort que tout le monde l'entendit distinctement.

McManis me lança un coup d'œil. Ce n'était tout de même pas le coup de grâce que Sennett espérait. L'avocat de Malatesta aurait beau jeu de soutenir qu'il n'y avait là que d'innocentes remarques à propos d'une affaire jugée. Et pourquoi diable ces digressions concernant la Cour d'appel, si le propos de Malatesta avait été de remercier Robbie pour un pot-de-vin ? S'il avait reçu cet argent, n'aurait-il pas dû savoir que l'affaire s'était heureusement conclue... ? N'empêche que Stan tenait tout de même quelque chose. Surtout s'il parvenait à convaincre un jury que Malatesta était atteint de paranoïa aiguë. Ses remarques sibyllines prendraient alors tout leur sens.

« Peut-être, mais il nous en faut plus », décréta soudain McManis d'un ton qui avait dépassé en tranchant tout ce que nous avions entendu jusque-là dans sa bouche. L'antagonisme qui l'opposait à Stan devenait chaque jour plus âpre et plus manifeste. Sennett parut se cabrer quelque peu sous le choc, mais après un instant de réflexion, il se fendit d'un hochement de tête.

« C'est vrai, dit-il. Et nous l'obtiendrons. Nous devons continuer à lui faire parvenir des dossiers. Mais nous avons déjà réussi à le faire parler à Robbie. Et ça va me permettre de revenir à la charge, du côté de Moira. » Sennett s'autorisa un sourire encore un peu plus large. « Quoi qu'il en soit, nous avançons à grands pas, et dans le bon sens, n'est-ce pas, Jim ? À l'évidence ! Vous ne pouvez faire autrement que de l'admettre, tout comme D.C. ! »

McManis n'eut pour toute réponse qu'un ballottement de tête d'une épaule vers l'autre. C'était, pour autant que je m'en souvienne, la première fois qu'il manifestait autre chose qu'une amabilité sans faille. Détournant le regard, il s'empressa de revenir à Robbie et aux autres agents, qu'il félicita chaudement pour leur travail.

17

« Nous avons comme un problème. » C'était peu avant seize heures, le 22 mars – soit le lundi suivant la conversation qui avait réuni Robbie et Malatesta dans les toilettes de la Blackstone School. Au bout du fil, la voix de Sennett avait résonné dans son registre le plus impérieux. Sans même prendre le temps de se présenter, il s'était contenté de m'intimer l'ordre de le retrouver chez Jim dans les dix minutes. En arrivant, je vis McManis et Alf Klecker réunis autour de Stan dans la salle de conférence – tous trois affichant un masque où la gravité le disputait à l'abattement. Sennett avait revêtu son complet bleu, fraîchement sorti du pressing, et arborait tous les attributs de son personnage public : mâchoire agressive, œil d'aigle, poigne d'acier.

Son index décrivit un petit cercle dans l'air, engageant Alf à ouvrir l'un des placards dissimulés dans les lambris de chêne rouge – celui qui contenait le gros magnétophone à bande, un Grundig chromé, qui se mit aussitôt en marche.

Il me fallut un moment pour identifier les sons. Une feuille de papier qu'on froissait crépita d'une façon étrangement sonore, et divers bruitages suivirent. Des objets de poids, de taille et de consistance diverses, qu'on déplaçait à proximité d'un micro. Quelque chose heurta une surface dure dans un fracas qui évoquait celui d'une bûche tombant sur des pavés.

Je m'enquis auprès de Klecker de la provenance de ces bruits.

« J'ai planqué le micro dans un téléphone, sur un bureau, répondit-il. Le son nous parvient en direct par les lignes du réseau. » Alf eut un sourire radieux, débordant d'une innocente fierté, qui s'éteignit aussitôt sous le regard frigorifique de Sennett : les explications d'Alf avaient outrepassé la règle du strict minimum d'information utile.

Puis nous entendîmes des voix, féminines. À quelque distance, quelqu'un parlait à la femme la plus proche. Il était question d'un contre-interrogatoire qui avait terriblement traîné en longueur.

« Ces voix te disent-elles quelque chose ? demanda Sennett.

— Absolument rien.

— Je vais te mettre sur la voie, fit-il. Deux promos avant la nôtre, en fac de droit... »

Rien ne me venait à l'esprit. Je me perdis en conjectures, jusqu'à ce que la voix la plus éloignée s'adresse à l'autre en lui donnant le titre de juge.

Magda. Magda Medzyk. Elle avait derrière elle une longue carrière dans l'équipe du procureur général, où elle supervisait les appels, après quoi, elle avait accédé à un poste de juge. C'était une demoiselle d'âge respectable, généralement d'un calme olympien, avec un gros chignon de cheveux frisés – l'une de ces filles qui semblent avoir atteint l'âge mûr avant même d'avoir terminé leurs études. Au fil des années, sa garde-robe était restée d'une constance inébranlable : des tailleurs de gros lainage qui coffraient ses formes épanouies comme l'aurait fait une cuirasse. Je demandai à Stan quelques précisions, concernant les circonstances dans lesquelles se tenait cette conversation.

« Elle revient d'une audience de présentation de motions spéciales, dans la division des litiges de droit commun. Écoute... ça devient intéressant. » Les lèvres de Stan laissèrent filtrer un petit sourire. Les bruits que nous restituait la bande nous laissaient supposer que Magda s'était assise à son bureau, et écrivait quelque chose, lorsque la secrétaire vint lui annoncer un visiteur : « Mr Feaver..., dit-elle.

— Robbie ! » s'exclama Magda, à pleine gorge, dans un cri de joie. Il lui répondit en l'appelant « juge », et taquina un moment la secrétaire, qu'il avait surprise à manger des chocolats. Lorsque la porte se referma sur cette dernière, il y eut un glissement de pas feutrés, suivi d'un clic-clac à peine audible, que j'identifiai immédiatement : le déclic d'une clé tournant dans un verrou. J'eus un instant de vertige en appréhendant tout à coup ce qui allait se passer. Robbie s'apprêtait à graisser la patte à un juge dont il ne nous avait rien dit.

Suivit un échange de propos badins.

« Viens un peu par là, toi... » susurra Robbie, et on l'entendit approcher. Les ressorts du fauteuil du bureau émirent une plainte aussi mélodieuse qu'évocatrice. Il y eut quelques froissements de tissu, et, à ma grande stupéfaction, Magda Medzyk lâcha un petit soupir d'aise. Lorsqu'il s'extasia sur ses seins, qu'il déclara les plus beaux du monde, je fus définitivement fixé : je m'étais fourré le doigt dans l'œil.

La situation évolua rapidement. Nous entendions à présent le bruitage caractéristique de l'animal humain en plein rut : couinements de fermetures Éclair, chute de chaussures sur le tapis, souffles accélérés ou rauques. Robbie et le juge Medzyk s'étaient éloignés du téléphone, pour s'installer plus à l'aise sur un canapé, présumai-je, mais les bruits demeuraient tout aussi révélateurs. Magda était portée sur les gémissements et les soupirs. Dans la bouche de Robbie, certains mots figurant au dictionnaire la plongeaient dans un ravissement proche de l'extase. Il n'aurait pas été plus explicite s'il avait entrepris de rédiger un dépliant touristique... Il la faisait glousser de rire en lui décrivant par le menu les activités qu'il envisageait. Et c'était « ta petite chatte rose » par-ci, et « ma grosse queue bien dure », par-là. Le flot ininterrompu des vocalisations de Magda était le seul repère qui nous permît de faire la différence avec une prestation au téléphone rose.

« Ça ira, ou on continue ? me demanda Stan.

— Ça devrait suffire », répondis-je.

Klecker se gondolait sur place, caché derrière sa main, quant à McManis, il s'était détourné des haut-parleurs dès le début de la séquence sonore, et avait passé le plus clair de son temps absorbé dans la contemplation de son pouce.

« Alors ? s'enquit Sennett.

— Un odomètre sur la braguette de mon client », lui

rappelai-je. Mais je n'y voyais pas de quoi fouetter un chat – fût-il rose et de sexe féminin !

« Tu as peut-être oublié la définition de la corruption, George. Je vais te rafraîchir la mémoire : c'est un bénéfice, de quelque nature que ce soit, offert dans l'intention d'influer sur les décisions d'un fonctionnaire ou d'un magistrat dans l'exercice de ses fonctions. »

Je lui éclatai de rire au nez. Ah, les procureurs... ! À l'évidence, Robbie était le premier bénéficiaire de cette prétendue corruption.

« La dame que nous entendions sur cette bande n'a rien d'une irrésistible sirène, George.

— Mais il se trouve que Robbie n'est pas très regardant en la matière, lui rappelai-je.

— Bon. Tu peux en penser ce que tu veux, George. Mais je te prie de croire que Moira Winchell me signera un mandat sans la moindre hésitation. »

Stan jouait sur du velours. Le juge principal Winchell, une personne rassise, plutôt prude et collet monté, allait être horrifiée d'entendre ça, surtout de la part d'une femme investie de pouvoirs similaires aux siens. Mais j'avais peine à croire que Sennett parvienne à constituer un tel dossier – ce dont je ne me privai pas de lui faire remarquer.

« J'ignore encore ce que je vais pouvoir en tirer, George. La seule chose que je sache pour l'instant – il s'était penché vers moi par-dessus la grosse table de conférence, une lueur assassine dans le regard – c'est que ton client ne nous a pas tout dit. Un jour il s'envoie cette petite dame, et le lendemain, il va lui présenter ses motions à l'audience – motions qui ont un taux de succès phénoménal, est-il besoin de le préciser. Je brûle donc de savoir ce qu'il nous cache encore. Je n'ai toujours pas transmis cela à Washington, et tu sais comme moi que j'essaie par tous les moyens d'éviter tout ce qui pourrait nous faire annuler ce projet. Je présenterai sans doute cette bande comme un complément d'information recueilli dans le cours de l'enquête. Mais ce coup-là, je ne pourrai le faire qu'une fois. Au prochain faux pas, ils annulent tout, et nous coffrons Robbie pour un séjour de quarante à cinquante-deux mois sous les verrous. C'est donc sa dernière chance, George. Jour d'amnistie à la bibliothèque – mais je veux qu'il me déballe tout, tous ses livres ouverts, et sur la table ! »

Je me laissai choir, abasourdi, dans un des fauteuils en

vinyle noir pivotants. J'avais eu tout le temps, en trente ans de carrière, de me cuirasser contre les idioties que pouvaient commettre mes clients. Non, ce qui m'inquiétait, c'était le problème juridique. Quelles que fussent les bonnes dispositions du juge Winchell en faveur de Sennett, la loi exigeait que l'on observe certaines règles dans la collecte des preuves. Sennett aurait dû préalablement établir un lien de cause à effet, et apporter au juge principal la preuve que cette entrevue avait bien la corruption pour motif, avant d'obtenir l'autorisation de mettre le téléphone de Magda sur écoute. D'où tenait-il cette preuve ? demandai-je à Sennett – mais je regrettai aussitôt ma question.

« Tu n'es censé te poser ce genre de question qu'à titre privé, George. La réponse que peut y apporter le ministère public ne te concerne en rien. Mais je t'avais prévenu. Je t'avais dit que nous saurions. »

Je ne pus réprimer un petit grognement. Il n'y avait qu'une solution possible à ce problème : ils avaient posé un micro sur Robbie à son insu. Sennett resta de marbre lorsque je risquai cette hypothèse. Il mit le cap sur les appareils électroniques alignés sur les étagères du placard, et les détailla d'un air concentré, comme un acheteur dans un hall d'exposition.

Je lui fis remarquer à quel point il était veule de trahir ainsi une personne avec qui il avait passé un accord, et qui jusque-là n'avait en rien démérité – quelles que fussent les exigences de ces cinglés de l'UCORC. Mais c'était une faute stratégique que de m'adresser à lui sur un ton aussi direct, et aussi personnel, en présence des protagonistes du projet, qui ignoraient tout de nos relations privées. Sennett se sentit obligé de se justifier, surtout face à McManis dont le silence prolongé trahissait le malaise devant ces récents développements.

« George, me dit-il, je comprends que tu aies une certaine sympathie pour lui. Mais pour moi, ce n'est qu'un cheval de Troie, un porteur de micro. Si j'avais pu le faire, j'aurais préféré envoyer un robot à sa place. Il me faut certaines choses, pour gagner. Des enregistrements en béton, bien sûr, et la preuve que nous l'avons contraint à tenir ses engagements, que nous ne l'avons pas laissé choisir les juges qu'il avait dans le nez. Si le jury soupçonne un micmac de ce genre, il préférera relâcher tous les inculpés plutôt que d'entériner la sélection gagnante d'un canard boiteux tel que ton Robbie. Et, en toute sincérité, à la lumière de ce que nous venons d'entendre, c'est tout à fait l'impression que j'en ai.

— Mais, le mettre sur écoute en permanence, à son insu ! » m'insurgeai-je. L'accord que Feaver avait passé avec eux ne les autorisait nullement à commettre une intrusion si grave dans sa vie privée.

« Nous agissons en toute légalité », riposta Stan. Comme tout procureur qui se respecte, il se cabrait face au moindre soupçon d'abus de pouvoir. « En toute légalité – et tiens-le-toi pour dit ! » Il me lança un dernier regard de pure colère, et enfila son manteau qu'il avait laissé sur une chaise. « Une dernière chose, George – parce que je n'aime pas beaucoup ces protestations de vertu ! Ton cher client est l'image même de ce que les gens ont en tête lorsqu'ils utilisent le terme "avocat" dans son sens le plus péjoratif. Cette profession que nous sommes fiers d'exercer, toi et moi, il en a fait une branche dérivée du proxénétisme. Et il y a prospéré ! Il a amassé une fortune. Le jour où nous l'avons pris la main dans le sac, il s'est engagé à nous dire toute la vérité et rien que la vérité, mais à première vue, il semblerait qu'il n'ait pas tenu parole. Alors, je vous conseille, à toi comme à lui, de bien comprendre une chose : je ferai tout ce qui sera en mon pouvoir, dans les limites de la loi, pour veiller au bon déroulement de cette opération – parce que c'est mon devoir, George. Face à des gens comme ton client et ses petits copains, les Brendan, les Kosic, qui ont institué leurs propres lois et pour qui il n'existe plus de limites. Eux, je peux t'assurer qu'ils sont inflexibles, George ! » Mon ami Stan Sennett s'était arrêté sur le pas de la porte, les yeux dissimulés dans l'ombre de son chapeau mou. Il pointa vers moi un index indigné – geste indiquant qu'il se situait à présent bien au-delà du domaine d'application du savoir-vivre et de mes autres prétentions à une quelconque étiquette sociale.

« Et si je ne leur oppose pas une détermination égale à la leur, en jouant de tous les atouts qui sont à ma portée – si je ne suis pas aussi inflexible qu'eux, George – il adviendra une chose terrible : ils s'en tireront. Ils échapperont à la justice, et leurs magouilles continueront de plus belle, indéfiniment. Ils seront les vainqueurs, et nous aurons perdu. Toi et moi – ainsi que cette profession dont nous sommes fiers. »

Il me regarda dans le blanc de l'œil. « Mais dis-toi bien que je me battrai jusqu'au bout pour éviter ça ! »

* * *

Feaver arpentait mon cabinet d'un pas rageur.

« C'est de la corruption, ça ? s'insurgea-t-il. Offrir un brin d'affection à une pauvre femme délaissée ? »

Je lui fis remarquer qu'à en croire la bande, son brin d'affection avait pris les proportions d'une véritable gerbe. Mon humour badin et mes efforts pour l'apaiser lui arrachèrent l'ombre d'un sourire, mais le rythme de ses pas n'avait qu'à peine fléchi.

« Eh bien, oui, je suis son amant. Et alors ? C'est une femme, bon Dieu. Et une femme bien, avec ça ! Elle est adulte et consentante, non ? Vous croyez peut-être que c'est elle qui m'a aguiché ? Je lui ai fait la cour pendant des années. Vous savez qui c'est, Magda ? Jusqu'à ses dix-neuf ans, elle a vécu dans un couvent. Elle a été à deux doigts de prendre le voile. Elle habite toujours avec sa vieille mère, qui a quatre-vingt-huit ans, et on se retrouve dans son bureau parce qu'elle préférerait tomber raide morte que d'être surprise dans un hôtel en compagnie d'un homme. Cette dame n'avait jamais vu de près un individu de sexe masculin jusqu'à ses quarante ans, mon cher – et encore ne s'est-elle résolue à le faire que parce qu'elle ne supportait plus l'idée d'être toujours vierge. Elle a donc ravalé son amour-propre, et a laissé entrer chez elle le concierge de son immeuble, un jour que sa mère était partie rendre visite à une de ses tantes. Gratiné, comme histoire. Ce type qui sentait l'ail à plein nez et lui contait fleurette en polonais – à elle qui n'a jamais parlé un mot de polonais ! Après ça, elle était si gênée qu'elle a décidé de déménager le mois suivant. Il faut l'entendre raconter ça. Il y a de quoi pleurer de rire. Vous saviez qu'elle avait un sens de l'humour à toute épreuve ? »

J'avais plaidé pendant quatre semaines devant le juge Medzyk, du temps où elle siégeait au tribunal de grande instance, et je n'avais pas souvenir d'un moment où il lui fût échappé plus d'un petit sourire pincé. Sa conduite était irréprochable, et ses compétences tout à fait supérieures à la moyenne, mais pour l'affaire qui nous occupait, Robbie et moi, il n'y avait qu'un hic, et de taille : elle exerçait les fonctions de juge, et il avait comparu et plaidé devant elle un nombre incalculable de fois, au fil des années.

« Mais je l'aime, Magda, nom d'un chien ! Elle me plaît, vraiment ! Je passe des moments formidables avec elle. Quelles que soient les décisions qu'elle prend en tant que juge, je l'aime. Ça n'a rien à voir ! D'ailleurs, elle ne tranche pas toujours en ma faveur – loin s'en faut ! Quand elle juge contre moi, elle me fait ce petit sourire contrit, avec un haussement d'épaules, l'air de dire : "Que veux-tu que j'y fasse... C'est mon boulot..." »

Peut-être, mais dans de telles circonstances, elle n'aurait pas dû accepter ces dossiers. C'était manifestement la honte qui avait causé sa perte. Si elle s'était résolue à se désister, elle serait tombée raide morte plutôt que d'aller expliquer au juge principal la véritable raison de ces refus.

« Et alors ? Ils vont la jeter en prison pour quelques parties de jambes en l'air ? »

Vraisemblablement pas. La bande que j'avais entendue ne comportait aucune allusion à quelque affaire que ce soit, et Robbie jurait ses grands dieux qu'il n'en avait jamais été question entre Magda et lui. Mais cela n'altérait en rien le sens du message de Sennett : Robbie ne pouvait choisir à son gré les têtes qu'il ferait tomber.

« Au sujet de qui je ferais des cachotteries, hein ? De qui ?

— De Morton », répondis-je tout à trac.

Robbie sursauta. Je l'avais pris de court, ou épouvanté. Les deux, peut-être. L'une de mes grandes angoisses était d'avoir un jour avec Sennett un tête-à-tête semblable à celui que nous venions d'avoir, mais avec cette fois sur la bande la voix de Mort qui avouerait être dans le bain jusqu'au cou. Je fis remarquer à mon client que le train était à deux doigts de partir, et que s'il avait quelque chose à dire sur son associé ou sur quiconque, c'était maintenant. Une fois de plus, il y alla de son petit couplet sur l'innocence de Morton.

« Vous ne me croyez pas ? » Sous son léger hâle, son visage avait l'innocence de celui d'un nouveau-né sur les fonts baptismaux.

Le téléphone sonna à point nommé. Avant même de convoquer Robbie, j'avais appelé un privé, un certain Lorenzo Kotrar, que j'avais défendu quelques années auparavant, lors d'une affaire où il était accusé d'infraction aux lois fédérales, concernant les mises sur table d'écoute. Le pauvre Lorenzo avait apporté à une cliente la preuve que son mari, un officier de police, la trompait, mais ce dernier avait pris une cruelle revanche lorsque Lorenzo avait dû tirer seize mois à la maison d'arrêt fédérale de Sandstone. À sa sortie, Lorenzo eut toutefois la bonne surprise de découvrir que son affaire avait fait grand bruit, qu'elle lui avait valu une petite célébrité, et que ses compétences techniques lui ouvraient désormais un marché juteux. Il était tout simplement passé de l'autre côté de la barrière, et vendait ses services comme débusqueur de micros clandestins – habituellement auprès de grandes entreprises, mais aussi de particuliers désireux de se soustraire à la curiosité envahissante de leur conjoint ou de leurs partenaires – sans aller, comme dans notre cas, jusqu'à celle de l'administration publique. Il m'appelait du bureau de Robbie, où ce dernier l'avait laissé officier pendant qu'il se rendait chez moi.

« Rien en vue, apparemment », m'annonça Lorenzo. Mais rien ne nous permettait non plus d'écarter l'hypothèse selon laquelle Sennett aurait cessé toute surveillance en prévision d'une telle inspection. Klecker entrait comme il voulait dans le local technique de l'immeuble, par où transitaient toutes les lignes. Peut-être lui suffisait-il, pour mettre le téléphone de Robbie sur écoute, d'actionner un interrupteur. Lorenzo proposa de passer au crible la voiture et le domicile de Robbie, mais Feaver avait la certitude de n'avoir appelé Magda qu'à deux reprises, et toujours de son cabinet.

Je laissai mon regard s'échapper vers la Kindle River, sur laquelle surnageaient les lumières de la ville. Demeurait, bien sûr, la possibilité que Sennett ait eu une autre raison d'espionner la « chambre » de Magda. Peut-être Robbie était-il tombé dans un piège tendu pour un autre... Il éclata de rire.

« Magda n'est pas n'importe qui. Elle, se laisser corrompre ? C'est une femme d'honneur ! Ce genre de chose ne lui viendrait même pas à l'idée.

— Où, alors ? » insistai-je. Où Stan avait-il obtenu la présomption de preuve ou les arguments nécessaires à cette mise du bureau de Magda sur table d'écoute, effectuée selon ses propres termes « en toute légalité » ? Les yeux noirs de Feaver ne cillèrent pas. S'il savait quelque chose, il avait manifestement décidé de le garder pour lui.

18

Le soir même, McManis téléphona pour la première fois chez Evon. Il respecta à la lettre la règle du jeu de la couverture, lui expliquant qu'il n'avait pas reçu la copie d'une proposition que devait lui remettre Feaver pour une affaire sur laquelle il devait fournir une réponse pour le lendemain. Il insista, poliment mais fermement, pour qu'elle la lui apporte sur-le-champ à son cabinet.

Il vint lui-même lui ouvrir. À huit heures passées, il régnait dans le Lesueur une atmosphère de ville fantôme. Un technicien de surface passait sa cireuse dans le couloir. À l'exception de quelques vigiles errant çà et là, il était le seul être vivant qu'elle eût croisé en arrivant. Il devait bien rester une poignée de jeunes avocats à plancher encore sur leurs dossiers, mais ils se cachaient soigneusement. Seules quelques lumières éparses, uniquement visibles de la rue, trahissaient leur présence.

McManis lui résuma la situation dans les grandes lignes. Un instant, le cœur d'Evon faillit lui bondir de la poitrine, lorsqu'elle crut qu'il s'apprêtait à lui passer la bande. Mais Jim était trop vieille école pour ce genre de facétie – et de toute façon, elle n'avait pas besoin d'écouter ça pour être mortifiée. Elle avait la sensation que ses veines charriaient de l'acide à batteries : n'était-ce pas, précisément, pour prévenir ou dépister ce genre de bavure qu'on l'avait placée aux côtés de Feaver...

« Me voilà donc dans le rôle de la cloche de service, dans cette histoire », conclut-elle lorsque Jim eut achevé son résumé de la situation. D'ordinaire, McManis se serait arrangé pour lui manifester quelque signe de sympathie et de compréhension. Son petit sourire navré, par exemple...

Mais, cette fois, il se contenta de poser sur elle le regard de ses yeux bleus qui ne cillaient pas. Ils l'étudiaient. Il avait dénoué sa cravate et roulé ses manches de chemise. Elle nota la présence, au bout de la grande table de conférence, de deux cartons provenant d'une boutique de plats chinois à emporter, d'où se dégageait une puissante odeur d'ail.

« Vous n'aviez pas le moindre indice ? Aucune idée de l'existence de ce juge ? »

Et clong ! disaient ses collègues pour dépeindre ce pincement de cœur, ce douloureux saisissement où vous plongeait le sentiment d'avoir foiré votre coup. Bien sûr qu'elle savait ! Cette remarque, qu'il avait lâchée après leur première visite à Walter... n'avait-il pas été question de « folâtrer avec un juge » ?

« Quelqu'un d'autre aurait-il pu en avoir vent ? » demanda McManis. Il avait dressé l'oreille, et restait suspendu à ses lèvres.

Elle pianota sur la table du bout des doigts. Évidemment, elle en avait fait part à Alf, qui raffolait des fredaines de Feaver et se les écoutait narrer avec une insatiable curiosité.

« Alf ? » McManis s'était apparemment plongé dans l'observation du placage de faux bois de la table. Il réfléchissait. À travers la porte d'acier, les bruits de la ville leur parvenaient filtrés comme par une distance surprenante. « Quelqu'un m'a fait un petit dans le dos sur ce coup-là, fit Jim. Alf a dû en parler... Aux agents locaux, peut-être. Vous savez, les types chargés de la surveillance. Quoi qu'il en soit Sennett l'a su, et m'a coupé l'herbe sous le pied. Vendredi matin, il m'a remis un mandat déjà signé, et, sans le moindre commentaire, m'a dit de demander à Alf de mettre le téléphone du juge sur écoute. Sans doute est-il passé par les agents du fisc pour établir sa "présomption de cause". Je ne comprenais vraiment pas où il voulait en venir... » McManis fit jouer les muscles de ses mains, dont les dernières phalanges étaient légèrement déformées. Son phlegme habituel avait fait place à une tout autre façon d'être. S'il était de Washington, ce que confirmaient largement ses commentaires, au fil des semaines, il avait dû en voir bien d'autres. Là-bas, il fallait savoir nager parmi les gros requins, et les coups volaient très bas. Soit. Mais ce n'était plus le Jim qu'elle connaissait.

« C'est un message, et il nous est destiné, fit-il. À moi

tout autant qu'à vous. Nous devrons désormais garder les yeux en face des trous, et ne plus le lâcher d'une semelle. Je veux que vous le suiviez comme son ombre. Qu'il ne puisse plus s'absenter une minute de chez lui sans vous avoir à ses côtés. »

Comme toujours, son premier mouvement fut une réaction d'autodéfense. Robbie lui avait présenté la chose comme une relation depuis longtemps terminée.

« En ce cas, que ça vous serve de leçon. Et si vous repérez quoi que ce soit de suspect, à l'avenir – une allusion à un autre juge, le moindre indice – c'est à moi qu'il faut le faire savoir. » Un reproche élégamment voilé, mais qui la transperça comme une pointe de feu. « Et vous savez... quand il se met à parler à tort et à travers... ? – McManis parut peser chacun de ses mots. – Tâchez de lui soutirer un maximum de confidences. Autant que vous pourrez. Dieu sait ce qu'il nous cache encore. »

Un maximum de confidences ! Evon eut peine à ne pas s'esclaffer. S'il augmentait un tant soit peu la dose, elle serait bientôt obligée d'aller emprunter le divan du psy du quartier – voire carrément une combinaison de plongée ! Mais McManis, lui, n'avait pas envie de rire. Sa bouche se tordit laborieusement pour articuler la phrase suivante, comme s'il avait dû fournir un effort surhumain.

« Ça n'est vraiment pas ce qu'il y a de plus facile... » dit-il en la regardant bien en face pour qu'elle ne puisse se méprendre sur le sens de ses propos. Elle soupesa cette recommandation dans l'étrange silence qui régnait autour d'eux, et se retint de hocher la tête. « Non, ça n'est rien moins que simple, reprit Jim. Les missions sous identité d'emprunt sont vraiment les pires. Et, vous savez, ce Feaver – il haussa les épaules – j'ai fini par le trouver sympathique. À sa façon.

— Comme vous dites. À sa façon... »

McManis sourit. « Eh oui... moi, je l'aime bien... » Il s'interrompit, et hocha imperceptiblement la tête. Une voiture l'attendait au sous-sol, dans le parking, lui expliqua-t-il. Désormais, ce serait elle qui irait chercher Feaver à sa porte chaque matin, et qui le raccompagnerait tous les soirs.

Sur le chemin du retour, elle sentit son climat émotionnel s'alourdir et se gâter d'une manière qui ne lui était que trop familière. Le temps virait à l'humiliation. Elle se sentait mortifiée, broyée sous une chape de plomb qui l'accablait d'autant plus, maintenant qu'elle se retrouvait seule. Lorsqu'elle put à nouveau respirer plus librement, le temps qu'elle ait regagné son appartement et verrouillé sa porte, son humiliation s'était transmuée, au terme d'une sorte de précipitation chimique, en une rage virulente : elle s'était fait rouler. Rouler par Robert Feaver, futur repris de justice et margoulin à plein temps. Quant à McManis, il se contentait de faire ce que font tous les patrons, quand le temps se gâte : il lui demandait de faire tout et son contraire. Serrer la vis à Robbie et l'amener à s'épancher. Sauf que ce genre de sport, ce n'était pas du tout sa tasse de thé ! Eût-elle eu juste un peu moins de respect pour Jim, qu'elle ne se serait pas gênée pour le lui dire !

« Quel enfoiré, ce Sennett ! s'exclama-t-elle à pleins poumons. Ce marchand de salades. Ce sale manipulateur ! Ce que je peux avoir horreur de tout ce merdier ! » Pour renforcer son personnage de Mormon en jupons, elle avait refoulé depuis des mois le vocabulaire de son passé de lycéenne. Les mots crus dont elle fit résonner l'appartement lui parurent d'une irrésistible drôlerie. « Ah ! Sennett... quel sale petit con ! » Elle partit d'un grand éclat de rire. Elle venait enfin de comprendre ce que McManis s'était retenu d'extrême justesse de lui dire, parlant de Feaver. « Moi, je l'aime bien... » lui avait-il glissé. *Je le préfère nettement à Stan !* fallait-il entendre.

Le lendemain à six heures, elle vint se garer devant chez Feaver, au beau milieu de l'allée. Il ne posa aucune question. Il devait plus ou moins s'y attendre. Ils continueraient à circuler dans la Mercedes pour donner le change. Elle s'installa sur le siège de cuir crème, et, d'une poigne d'acier, claqua la portière sur elle. La tête de Robbie ne se détourna pas vers elle lorsqu'elle se dandina sur son siège.

« Dorénavant, je vous attendrai ici chaque matin, don Juan de banlieue ! Je vous ramènerai chaque soir, et j'attendrai que votre porte se soit refermée sur vos sémillantes petites fesses. Après quoi, je vous appellerai toutes les deux heures pour m'assurer que vous êtes bien là et que vous ne faites pas de bêtises. Et dans la journée, je vous tiendrai pour ainsi dire en laisse, y compris quand vous irez faire popo ! »

Un sourire fugace courut sur les lèvres de Robbie, mais, vu les circonstances, il jugea préférable de le réprimer.

« Avez-vous seulement une idée de la catastrophe que c'est, pour moi ? Le ridicule dont vous m'avez couvert ? »

Lorsque enfin il se retourna vers elle, il affichait une expression dont la dureté lui coupa le souffle. « Arrêtez vos conneries. Je sais que vous m'avez balancé, sur ce coup-là. Quand je vous ai dit que j'avais eu une aventure avec un juge, vous vous êtes précipitée chez Sennett.

— Mon seul regret, c'est de ne pas l'avoir fait, Robbie !

— Et je suppose que vous avez espionné mon téléphone, dans la foulée...

— Vous pensez ! J'enregistre tout, avec ce micro que je porte sur moi vingt-quatre heures sur vingt-quatre ! Quant à Sennett, il passe ses nuits à éplucher les enregistrements ! »

La Mercedes roulait. Il avait encore gelé à pierre fendre la nuit précédente, et les pare-brise des voitures en stationnement étaient pris sous une bonne couche de givre, qui s'étoilait en cristaux de neige géants. Avec elle, tout était donnant donnant. Elle réduisait tout au business, lui fit-il remarquer d'un ton amer.

« Ça, pas question ! s'insurgea-t-elle. Et n'espérez pas vous en tirer à si bon compte ! Me couvrir de ridicule, me plonger dans l'embarras le plus total, et ensuite me faire culpabiliser parce que vous vous êtes fait surprendre la main dans le pot de confiture. Celle-là, Feaver, n'espérez pas me la faire !

— Hey ! Je suis un grand garçon, maintenant. J'ai pris un risque, soit, et je me suis ramassé. »

Elle se vouait mentalement à tous les diables. Il s'en sortait, comme toujours, en misant sur son intuition et, bien sûr, il ne risquait pas très gros en pariant sur sa tendance à culpabiliser. Il y avait toujours une part d'elle-même qui ne demandait qu'à s'autojustifier.

« Vous m'avez délibérément menti, et il faudrait que je vous fasse des excuses, maintenant ?

— Comment ça, menti ?

— J'ai dû rêver, quand vous m'avez dit que vous aviez mis fin à ce genre de galipettes ?

— Oh, je vous en prie... !

— Voilà, j'ai rêvé. Comment m'aviez-vous présenté la chose... ? "Ça aurait quelque chose de déloyal" – non ? »

Parce qu'il se retrouverait bien assez tôt célibataire... Mais elle lui épargna ce dernier détail par pure bonté d'âme.

« Qu'est-ce que c'est, tout ça, pour vous, ma chère Evon ?

— Mon job – point final. Ce pourquoi je me sors du lit

chaque matin. J'ai passé une bonne partie de la nuit à me triturer les méninges. "Comment tu as pu laisser passer ça ?" Jusqu'à ce que je réalise... vous m'avez regardée dans le blanc de l'œil, et vous m'avez froidement balancé ce bobard.

— Comme si vous m'aviez cru !

— Cessez donc de vous dérober, nom d'une pipe ! Quel genre de type êtes-vous ? Où trouvez-vous le culot d'assener sans sourciller de telles contre-vérités – des trucs dont vous savez parfaitement qu'ils sont faux !

— Ah ! Rengainez-moi cette rengaine ! "De tout temps, les hommes ont menti" – dixit Shakespeare. Tout le monde ment, partout et toujours. "Oh, j'adore votre coiffure !" ; "Quelle bonne idée !" ; "Le chien a mangé mon devoir de maths !" Seigneur... chaque minute de votre vie est un mensonge éhonté. Regardez-vous un peu ! Je m'appelle Evon Miller. Je suis mormon et je viens d'Idaho.

— Peut-être, mais ça, si je le fais, c'est pour une bonne raison. Une excellente raison, même !

— Eh ! moi aussi, j'ai mes raisons.

— Ouais ! Vous envoyer un juge pour obtenir des verdicts favorables ? »

Il ouvrit la bouche mais se ravisa. Ses mains prirent la parole les premières.

« Écoutez... du temps où je batifolais sur scène, j'avais toujours l'impression d'essayer certaines choses, dans mon travail sur moi-même. De rassembler des morceaux. De voir comment je pouvais les faire fonctionner ensemble – comme quand on compose un vitrail, vous voyez. On peut m'accuser de mentir, et c'est la réaction des gens en général. Mais moi, au moins, j'essaie. Je ne me contente pas, comme la plupart de mes contemporains, de me rejouer *ad nauseam* les mêmes fantasmes à trois sous, en les enfermant dans une grosse boîte noire, jusqu'à ce qu'ils soient en état de décomposition dépassée. Si vous parlez, si vous dites les choses, si vous jouez le jeu en disant "voilà ce que je suis", vous avez au moins une petite chance de savoir si vous ne vous leurrez pas. »

Un million de vieux dictons vinrent à l'esprit d'Evon. Sacré Feaver... ! il aurait vendu des frigos aux Esquimaux.

« Et on peut savoir qui vous avez essayé d'être, en me roulant dans la farine ? »

Sa pomme d'Adam s'affola.

« Quelqu'un que vous aimeriez. » Elle se garda bien de

répliquer. C'était un comédien-né, se rappela-t-elle. Un acteur. Ils étaient arrêtés à un feu. La conductrice de la voiture d'à côté se maquillait. Elle s'était hissée jusqu'à son rétroviseur pour se redessiner les sourcils. Ils roulèrent encore quelque temps sans desserrer les dents, sur le fond sonore du bla-bla matinal radiophonique que deux pitres survoltés déversaient sur les ondes pour réveiller leurs auditeurs.

« Alors, vous avez écouté ça ? » s'enquit-il.

Elle lui coula un regard en coin. Il avait appris à se méfier de ce genre de coup d'œil.

« Allez, quoi... avouez ! Je sais bien que vous l'avez écoutée, cette bande... » Le sujet revint à plusieurs reprises sur le tapis, ranimant chaque fois un peu plus sa colère.

« Dites-moi un peu en quoi ça m'intéresserait, hein ? explosa-t-elle.

— À cause de la curiosité dévorante que vous inspirent ma scintillante personnalité et les croustillants détails de ma vie personnelle... !

— À moi ?

— Allez ! Vous n'avez jamais essayé de me parler d'autre chose – et ce, pratiquement depuis le premier jour. » Il lui déclina une liste, qu'il avait apparemment tenue au jour le jour, en commençant par la femme flic au bandana. Il passa sous silence la scène de la fouille, mais, de toute évidence, l'incident l'avait enhardi. Avant même qu'il en eût terminé, elle avait peine à l'entendre, à cause de la pulsation de son sang qui lui bourdonnait aux oreilles.

« Ouâh ! pitié... vous n'allez pas remettre ça ! Comment ça s'appelle – une idée fixe ? Devant vous, qui peut résister à la tentation ?

— J'éveille en vous une sorte de curiosité.

— Ça, vachement ! » Elle l'avait dit d'un ton qui se voulait sincère, et qui l'était.

Il se répéta : elle se consumait littéralement de curiosité.

« Et vous, Feaver, vous êtes loin d'être aussi malin que vous pensez l'être. Moi qui avais cru comprendre que vous aviez enfin pigé ! Le jour où vous m'avez servi votre grande péroraison, sur cette Shaheen Trucmuche – rappelez-moi son nom. Je pensais que vous m'aviez enfin percée à jour. » En elle s'éleva une petite voix qui lui demandait où diable elle voulait en venir. Mais c'était tout simple : elle ne faisait qu'appliquer les directives du patron. Et quelle meilleure manière d'obéir à McManis, qu'en laissant sortir les choses... ?

Malgré le flux de la circulation, il s'était complètement tourné vers elle, et, cette fois, elle fit front, et se contenta de laisser sa colère se déverser dans son regard. L'espace d'un instant, elle avait réussi à lui clouer le bec. Il en resta bouche bée. Les mots ne parvenaient plus à franchir ses lèvres.

« Je n'ai jamais eu cette prétention, finit-il par lâcher.

— À d'autres.

— Jamais.

— Et si je vous disais que vous aviez mis dans le mille – qu'est-ce que vous répondriez à ça, monsieur-je-sais-tout ? »

Il prit tout son temps.

« Vous ? Vous aimez les femmes ?

— Et alors ? »

Il parut ramener son attention à sa conduite, mais elle le voyait soupeser et ruminer tout cela. Dans son visage concentré, ses yeux s'étaient rétrécis presque imperceptiblement.

« Eh bien... je dirais "chouette" !

— Chouette ?

— Ben ouais, fit-il en lui glissant un coup d'œil matois. Voilà au moins une chose que nous avons en commun ! »

« Vous savez comme moi que c'était juste une façon de parler – vous vous souvenez, hier ? Quand vous m'avez dit que vous étiez... »

Elle arqua le sourcil. Elle l'attendait au tournant. Ils étaient à nouveau dans la Mercedes, sur le chemin du cabinet.

« Comment dire ? interrogea-t-il. Une disciple de Sappho ?

— Une lesbienne – c'est le terme le plus courant, pour les hétéros.

— Mais vous n'en êtes pas – hein ?

— Quoi ? Hétéro ?

— Non, l'inverse.

— Écoutez – une fois pour toutes, ce que je suis ou ne suis pas ne vous concerne en rien.

— Pourquoi m'avoir sorti ça, en ce cas ? »

Ça faisait vingt-quatre heures qu'elle-même se posait la question. Elle avait été prise d'une impérieuse envie de le remettre à sa place, de le déboulonner de son piédestal, de reprendre un peu les commandes. De lui démontrer qu'il ne l'avait pas totalement épinglée et réduite à sa merci. Mais chaque fois que le souvenir de ses propres paroles lui revenait, elle aurait voulu pouvoir s'enfuir en rasant les murs.

« Je pense que ce n'est qu'un jeu », lui dit-il.

Elle lui enjoignit de penser ce qu'il voulait, ce qui la laissa sur un désagréable sentiment de frustration. Au bout d'un certain temps, elle pivota sur le cuir crémeux de son siège.

« Ça, c'est la meilleure ! Je vous confie des trucs... Seigneur, des trucs que je ne dirais pas même à mes sœurs. Et tout ce que vous trouvez à répondre, c'est : "Mon œil ! Prouvez-le." Qu'est-ce que vous voulez que je fasse ? Que je vous raconte ma première fois ? »

Il ne s'offusqua nullement à cette perspective.

« Vous savez, moi aussi, je l'ai déjà fait, dit-il, un bloc plus loin. J'ai déjà raconté que j'étais, comme ça, inverti – c'est le terme, non ?

— Vous ! Vous avez raconté que vous étiez homo ?

— Bien sûr, et pas qu'une fois ! C'était un jeu.

— Ah ! CQFD ! lança-t-elle d'un ton sec.

— Ça veut dire quoi, ça ?

— Rien. Laissez tomber.

— Que je suis toujours en train de jouer un personnage – c'est ça ?

— Bon. Racontez-la-moi, votre histoire, soupira-t-elle. De toute façon, je n'y couperai pas – pas vrai ? Vous pensez que je vous raconte des craques quand je vous dis que je suis lesbienne, et vous tenez à me le démontrer en me racontant à votre tour que vous vous êtes vous-même prétendu gay – ce qui, de toute évidence, est un bobard : qui pourrait croire une chose pareille, venant de vous ! ! ? »

Il la dévisagea un long moment. Ils venaient d'arriver dans le parking du Lesueur. Il gara la voiture, et tira le frein à main d'un geste brusque. Seigneur – d'où cela lui venait-il... « Une vraie peau de vache. » La voix de sa mère lui résonnait encore aux oreilles avec ce verdict sans appel : elle était méchante – une vraie peau de vache. Elle lui attrapa le poignet.

« Allez, racontez-moi.

— Une autre fois », dit-il. Il rectifia les plis de son écharpe, et inspecta sa propre image dans le petit miroir du

pare-soleil, avant d'affronter le regard du public qui l'attendait dans le hall de l'immeuble.

« OK. Comme vous voudrez, ricana-t-elle.

— Écoutez. Y a vraiment pas de quoi grimper aux
rideaux. Je vous ai dit... ça n'était qu'un jeu. De toute façon,
ça ne vous fera jamais qu'une raison de plus de me détester.

— Eh bien, en ce cas... j'essaierai de vous pardonner »,
dit-elle – sa mère lui avait appris que la clémence était une
vertu.

Il prit le risque de glisser un œil dans sa direction, pour
s'assurer qu'elle ne le faisait pas marcher, avant de porter
son regard vers les obscurs confins du parking, de l'autre
côté du pare-brise.

« Je faisais encore mes études, dit-il. C'était une vanne.
Je disais ça aux filles pour leur faire croire que je traversais
une crise, que je me posais des questions – que j'avais peur
de l'être. Et à l'époque, elles étaient horrifiées, évidemment.
Elles s'inquiétaient pour moi, elles me disaient : "Non, non,
pas toi ! C'est pas possible Tu as déjà eu des expériences ? –
Non, non, les rassurais-je, mais certains jours, je me pose
des questions." Vous voyez... c'était, autant dire, l'âge de
pierre. On ne parlait jamais de ce genre de choses, à
l'époque. Maintenant, ça paraît presque grotesque, mais à
l'époque, pour une adolescente de Great Neck, il y avait de
quoi frémir. Et vous voyez d'ici où je voulais en venir...

— Et alors ? Ça marchait ? Elles tombaient vraiment dans
le panneau ?

— À tous les coups ! Et après, elles débordaient de
fierté. Même celles que je ne rappelais jamais, elles en
oubliaient de m'en vouloir. Nous partagions un secret. Elles
avaient tenté de guérir le lépreux. Et c'était chou, de leur
part – je ne devrais pas rigoler... hein ?

— Non. » Elle détourna le regard.

« Alors – vous disiez que vous me pardonneriez ? »

Elle l'avait dit, effectivement. Mais sa mère, qui ne cessait de lui rebattre les oreilles de ce genre de préceptes, lui
pardonnait si peu de choses. Il lui échappa un bruit de gorge
accablé. À croire qu'il lui suffisait de poser ses grosses fesses
roses dans cette Mercedes pour que tous les maux du monde
lui retombent dessus.

« Qu'est-ce qu'on en a à foutre, de qui pardonne à qui ?
rispota-t-elle. Qui est-ce que vous essayez de rouler, là ? On
est juste en train de parler de cul, et moi, je vous laisse faire.

— C'est pas vraiment ce que j'appellerais parler de cul.

— Non ? Qu'est-ce que c'est ? »

Il prit le temps d'y réfléchir. « Une conversation entre amis, non ? On n'est pas des amis, peut-être ? On se parle, comme deux vieux potes. C'est tout. »

Deux vieux potes ! Elle n'en croyait pas ses oreilles. Elle sentit s'appesantir son regard sur elle. Il l'observait.

« Et, au fait... ils le savent ? demanda-t-il.

— Qui ça, "ils" ?

— Vos chefs ! Le QG, les pontes de la brigade anti-homos – maintenant qu'ils n'ont plus Edgar Hoover ! »

Elle sentit ce qui se préparait. Une catastrophe. Une série de cataclysmes en chaîne. Ça n'aurait donc jamais de fin ! Elle refusa de répondre.

« Moi qui pensais que c'était une contre-indication abso-lue..., fit-il. Parce qu'ils tiennent à prévenir tout risque de chantage.

— Comment dois-je prendre ça ? Comme une menace ?

— Non. Doux Jésus ! Non.

— Si. Vous me menacez. Je vous dis que je suis les-bienne, et...

— Hey ! fit-il Vous pouvez aussi bien me dire, "Je suis une petite pince à sucre", si ça vous chante ! Ça restera entre nous. Je ne donne pas mes amis, Evon. Quoi qu'il arrive. C'est même pour ça que tout le monde m'est tombé dessus, hier. »

Elle se demanda un instant ce qu'en auraient dit Walter Wunsch ou Barnett Skolnick. Ce que racontait ce type n'avait décidément ni queue ni tête !

« Je pensais un truc », fit-il et un petit frétillement d'aise parcourut ses traits réguliers. Elle s'attendait au pire. Une remarque d'un goût douteux à la limite de l'insulte, un saisis-sant raccourci qui résumerait sa vie en une blague salace.

« Je vous interdis ! grinça-t-elle en déverrouillant la por-tière côté passager.

— Non, non..., fit-il et sa main s'avança vers elle. Non... c'est juste un truc que je réalise, tout à coup.

— Quoi encore ?

— Je viens de comprendre... Vous ne sortez jamais à visage découvert. Vous êtes toujours obligée de donner le change. »

Avril

19

Du temps où je côtoyais Sherm Crowthers, j'étais un jeune avocat commis d'office, et il figurait déjà parmi les stars les plus illustres du barreau, spécialisées dans les grands procès criminels. Toute ma carrière, j'ai croisé d'innombrables avocats noirs, excellant dans leur partie et réputés pour leurs talents d'orateurs et leur éloquence qu'ils puisaient aux sources de la grande tradition des prédicateurs baptistes. Mais Crowthers était un cas d'espèce. C'était une véritable forteresse humaine, un colosse de près de deux mètres, à qui son gabarit exceptionnel avait valu de décrocher haut la main une confortable bourse d'études à la State University, où il devint une véritable légende du football, dans les années cinquante. Un jour, en rattrapant une passe en *touchdown*, il renversa l'un des poteaux comme un vulgaire fétu de paille, et on le surnomma Sherman, en référence au char d'assaut du même nom. Depuis, je ne l'ai qu'exceptionnellement entendu appeler par son véritable prénom, qui est Abner. Son imposant physique servait de fondations à une personnalité tout aussi imposante. Dans un prétoire, il sévissait comme un rouleau compresseur. Les témoins qu'il interrogeait tremblaient devant lui, y compris les flics. Il ne craignait de malmener ni les juges ni les jurés. Il commençait par la leur jouer au charme durant les phases préliminaires, mais au stade des conclusions, il entrait dans une sorte de transe, une furie absolue, durant laquelle il dictait littéralement ses ordres aux jurés – qui n'étaient que trop enclins à les exécuter, au grand dam du ministère public.

Sherm était bourré de talent, mais, ce qui m'avait toujours impressionné en lui, c'était la férocité de son intelligence, cette agressivité qu'il déversait à jet continu. Il ne lâchait jamais le moindre lest. Il lançait des accusations, querellait, harcelait l'adversaire, le tournait en ridicule, et n'affrontait que rarement de front la contradiction. Il avait gardé l'accent de sa Georgie natale – il avait passé toute son enfance dans le Sud, et, à l'époque, il avait à peine de quoi s'acheter des chaussures – mais il alignait les mots avec la rapidité d'une mitrailleuse, sans ce côté traînant du parler sudiste, laissant parfois certaines phrases en suspens pour enchaîner sur une autre idée, et mieux vous clouer le bec.

Au tout début de ma carrière, il m'est arrivé de plaider à ses côtés comme co-défenseur. Durant tout le procès, j'ai vécu tenaillé par la crainte qu'il m'inspirait, à moi comme à tous les autres protagonistes. Nos clients étaient accusés d'avoir tué leur adversaire lors d'une partie de dés. Celui de Sherm avait été roulé au jeu, et l'arme du crime portait les empreintes du mien. Selon leur version des faits, c'était la victime qui avait dégainé. L'homme avait été tué, d'après eux, au cours d'une brève empoignade durant laquelle ils avaient tenté de le désarmer. Les témoins de la scène en donnaient une description sensiblement différente – tout en admettant que les choses s'étaient passées très vite. Mais le rapport d'expertise balistique démontrait que la balle mortelle avait été tirée à un mètre maximum.

Le contre-interrogatoire auquel Sherm soumit le pathologiste de la police, un certain docteur Russell, laissa toute l'assistance sans voix. Empoignant l'arme du crime, Sherm la chargea, et, tandis que le pathologiste était à la barre, il la lui mit en main, avant d'en retourner le canon vers le visage du médecin en le bombardant de questions sur l'anatomie et la physiologie des doigts et du poignet. Le canon de l'arme sur la tempe, Russell parut tout à coup beaucoup moins sûr de ce qu'il avançait. Sa voix se fit hésitante et confuse. Après coup, le Chief State Defender, mon supérieur hiérarchique, me demanda quel avait été pour moi l'enseignement de l'expérience – plaider aux côtés de cette légende vivante. Je lui répondis que ça ne m'avait rien appris du tout : Sherm était inimitable. Par la suite, j'eus toutes les peines du monde à faire croire à qui que ce fût qu'un avocat avait osé pointer une arme sur un témoin pendant un contre-interrogatoire, sous les yeux de tout un prétoire – et qu'il n'était venu à l'idée de personne, ni au juge ni au procureur, d'élever la moindre objection.

L'affaire m'avait néanmoins donné à réfléchir. Sherm

envisageait la vie comme une lutte acharnée opposant des catégories, des composantes élémentaires et universelles auxquelles nul n'échappait – noir-blanc ; riche-pauvre – qui, à ses yeux, expliquaient tout, et dont l'existence même était pour lui une éternelle source de rage et de frustration. Ce qui achevait de le mettre hors de lui, c'était ce qu'il considérait comme l'hypocrisie quasi générale de tous ceux qui refusaient d'admettre l'influence omniprésente de ces facteurs. Lorsque le jury sortit pour délibérer, je constatai, non sans stupéfaction, que Sherm n'avait pas l'ombre d'un doute quant à l'issue des débats.

« Nous allons avoir gain de cause, me confia-t-il. Sans problème. Un nègre descend un autre nègre – ça arrive tous les jours... Pas de quoi fouetter un chat ! Nous avons fourni aux jurés toutes les excuses qu'il leur fallait. Une histoire de poivrots qui se bagarrent autour d'un jeu de dés. Personne n'est entré par effraction dans une de leurs maisons – qu'est-ce que ça peut leur faire ? Tu vas voir qu'en moins de deux heures ils vont renvoyer nos deux clients dans leurs foyers. Ils peuvent bien reprendre une cuite ce soir même, et descendre encore un nègre ou deux – qu'est-ce qu'ils en ont à cirer ? »

Tout en lui était grand, large, sculptural. Une tête et un visage massifs, un front haut et large, de gros yeux globuleux, qui semblaient animés d'une sorte de pulsation. L'espace d'une seconde, sa haine m'apparut comme magnifiée par ce visage d'ébène. Il m'accablait de son mépris, pas tant parce que j'étais blanc, qu'à cause de mon aveuglement face à tout ce qui lui crevait les yeux. Au bout d'une heure et demie de délibération, le jury déclara effectivement nos clients non coupables.

Je fus sidéré d'apprendre qu'il avait accédé au poste de juge. Sherman avait un style de vie somme toute assez proche de celui de Robbie : grosses voitures, diamants, vêtements d'une élégance tapageuse. Je ne pouvais concevoir qu'il puisse trouver dans l'exercice de la loi une autre source de satisfaction que de descendre en découdre dans l'arène d'un prétoire. D'ailleurs, tous les juristes de ma connaissance, toutes races confondues, étaient littéralement saisis de terreur à la pensée de devoir officier sous sa présidence. Au syndicat du Barreau, la révolte grondait. Mais nous étions dans les années 80. L'électorat noir défavorisé exigeait que davantage de leurs frères de race puissent accéder aux leviers du pouvoir. Et personne ne pouvait contester les compétences de Sherman – comme me le fit remarquer mon ami Clifton Bering, qui comptait parmi les personnalités noires les plus respectées du comté : « C'est un vrai fils de pute, ce Sherman, mais, que veux-tu – c'est le fils de pute qu'il nous faut ! »

Des deux « affaires » que Robbie avait fait déférer devant Crowthers, l'une lui avait été directement assignée par Kosic, et l'autre avait été transférée du bureau du juge Sullivan. La première, qui s'intitulait « King contre Hardwick », était une plainte pour harcèlement sexuel, dont Robbie avait apparemment imaginé l'intrigue en s'inspirant de l'histoire de la fille de Constanza et de son ex. Dans la version de Feaver, une jeune femme, une certaine Olivia King, avait été la secrétaire de Royce Hardwick, cadre supérieur chez Forlan Supply, et de vingt ans son aîné. La première année où elle débuta dans la boîte, elle eut une brève liaison avec son patron, mais au bout d'un certain temps elle fit la connaissance d'un garçon de son âge, et mit fin à ses relations avec Hardwick, au grand dépit de ce dernier, dont les simagrées d'amoureux transi, allant des supplications aux menaces les plus ridicules, l'avaient finalement acculée à donner sa démission. Mais Hardwick ne s'avouait toujours pas vaincu. Il la suivait à son nouveau travail, l'assiégeait de coups de fil, envoyait à son nouveau patron des lettres diffamatoires, qui, quoique anonymes, ne pouvaient manifestement venir de personne d'autre. En désespoir de cause, Olivia avait fini par en aviser le supérieur hiérarchique de Hardwick, qui avait ordonné une enquête. Un avocat engagé par la firme avait interrogé Hardwick, lequel avait reconnu tout ce dont l'accusait Olivia, traitant toute l'affaire par le mépris comme s'il ne se fût agi que d'une vaste blague. Il n'avait compris ce qui lui arrivait que le jour où il s'était fait virer de la boîte.

Maintenant qu'Olivia avait porté plainte contre lui, la version de Hardwick avait sensiblement changé. Il se défendait pied à pied, niant certaines choses, feignant des défaillances de mémoire, expliquant les traces tangibles, telles que les enregistrements téléphoniques et les témoignages des collègues d'Olivia qui l'avaient vu rôder dans les couloirs, comme de simples tentatives de sa part pour retrouver certaines informations professionnelles qui lui étaient indispensables, après le départ de sa secrétaire. Quant aux aveux qu'il avait faits à l'avocat de la Forlan Supply, son actuel conseiller juridique – James McManis – soutenait qu'ils ne pouvaient être retenus contre lui, à cause du devoir de réserve qu'aurait dû observer cet avocat vis-à-vis d'un client. Le nœud du problème, pour savoir si l'avocat de la Forlan aurait dû respecter son devoir de réserve, était donc d'établir dans quelle mesure Hardwick aurait raisonnablement pu penser que l'avocat engagé par ses employeurs intervenait en sa faveur, et non en celle de l'entreprise qui l'avait engagé. Le 1er avril, Robbie et McManis comparurent donc devant Son Honneur le juge Crowthers, pour débattre de cette affaire.

Quoi qu'on pût lui reprocher par ailleurs, Sherman n'était pas homme à tergiverser quand il s'agissait de se faire une opinion. Il était rapide, magistral, voire expéditif avec les avocats qu'il avait en face de lui. Ce jour-là, il parcourut les documents que lui avaient soumis Robbie et McManis en secouant sa majestueuse tête.

« Où est votre client ? » demanda-t-il à Jim. Du haut de son estrade, qui s'élevait à un mètre quatre-vingts au-dessus du reste de la salle, Crowthers surplombait l'assistance, tel Zeus du haut de son Olympe. McManis en resta sans voix. Sherman eut un ricanement dédaigneux. « Ce que vous me demandez, c'est bien de débouter la partie plaignante de sa plainte – n'est-ce pas, Mr McManis ?

— Oui, Votre Honneur, articula ce dernier lorsqu'il eut retrouvé sa langue.

— Et ce, parce que votre client avait parlé à l'avocat de Forlan Supply, en pensant bénéficier du secret professionnel qui s'applique durant un entretien entre un avocat et son client – c'est bien ce que vous m'expliquez dans votre motion ?

— Oui, Votre Honneur.

— Et vous voudriez que je vous croie sur parole ?

— Votre Honneur ?

— Pourquoi devrais-je me contenter d'écouter vos explications concernant ce que pensait votre client ? Ne pourrait-il pas comparaître devant moi, et venir me l'expliquer lui-même ? » Crowthers avait toujours trouvé un plaisir particulier à déjouer les prévisions des avocats. Plaider devant lui revenait à lancer une balle à toute volée contre un mur, sans imaginer qu'elle puisse rebondir et vous revenir droit dans la figure.

« Alors, où est-il, votre client ? » répéta Crowthers – et il nous accorda une semaine pour lui amener Hardwick.

McManis envoya sur-le-champ un télex à Washington.

Il lui fallait un agent spécial, inconnu dans la région, pour tenir le rôle du cadre supérieur éconduit. Mais l'UCORC s'en mêla. Que Robbie et McManis comparaissent devant Crowthers et les autres juges suspects pour leur débiter des mensonges, c'était une chose. Les tribunaux avaient maintes fois et depuis longtemps ratifié ce genre d'opération d'intox, dans le cadre d'une enquête dûment motivée. Mais, pour un agent assermenté du Bureau Fédéral, prétendre s'appeler Royce Hardwick, et faire sous serment des déclarations concernant des événements qui n'avaient jamais eu lieu, cela ressemblait dangereusement à un parjure, ce qui était l'une des raisons pour lesquelles les protocoles imposés par l'UCORC évitaient par tous les moyens d'en venir à de vrais procès, dans le cadre des affaires fictives.

McManis et Sennett durent l'un et l'autre s'envoler pour D.C., où la décision de poursuivre ou de tout arrêter fut mise entre les mains de Janet Reno elle-même. Quoi qu'il en fût, le matin du 8 avril, un agent pourvu d'une solide mâchoire et de nerfs d'acier, débarquant de l'autre bout du pays, arriva dans le cabinet de McManis avec pour mission de tenir le rôle-titre.

Jim avait encore les genoux flageolants, après sa performance de la semaine précédente. Il tremblait encore de la terreur viscérale que pouvait vous insuffler Crowthers en braquant sur vous l'un de ces faisceaux d'énergie concentrée qui sourdaient de sous ses sourcils grisonnants. Robbie et Stan passèrent trois fois plus de temps à coacher McManis que le pseudo-Royce Hardwick. Le nouvel agent semblait tout à fait à l'aise, et parfaitement dans son personnage, bien que ses performances eussent peut-être laissé à désirer, s'il avait eu à incarner le côté le plus pitoyable du rôle.

Comme toute la bande se préparait à partir pour le tribunal, Sennett me prit à part dans le bureau de McManis.

« Vas-y avec eux. »

J'ouvris des yeux incrédules.

« C'est toi qui es censé avoir envoyé le client chez Feaver, insista-t-il. Ta présence n'aura rien que de très naturel, et je me fais du mauvais sang pour Jim. Il ne faudrait surtout pas que Sherman en vienne à se demander si McManis est vraiment avocat. S'il avait besoin d'un coup de pouce, mieux vaudrait que ce soit toi qui lui viennes en aide, et non Robbie. »

Pile poil le genre de chose que je craignais... mais Stan me jura que c'était McManis lui-même qui m'en faisait la demande – ce que Jim devait, incidemment, me confirmer par la suite. Comparaître devant Crowthers, je devais admettre que ça n'était pas du gâteau, même pour un vieux routier, et, comme Robbie n'y voyait pas d'objection, je finis par accepter. Je leur emboîtai donc le pas, en me promettant de n'intervenir qu'en cas d'absolue nécessité.

McManis avait longuement répété son rôle avec le pseudo-Hardwick, et il semblait désormais blindé. « Royce Hardwick » déclara, conformément à ses attestations écrites, qu'il avait cru parler à un avocat gagné à sa cause, et n'agissant que dans son intérêt, et donc lié par le secret professionnel. McManis laissa la place à l'avocat de la partie plaignante pour procéder au contre-interrogatoire du témoin, mais Sherman ne laissa même pas à Robbie le temps de se lever de son banc, pas plus qu'à Jim celui de regagner sa place.

« Bon. Une seconde ! lança le juge. Vous me permettez de poser quelques questions à votre client, Mr McManis ? » Jim se retrouva une fois de plus dans la situation d'un lapin pris dans des phares. Comme il demeurait interdit, Sherman clôtura cette partie du débat d'un geste négligent – en l'occurrence, il avait, autant dire, les coudées franches. Il poursuivit :

« Bien, écoutez-moi, Mr Hardwick. Ce que vous me dites là, si j'ai bien compris, c'est que lorsque l'avocat de Forlan Supply vous a demandé ce qui s'était passé, vous avez pensé que tout ce que vous lui diriez resterait strictement entre vous et lui – sous le sceau du secret, ou tout comme ! »

« Hardwick » réfléchit un long moment avant de livrer sa réponse. Ses mains s'étaient fermement agrippées au garde-corps de bouleau vernis de la barre des témoins. Sa voix garda un timbre impressionnant d'autorité et d'assurance lorsqu'il articula : « Oui, Votre Honneur.

— Vous avez donc dû lui dire la vérité, je suppose ? »

Pris de court, « Hardwick » se rassit. Sherman avait trimbalé son siège jusqu'à la cloison séparant son estrade de celle des témoins – mais, apparemment, l'avantage de cette position ne lui suffisait pas. Il se leva, se dressant de toute sa hauteur, au-dessus du pseudo-Hardwick, qu'il surplombait à présent de deux mètres ou deux mètres cinquante.

« Alors ? Avez-vous compris ma question ? Vous n'auriez pas menti à votre propre avocat, tout de même ?

— Eh bien, Votre Honneur. Vraiment, je... je ne sais pas.

— Vous ne savez pas ? Vous voulez dire que vous

m'avez envoyé Mr McManis pour qu'il me raconte des bobards, à moi, à votre place ?

— Non, bien sûr que non, répliqua "Hardwick", qui devait se pencher en arrière à près de quarante-cinq degrés pour faire face à Sherman.

— Non ! répéta le juge, en agitant sa grosse tête. Le contraire m'aurait étonné. Ce qui fait que, si cet avocat est en possession de certaines notes et de certains comptes rendus d'entretiens relatant vos propres propos, et décrivant ce qui s'est passé entre vous et Olivia King, on peut en déduire que c'est la vérité – je me trompe ?

— Eh bien, je n'ai plus qu'un vague souvenir des faits... fit Hardwick, recrachant mot pour mot les répliques qu'il avait répétées. Ma vie entière est sens dessus dessous, en ce moment. Tout se mélange dans ma tête...

— J'entends bien, oui. Mais vous n'avez tout de même pas souvenir de lui avoir menti, à cet avocat – si ? Et c'est bien la question que je vous pose à présent : lui avez-vous menti, oui ou non ? »

Sherman posa les mains sur la cloison et abaissa sa large face vers Hardwick, empiétant sur l'espace qui séparait le témoin de ses interlocuteurs – violation pour laquelle tout avocat aurait vu s'abattre sur lui les foudres du juge. Hardwick leva le bras en une esquisse de geste d'autodéfense, avant de dire non.

« Non. C'est bien ce que je disais. Bien sûr que vous n'auriez pas menti... pourquoi l'auriez-vous fait ? J'en déduis donc que, si cet avocat déclare que vous avez admis avoir été perturbé par votre rupture avec Olivia King, au point de la poursuivre, de la harceler, de lui envoyer des lettres d'injures anonymes, c'est que vous le lui avez dit, et que c'était l'exacte vérité – pas vrai ? »

Le regard de Hardwick se posa d'abord sur McManis, qui ne souffla mot, puis balaya la salle en quête d'un secours – l'idée de passer une note à Jim pour lui dire de faire objection me traversa l'esprit, mais nous risquions de décupler la furie de Crowthers. D'ailleurs, le rôle de McManis n'était-il pas précisément de perdre ?

« Sans doute, finit par répondre Hardwick.

— Je ne vois pas l'ombre d'une raison de voir les choses autrement – si ?

— Non.

— À la bonne heure ! » conclut Sherman, et il ponctua

cette exclamation d'un vigoureux hochement de tête, avant de ramener les yeux vers McManis, sur son estrade. « OK. Alors, il ne me reste plus qu'à tâcher de comprendre ce que nous faisons tous ici, Mr McManis. Votre client vient de reconnaître devant moi les faits qu'il avait avoués à cet avocat, qu'il croyait tenu par le secret professionnel – n'est-ce pas ? » Sherm se fendit d'un large sourire, dévoilant une rangée de grandes dents irrégulières. « Je ne vois donc pas sur quoi je pourrais statuer. Qu'il ait fait cette précédente déclaration en se croyant à l'abri du secret professionnel ou pas, je ne vois pas ce que ça change au problème, puisque ce qui compte pour moi, c'est ce qu'il vient de dire ici même, devant moi, et qu'il faut bien que je verse au dossier – n'est-ce pas ? »

Sherman partit d'un grand éclat de rire, la langue glissée entre les dents, et émit une sorte de toussotement mouillé, sous sa grosse moustache grise. Il laissa éclater sa joie, tandis que sa leçon infusait dans l'auditoire. Il n'avait demandé à McManis de lui amener son client que pour mieux lui soutirer de nouveaux aveux, s'évitant ainsi une décision épineuse. Sennett fut, par la suite, ravi d'apprendre le tour qu'avaient pris les événements. « Un juge véreux dans toute sa splendeur... » exulta-t-il. Mais, depuis ma place, je n'avais nullement eu l'impression que la corruption jouât le moindre rôle dans ce qu'avait fait Crowthers. Je n'avais vu que Sherman dans ses œuvres et tel qu'en lui-même, savourant le plaisir d'avoir rivé son clou à ce butor de Hardwick, et d'avoir démontré à toute la salle que le meilleur avocat de l'assistance se trouvait sur l'estrade du juge.

Comme Sherm revenait vers son fauteuil, toujours secoué de rire et agitant la tête avec délectation, McManis lui sortit la seule réplique de son répertoire : « Mais, Votre Honneur ! »

Crowthers eut un ample geste des deux mains dans sa direction, pour balayer son objection, et entreprit de rédiger son arrêt.

Nous sortîmes de la salle à la queue leu leu, avant de nous engouffrer dans l'ascenseur, où nous nous retrouvâmes entre nous. Robbie, qui avait eu le bon sens de garder le silence pendant toute l'audience, se fit enfin entendre : « Mais, Votre Honneur ! » ulula-t-il, à pleine voix, une fois et une seule.

« Hardwick » ne comprit jamais ce qui le mettait dans une telle joie.

20

De six heures du matin à six heures du soir, heure à laquelle elle le laissait à la porte de sa maison de Glen Ayre, Evon ne quittait plus Feaver d'une semelle. « Un bon petit mi-temps », comme ricanait Robbie, sur le mode pince-sans-rire. La maison des Feaver était une jolie bâtisse façon manoir anglais, avec un long toit de bardeaux de cèdre et des poutres apparentes que séparaient des éléments de stuc jaune, au niveau des étages supérieurs. Elle était entourée d'une pelouse, entretenue avec un soin maniaque, et d'un grand jardin composé avec soin, mais semblait bizarrement déplacée, au milieu de ces anciennes prairies, plates comme la main, qui s'étendaient à l'ouest de la ville et dont les seuls arbres en vue n'avaient été plantés par les jardiniers paysagistes que deux ou trois ans plus tôt.

Glen Ayre avait poussé sur d'anciennes terres à blé, à l'initiative de quelques promoteurs immobiliers qui y avaient construit quelques dizaines de maisons gigantesques. Tous les voisins de Robbie étaient aussi riches que lui, et tenaient à le montrer. Les allées abritaient de grosses voitures de luxe, et les toits se hérissaient de monstrueuses antennes paraboliques. Les gosses du quartier étaient manifestement du genre gâté, à en juger par les poteaux de basket équipés de multiples leviers de réglage, qui poussaient comme des champignons dans les jardins.

Pour Evon, les riches, c'étaient les autres. Elle n'avait jamais beaucoup envié les gens fortunés, ni les avantages qui accompagnent la fortune. Roy, le mari de sa sœur, était un homme d'affaires qui sillonnait les cinq continents, et semblait rapporter l'argent à la maison par valises entières, mais Evon doutait qu'il fasse le bonheur de Merrel. Les clubs, la mode, toute cette compétition pour se maintenir au sommet de l'échelle sociale, avaient plutôt appauvri la vie de sa sœur.

Chaque matin, en montant dans la Mercedes, elle trouvait Robbie gai comme un pinson. Il démarrait en trombe, et la soûlait de son babillage, tandis qu'elle pataugeait dans les brumes moroses du manque de sommeil, broyant du noir à la pensée des fredaines de Robbie avec son amie le juge, qui lui coûtaient cette heure si précieuse qu'elle aurait pu et dû passer sous la couette.

Il commençait par faire quelques kilomètres en s'éloignant du centre, en direction de la maison de retraite où habitait Mrs Feaver mère, et qui était leur premier arrêt. Pendant que Robbie allait rendre visite à sa mère, Evon l'attendait en lisant les journaux. Elle inclinait son siège en arrière, se laissait aller contre son dossier dans le riche parfum du cuir. Le moteur ronflait doucement. Elle avait la grosse machine pour elle toute seule. Un matin, il décida de l'emmener.

« Allez, quoi... venez – je voudrais vous présenter ma mère. » L'idée qu'elle aurait pu n'y trouver qu'un intérêt limité ne semblait même pas l'effleurer. Mais Evon était effectivement curieuse de rencontrer la femme qui l'avait mis au monde.

L'accident vasculaire cérébral qui avait frappé Mrs Feaver l'année précédente l'avait laissée avec une hémiplégie quasi totale. Elle avait perdu l'usage de sa jambe gauche et de son bras gauche, qui n'avaient plus qu'une mobilité très restreinte. En revanche, la maladie ne lui avait en rien altéré la parole, au grand dam de Robbie qui le déplorait parfois. Après une brève rééducation, elle avait récupéré un débit verbal tout à fait normal. Le domicile de Mrs Feaver, l'appartement dans lequel avait grandi Robbie, était situé au deuxième étage d'un immeuble sans ascenseur. Lorsqu'elle avait dû le quitter, Robbie lui avait immédiatement proposé d'emménager chez lui, mais sa mère avait refusé avec la dernière énergie, malgré son état de santé précaire. Il avait assez à faire avec sa femme. Après de longues discussions, ils avaient opté pour cette maison de retraite, qui leur semblait la meilleure des solutions. De son propre aveu, ça lui coûtait les yeux de la tête, mais ça avait au moins l'avantage de soulager un peu sa mauvaise conscience.

Ce matin-là, ils trouvèrent Estelle Feaver dans son fauteuil capitonné. Elle était déjà habillée de pied en cap, et attendait de pied ferme son petit déjeuner, qui ne devait être servi qu'un peu plus tard. Elle porta la main à ses grosses lunettes serties de noir, comme si cela avait pu améliorer sa vision, tout en tendant le cou, dans un mouvement qui n'était pas sans évoquer celui des tortues, pour pouvoir regarder la télé suspendue au mur d'en face. À en juger par le volume sonore de l'appareil, elle devait avoir aussi quelques problèmes auditifs. L'inertie de son côté gauche sautait aux yeux, même lorsqu'on l'apercevait du couloir. Son bras pendait à son côté comme un paquet de linge mouillé. Elle ne remarqua leur présence que lorsque Robbie fut à deux pas d'elle. En reconnaissant son fils, sa main droite eut un mouvement de surprise, et se projeta devant elle, puis elle retrouva une maîtrise suffisante pour la ramener vers ses lunettes, qu'elle ôta avant de les faire disparaître dans les plis de sa jupe.

« Robbie ! » Elle lui tomba littéralement dans les bras, tandis que sa main valide venait se poser sur son épaule. Elle le serra longuement contre elle, avant que le regard embrumé de ses yeux sombres ne se porte vers Evon.

Robbie lui présenta sa nouvelle assistante et, pour expliquer qu'elle soit déjà à ses côtés à une heure aussi matinale, prétexta qu'ils avaient une audience au tribunal. La bouche de sa mère se tordit en une série de mimiques incrédules, mais elle préféra détourner le regard que de s'appesantir sur les fredaines de son fils.

À son habitude, Robbie s'appliqua à arrondir les angles avec entrain :

« Elle a l'air en forme – hein, qu'elle a l'air en forme ? » lança-t-il à Evon. À vrai dire, Mrs Feaver avait surtout l'air de crouler sous le poids des ans. La peau de son visage se creusait de rides profondes, que son fond de teint, généreusement tartiné, ne parvenait plus à masquer, et son cou formait sous son menton une série de plis qu'elle n'aimait visiblement pas montrer. Car elle se souciait toujours de paraître à son avantage. Même si Robbie ne le lui avait pas précisé, Evon aurait deviné qu'elle recevait la visite régulière d'une manucure et d'une coiffeuse. L'incroyable orange orang-outang de ses cheveux et le vermillon de ses ongles ne laissaient planer aucun doute là-dessus. Ils accrochaient violemment le regard dans cette chambre tristounette, où ils contrastaient avec le reste de sa personne – la voussure de sa silhouette, les taches dont était semée sa peau blafarde, la toux grasse qui la secouait de temps à autre. À voir Mrs Feaver dans un tel état de décrépitude, Evon aurait eu du mal à reconnaître en elle la belle femme qu'elle avait dû être. Son nez se busquait comme celui d'un rapace, et ses fausses dents, sur lesquelles son rouge à lèvres flamboyant avait quelque peu bavé, semblaient lui avoir déformé la mâchoire.

Mais la vieille femme était une force de la nature – ça aussi, ça sautait aux yeux. Elle balaya les compliments de son fils dans une grande démonstration de modestie.

« Bah ! C'est juste pour lui, dit-elle. Qui d'autre viendrait me voir ici ? »

Avec cet entrain qui rappelait celui de certaines capitaines de Pom-pom girls, Robbie se lança dans un nouvel éloge de sa mère et des soins qu'elle apportait à sa personne, invitant Evon à joindre sa voix à la sienne avec des compliments de son propre cru. Elle aurait bien volontiers caressé la vieille femme dans le sens du poil, bien qu'elle n'ait jamais beaucoup apprécié ces femmes qui se croyaient tenues de hisser les couleurs, comme si elles avaient considéré qu'il était de leur devoir de femelles de se prétendre bien plus colorées, plus scintillantes et plus sexy que Dieu et la nature n'avaient voulu les faire.

Ces derniers temps, elle ne s'était donné qu'un rapide coup de peigne, le matin. Elle appliquait son maquillage Elizabeth Arden d'une main de plus en plus négligente, et cela faisait déjà plusieurs semaines qu'elle avait carrément renoncé à se ripoliner les ongles.

Mais elle n'eut pas besoin de se forcer. Mrs Feaver poursuivit, comme si Robbie n'avait pas invité Evon à se joindre à la conversation, et elle eut tôt fait de comprendre que, du point de vue de la mère de Robbie du moins, personne n'aurait vraiment pu faire intrusion dans sa relation avec son fils. Et, à la vérité, réalisa-t-elle tandis que Robbie et la vieille dame gloussaient de plus belle en se racontant les derniers potins de la maison de retraite, on pouvait en dire tout autant de lui. Ils étaient si heureux d'être ensemble ! Robbie présentait généralement sa mère comme un fardeau, une épreuve de plus pour lui, mais c'était ce prétendu désintérêt qui était feint. Ce type n'était décidément qu'un empilage de masques successifs.

Il tenait visiblement à elle tout autant qu'elle à lui. Jusqu'à ses compliments, qui sonnaient juste, malgré la décrépitude physique de sa mère, car ils étaient l'expression sincère de la joie et du réconfort qu'il trouvait en sa présence. Il lui prit les mains et l'interrogea sur les résultats de la dernière visite du médecin, tandis que sa mère, charmée, se rengorgeait sous les projecteurs de l'intérêt qu'il lui témoignait.

« Ah, les médecins, ne m'en parle pas ! Pour ce qu'ils en savent ! Tu crois peut-être qu'on a des prix Nobel de médecine, ici ? » Elle fit un clin d'œil à Evon. Sa voix râpeuse s'était tout à coup réduite à un murmure. « D'ailleurs, il n'y a que des étrangers. Ils travaillent tous pour le Medicare. Ils doivent toucher, je ne sais pas, moi... six ou sept dollars par vieux sac d'os qu'ils inspectent. Ils traversent ma chambre comme s'ils avaient le feu où je pense ! J'ai à peine le temps de les voir passer. Je ne pourrais même pas te répéter leur nom : Shadoopta... Baboopta... la seule chose qui soit à espérer, c'est que je n'aurai jamais vraiment besoin d'eux. Dieu me protège ! Je ne donnerais pas cher de mes chances d'en réchapper ! »

Robbie écouta cette tirade, comme tout ce que disait la vieille dame, d'un air extasié. Il l'embrassa à nouveau et, après un dernier échange de remarques guillerettes, il fit signe à Evon en direction de la porte. Pour le retenir, Mrs Feaver lui demanda des nouvelles de Lorraine.

« Eh... répondit-il.

— Ah ! mon fils, mon pauvre fils... ! gémit-elle. Sa femme et sa mère – c'est à laquelle sera la plus malade. Certains jours, quand je suis seule, je pleure en pensant à ce qu'il va devenir. C'est une chose terrible, n'est-ce pas – qui prendra soin de lui ? »

Il avait écouté cette dernière réplique d'une oreille plus distraite, en jouant avec le pichet d'eau, mais il dut tout de même l'entendre, puisqu'il lui rappela qu'il lui restait Morton.

« Et il est formidable, n'est-ce pas ! Il voit toujours le bon côté des choses, exulta Mrs Feaver. Il plaisante de tout et sur tout ! Ils vont bientôt lui faire un prix de gros, pour toutes ses dépenses médicales – Seigneur !

— Allez, tais-toi donc ! » Se penchant sur elle, il l'embrassa sur le front.

« Alors, tu reviendras demain ? demanda-t-elle d'un ton plaintif.

— Ça, je n'y manquerais pas pour tout l'or du monde !

Mais, plutôt dans la soirée, hein ? Le matin, je suis au tribunal. »

Il lui fit signe de la main, puis tourna les talons et s'éclipsa en coup de vent. Mrs Feaver assista à ce départ d'un œil grognon, et ne répondit pas à Evon, qui s'attarda un instant sur le seuil, le temps de l'assurer que ça avait été un réel plaisir.

« Voilà. Vous connaissez ma mère ! Sacrée bonne femme, hein ? Il n'en reste plus que la moitié, mais elle n'a rien perdu de son punch ! » En redescendant le couloir, comme ils croisaient des portes ouvertes sur des corps frêles, laminés par l'âge et la maladie, des visages dont la peau fripée flottait sur les os comme des voiles claquant au vent, des bouches édentées, désespérément béantes – Robbie partit d'un grand éclat de rire.

Evon saisit l'occasion pour lui poser la question qu'elle avait précédemment laissée en suspens, concernant les soins que Mrs Feaver continuait à porter à sa mise.

« Oui, fit-il. Elle est magnifique. Elle l'a toujours été. Voyez, quand j'étais gosse – il leva les yeux au ciel. Je ne veux pas dire que c'était le sosie de Liz Taylor, ou quoi que ce soit – voyez... quand on regarde les photos de l'époque. Mais elle a toujours eu ce je-ne-sais-quoi. De l'allure. De l'allant. *Vavavoom* ! comme dirait Jackie Gleason. Elle a toujours su s'arranger. Elle avait un magasin, et c'était une très jolie vendeuse. Aujourd'hui encore, quand je sens quelque part l'odeur du Chanel N° 5 – Channel Cinq, comme je l'appelais – je revois ma mère lorsqu'elle m'embrassait avant de partir pour son magasin. Les hommes en étaient fous. Ça, j'étais bien placé pour le savoir. Et, comme toutes les jolies femmes, elle aimait faire tourner les têtes. Elle aimait ce pouvoir qu'elle avait sur eux. Elle adorait, par exemple, remonter notre rue, en revenant du travail, sur ses talons aiguilles, en se tortillant dans ses jupes droites, vous voyez. Notre voisin, qui tondait sa pelouse en tricot de corps, la cigarette au bec, s'arrêtait pour la regarder passer. Il tirait sur sa clope et la suivait des yeux. Certaines fois, je l'ai même vu hocher la tête dans son dos, d'un air connaisseur – et elle adorait ça ! La moitié de nos voisines auraient voulu la faire arrêter. Elles l'avaient surnommée "Sophia Loren" – et, dans leur bouche, je vous prie de croire que ça n'avait rien d'admiratif. »

Ils avaient entrepris la traversée du parking. La température extérieure remontait lentement, et le soleil faisait quelques petites apparitions, mais l'hiver, cette vieille garce opiniâtre, tenait bon. Un affreux couvercle d'un gris sale obstruait le ciel. Robbie émergea brusquement de ses rêveries, et contempla les arcs-en-ciel d'hydrocarbures qui se déployaient sur l'asphalte.

« Vous savez, à mon avis, pour ce qui était de la chose elle-même, elle devait plutôt être du genre prude, comme la plupart des femmes de son temps. Mais en fait, je n'en sais trop rien. Elle a eu une aventure qui a duré un certain temps, quelques années après le départ de mon père, mais ça a fini en eau de boudin, comme d'habitude, et après ça, elle a tiré un trait. Une nuit, je l'ai trouvée en larmes. Elle m'a expliqué que ça valait mieux comme ça : c'était un *goy* – un gentil, et nettement plus jeune qu'elle, avec ça. J'étais furieux. Je ne supportais pas de la voir pleurer. Du haut de mes onze ans, j'ai longtemps rêvé d'aller assommer ce type avec ma batte de base-ball, surtout quand j'ai commencé à comprendre, vous savez... les choses de la vie. Vous vous rendez compte – avec ma mère ! » Il s'esclaffa, inopinément. « D'ailleurs, j'en rêve encore, fit-il. J'adorerais toujours lui faire la peau. » Il souffla un petit nuage blanc dans l'air glacé, et sourit à Evon, l'invitant à rire avec lui de cette soudaine révélation qu'il venait d'avoir sur lui-même.

21

Le fiasco qu'avait été la première entrevue de Robbie avec le juge Skolnick laissa Sennett face à de graves problèmes tactiques. Robbie aurait pu employer la manœuvre habituelle : annoncer que l'affaire du peintre cancéreux avait trouvé un heureux dénouement, et remettre au juge son petit cadeau. Mais Stan craignait de se retrouver avec un dossier trop faible contre Skolnick. Il lui fallait quelque chose de plus définitif et de plus accablant pour clouer le bec aux Cassandres de D.C. L'avocat de Skolnick aurait eu tout loisir de faire valoir aux yeux des jurés que l'accusé avait refusé la première enveloppe – l'enregistrement corroborait parfaitement une telle version – et que, même si elle avait été acceptée, la seconde n'était en rien destinée à infléchir une décision officielle, puisque Skolnick avait amplement souligné, dans la Lincoln, son intention de suspendre l'accès au dossier pour les deux parties.

Sennett exigea donc que Robbie comparaisse devant Skolnick avec McManis, et demande à Skolnick d'approuver sa motion de jugement préliminaire, sur simple présentation de l'affaire, arguant que son client méritait de remporter son procès dès la phase d'assignation des responsabilités, sans véritable débat et sans même donner accès au dossier à la partie adverse. Dans la Lincoln, Skolnick avait d'emblée annoncé la couleur : jamais il n'accéderait à une telle requête. Sennett en avait donc conclu qu'il n'avait rien à perdre, et qu'il restait tout de même une petite chance pour que Robbie parvienne à le faire changer d'avis.

« Si vous venez à l'audience, expliqua-t-il à Robbie, le juge en déduira que McManis a refusé de négocier. Et en ce cas, si Skolnick récuse votre motion de jugement sur simple présentation, il se dira que vous ne pourrez plus empêcher la partie adverse d'accéder au dossier. McManis découvrira donc que votre client a le cancer. Les orphelins n'auront pas un sou, et vous non plus – pas plus que le juge lui-même. »

Stan pensait tenir là une arme imparable.

« Il y a une chose qui vous a échappé, objecta Feaver. C'est que jamais Barney n'aurait la présence d'esprit de penser à ça tout seul. »

Lorsque Feaver et McManis arrivèrent au tribunal pour discuter de la motion, Skolnick trônait sur son estrade, couronné de son auréole de cheveux blancs, ses bonnes grosses joues rubicondes épanouies au-dessus de la cascade de ses doubles mentons. Il parut ne rien vouloir entendre, et répéta inlassablement que les demandes de jugement préliminaire étaient pratiquement toujours refusées par ses collègues. Conformément au pronostic de Robbie, il s'empressa de rejeter sa motion. Cette obstruction se révéla néanmoins momentanée. Après avoir rendu sa décision, le juge invita Feaver, Evon et McManis à venir en discuter dans le secret de son cabinet. Il s'installa à son bureau, toujours revêtu de sa toge noire, et les accueillit avec la plus grande courtoisie. Il leur offrit des cafés et, après leur avoir aimablement servi quelques-unes de ses blagues favorites, se mit à faire pression sur McManis pour le pousser à accepter une solution amiable.

« Aujourd'hui, vous sortez de ce tribunal avec vos *gatkes*, Jim..., fit-il, s'adressant à ce parfait inconnu qu'était pour lui McManis sur le ton qu'il aurait employé avec un copain d'enfance. Vous savez ce que ça veut dire... grosso modo, que vous gardez vos bottes aux pieds. Mais qui sait la façon dont le vent va tourner, la prochaine fois que Feaver déposera une motion ? Non pas que je préjuge du fait, notez bien... ça, sûrement pas ! Je garde l'esprit ouvert à toute éventualité. Totalement ouvert, et croyez-moi, au bout de trente-six ans au poste que j'occupe, c'est une chose que vous commencez à posséder bien à fond. Apprendre à écouter ce que chacun a à dire, s'informer du mieux qu'on peut des tenants et des aboutissants de chaque dossier. La prochaine fois, qui sait... j'abonderai peut-être dans votre sens. Mais il se peut tout aussi bien que j'approuve la motion de la partie plaignante. J'ai été à deux doigts de le faire... » Il avait levé à hauteur d'yeux son pouce et son index joints. « Alors, qu'est-ce que vous ferez, Jim ? Je n'ai jamais compris pourquoi les compagnies d'assurances avaient tant de mal à lâcher leur argent. Ça me rappelle ces dessins animés où on voit un type sortir un portefeuille d'où s'échappe une volée de mites. Regardez... dans une affaire comme celle-ci – le plaignant a-t-il de la famille à charge ? » demanda-t-il à Robbie, en toute innocence.

Skolnick finit par maintenir un mois de plus la suspension de l'accès aux pièces du dossier « pour laisser aux deux parties le temps de réfléchir à tout ça » – mais il eut quelque peine à garder sa contenance. Tandis qu'il leur annonçait sa décision, son regard resta rivé à son sous-main de cuir.

Le FoxBite avait enregistré à la virgule près le numéro de haute voltige du juge. Sennett accepta sans pavoiser les compliments de ses coéquipiers. Il savait, comme nous avions tous pu le constater, qu'il n'existe aucune limite à cette tendance qu'ont certaines catastrophes à s'enchaîner et à se répercuter indéfiniment. Restait encore à croiser les doigts pour que Skolnick accepte la seconde enveloppe, et pour que l'appareillage de sa voiture consente à fonctionner. Le 12 avril, après avoir informé Pincus qu'il avait réussi à négocier favorablement l'affaire du peintre, Robbie se prépara pour une nouvelle balade dans la Lincoln.

« Nous en avons tous besoin », fit Stan à Feaver avant qu'il ne quitte le cabinet de McManis. Sennett était nettement plus petit que mon client. Il avait posé ses longues mains maigres sur les épaules de Robbie, et levait vers lui des yeux presque implorants. Cette fraternelle exhortation, et surtout le ton sur lequel Stan l'avait faite, demandant, cette fois, plus qu'il n'exigeait, nous impressionna tous – et Robbie le premier.

* * *

« Juge, j'ai dû rogner un peu sur les bords, cette fois... », fit Robbie, à peine se fut-il posé sur le cuir vermillon du siège passager. Il avait vu plusieurs fois d'affilée la bande du précédent enregistrement, et avait parfaitement pris ses marques. Il agita juste devant l'objectif l'enveloppe qu'il tenait de la main gauche. Aujourd'hui, l'image était sensiblement meilleure. Alf avait ajouté à son dispositif un amplificateur de signal, et Sennett avait réquisitionné à grands frais, auprès de l'administration de la brigade des stups, une seconde estafette de surveillance, qui captait elle aussi le signal vidéo, et en ferait un enregistrement qui tiendrait lieu de copie de sauvegarde. Alf s'activait autour de ses boutons et de ses cadrans. Nous nous étions sanglés sur nos strapontins, Stan, McManis et moi.

« Hah ? » fit Skolnick. Le juge venait de lui exposer sa propre analyse de ce qu'auraient dû faire les Clinton pour la réforme de l'assurance-maladie. Il semblait penser à tout autre chose qu'à l'enveloppe que se préparait à lui remettre Robbie. Même avec le secours de la caméra, Feaver devrait trouver les moyens d'amener Skolnick à parler de l'argent. Il ne suffisait pas de glisser l'enveloppe entre le dossier et le siège, ni vu ni connu – l'avocat de Skolnick aurait sauté sur l'occasion pour objecter que son client n'était au courant de rien. Feaver dut employer une variante de la ruse qu'il avait déployée face à Walter.

« Vous voyez, juge... comme je vous dis, c'est un peu moins que d'habitude, mais pour faire avancer les choses, j'ai dû lâcher un peu de lest, dans les négociations. Et, bien sûr, je tiens à laisser le maximum à la famille – aux enfants surtout. Mais je ne voudrais surtout pas que vous vous sentiez lésé. »

Le gros front de Skolnick se plissa légèrement, tandis qu'il s'efforçait de faire le tri entre les considérations que lui inspirait cet écart inattendu à la procédure habituelle. Il finit par jeter vers l'enveloppe un coup d'œil sans équivoque.

« *Veefeel* ? – "combien ?" – demanda-t-il.

— Huit – si ça vous va. »

Skolnick éclata de rire. « Seigneur ! S'ils avaient tous autant de scrupules que toi – *genug*. Nous sommes de vieux amis, toi et moi, Robbie. Nous avons fait tant de choses ensemble. Si ça te va, ça me va aussi. C'est parfait. D'ailleurs..., ajouta-t-il, ce que tu m'as laissé, la dernière fois, c'était pour rien. »

Robbie joua les andouilles, forçant Skolnick à préciser : « Si, tu sais... pour le dossier de Gillian. »

En face de moi, Sennett agita le poing en l'air, mais en silence – il avait appris à se méfier de ce genre de réaction intempestive.

Dans la Lincoln, la tendance qu'avait Skolnick à s'épancher l'emportait peu à peu sur sa prudence naturelle : « Tu sais, on entend de ces histoires ! Certains collègues se conduisent comme des bandits de grand chemin. Avec eux, c'est quasiment la bourse ou la vie. Mais pour moi, ce qui te va me va comme un gant. Je ne suis pas du genre tatillon, et tu sais, j'apprécie tes petits gestes. Même si tu ne faisais rien du tout, tu sais bien que ça ne changerait rien entre nous.

— Je sais, juge », fit Robbie. Je sentis Sennett se ratatiner d'horreur sur son strapontin, mais Robbie eut tôt fait de recentrer le débat : « C'est seulement que, cette fois, vous avez vraiment fait un pas dans ma direction. Quand vous avez rejeté la motion, vous savez que j'ai vraiment eu un moment de...

— Ça, je l'ai bien vu, fit Skolnick. On aurait dit que j'avais mis le doigt dans ton *kishkes* – pas vrai ? Allez, j'ai bien vu. Tu t'es dit : nom d'une pipe, qu'est-ce qu'il fabrique ? Je me trompe ? Ça sautait aux yeux.

— Mon Dieu, juge... c'était surtout à ce pauvre type que je pensais, et à ses gosses. Mais ensuite, la façon dont vous avez retourné la situation, dans votre bureau, c'était formidable – vraiment. Brillant... Chapeau ! Ce fouille-merde de McManis n'aurait jamais lâché le moindre radis si vous n'aviez pas remis un peu les pendules à l'heure.

— Merci, merci, Robbie. Tu sais, quand j'ai vu ta tête, je me suis dit : Seigneur, comment y remettre bon ordre ? En réalité, je n'ai fait que mon travail, comme toujours. Ce dossier ne diffère en rien de tous les autres : suffit d'écouter ce que disent les deux camps, et de leur faire entendre raison. C'est exactement ce que j'ai fait. »

Stan boudait toujours un peu. Cette insistance avec laquelle Skolnick affirmait n'avoir jamais fait que son devoir était un écueil potentiel, que ne manquerait pas d'exploiter la défense. Mais le juge en avait dit plus qu'assez pour se compromettre. Ils arrivaient en vue du Lesueur, mais Skolnick retint Robbie le temps de lui assener la chute d'une nouvelle blague – celle du prêtre qui emplafonne la voiture d'un rabbin. Ils conviennent de remplir un constat d'accident, et au bout de quelques minutes de discussion, chacun admet ses torts. Pour sceller cet accord amiable, le rabbin offre au prêtre une bonne rasade d'une bouteille de vin de shabbath qu'il a dans son coffre. Le prêtre s'humecte longuement le sifflet, et tend la bouteille au rabbin.

« Je me ferai une joie de trinquer avec vous, réplique alors le rabbin. J'attends juste que les flics soient repartis ! »

De cramoisi, le visage de Skolnick vira à l'aubergine tandis qu'il se gondolait, et une rafale de rires réprimés traversa l'estafette. Robbie descendit de la Lincoln plié en quatre, pendant qu'Amari poursuivait sa filature. Vu les résultats du premier enregistrement, Stan avait persuadé le juge Winchell d'étendre son mandat aux dix minutes qui suivaient l'entretien, afin de voir si Skolnick ramasserait l'enveloppe. La seconde estafette était arrivée au parking du tribunal, non loin de la section réservée aux juges, là où Alf avait ponctionné les pneus de Skolnick, cinq semaines plus tôt. Nous attendîmes dans la rue, où, en dépit des craintes émises par Alf, l'image vidéo restait nette.

Demeuré seul à son volant, Skolnick téléphona à sa femme pour lui parler d'une collection de petites voitures de course qu'il devait passer acheter pour son petit-fils, dont c'était l'anniversaire. Après quoi, comme il gravissait le colimaçon de la rampe d'accès, Skolnick se mit à fredonner « Happy birthday to you », en battant la mesure avec sa grosse tête. Il se gara et coupa le moteur, projetant une salve de parasites à l'écran. La caméra n'avait plus que deux petites minutes d'autonomie, maintenant que son alimentation n'était plus assurée par la batterie – mais ça devait suffire.

Pendant un instant qui se prolongea de façon vertigineuse, Skolnick entreprit de s'extraire de derrière son volant, sans prendre son argent. Puis il se frappa le front du plat de la main.

« Espèce de vieux *draykopf* ! » bougonna-t-il contre lui-même. Il scruta les environs à travers son pare-brise, promenant son regard de haut en bas dans le parking sombre, et se tourna vers le siège passager avec un grognement audible, suivi d'un soupir. Sous ses doigts, l'enveloppe surgit de sous le dossier comme une racine qu'on sort de terre. Il la souleva, et la tint à quelques centimètres de la caméra, avant de la faire disparaître dans la poche intérieure de son imperméable. Cela fait, il empoigna le rétroviseur, où était dissimulé l'objectif, et l'abaissa vers lui pour s'y mirer. Ses traits épais envahirent l'écran, tandis qu'il réajustait sa cravate. Les pores distendus de son gros nez prenaient les proportions de petits cratères volcaniques. Il promena sa langue sur ses dents, puis le pauvre bougre envoya à sa propre image un de ces sourires à la fois folâtres et empotés dont il avait le secret, avant de sortir de la voiture. « Joyeux anniversaire... ! » fredonnait-il.

Tous les agents étaient accourus pour voir la bande. Evon s'éclipsa brièvement de son bureau afin de les rejoindre. Selon les propres termes de Klecker, c'était « plus fendard que du cinoche ». Après la représentation, Sennett prit la parole. Ce succès l'avait galvanisé. Il semblait plus résolu et plus énergique que jamais. Il se tenait droit comme un I dans sa chemise blanche, sous les petits projecteurs électriques encastrés dans le plafond.

C'était un brillant résultat, leur dit-il. Un grand soulagement, ainsi que le couronnement de tant de mois de travail, d'efforts et de stress. Ils pouvaient tous être amplement rassurés sur un point : ils n'auraient pas travaillé en vain. Ils avaient monté contre Skolnick un dossier imparable, et celui qu'ils préparaient contre Malatesta allait à son tour aboutir.

Mais aucun d'entre eux ne devait oublier qu'il ne s'agissait là que d'un premier pas. Les individus du genre de Skolnick n'étaient pas leur cible principale. Des Skolnick, ils pouvaient espérer en piéger par dizaines. Et, avec un peu de chance, ils y parviendraient. Mais les Skolnick n'étaient que les sous-produits de ce système. Ils y prospéraient, certes, mais sans avoir sur lui la moindre influence. Pour provoquer un réel changement, il fallait viser au sommet, déboulonner ceux qui tenaient les commandes et qui s'appliquaient à perpétuer ces combines pour préserver leurs privilèges et les gratifications personnelles qu'ils en tiraient.

« Tuohey, fit Sennett en laissant courir dans leurs rangs le rayon déterminé de son regard. C'est lorsque nous tiendrons Tuohey que notre travail aura vraiment porté ses fruits, et débouchera au grand jour, non seulement sous forme de statistiques ou de lettres de félicitations de D.C., que vous pourrez encadrer au-dessus de votre cheminée – un éclat de rire approbateur salua cette repartie – mais sur un changement réel et durable dans la vie et les mœurs de cette ville. »

Evon s'en sentit toute ragaillardie : le succès de l'opération contre Skolnick, puis les exhortations de Sennett... mais, sur le chemin du retour, une heure plus tard, c'est dans un tout autre état d'esprit qu'elle trouva Feaver. Les retombées de ses performances enregistrées, qui exigeaient de lui une concentration, un état de vigilance et de virtuosité dignes d'une ballerine sur pointes se déroulaient selon un schéma immuable. Après un moment d'exaltation, cet exercice le laissait sur les genoux, en proie à une sorte de déprime, surtout au moment de l'évaluation des résultats.

« Certaines nuits, je me réveille, et je pense à tous ces gens que je trahis. Ça commence à faire un sacré paquet. » Au fur et à mesure que grimpait le nombre de dossiers constitués, Feaver semblait partagé entre deux réactions contradictoires : l'autosatisfaction, et le dégoût de lui-même. Et, en un sens, elle ne le comprenait que trop bien. Il était impossible de haïr Skolnick. Même de son point de vue à elle, la perspective de le faire mettre sous les verrous n'avait rien de très exaltant. Mais elle n'avait, du moins, pas de regrets.

« Il sait ce qu'il fait, dit-elle.

— Et vous ? Vous arranger pour faire trébucher les gens, les amener à montrer ce qu'ils ont de pire, et les faire casquer... il n'y a pas de quoi pavoiser !

— Peut-être, mais c'est nécessaire », répondit-elle. La fin justifiait les moyens, et, après tout, ceux qu'ils employaient n'avaient rien de si terrible. Il y avait deux sortes d'actes, les bons et les mauvais, un peu comme les deux voies d'une autoroute, séparées par un terre-plein central. Une fois que les gens commençaient à franchir cette limite, ils ne parvenaient plus à revenir en arrière, ni à s'amender. Telle était la triste leçon de l'expérience.

« À la rigueur, je m'y ferais, fit Robbie en engageant la grosse Mercedes sur la rampe d'accès qui menait à l'autoroute. Mais ce que je vois, gros comme une maison, c'est que vous allez piéger le menu fretin, comme toujours, sans parvenir à égratigner Brendan. » Elle eut un haut-le-corps en s'entendant assener ce pronostic désabusé dans le sillage du speech de Sennett. Mais Robbie hocha la tête et poursuivit sur sa lancée : « Jamais, répéta-t-il. Et je ne vous parle même pas de moi. On attire l'oiseau dans le piège, et moi je balance mon rôle, à la virgule près. De toute façon, Stan me tient par où je pense. Mais Brendan, c'est une autre histoire. Il est bien trop malin pour nous. Il va nous voir arriver de très loin. Si vous croyez l'embobiner si facilement – à mon avis, ça, c'est pas demain la veille !

— On finit tous par les avoir, Robbie, répliqua-t-elle. Il n'y en a pas un qui nous échappe !

— Comme dans la police montée ?

— Tu l'as dit, bouffi ! » Et elle n'en doutait pas une seconde. Puissamment requinquée par le chef, elle se sentait invincible, gonflée à bloc. Les gens lui demandaient souvent : « Au FBI ? Une gentille fille comme vous – impossible ! Et, de fait, elle aurait eu du mal à expliquer comment lui était venue l'idée d'y entrer, dans ce putain de Bureau – au « F » be I[1] !

La fin de sa carrière sportive avait été une sorte de gouffre où elle s'était sentie sombrer. La plupart de ses coéquipières ambitionnaient de devenir entraîneurs. Leur vie entière se réduirait au terrain de jeux – l'Astroturf vert qu'on arrose avant les matches, le claquement de la balle contre les crosses, le souvenir de leur gloire passée. Mais pour elle, la page était tournée, définitivement. Ses yeux s'étaient dessillés. Elle avait alors vingt-quatre ans. Elle avait participé aux Jeux olympiques – et n'avait pas pour autant trouvé sur terre un endroit où elle se sente à sa place.

Pour voir les options qui s'offraient à elle, elle s'était inscrite à la fac de droit d'Iowa, dans le cycle d'études para-juridiques, pendant qu'elle terminait son BA. Dans le même état d'esprit, elle avait participé à une « foire aux

---

1. « F » comme « fuck » – jeu de mots sur l'acronyme FBI, qui pourrait aussi se traduire, de très loin, par « Putain de moi ! » » – (*NdT*).

employeurs » organisée par la fac. Derrière une table pliante, au milieu des chasseurs de têtes de NJR Nabisco et d'American Can, elle avait repéré deux types du Bureau, avec leurs complets gris et leurs lunettes standard, fournies par l'administration. Deux caricatures, plus vraies que nature, mais ça avait fait tilt. Son grand-père maternel avait été shérif. Il avait été shérif adjoint toute sa vie, jusqu'au jour où le shérif en poste avait trouvé la mort pendant son service – il fut enseveli sous une avalanche qu'il avait lui-même déclenchée en tentant de faire tomber une corniche de glace qui menaçait de s'écrouler sur une route. Vaillant. C'était le mot qu'elle avait entendu prononcer par son grand-père, à l'époque, en parlant de son vieil ami. Comme le prince du même nom, avait-elle songé, avec son beau page qui ressemblait à celui de Merrel. Et, dans l'enchevêtrement des choses qui s'interpénétraient à l'intérieur d'une caboche de fillette, l'événement avait pris une importance démesurée. L'étoile du shérif, ce lourd médaillon d'or deux fois plus gros que celui des adjoints, brillait désormais sur la poitrine de son grand-père. Et avec elle, tous les pouvoirs et les obligations dont elle était le symbole. Elle avait déjà fait la moitié de son stage à Quantico quand elle découvrit qu'elle ne porterait jamais le moindre badge. Hoover ne voulait surtout pas que les représentants de la force de l'ordre nationale aient l'air de ce qu'ils étaient – c'est-à-dire des flics. Les agents fédéraux ne portaient donc pas d'uniforme, et présentaient une carte d'accréditation, au lieu d'arborer les insignes de leur pouvoir. Mais, de temps à autre, elle se surprenait encore à y repenser avec nostalgie, à cette fameuse étoile qu'elle ne porterait jamais.

Pourtant, elle ne regrettait pas d'être entrée au Bureau. Elle aurait pu écrire une encyclopédie sur ce qui clochait : cette prolifération d'acronymes qui leur donnaient l'air de baragouiner un jargon inconnu, ou la façon dont les femmes y étaient traitées. À Quantico, pendant l'entraînement, elle avait réalisé le meilleur score des trois dernières années dans le maniement des armes à feu. Ses instructeurs, qui supervisaient son entraînement sur le FATS, un système de simulation de tir où les projectiles étaient remplacés par des rayons laser, s'émerveillaient de la rapidité de ses réflexes. Mais jamais, au grand jamais, ils ne l'avaient admise dans leurs rangs, à cause de l'idée, communément répandue, qu'une femme ne pouvait manier un 45. Elle s'estimait heureuse si on lui confiait, tous les dix-huit mois, la direction d'un stage de perfectionnement de deux semaines, destiné aux flics et à d'autres agents fédéraux qui venaient là, pour la plupart, s'offrir deux semaines de vacances aux frais de la princesse.

Restait que, pour elle, faire partie du Bureau, c'était compter parmi les meilleurs. Et c'était bien ce dont ils ne cessaient de vous rebattre les oreilles, à Quantico, avec une constance et une vigueur telles, que ce leitmotiv semblait résonner en permanence dans les montagnes des environs. Mais en un sens, c'était vrai. Ils en étaient la preuve incarnée – McManis, Alf, Amari, Shirley Nagle, et les autres... Elle croyait dur comme fer aux grands principes de mission et de devoir. Ils étaient toute sa vie. Elle les aimait et s'aimait elle-même de les appliquer dans son travail, un travail utile et honorable, qu'elle faisait bien. Et, à eux tous réunis, ils finiraient forcément par en venir à bout, de ce Brendan. Eux, le FBI !

« Ça, je ne demande vraiment pas mieux, fit Feaver, comme elle répétait cet acte de foi. Je vous en prie, faites comme chez vous : mettez-le au trou. Je viendrai prendre des photos et je les ferai encadrer. Sans le moindre remords. Et pourtant... peut-être que je devrais en avoir. Ce type m'a toujours traité comme un fils. À cause de Morton, de sa mère, de la mienne. Pour lui, je fais partie de la famille. C'est justement ce qui a convaincu Sennett que j'avais de bonnes chances de parvenir à le poignarder dans le dos. » Il secoua la tête en pensant au rôle pitoyable qu'on lui faisait endosser. Elle lui balança la réplique qui s'imposait, cet argument mille fois rebattu, en espérant que ça le réconforterait un peu :

« Ne vous en faites pas, Robbie. Lui, il ne se gênerait pas pour vous balancer ...

— Brendan ? Jamais. Si c'était à sa porte que Sennett était allé frapper, il n'aurait même pas eu le temps d'ouvrir la bouche que Brendan lui aurait dit d'aller se faire voir. Tuohey ne se met à genoux devant personne. C'est son credo. On peut en dire ce qu'on veut, mais ça, c'est gravé dans le marbre.

— Qu'est-ce que vous avez contre lui, en ce cas ? »

Le visage de Robbie se tordit en une moue renfrognée – la même que celle qu'il faisait quand il lui reprochait de trop se prendre au sérieux. Mais, presque aussitôt, il parut se rallier à son point de vue.

« La première fois qu'on le voit, fit-il, on le trouve charmant. Aimable. Plein d'entrain et d'assurance. Amusant. Surtout face à quelqu'un qui dispose d'un certain pouvoir. Les journalistes, les personnalités politiques ou autres – bref, tous ceux qui pourraient lui être utiles. Il serait prêt à faire tourner un ballon sur son nez, pour vous être agréable, et faire de vous son obligé. Mais à y regarder d'un peu plus près, Brendan est un fumier. Un vrai trou de balle. Tenez, vous allez comprendre. Je vous ai déjà parlé de sa secrétaire, je crois... Constance. »

Avec qui il avait une liaison. Evon s'en souvenait parfaitement.

« Aujourd'hui encore, elle travaille dans le bureau qui se trouve dans l'antichambre du sien. Un adorable petit bout de femme – mais je vais vous dire comment Brendan lui a mis le grappin dessus. Pendant tout ce temps, ça doit faire une bonne vingtaine d'années maintenant, Constance était mariée. Elle parlait l'anglais nettement mieux que son mari. Elle avait réussi à décrocher son diplôme de l'école de secrétariat, alors que Miguel, lui, n'était encore qu'aide-serveur. Et, au fil de toutes ces années qu'il avait passées à piquer de l'alcool au bar où il travaillait, il avait fini par devenir aussi passablement poivrot. Le monde lui tapait dessus, et lui, il tapait sur Constance. Elle est allée pleurer dans le giron de son patron, le juge Brendan. Elle lui a montré ses plaies et ses bosses, et ça n'en est pas resté là. Elle a fini par lui montrer le reste. Mais Constance est une catholique pratiquante, et elle ne rigole pas avec la vertu conjugale. Miguel est l'homme que lui a donné Dieu, comment pourrait-elle batifoler avec Brendan, et le soir regarder son mari en face ?

« Brendan, évidemment, voit tout ça d'un œil compréhensif. "Eh bien, nous devons l'aider à s'amender, ce pauvre Miguel. Il a besoin de tirer un trait sur le passé, de prendre un nouveau départ. Fournissons-lui une chance de remonter dans sa propre estime." Et Brendan lui dégote un job de cuisinier à la prison. Désormais, Miguel n'a plus à laver les verres et les cendriers sales. Il est derrière les barreaux, certes, mais tout va bien pour lui. *Muy contento*, le Miguel. Quand, tout à coup, tout s'écroule : son poste est supprimé. Tout ce que peut lui proposer le Département de l'Administration Pénitentiaire, c'est un job à Rudyard, dans le sud de l'État. *"Caramba* ! Mais c'est à cinq cents kilomètres de *mi familia* !"* proteste-t-il. Ça, c'est bête pour vous, s'entend-il répondre. Bien sûr, il y a une augmentation substantielle à la clé, et une généreuse indemnité de déplacement. Une indemnité de déplacement pour un cuisinier de cantine – fallait y penser ! Et inutile de préciser qu'une fois en poste, Miguel découvre que ses deux jours de congé sont le lundi et le jeudi, ce qui lui permet de rentrer chez lui quelque chose comme une fois par mois. Et il ne semble toujours pas remarquer que son côté du lit reste tiède, entre-temps. Au jour où je vous parle, il a été promu chef cuistot à Rudyard, et, comme par magie, l'administration de la prison n'arrête pas de repousser son départ en retraite. Mais chaque fois qu'il voit Brendan, il lui baise les mains. Et Brendan – Ah ! l'enculé... ! » Robbie s'interrompit pour brandir un majeur menaçant vers le conducteur d'un pick-up qui venait de lui faire un tête-à-queue – « Ce putain de Brendan, il se laisse faire. Comment peut-on supporter un mec pareil ? Chaque fois que Miguel vient au tribunal chercher Constance, cet enfoiré prend un malin plaisir à la retenir sous prétexte de lui dicter une lettre urgente, et s'arrange pour qu'elle lui en taille une petite pendant que son légitime l'attend de l'autre côté de la porte.

— Seigneur.

— Eh ouais..., fit-il. Et vous qui pensiez avoir une vie sexuelle bizarre. »

Robbie l'avait dit dans la foulée, sans y mettre d'attention spéciale, mais la remarque l'avait heurtée de plein fouet. Depuis le début, elle sentait venir cet instant où il l'asticoterait.

« Ma vie sexuelle n'a rien de bizarre, lui jeta-t-elle avec un coup d'œil glacial.

— Vous seriez bien la seule ! fit-il. Le sexe, par définition, c'est toujours bizarre. Le sexe à la mode Brendan, à la mode Robbie, à la mode Evon. C'est la bizarrerie même. »

C'était la première fois qu'elle entendait cette théorie.

« C'est ce qu'on a de plus intime et de plus secret, dans la vie – pas vrai ? demanda-t-il. Ça se présente toujours un peu différemment pour chacun d'entre nous, comme les empreintes digitales. Ce que vous faites, quand et avec qui. Et vos fantasmes. Et la phase que vous préférez. Et les idées qui vous traversent la tête. C'est unique. Et c'est ce qui fait ce côté intime, magique. »

Elle était allée une fois dans un « club » à San Francisco, où elle avait vu une femme en pénétrer une autre avec un godemichet fixé sur une cagoule de cuir qu'elle avait sur la tête. Elle n'y avait rien trouvé de magique – pour autant qu'elle pût en juger. Mais ça n'était pas les oignons de Robbie.

Il interpréta son silence comme une attente d'une démonstration plus convaincante.

« Vous allez tout de suite comprendre, fit-il. Une nuit, je me suis levé une fille. Enfin... levé, ce n'est pas exactement le terme. Elle travaille au greffe du tribunal. Je la connaissais depuis toujours. Joyce, une célibataire, bon... oubliez son nom, mais vous savez... je l'aime bien. Ce soir-là, on avait tous les deux un petit coup dans l'aile, et on est allés chez elle. Elle me dit de m'asseoir, et elle me sort son album photos. C'était elle qui les avait prises, et elle figurait sur toutes. Elle avait mis en scène une sorte de strip-tease devant l'objectif. Mieux que ça – très, *très* explicite. Je ne sais pas ce qu'elle comptait en faire, si elle projetait d'envoyer ça aux Obsédés Réunis d'Amérique, mais toujours est-il que ça la démangeait de les montrer à quelqu'un. Et ce fut moi. Vous savez, si j'avais été un gros con, j'aurais pu lui éclater de rire au nez. Mais moi, j'ai été fasciné et très touché. Et excité, avec ça. Ça n'était pas qu'elle se montrait à son avantage, non. Elle avait des jambes pas mal, mais à part ça – et vous savez, c'est toujours assez cruel, l'objectif d'un appareil photo. Mais elle avait tout bonnement décidé de m'en faire part, de son étrange petit secret. Et moi, j'ai apprécié ! » Il lui lança un coup d'œil pour voir comment elle encaissait la chose. « Tout ça pour vous dire, conclut-il, que vous devriez vous déboutonner. Lâcher un peu de lest, quoi !

— Moi ? qu'est-ce que je viens faire là-dedans ?

— À d'autres. Je vous ai percée à jour. »

Elle éclata de rire, mais juste après, un frisson lui parcourut l'échine.

« Riez tout votre soûl, fit-il. Je sais pourquoi vous êtes toujours partante pour en discuter.

— Partante, moi ? C'est vous qui n'arrêtez pas d'enfoncer le clou.

— Mais vous m'écoutez, et vous adorez ça.

— Pardon ?

— C'est vrai !

— Ah ! N'importe quoi !

— Vous, vous en seriez bien incapable, lui dit-il.

— Incapable ? » Elle sentit l'appréhension lui serrer le cœur. « Incapable de quoi ?

— D'en faire autant. D'en parler. D'être ce que vous pensez que je suis. Libre. Ça, vous en êtes incapable. » Au feu suivant, il pivota sur son siège pour lui faire face, près d'un centre commercial qui grouillait de monde en ce début de soirée. « Voyez, je sais pas si c'est les garçons, les filles ou les libellules, votre truc, mais quoi qu'il en soit – vous ne pouvez pas. Pas comme vous le voudriez. C'est peut-être que vous n'arrivez pas à jouir. Vous êtes peut-être trop coincée, trop inhibée – je vous laisse le choix du terme – pour parvenir à briser la glace avec qui que ce soit. Vous en êtes peut-être réduite à prendre une bonne cuite et à vous contenter de ce qui vous tombe sous la main – mais vous savez comme moi qu'il reste tout un univers de plaisirs qui vous est inaccessible. Ou quelque chose comme ça. N'essayez pas de tout nier en bloc, parce que je sais que je suis dans le vrai ! »

Ce fut une véritable mortification que de devoir soutenir son regard. La chaleur du feu qui lui embrasait les joues se répandit en elle jusqu'à la racine de ses cheveux. Un spasme lui tordit les boyaux, mais elle ne détourna pas le regard. Et, au cours des quelques secondes qui s'égrenèrent, il advint un autre de ces événements qui semblaient se cristalliser, entre eux. Ce fut lui qui battit en retraite, l'air penaud. Il fut le premier à baisser les yeux. Ses doigts s'agacèrent un moment sur le bouton du toit ouvrant, puis tripotèrent successivement tous les autres cadrans du tableau de bord de noyer. Pendant tout le reste du trajet, il évita soigneusement de croiser son regard.

22

« George ! Justement, je voulais vous appeler... » me lança Morton Dinnerstein. Je venais de prendre pied dans l'un des ascenseurs, sur le côté du grand hall du Lesueur. Dès qu'il m'avait aperçu, il s'était fendu de son grand sourire idiot. J'étais tout à coup devenu pour lui un confrère intéressant, une source de revenus, quelqu'un qu'il s'efforçait de séduire, et à qui il se sentait tenu de manifester de la gratitude. Il secoua ma main comme une poignée de porte, à plusieurs reprises. « Ça ne serait pas chez vous, qu'aurait été envoyé le chèque que nous avons négocié pour l'affaire Petros contre Standard Railing, par hasard ? Vous savez, ce type qui s'est cassé la figure du haut des gradins pendant un match ? Le dossier a été bouclé voilà deux mois, mais ce McManis m'a tout l'air de traîner les pieds... ! »

Derrière les barreaux de cuivre de cet ascenseur aux grilles savamment ornementées, j'eus le soudain sentiment d'être piégé comme un oiseau en cage. Je m'affermis dans ma résolution de ne pas mentir pour le compte du ministère public.

« Pas à ma connaissance, répondis-je.

— Et ce client, ce Peter Petros, il ne campe pas sur votre paillasson, par hasard ? C'est un miracle. Où l'avez-vous déniché, ce type, George ? Il devrait bien en exister deux ou trois autres de ce tonneau, quelque part sur terre ? »

Je saluai la saillie de Mort d'un éclat de rire un poil trop musclé, tout en jetant un coup d'œil désespéré au cadran à l'ancienne qui égrenait ses étages.

« Je vais m'en occuper dès cette semaine, George », me promit-il comme j'arrivais au niveau de mon cabinet. Nous approchions du 15 avril. Comme la plupart de nos concitoyens à la même époque, Morton raclait les fonds de tiroirs pour payer ses impôts.

Et, une fois de plus, l'opération Petros ne faisait que confirmer cette leçon que m'avaient inculquée mes années de vie commune avec Patrice, mon architecte de femme : on n'est jamais assez prévoyant. La vie se charge toujours de vous prendre de court et de vous ménager quelques petites surprises à sa façon. Tout avait été mis en œuvre pour assurer au projet une couverture sans faille. Sans poser la moindre question, et dans le cadre de leur coopération avec les services de Stan, les sommités de Moreland avaient immédiatement accepté d'avaliser le rôle de McManis dans l'entreprise. Chacune des parties adverses dans les affaires fictives avait une adresse dans l'annuaire, et un numéro de téléphone qui aboutissait au standard d'Amari, ainsi que des boîtes postales, où le courrier était régulièrement ramassé par des agents. Toutes les entreprises fictives, telles que Standard Railing, étaient dûment enregistrées dans les répertoires officiels. Mais comment contrôler les événements aléatoires ?

Le jour où Skolnick avait fait pression sur McManis pour qu'il accepte de transiger sur l'affaire du peintre cancéreux, Klecker s'était précipité au tribunal où il devait rectifier un petit problème de fonctionnement du FoxBite – pour s'apercevoir, en passant sous le détecteur de métaux, qu'il avait gardé son arme sous sa combinaison. Par miracle, il avait réussi à s'en sortir : il avait tapoté à travers l'étoffe, en expliquant au shérif adjoint que c'était une clé à molette. Mais à cette minute, tout le projet avait frôlé la catastrophe. La semaine précédente, un étudiant de Malatesta avait appelé Feaver. Il avait assisté à l'audience, le jour où son professeur avait rejeté la motion de non-lieu dans l'affaire Petros, et songeait sérieusement à pondre un mémoire sur ce dossier, pour le présenter durant un séminaire. Feaver lui avait répondu qu'il ne pouvait parler de l'affaire à une personne extérieure sans le consentement de son client, mais nous vivions désormais dans la crainte d'apprendre que cet étudiant avait entrepris de mener sa propre petite enquête pour son propre compte.

Jusque-là, et à ma connaissance, personne n'avait songé aux chèques que Dinnerstein s'attendrait à voir arriver. Les problèmes que nous devions résoudre pour donner le change au tribunal suffisaient amplement à nous occuper par ailleurs. Mais, en toute logique, et conformément à l'abondante paperasserie générée par les affaires fictives pour duper Morton, ce dernier aurait dû voir rentrer dans ses caisses plusieurs centaines de milliers de dollars – le genre de détail qui ne passe généralement pas inaperçu. Dans son cabinet, face à Robbie et à Evon, il avait, bien sûr, manifesté une humeur plus grincheuse. Elle s'était récemment trouvée plusieurs fois dans le bureau tandis qu'il pressait Robbie de réclamer cet argent à McManis. Les atermoiements de Robbie commençaient à lui échauffer la bile, et risquaient, à terme, d'éveiller sa méfiance.

« Tu lui consacres les deux tiers de ton temps, à ce type, lui fit-il remarquer, cette semaine-là. N'oublie pas que c'est pour lui botter le train qu'on te paie !

— Hey ! riposta Robbie.

— Parce que c'est sa spécialité, vous savez, s'esclaffa Morton, en se tournant vers Evon. Il tombe facilement amoureux... »

Dinnerstein s'était fait à la présence d'Evon. Il en avait vu d'autres, et ne s'offusquait plus du nombre de jeunes femmes qui traversaient la vie de son associé. De son côté, Evon en était venue à apprécier l'amical harcèlement auquel se soumettaient mutuellement Mort et Robbie, et surtout ces courants sous-marins qui finissaient toujours par avoir raison de l'agacement qu'inspirait à Morton la conduite de son partenaire. Mais les finances étaient l'une de ses responsabilités, et sa nature débonnaire ne lui faisait nullement perdre le nord sur ce plan. Sans même consulter ses rapports financiers, Morton pouvait vous citer les chiffres des rentrées du mois à quelques dollars près. Et, à en croire Robbie, c'était un investisseur plus qu'avisé.

« Vous savez, Evon..., lui avait expliqué Feaver, cet air évaporé qu'il se donne, c'est un truc qu'il a mis au point dans son enfance pour pouvoir faire la sourde oreille à ce qu'il ne voulait pas entendre. Vous êtes trop jeune pour avoir connu cette époque, mais jusqu'à ce que Salk mette au point son vaccin, les mères couvaient leurs gosses pendant tout l'été, et s'affolaient au moindre rhume des foins. En ce temps-là, vous saviez qu'il y aurait invariablement un enfant, dans votre entourage – un camarade d'école ou le petit cousin de votre voisin d'en face – qui attraperait cette affreuse vacherie. Et c'est tombé sur Mort. Il a dû passer des mois dans un poumon d'acier. Il y a vraiment de quoi devenir un peu cintré, vous savez. La paralysie a fini par régresser, mais, par la suite, il avait sans arrêt sa mère sur le dos. La nuit, pendant son sommeil, elle venait lui mettre un miroir sous le nez, pour s'assurer qu'il respirait toujours, et elle l'obligeait à porter cette prothèse qui lui donnait l'air complètement ballot. Dès qu'on avait tourné le coin de la rue, on l'enlevait et on la cachait dans les buissons. C'était un truc en cuir avec des tiges d'acier, et des lacets, comme une chaussure. J'ai dû les faire, les défaire et les refaire des centaines de fois, ces satanés lacets ! Ensuite, il fallait l'aider à les remettre... Mais Sheila avait toujours une mesure de retard sur nous. Mort rentrait chez lui avec son sourire ahuri, et le tour était joué. »

Feaver trouvait cette histoire irrésistiblement attachante, comme tout ce qui concernait Mort. Mais le message était on ne peut plus clair. Le jour même de ma rencontre avec Dinnerstein dans l'ascenseur, Shirley Nagle fit irruption dans la salle de réunion pour annoncer que Morton attendait à la réception. Il se trouvait qu'Evon était descendue travailler avec Jim sur les paperasses des affaires fictives. Shirley les informa que Mort lui avait semblé très déterminé, sous une façade de courtoisie. Il avait déjà passé plusieurs coups de fil, auxquels McManis n'avait pas répondu. Il était donc descendu personnellement, et avait décrété qu'il attendrait sur place le temps qu'il faudrait, jusqu'à ce que Jim puisse le recevoir. Il s'était installé dans l'un des fauteuils de la réception, et avait tiré de son attaché-case un texte qu'il avait entrepris de relire, en y notant ses corrections de sa petite écriture appliquée.

« Qu'est-ce que je fais ? Je me cache ? s'enquit Evon.

— Bah ! fit Jim. Autant aller voir ce qu'il veut. »

Evon était donc allée voir Mort, et, pour lui expliquer sa présence, lui avait livré une version proche de la vérité : elle était descendue confirmer des rendez-vous concernant les affaires en cours, et, en entendant prononcer son nom, avait pensé qu'il était à sa recherche. Mais, évidemment, c'était sur la piste des chèques qu'il était...

« Restez donc dans les parages, lui glissa-t-il. Je ne serai pas fâché d'avoir un témoin. »

Enfin, on les fit entrer dans le bureau de McManis. De toute l'entrevue, Mort ne se départit pas de son fameux sourire. Il déclara qu'après avoir tellement entendu parler de James McManis, ces quelques derniers mois, il avait pensé qu'il ne serait pas inutile de le rencontrer. Dans une louable tentative de briser la glace, il lui cita même quelques cadres des services juridiques de Moreland Insurance, qui auraient pu être des relations communes. McManis manqua quelque peu de conviction dans ses reparties – mais se trouver face à quelqu'un à qui l'on doit quelques centaines de milliers de dollars n'améliore généralement ni votre aisance verbale ni votre aptitude au contact humain.

Lorsque Mort finit par aborder le sujet de l'argent que le cabinet de Jim devait au sien, ce dernier, conformément à l'usage de la profession, fit porter le chapeau au client.

« Eh bien, nous aussi, nous avons un client, répliqua Dinnerstein, toujours souriant, et nous allons avoir toutes les peines du monde à lui expliquer pourquoi nous n'avons pas déposé de motion d'outrage à la Cour. » Il se trouvait que Mort avait un exemplaire d'un tel document dans son attaché-case, et, toujours sans se départir de sa bonne humeur, il le tendit à Jim avant de prendre congé de lui, entraînant Evon dans son sillage.

Nous fûmes évidemment convoqués d'urgence, Sennett, Robbie et moi. Le problème ne pouvait aller qu'en s'aggravant. Après Standard Railing, Dinnerstein se mettrait bientôt en quête du chèque négocié lors de l'affaire du pauvre peintre victime du cancer, qui avait été arbitrée par Skolnick, et pour celui destiné à Olivia King – la secrétaire qui avait attaqué son ancien chef pour harcèlement sexuel. Deux jours après l'audience, Robbie avait informé le clerc du juge Crowthers qu'il avait pu négocier un compromis avantageux.

Ce n'était certes qu'une moitié de catastrophe, vu que Feaver rembourserait immédiatement sa part d'honoraires à l'administration. Mais récupérer la part de Mort lorsque le projet Petros serait bouclé risquait de se révéler long et ardu – surtout dans l'état de furie furieuse où Mort se trouverait, lorsqu'il apprendrait le fin mot de l'affaire. D'ailleurs, on voyait mal comment les responsables de l'UCORC, qui ne cessaient de harceler Sennett et McManis en leur reprochant le coût exorbitant de l'opération, leur auraient lâché deux cent cinquante mille dollars qu'ils risquaient de ne jamais revoir.

Tous les regards s'étaient tournés vers Sennett, qui calculait mentalement en pianotant du bout des doigts sur sa joue. L'image d'un jeu télévisé que je regardais dans mon enfance me traversa l'esprit : toute l'audience attendait, suspendue aux lèvres du candidat, que la réponse tombe d'elle-même sous forme d'une liasse de cartes perforées IBM que crachait un Univac.

« Ils vont le faire, lâcha-t-il enfin. Je sais comment contourner le problème. » Tous les présents, assemblés autour de la table, attendaient de plus amples détails, qui ne vinrent pas. Sennett nous adressa un petit sourire crispé, mais, quelle que fût son idée, il la garda enfermée à double tour dans le coffre au trésor du minimum d'information utile. Mais il avait vu juste. Sous quarante-huit heures, l'argent fut viré depuis un compte déclaré sous un nom de code, sur celui de McManis.

« Vous savez, confia Robbie à Evon après avoir remis le chèque à Mort. Je savais bien, moi, qu'il n'y avait pas péril en la demeure. En cas d'impossibilité absolue, j'aurais toujours pu dire à Morty de laisser tomber les chèques et de me faire confiance. »

Sennett n'aurait sûrement pas apprécié – et si Mort était allé tout raconter à son oncle ? Mais, sur le fond, Robbie était dans le vrai. Malgré ses failles et ses mensonges, il était dévoué corps et âme à son partenaire et à son bien-être – et Morton en était bien conscient.

« Vous en avez, vous, des amis comme Mort et moi ? lui demanda Feaver – ils étaient dans la Mercedes, sur le trajet du retour.

— Moi ? » L'idée la fit presque sursauter. Sa première réaction fut de lui citer sa sœur, mais, évidemment, avec la famille, ça n'était pas tout à fait la même chose. Elle ne pouvait le nier. « Non » était bien la seule réponse vraiment honnête. Ce fait, têtu dans sa nudité, l'accablait, mais elle dut se résoudre à lui dire la vérité.

« Peu de gens ont cette chance », fit-il en manière de consolation. Il avait vu clair dans ses hésitations.

Mais, pour elle, la nuit qui suivit fut passablement perturbée. En arrivant dans son petit deux-pièces, elle se sentit à la fois lessivée et hors d'elle. Elle bouillait littéralement de rage contre Robbie contre cette façon qu'il avait de la percer à jour. Et elle se détestait d'être telle qu'elle était – si simple, si facile à déchiffrer et à manipuler.

Elle s'installa un moment sur le canapé, emmitouflée dans une couverture, avant de trouver la force de se lever pour mettre un disque : Reba, qui chantait « It's your call ». Elle allait devoir sortir pour aller passer un coup de fil à

Merrel. Ça s'imposait. En ville, il y avait deux ou trois grands hôtels équipés de splendides cabines téléphoniques, de vrais petits boudoirs, élégants et parfaitement isolés, avec leurs ferrures de laiton et leurs petites tablettes de granit poli. Là, du moins, elle pourrait sans danger parler avec sa vraie voix. Elle prit une boîte dans le congélo, sans trop se poser de questions sur ce qu'elle contenait, et enfonça les touches du micro-ondes. Elle passa à la salle de bains pendant que son repas tournait sous les rayons. En se déshabillant pour prendre sa douche, elle se regarda dans le petit miroir de l'armoire de toilette, dont les coins commençaient déjà à s'embuer. Jolie paire de seins..., se dit-elle. Voilà au moins une chose qu'on ne pouvait lui dénier. Sans crier gare, sa propre image éveilla en elle le premier fantasme qu'elle eût conçu à propos de Feaver, depuis ces quelques mois pendant lesquels elle avait vécu à ses côtés. Ce fut aussi soudain que fascinant : une brève image de lui dans l'ombre. Une empreinte tactile, d'une troublante précision, de la fermeté toute virile de ses membres, lui revint en mémoire. Ses bouts de seins se dressèrent aussitôt. Si sa main s'était abaissée vers son sexe pour y apporter quelque apaisement, elle savait qu'elle l'aurait trouvé humide. Mais, avec la vigueur d'un lutteur échappant à une prise, elle s'interdit de succomber à cette tentation – non. Non ! Elle se prépara à encaisser le contrecoup, mais elle n'en fut que modérément ébranlée. Qu'est-ce que c'était encore que ce truc ? Une pièce du puzzle qu'elle avait tenté d'intégrer au reste, tout en sachant d'emblée qu'elle ne s'emboîterait nulle part... une de ces particules aléatoires qui se baladaient librement en elle.

Son regard se porta vers le miroir, dans l'espoir que la femme qu'il y rencontrerait la conforterait dans cette supposition, mais son visage avait déjà disparu sous un voile de buée.

23

Le lendemain de la rencontre télévisée de Robbie avec Skolnick, Stan avait pris rendez-vous avec le juge principal Winchell, à qui il avait fait visionner la bande. Il tenait à lui faire savoir que Petros était en bonne voie et que les accusations portées par Feaver se trouvaient vérifiées. Stan caressait l'espoir qu'elle consentirait à autoriser la pose d'un micro dans la chambre de Malatesta. Le juge principal évita soigneusement de lui donner le moindre conseil. Elle était l'arbitre, et non le procureur, mais Sennett subodora que, s'il pouvait fixer des limites temporelles à cette autorisation – quelques jours, au cours desquels le ministère public aurait pu s'attendre à un événement particulièrement intéressant –, elle consentirait à lui signer le mandat convoité. Sennett demanda donc à Robbie de l'aider à concocter un scénario pour déposer une motion d'urgence, sur laquelle Malatesta aurait dû statuer dans des délais très brefs, et qui aurait fourni au ministère public un élément bien précis à l'appui de sa demande de mise sur écoute.

Il restait deux dossiers fictifs sur le bureau de Malatesta. Vu les mises en garde de Walter, Stan les avait délibérément laissés dormir au stade préliminaire de la communication des pièces du dossier entre les deux parties. L'une de ces affaires, le dossier Drydech contre Lancaster Heating, concernait un chauffe-eau à gaz qui avait prétendument explosé dans la grange du plaignant – le client de Robbie – qui était exploitant agricole. L'affaire Drydech, inspirée à Robbie par une précédente décision de justice prise dans un État voisin, avait aussitôt été rebaptisée par les agents du cabinet McManis, où elle était désormais mieux connue sous le sobriquet de « Dossier des vaches pète-sec ». La stratégie de la défense consistait à contester l'origine de l'explosion, provoquée non pas par le chauffe-eau, soutenait McManis, mais par l'accumulation du méthane dans un local occupé par du bétail.

Afin de justifier l'accélération des procédures, Robbie se proposait de déposer une motion pour verser au dossier la déposition d'un ingénieur de l'entreprise de chauffage, qui avait, toujours prétendument, attiré l'attention des clients sur les dangers que pouvait comporter l'utilisation d'un tel chauffe-eau dans un espace clos abritant des animaux domestiques. La motion requérait une intervention rapide du juge, vu l'état de santé de cet ingénieur qui se détériorait rapidement, menaçant d'un jour à l'autre de lui faire passer l'arme à gauche.

Le document à peine sorti de l'imprimante, Robbie et Evon se précipitèrent au tribunal pour déposer la motion et passer voir Walter. La pièce à conviction destinée à justifier la pose du micro serait une conversation du même type que celle de l'affaire Petros, durant laquelle Feaver expliquerait à Walter que les résultats du procès dépendaient entièrement de la décision de Malatesta. Le ministère public observerait ensuite la façon dont Walter rapporterait les faits au juge, ainsi que les réactions de ce dernier.

Lorsqu'ils arrivèrent, Walter était déjà parti pour la salle d'audience, où la séance devait commencer à quatorze heures. Une fois l'audience entamée, il serait difficile de coincer Wunsch et d'engager la conversation avec lui. Il fallait donc le rattraper en chemin. Ils partirent au pas de course dans les couloirs. Comme Evon franchissait en trombe une porte vitrée à double battant, dans le sillage de Robbie, elle faillit renverser un type qui devait peser deux fois son poids... et dont, bizarrement, la tête lui disait quelque chose. À en juger par son allure, il aurait pu être flic, ou shérif adjoint. Comme elle lui bafouillait quelques excuses, il la dévisagea d'un air ébahi, en ouvrant de grands yeux... sans doute moins de colère que de surprise, songea-t-elle – il ne devait guère avoir l'habitude d'essuyer de tels chocs, fussent-ils involontaires, de la part d'une femme.

Dans la salle d'audience, Walter arpentait son estrade, au pied de celle du juge, avec cette morosité renfrognée qui le caractérisait, dictant ses directives à l'huissier et à la greffière pour la séance, désormais imminente. Evon resta en arrière, laissant le champ libre à Robbie, qui mit le cap sur

Wunsch, sa motion à bout de bras. « Ce type est mon client, Wally, » fit-il entre ses dents – elle distingua clairement ces paroles dans son oreillette.

Le visage fripé de Walter se tordit en un rictus de dégoût, mais il s'abstint de tout commentaire. À la question de Robbie, qui voulait savoir dans quels délais interviendrait la décision du juge, Wunsch répondit par une citation du règlement concernant les motions d'urgence : McManis aurait deux jours pour riposter, et le juge pouvait prendre jusqu'à deux jours pour statuer, ce qui permettait de situer les choses entre jeudi et vendredi.

« Et la prochaine fois, tu viendras me demander combien font deux et deux – c'est ça ? » bougonna Walter en le chassant d'un geste en direction de la porte.

Lorsque Stan appela, le vendredi vers midi, pour nous demander, à Robbie et à moi, de le retrouver chez McManis, je m'attendais à ce que ce soit pour fêter un nouveau succès. Mais, cette fois, nous ne fûmes pas accueillis par les agents alignés en haie d'honneur, selon le rituel désormais habituel. Dans la salle de conférences ne siégeaient que Jim et Stan, affichant l'un et l'autre une mine accablée. L'œil gris de l'écran vidéo les lorgnait d'un air morne, dans le placard de chêne rouge ouvert. Lorsque je leur demandai ce qui n'allait pas, ils échangèrent un regard. Robbie arriva sur ces entrefaites, et avant même qu'il ne se soit assis, Stan enclencha le magnétoscope.

Le moniteur s'éveilla sur une image noir et blanc. La date et l'heure, au dixième de seconde près, étaient indiquées au coin supérieur droit de l'écran, par une série de chiffres dont les deux derniers défilaient à toute vitesse. La séquence, quelle qu'elle fût, avait été tournée la veille à dix-sept heures cinq, et l'angle de prise de vue était pour le moins insolite. Klecker m'expliqua par la suite que la caméra avait été cachée quelque part au plafond, dans un pseudo-détecteur de fumée. L'objectif était un grand angle qui rétrécissait à l'extrême la limite extérieure de l'image, un peu comme le miroir parabolique accroché dans le salon de ma mère, dans un cadre doré à la feuille d'or. Dans la faible luminosité ambiante, les gris viraient au blanc.

Je finis par reconnaître le gros bureau, large et lourd comme une enclume, derrière lequel se dressait la hampe du drapeau national. On distinguait deux silhouettes au bord de l'image. Deux silhouettes qui, lorsqu'elles s'avancèrent dans le champ, se révélèrent être celles de Walter et de Malatesta. Le juge tenait une liasse de documents – les décisions qu'il avait prises sur les affaires qui lui étaient assignées. Silvio, derrière ses lunettes à la Henry Carrey, les parcourut successivement avant de les parapher. Sans relever la tête, il émettait çà et là quelques remarques pour Walter ou pour lui-même. Il faudrait convoquer une réunion d'arbitrage, pour telle ou telle affaire. Telle autre, si elle débouchait sur un procès en bonne et due forme, était partie pour durer des années. Walter lui répondait avec une affabilité dont on l'aurait cru incapable, et ne manifestait plus un atome de cette mauvaise humeur qu'il laissait éclater partout ailleurs. Pendant que le juge paraphait ses décisions, il ne tarissait pas de louanges sur le bien-fondé et la sagesse de chacune.

« Tu parles ! s'esclaffa Robbie. Quel faux cul ! »

Comme Klecker arrivait dans la salle de réunion, Stan lui fit signe de faire avancer la bande, et lorsqu'elle retrouva une vitesse normale, Malatesta étudiait un brouillon de texte.

« De quoi s'agit-il, Walter ?

— Affaire Drydech. Vous avez jeté un œil au dossier hier soir, monsieur le juge. Après cette motion déposée par le plaignant – vous vous souvenez ? C'est cette histoire d'explosion provoquée par le gaz des vaches – à en croire la défense. Encore des micmacs au niveau de la transmission des pièces du dossier. La défense est le dos au mur... »

Malatesta repoussa du doigt le centre de ses lunettes pour les faire remonter sur son nez.

« Walter..., s'extasia-t-il. Comment arrivez-vous à vous rappeler toutes ces affaires ? J'ai du mal à en retenir ne fût-ce que la moitié ! Qu'est-ce que je ferais sans vous... vous pourriez me résumer un peu ce dont il s'agit ? »

Walter lui expliqua que Feaver voulait accélérer les procédures de façon à faire porter de toute urgence au dossier la déposition d'un ingénieur dont la vie ne tenait plus qu'à un fil.

« Je n'en ai vraiment pas le moindre souvenir, Walter.

— Vous l'avez eue sous les yeux pas plus tard qu'hier soir, Votre Honneur.

— Vraiment ? » L'air absent, Silvio releva ses manches de chemise – une liquette de cotonnade ordinaire, qui lui flottait sur le corps – et réajusta les élastiques qui les maintenaient à ses négligeables biceps. « Ressortez-moi ce dossier,

Walter. Je dois m'assurer que je n'ai rien fait d'irréfléchi, hier soir. Vous savez, une petite baisse de régime, en fin de journée... »

Le temps que Walter revienne avec les papiers, Malatesta en avait terminé avec les siens. Hochant la tête, il entreprit de relire la motion de Robbie et la réponse de McManis.

« J'ai dû survoler tout ça un peu trop vite, Walter. Le problème est nettement plus compliqué qu'il n'y paraît. Je me demande si la défense n'aurait pas là un argument sérieux. »

McManis avait fait valoir qu'il était injuste que Robbie puisse verser au dossier l'attestation de l'ingénieur avant d'avoir défini sa propre position, concernant les différents problèmes techniques relatifs à ce témoignage. Si Feaver voulait faire verser d'urgence sa déposition, il fallait qu'il verse aussi, et avec la même promptitude, les attestations des autres experts.

Walter lisait par-dessus l'épaule du juge, sans souffler mot. « C'est possible, monsieur le juge... fit-il enfin. Mais n'oublions pas une chose. Le plaignant – M. Feaver, en l'occurrence – va filer droit en appel. »

Malatesta se rencogna dans son grand fauteuil. « Ah, vous croyez ?

— Tout droit ! C'est vraiment l'impression qu'il m'a donnée. Il a dit que son dossier ne tenait pas debout sans le témoignage de cet ingénieur. À vue de nez, si vous lui refusez votre autorisation, il s'en passera, et s'adressera directement à l'étage supérieur.

— Je vois. » Malatesta se couvrit la bouche de la main, et se replongea dans le texte de Robbie.

« Bien sûr, c'est vous qui êtes juge, Votre Honneur. Mais, à mon humble avis, voyez-vous... il suffirait peut-être que vous accordiez ce petit point à la partie plaignante, et il ne serait plus question d'appel. Après tout, à quoi cela vous engagerait-il, de prendre connaissance du témoignage de cet ingénieur ? Si ça ne porte pas à conséquence, Feaver n'aura pas gain de cause – et dans le cas contraire, s'il y a de quoi faire pencher la balance, la Cour d'appel ne risque pas de vous contredire. Leur tendance générale n'a jamais été de couvrir un défendant qui essaierait de balayer sous le tapis un témoignage embarrassant.

— Certes..., fit Malatesta, en balançant la tête d'avant en arrière. Mais ma fonction est d'appliquer la loi en mon âme et conscience, Walter – non de me déterminer en fonction de ce que fera ou ne fera pas la cour d'appel.

— Bien sûr, bien sûr, monsieur le juge. Mais vous savez... de ce point de vue, vos résultats sont tellement exceptionnels. Le juge Tuohey ne cesse de chanter vos louanges. Selon lui, vous coiffez largement au poteau tous vos collègues de la section. Aucun juge de la cour supérieure ne vous arrive à la cheville, sur le plan des résultats, Votre Honneur. »

Malatesta, qui n'avait pourtant pas le rire très facile, lâcha un petit gloussement curieusement puéril.

« C'est vrai, Walter. C'est vrai. Tenez – je l'ai croisé la semaine dernière... il était justement en train de me citer en exemple à trois ou quatre de mes collègues. Pour tout vous dire, j'étais plutôt embarrassé. Mais j'avoue que je ne suis pas mécontent de mon palmarès. Nous comptons plus d'un excellent juriste dans nos rangs, à la cour supérieure. Et ce n'est pas rien, que d'être celui qui totalise le plus petit nombre de cassations en appel...

— Vous savez, monsieur le juge, je crois me souvenir que la cour d'appel a cassé un jugement, ces derniers jours. Je crois qu'ils ont décidé d'autoriser la partie plaignante à verser les pièces en question au dossier. Et c'est bien ce qu'ils font la plupart du temps, n'est-ce pas ?

— Généralement, oui, Walter. Mais il y a une procédure à respecter, pour la constitution des dossiers, et elle doit être strictement la même pour les deux parties. » Malatesta se replongea dans ses délibérations. Il fronça les lèvres en cul de poule et se tapota la joue. « Je ne vois pas ce que ça peut être, ce jugement dont vous me parlez, et qui a été ainsi abrogé.

— C'est tout à fait récent, Votre Honneur. Ça n'a pas dû être encore publié. Ah ! Vous dire le nom de l'affaire... » Walter arpenta quelque temps le bureau en se pianotant sur le front. « Je l'ai sur le bout de la langue ! Quoi qu'il en soit, ils ont bel et bien abrogé la sentence – et dans un cas très similaire à celui-ci.

— Une abrogation ? » répéta Malatesta.

Walter confirma d'un hochement de tête laconique. Malatesta leva les bras et les étendit pour faire remonter ses manches.

« Vous avez généralement une juste perception de ces choses, Walter. Ça, je dois vous le reconnaître. Eh bien, soit ! Portez cet ordre au dossier. La première impulsion est souvent la meilleure, dans ce métier. J'ai sans doute bien fait de ratifier cette motion hier soir. »

Stan arrêta le magnéto, et pivota vers nous, le menton levé, pour nous demander notre sentiment.

« Vous rigolez ? » s'esclaffa Robbie. Il avait visiblement peine à se retenir d'éclater de rire. « La vache, Stan ! Vous ne voyez pas que Walter le mène par le bout du nez, son pauvre petit juge... Il lui fait signer à peu près ce qu'il veut. Pourquoi – c'est pas comme ça que vous voyez la chose ? Ils se partagent le pactole, avec Rollo Kosic, et se paient la tête de Malatesta, parce qu'il est tellement perdu dans ses nuages qu'il ne voit même plus ce qu'il a devant les pieds. Là-dessus, pour mettre un peu d'huile dans les rouages, Brendan vient flatter l'encolure du pauvre Silvio, qui n'y voit que du feu. »

McManis me jeta un coup d'œil par-dessus l'épaule de Sennett. Robbie avait dû reprendre presque mot pour mot ce qu'il venait de dire à Sennett, juste avant notre arrivée.

« Vous vous êtes donc fait doubler, pendant toutes ces années ? demanda Sennett.

— Doubler ? Seigneur, Stan... je serais mal placé pour m'en plaindre. J'obtiens généralement ce que je veux. Walter garde le fric ? Et alors ! Qu'est-ce que ça change pour moi ? »

Sennett monta sur ses ergots.

« Mais ça change tout, au contraire. Un clerc indélicat, c'est une chose – un juge corrompu, c'en est une autre ! » Il transperça Robbie d'un regard acéré. « Pour vous comme pour moi », ajouta-t-il dans un accès de sincérité qui nous fit froid dans le dos. Il avait raison. Aussi bien au regard de la loi qu'à celui de l'opinion publique, Walter n'était qu'un sous-fifre.

« Ce que je crois, moi, c'est que vous vous êtes fait avoir, fit Sennett. Ils ont eu vent de quelque chose. »

Feaver ouvrit de grands yeux offensés. La couverture du projet Petros, préservée au prix d'une immense somme de travail et d'efforts, était une sorte de trésor commun. Prêter le flanc aux soupçons et se laisser percer à jour, pour n'importe lequel des participants, c'était trahir tous les autres.

« Réfléchissez, fit Sennett. Ils ont dû découvrir la caméra. Walter doit soupçonner que nous l'avons déjà dans notre collimateur. Il aide Malatesta à s'en sortir indemne. Si jamais... » Il s'interrompit, pris de court par notre réaction. Nous avions soudain affiché, McManis, Robbie et moi-même, une de ces mimiques d'émerveillement mêlées de stupéfaction telles que les décrivent les Écritures. Mais ça tenait plutôt de la terreur médusée que d'une quelconque jubilation. La fulgurance de la pensée sennettienne n'avait d'égale que sa capacité de l'empêcher de voir ce qui aurait dû lui sauter aux yeux – c'en était proprement stupéfiant.

« Quoi ? » fit-il, désarçonné par nos regards effarés. Il croisa les mains et, se redressant sur sa chaise, raide comme la Justice : « Disons que c'est possible, en tout cas, lança-t-il. Et même très possible – absolument ! »

24

Le jeudi suivant, qui était un 30 avril, Evon se retrouva un moment seule dans la Mercedes garée à l'étage supérieur du parking du Temple. La voiture était en vue du vestibule vitré où se trouvait l'ascenseur. Robbie venait d'y monter pour retrouver Walter Wunsch. Après avoir échangé les politesses d'usage, leurs voix sortirent de son champ d'audition. Elles étaient hors de portée des infrarouges. L'ascenseur avait entamé sa descente dans un fracas de claquements et de couinements métalliques. Elle se sentit soudain seule, perdue et désorientée, et croisa les doigts pour que ça ne soit pas la débâcle totale. Une curieuse irritation s'était réveillée du côté de sa vessie.

Après quelques jours de flottement, il était apparu que la meilleure option tactique serait de remettre une autre enveloppe à Walter, pour le remercier de l'heureuse décision prise dans l'affaire Drydech. Ce versement offrait l'avantage de tester la théorie de Sennett, qui impliquait que Walter se tînt sur ses gardes. Quelle que fût sa loyauté pour Malatesta, si Walter avait soupçonné le moindre danger, il aurait absolument évité d'aggraver son cas en empochant une seconde enveloppe.

Avant même que l'ascenseur ne soit remonté au cinquième, Evon sentit que quelque chose s'était passé. Le bruit de friture qui bourdonnait dans son oreillette fit place à des voix. Walter n'avait pas débarqué au premier. Il était remonté avec Robbie. Ils parlaient d'une femme, avec cette nuance désobligeante qui leur était habituelle dans ce genre de conversation. Feaver riait aux éclats, avec sa jovialité coutumière, tandis que Walter grommelait dans sa barbe des propos qu'elle ne comprenait qu'à demi. Les portes de l'ascenseur, balafrées de hiéroglyphes rouillés et de graffiti griffonnés au marqueur, s'écartèrent lentement. Feaver apparut, sain et sauf, arborant un franc sourire. Il mit pied à terre, Walter sur ses talons. En dépit de la température printanière et du gros pardessus de drap qu'il portait, les épaules de Walter restaient voûtées et relevées presque jusqu'à ses oreilles.

« Impossible ! » lança Robbie. Il fit signe à Walter de l'attendre dans le vestibule et sortit seul sur la plate-forme du parking. Walter lorgnait Evon de derrière les portes vitrées barbouillées. Il avait le teint plus brouillé qu'un bol de flocons d'avoine. Son regard s'était posé sur la Mercedes, et s'attardait désagréablement sur elle. À sa grande surprise, elle entendit la voix de Feaver qui lui parlait dans le micro, tandis qu'il approchait de la voiture.

« OK. Ne vous étonnez de rien. Je vais monter dans la voiture, et je vous dirai quelque chose – bla-bla-bla – et vous, vous éclaterez de rire – d'accord ? À gorge déployée, comme si vous veniez d'entendre la blague du siècle. »

Feaver sauta sur le siège conducteur, et comme annoncé, articula en silence plusieurs phrases en une pantomime destinée à Walter. « Allez-y, riez ! » ajouta-t-il entre ses dents. Elle s'exécuta, tandis qu'il dirigeait la mise en scène. Il avait levé la main pour dissimuler le mouvement de ses lèvres. Il l'enjoignit de secouer la tête et de rire au point d'en avoir une quinte de toux. Au bout d'un certain temps, Robbie se tourna vers Walter avec une mimique entendue. Il eut un haussement d'épaules, auquel Walter répondit par un autre haussement d'épaules. Les portes de l'ascenseur s'ouvrirent derrière le clerc, qui tourna les talons et monta dans la cabine.

Evon attendit vainement un signe, mais Robbie ne lui fournit aucune explication. Il se contenta de faire démarrer la voiture, et sortit en trombe du parking. À plusieurs blocs de là, il prit à droite, dans une allée, toujours à fond de train, jusqu'à ce qu'il trouve une place dans un petit parking tapissé de gravier, derrière un magasin dont une grille rouillée défendait l'entrée fournisseurs. Robbie lui fit de grands signes en direction de son micro, et articula silencieusement « stop ! »

Elle n'avait pas emporté sa télécommande, ce jour-là. Ils n'étaient qu'à quelques centaines de mètres du Lesueur, et elle ne comptait éteindre le FoxBite qu'une fois arrivée chez McManis.

« Merde, lâcha-t-il. Fouillez-moi ! »

Elle lui demanda ce qui s'était passé.

« Fouillez-moi, je vous dis ! » répéta-t-il. Il se prépara sans broncher à l'opération, le regard fixé de l'autre côté de la vitre. Il lui demanda d'énumérer les objets qu'il portait sur lui, puis, sans crier gare, dès qu'elle eut terminé, il extirpa le petit micro caché sous sa chemise et l'arracha de son fil. « Rideau, fit-il.

— Quoi ? Il n'a pas pris l'argent ?

— Plutôt deux fois qu'une – comme d'habitude. »

Sur les conseils de Klecker, Feaver s'était fait faire des bottes sur mesure, dans lesquelles il pouvait plus facilement et plus confortablement dissimuler le FoxBite. Il avait empoigné sa jambe pour ôter l'une de ses chaussures, opération délicate dans l'espace exigu du siège conducteur. Elle réitéra sa question, mais il refusa à nouveau de répondre. Il parvint enfin à détacher l'appareil de la courroie qui le maintenait à sa cheville, et le lui balança dans son sac à main.

« Pour la dernière fois, s'exclama-t-elle, quel est le problème ?

— Le problème, c'est qu'au moment où j'allais m'éclipser, Walter m'a raconté une histoire. À première vue, il a l'air de prendre ça à la blague, mais allez savoir... Apparemment la semaine dernière, quand nous sommes allés le voir dans la salle d'audience de Malatesta, vous avez bousculé un type. Eh bien, c'était un flic. Un vieux copain de Walter, qu'il a rencontré du temps où ils travaillaient tous les deux au tribunal de Grande Instance. Ce type est actuellement en procès, et il a fait appel au tribunal administratif pour un jugement du conseil de discipline de la police. Il s'est pris trente jours pour je ne sais quoi. Un certain Martin Carmody – ça vous dit quelque chose ? » Il la dévisagea, guettant sa réaction. « Vous donnez votre langue au chat ?

— J'ai déjà vu cette tête quelque part. Ça, pas le moindre doute.

— Ouais. Vous m'étonnez ! » Elle suivit le regard de Robbie, qui s'était échappé en direction d'un mur de brique à l'arrière du petit bâtiment. Une pousse d'un vert tendre s'entortillait autour d'une gouttière rouillée. « D'après lui, il aurait fait un stage à Quantico, il y a cinq ou six ans de ça – c'est ce qu'il a dit à Walter. Un stage d'entraînement au maniement des armes à feu, si vous voyez ce que je veux dire. Et là, il a rencontré une monitrice, un agent du FBI – DeeDee quelque chose. Et, de fil en aiguille, une nuit, il a fini par la connaître vraiment bien, au sens biblique du terme. Et voilà que ce Carmody est prêt à jurer que cette demoiselle qu'il a "connue" de façon si approfondie, c'est-à-dire vous – c'était elle. Cette "DeeDee". Les cheveux ont changé de couleur, les lunettes ont disparu et l'allure générale s'est un peu urbanisée, bien sûr... Mais, purée... ! ce genre de chose ne s'oublie pas si facilement. Ce qui l'a poussé à poser la question à Walter, c'est que sa femme vient à l'audience tous les jours, ou presque, et qu'il tient à prévenir tout quiproquo fâcheux. »

Evon avait fermé les yeux.

« Alors, évidemment, j'ai sorti le grand jeu, poursuivit-il. Un agent du FBI ? Ridicule... ! Le mieux est d'aller lui poser la question. Dieu merci, Walter est trop coincé pour passer la tête par la vitre d'une bagnole et demander directement à une dame avec qui elle a pu s'envoyer en l'air, ces dix dernières années. Mais, bien sûr, ce qui le taraude, c'est la possible présence d'un agent du FBI dans les parages. Il a tout de même eu la curiosité de revenir au cinquième pour observer votre réaction.

— Putain... » souffla-t-elle, lorsqu'elle parvint à articuler deux syllabes. C'était la première fois qu'elle prononçait ce mot devant lui, et il détonnait terriblement avec son personnage de mormon.

— Alors, DeeDee, mon trésor... Dites-moi un peu ce qui nous reste à faire.

— La vache. » Son esprit s'agitait comme un bateau pris dans la glace. L'hélice s'emballait, mais la proue ne parvenait plus à se frayer un chemin. Si Walter avait pris l'argent, c'était qu'il ne soupçonnait rien – mais comment en être sûr à cent pour cent ? Son cœur battait dans sa poitrine comme un tambour, et à son habitude elle se sentait tenaillée par la honte. Le pire, en un sens, c'était que les propos de Walter avaient été captés par l'estafette. À l'heure qu'il était, Sennett devait tourner comme un lion en cage. Tout le monde devait grimper aux rideaux.

« En fait, si j'ai bien compris... c'était juste une précaution, de la part de ce type. Parce qu'il n'est sûr de rien. Nous étions ivres morts, Robbie. Bourrés comme des coings... » Elle tambourina sur le tableau de bord. « Il n'est sûr de rien. Ce qui explique qu'il ait posé la question à Walter.

— Sans doute. Mais, à présent, il est un peu sur le qui-vive, le Wally. J'ai eu l'impression qu'il se rassérénait, au moment où il est reparti, mais ça doit lui trotter dans l'esprit.

— Et moi qui ne le remettais même pas... fit-elle pour elle-même. Pas une seconde. Je suis passée sans le reconnaître ». Ça devait remonter à cinq ou six ans, aux environs de 1986. La construction de Hogan Alley, une petite ville où on simulait des crimes pour le besoin des stages d'entraînement, n'était pas encore achevée. C'était la première fois qu'elle avait été invitée à revenir à Quantico, en tant qu'enseignante. Ça se perdait dans les brumes de l'histoire. Une vie antérieure ! Un petit gloussement totalement déplacé lui échappa. Bien sûr, dans son souvenir, Carmody avait nettement meilleure mine.

« Eh oui, fit-il. Un coup d'une nuit. Une paire de castagnettes esseulées qui vous passent à portée de main, à l'heure de la fermeture. Je connais ça. » Quand son regard croisa celui de Robbie, elle comprit la suite. Les émotions se bousculaient sur son visage sombre. Il s'agrippa des deux mains au volant de noyer, et ses yeux clignèrent dans sa direction, avec le même regard qu'il avait eu quand elle lui avait fait remarquer qu'ils avaient déjà réussi à épingler un méchant.

« Robbie... » commença-t-elle, mais elle renonça.

Il fit ronfler le moteur, et manœuvra en marche arrière pour sortir de l'allée.

« À toute épreuve, votre couverture, hein... » ricana-t-il.

Mai

25

« Je ne sais pas si vous vous rappelez..., fit-elle. Cette nuit, où nous avons parlé... après Kosic, vous vous souvenez ? Vous m'avez dit que vous restiez parfois éveillé, la nuit dans le noir... avec le sentiment d'avoir perdu tout repère. Vous vous souvenez ? »

Elle entendit le déclic caverneux que produisit sa glotte, en déglutissant.

« Où vous voulez en venir, là ?

— Je vais vous le dire, répliqua-t-elle, mais commencez par répondre. Est-ce que vous vous en souvenez ?

— Bien sûr.

— Bon. Et voilà ce qu'il faut que je sache : est-ce que c'était un jeu ? »

Il émit un son grave, une sorte de grognement. « Non, finit-il par dire. Ça, c'était du cent pour cent pur jus.

— Alors... est-ce que vous pouvez vous représenter ce que c'est – de sonder vos propres coins d'ombre sans avoir la moindre certitude de ce que vous risquez d'y rencontrer ? Ne pas être sûr d'avoir correctement perçu vos propres désirs. Vous pouvez imaginer ça ? »

Il prit tout son temps, dans la pénombre. Il réfléchissait. Après s'être débarrassé du FoxBite et lui avoir rapporté ce que Walter avait dit, sur elle et Carmody, il l'avait baladée quelque temps dans le centre-ville, avant de rejoindre le Lesueur. Il irradiait une sorte d'aura de mépris. La seule idée d'avoir pu se faire mener en bateau – lui ! – le hérissait. Mais sa colère s'était révélée curieusement difficile à supporter. Elle se sentait perdue, désemparée. Elle tentait désespérément d'évaluer les dégâts potentiels de cet accroc, pour elle et pour le projet. Elle accusait le coup : son lointain passé resurgissait de ses cendres comme une personne indésirable se rappelant tout à coup à votre bon souvenir. Si Feaver l'avait lâchée à un coin de rue, elle aurait été incapable de retrouver seule son chemin.

Il finit par lui demander ce qu'il en était. C'était bien elle, ou pas ? Elle refusa tout d'abord de répondre.

« Inutile d'entrer dans ce genre de détail, Robbie. C'est totalement déplacé. De votre point de vue, je suis là pour faire mon boulot, point.

— Peut-être, mais, sur ce chapitre, laissez-moi vous dire que c'est rapé... ! » Tandis qu'elle se débattait dans le nuage de poussière qu'avait soulevé ce coup bas dévastateur, il lui glissa un regard en coulisse plus tendre que tout ce qu'elle avait pu voir de lui, depuis qu'ils avaient quitté Walter. « C'est pas juste », fit-il au bout d'un moment, avant de s'enfermer à nouveau dans son silence.

Ils convinrent tacitement de ne pas traîner dans l'immeuble. Feaver fit le tour du bloc pendant qu'elle montait remettre le FoxBite à McManis. Elle lui lança l'appareil du seuil de son bureau. Jim ne se montra pas très loquace. Il demanda simplement si Walter lui avait paru convaincu, quand il s'en était retourné vers l'ascenseur. C'était l'impression qu'elle avait eue, ainsi que Feaver, mais, songea-t-elle, même si Walter avait gardé quelques doutes, il ne risquait pas de venir les lui confier !

Elle s'informa de la façon dont avait réagi Sennett.

« Mal, répondit Jim. Il a piqué sa crise. Selon lui, les Déménageurs auraient dû prévoir ça, en étudiant votre CV. » En dépit de la gravité de la situation, il ne put se défendre de sourire en imaginant la formulation du questionnaire : « liste de toutes les personnes avec qui vous avez terminé des soirées un peu trop arrosées, au cours des dix dernières années ».

Quand elle lui fit part de son désir de rentrer chez elle, il hocha la tête d'un air compatissant.

« Ça n'est pas de votre faute », lui dit-il.

C'était la stricte vérité. Ce n'était tout au plus qu'une coïncidence malheureuse. Durant les opérations de ce genre, les agents spéciaux qui se faisaient démasquer étaient le plus souvent reconnus par des flics ou des procureurs qu'ils avaient précédemment croisés sur leur chemin. Mais la chose avait sa propre logique : si le projet capotait maintenant et à cause d'elle, cette bavure la suivrait partout – jusqu'en Iowa, et partout où on l'enverrait par la suite. « Quoi qu'il arrive, faites toujours honneur au Bureau ! » – ce slogan de Quantico était marqué comme au fer rouge dans l'esprit de chaque nouvelle recrue. McManis et Sennett devaient être en pourparlers, tâchant, eux aussi, d'évaluer les risques et de les atténuer. Il ne fit donc rien pour la retenir. Sans doute n'avaient-ils pas encore décidé ce qu'ils allaient faire d'elle.

De retour dans la Mercedes, Feaver lui avait demandé si elle voulait boire quelque chose – et Dieu savait qu'elle en avait besoin. Il s'offrit donc pour aller lui acheter une bouteille de vodka chez un marchand de spiritueux. Tant que le navire n'était pas officiellement abandonné, mieux valait qu'Evon Miller, élevée chez les mormons, ne se fasse pas prendre la main dans le sac chez un marchand de gnôle. Comme elle ne se sentait aucune envie de se retrouver seule chez elle, ça lui parut être la moindre des choses, vu les circonstances, que de lui proposer de monter.

Elle allongea la vodka avec du jus de citron surgelé qu'elle sortit de son congélateur et, lorsqu'ils en eurent descendu quelques verres en silence, elle sentit monter en elle quelque chose qui la submergea aussi irrésistiblement qu'un haut-le-cœur pendant une nausée. Le besoin de s'expliquer. Pourquoi ? se demanda-t-elle, dans l'espoir de se découvrir une bonne raison de se taire. Pourquoi... ?

Parce que. Parce que ce silence risquait d'être fatal à quelque chose en elle. Quelque chose d'encore plus fragile. Parce qu'il lui semblait intolérable que cette vérité, si précieuse et si difficile à dire, puisse passer pour un mensonge.

Il faisait nuit, à présent. Elle ne tirait jamais les rideaux. Le reflet des lampadaires et des néons sur le trottoir d'en face éclairait la pièce. Elle gardait les yeux clos. Robbie s'était assis par terre, adossé au canapé fleuri que lui avaient loué les Déménageurs. Le soir, lorsqu'elle s'y étendait en regardant la télé, elle retrouvait sur les coussins des relents de vieux cigare, mêlés à ceux des détergents chimiques qui n'avaient pas réussi à en venir à bout. Feaver avait ôté sa veste et ses bottes. Ses doigts de pied frétillaient dans ses chaussettes à motifs multicolores, pendant qu'il buvait. Mais, à présent, il s'était figé sur place, ruminant sa réponse. *Pouvait-il l'imaginer ?*

« Oui », fit-il au bout d'un certain temps. Il pouvait s'imaginer ça, oui... « C'est vraiment comme ça, pour vous ? s'enquit-il.

— Ça l'a longtemps été, répliqua-t-elle. Pendant des années. Des années. Je me disais que ça ne m'intéressait pas, que je m'en fichais, mais je n'en étais pas si sûre. Sans doute parce que je reportais tout ça sur le sport... » Les athlètes sont leur corps. Après un match, elle éprouvait une sorte d'expansion de sa conscience. Elle sentait tout : les tensions, les douleurs, les contractures internes. Sa peau l'élançait, comme si on avait enfoncé une pointe de feu au fond de chacun de ses pores, jusqu'aux couches les plus profondes du derme. Chez la plupart de ses coéquipières, cet excédent d'énergie devait être recyclé, sous forme d'énergie sexuelle. Mais pour elle, les matches étaient l'unique objet de son désir. Les sensations qui pouvaient naître en elle, par ailleurs, lui étaient interdites, et éveillaient chez elle une crainte presque superstitieuse – non seulement à cause de l'angoisse anti-sexuelle que lui avait inculquée l'Église, mais parce qu'elles risquaient d'épuiser ses forces vives, de désamorcer ce noyau de passion radioactif qui la propulsait comme une furie, à travers le terrain.

Au lycée, où elle incarnait le type même de la sportive, elle décourageait la plupart des garçons. Et, dans cette ville de tradition mormone, une bonne moitié des jeunes n'avaient la permission de sortir que le jour de leurs seize ans. Naturellement, elle avait demandé de sortir, comme les autres, lorsque tout ça s'était mis en route... Elle voulait être comme tout le monde, voir de quoi il retournait. Elle avait dix-sept ans lorsqu'elle alla au bal de fin d'année des terminales. Elle avait tenu à se faire dépuceler ce soir-là, comme si ça avait fait partie intégrante du rituel de passage – ce qui était le cas pour beaucoup de ses camarades de Kaskia. Elle alla s'allonger sur l'herbe, à flanc de coteau, dans un coin abrité, près des pistes de ski, et laissa Russell Hugel se colleter avec ses sous-vêtements et s'enfouir en elle. L'affaire d'une minute, à peine ! Après quoi, il l'aida à se relever. Il ôta soigneusement toutes les feuilles et les brindilles qui restaient accrochées au tissu de sa robe et la raccompagna, sans ajouter un mot. Le pauvre ne devait pas en mener très large. Le premier coq de basse-cour venu, brassant l'air de ses ailes inutiles, aurait fait preuve de plus de maîtrise et d'endurance que ce pauvre Russell ! C'était donc ça, le sexe... Elle y repensait, de temps à autre. L'épisode avait été aussi vite emballé que le bal lui-même – une brève trépidation, attendue de si longue date ! Elle avait rangé sa robe. Et dès qu'elle était entrée à la fac, elle s'était empressée de conclure que tout ça ne valait vraiment pas tout le foin qu'on en faisait.

L'homosexualité – l'idée qu'il pût exister des gens « comme ça » – relevait encore de la légende, pour elle. L'une de ces rumeurs épouvantables qui courent, mais qu'on soupçonne d'être le fruit d'une exagération, sinon d'une affabulation pure et simple. Elle devait avoir l'air passablement plouc, et en avait bien conscience. Mais ne débarquait-elle pas de son ranch... ? Chez elle, les béliers s'occupaient des brebis, et les taureaux des vaches. Elle avait bien entendu parler de Sodome, à l'église – mais Dieu y avait mis bon ordre : ils avaient été anéantis jusqu'au dernier.

« Je n'avais pas le moindre soupçon. Même mon premier stage d'été, en hockey, ne m'a pas ouvert les yeux. Et pourtant, certaines des filles étaient de vraies camionneuses... une, surtout... Une certaine Anne-Marie. Les autres se disaient, en rigolant, qu'elles préféraient ne pas rester seules avec elle au vestiaire – et je ne comprenais toujours pas. »

À peu près à cette époque, elle avait une copine, poursuivit-elle. Hilary Beacom, un bon milieu de terrain, mais elle n'avait pas tout à fait l'étoffe d'une star. Elle avait deux ans de plus qu'elle et venait de Philadelphie. Bizarrement, le hockey sur gazon était un sport aristocratique. Toutes ces filles qui galopaient après la balle, les coups de crosse qui volaient bas.... Certaines parties étaient assez sanglantes et, à ses yeux, ça n'avait rien d'un sport pour jeunes filles de la bonne société. Mais la plupart de ses coéquipières venaient pourtant des beaux quartiers, des écoles privées. Et Hilary, la première. Une chevelure blonde aussi fournie et drue que du velours, retenue par un serre-tête écossais. Des vêtements signés Laura Ashley... Le charme satisfait de quelqu'un qui se sait la légitime propriétaire du monde.

Elle avait pris Evon sous son aile, s'asseyait près d'elle dans le bus, lui racontait des petits secrets sur leurs entraîneurs. Elles partaient ensemble faire des balades à cheval, après l'entraînement. Un soir, vers la fin de la deuxième année d'Evon, elles avaient pris une cuite, bravant l'interdiction, absolue en période de championnat – on leur avait même fait signer des engagements écrits. Mais Hilary avait pratiquement son diplôme en poche. Elles avaient donc écumé une bonne demi-douzaine de fêtes et avaient picolé plus que de raison, avant de revenir dans la chambre d'Hilary, en rigolant comme deux gamines. Elles imitaient les présentateurs des émissions de télé pour enfants ou les héros de *Star Trek* – une bande d'extraterrestres que rien ne différencie de l'humanité, sinon un seul trait, bizarrement amplifié. Le Dr Spock, privé de toute émotion.

« Je vois ton aura ! » avait lancé Hilary, de l'autre bout de la pièce. Elle faisait semblant d'être une habitante de la Galaxie du Grand Chien, qui, comme l'animal du même nom, avait la faculté de percevoir le halo d'énergie émotionnelle qui environne les humains. « Je vois ton aura... » et elle s'avança en faisant onduler ses mains comme une danseuse hindoue. Evon s'était écroulée sur le lit d'Hilary et se tordait de rire.

« Et qu'est-ce que tu y vois ? »

Hilary s'approcha et étendit les mains au-dessus de sa tête, comme pour palper une présence dans l'air, autour d'elle.

« Je vois..., fit Hilary, dont le regard parut un instant retrouver sa limpidité. Je vois que tu es bourrée ! »

Elles roulèrent l'une sur l'autre, puis Hilary se redressa et reprit son petit jeu.

« Je vois que tu tâtonnes, fit-elle. Que tu as peur.

— OK ! » s'esclaffa-t-elle, bien qu'elle commençât à comprendre que le jeu avait insensiblement basculé. Les mains d'Hilary avaient repris leur manège, d'abord autour de son cou, avant de descendre, insensiblement, le long de son buste, qu'elles étaient à un cheveu d'effleurer.

« Je sens un grand manque, en toi... » fit Hilary.

Evon garda le silence. Le visage de son amie, plâtré d'une épaisse couche de fond de teint qui masquait les imperfections de sa peau, se trouvait à cinq centimètres du sien. Les stores de la chambre étaient baissés.

« Tu sais ce qui va se passer ? » avait demandé Hilary.

Elle savait. Enfin, plus ou moins. Elles s'observaient mutuellement, mesurant les risques. Puis la tête d'Hilary plongea vers la sienne. Evon s'attarda un instant dans la senteur forte et douce du visage de son amie. Sous les parfums artificiels, l'odeur de sa chair lui rappelait vaguement celle du lait. Les yeux d'Evon restèrent grands ouverts lorsque leurs lèvres se rejoignirent. Leur peau, desséchée par le sport et le suspense du moment, avait pris la consistance fragile de cette pellicule qui se forme sur les quartiers d'orange abandonnés à l'air libre, et, comme elle, recouvrait des douceurs acidulées. Sans se hâter, Hilary se laissa aller sur elle de tout son poids.

Feaver l'interrompit : elle savait, donc...

Non. La chose lui était tombée dessus. Elle n'y avait pas vu de signification précise. Elle n'avait jamais nié qu'elle y avait pris plaisir, mais après coup, elle s'était dit qu'elle avait fait ça comme ça, comme à défaut d'autre chose. Bizarrement, ça lui semblait à peu près comparable à ce qu'elle avait fait avec Russell sur la colline. Elle avait gardé une sorte de distance, vis-à-vis d'Hilary, dont l'élégance patricienne – et, par-dessus tout, la gentillesse –, lui avait évité d'avoir à prononcer ne fût-ce qu'un mot. Un mois plus tard, son amie avait eu son diplôme. L'événement s'était estompé avec le temps. Ce souvenir se perdait à présent dans les brumes de sa mémoire. Par bien des côtés, se disait-elle, elle tranchait sur la plupart des gens qu'elle connaissait. Elle avait grandi dans un bled dont personne n'avait entendu parler, elle avait été sélectionnée pour l'équipe olympique de hockey féminin, et elle avait fait l'amour avec une fille – une seule fois. Elle était comme ça, point.

Mais devait-elle pour autant renoncer à ce bonheur dont tout le monde rêvait ? N'avait-elle pas le droit d'en rêver, elle aussi ? Si on lui avait demandé de décrire son avenir après son aventure avec Hilary, ses prévisions n'auraient pas varié d'un iota : elle se voyait très bien mariée, avec des enfants, une maison, un mari – un brave garçon, calme et fidèle, un peu à l'image de son père ou de ses frères cadets. Et le jour où ça lui arriverait, Hilary n'aurait aucune espèce d'importance. Ni elle ni le reste. Elle avait trente-quatre ans, à présent. Trente-quatre. De temps à autre, elle se reprenait à rêver de ce bonheur serein qui l'attendait toujours et dont l'image la traversait en une vague réconfortante. Mais quand elle se rendait enfin à l'évidence, et s'avouait qu'il n'en serait rien, elle en restait toujours anéantie, trente-quatre ans ou pas.

Quelque trois ans plus tôt, elle avait été envoyée à San Francisco pour enquêter sur des fonctionnaires du ministère de l'Agriculture qu'on soupçonnait de corruption. Un collègue l'avait emmenée dans une boîte de strip-tease – « pour rigoler », avait-il dit.

L'une des filles qui y travaillaient était un « contact » à lui. Elle frayait avec un tas de petits combinards auprès desquels elle glanait des renseignements précieux. Mais Evon n'y avait rien trouvé de si marrant – sans doute parce qu'elle était du genre coincé, et qu'ils étaient repartis après leur premier verre, s'était dit son camarade. En fait, ce qui l'avait saisie de la tête aux pieds, c'était la façon dont une des filles l'avait regardée, pendant son numéro. Elle était venue danser devant elle, pétrissant ses seins nus dans ses mains. Elle les tenait pressés l'un contre l'autre, les tétons durcis par l'excitation, sans cesser de lui lancer des regards implorants, des plus explicites. Ce genre de provocation était sans doute prévu à leur contrat, s'était-elle dit. Les filles jouaient à aguicher n'importe qui dans la salle. Elles savaient que personne n'était là par hasard, que tous les clients étaient en quête de leur petite dose de frisson. Et Evon avait certes eu la sienne. De retour chez elle, elle tenta vainement de fermer l'œil. Elle se releva et, lorsqu'elle prit sa bouteille de vodka, sa main tremblait si fort qu'elle en versa la moitié à côté du verre. Elle s'étendit sur une chaise longue, dans ce petit studio meublé que lui avait loué le Bureau, et tâcha de retrouver un semblant de calme. Elle dut vider plusieurs verres avant de pouvoir se l'avouer. Voilà. C'est bien ce que je suis.

« Et j'y suis retournée, dans cette boîte. Je n'avais pas la moindre idée de ce que j'aurais pu sortir, si j'étais tombée nez à nez avec quelqu'un que je connaissais. "Tiens ! Toi aussi ! Quelle bonne surprise !" J'y suis retournée comme poussée par un intérêt strictement professionnel. Une enquête. Je me suis installée au premier rang et j'ai regardé cette fille – Teresa Galindo, s'appelait-elle. Je l'ai regardée bien en face, en souriant, et elle m'a lancé ce regard... mais, cette fois, j'ai capitulé. Je sentais mon corps comme aspiré par elle. » Et, même après tant d'années, elle en restait sidérée. Sidérée.

« Entre les numéros, les filles circulaient dans la salle, pour pousser le client à la consommation. Elle n'avait rien d'un prix de beauté, cette Teresa. Dans la plupart de ces boîtes, ce qu'on demande aux filles, c'est d'accepter de se trémousser à poil devant le public. Teresa avait le visage tout grêlé. Quand elle descendait dans la salle, avec son string et son petit peignoir, on voyait qu'elle se tartinait tout le haut du corps de fond de teint, seins y compris. Mais j'étais tellement excitée... parce que je n'avais aucun effort à faire pour obtenir ce que je voulais et que Teresa m'avait percée à jour. Quand elle est revenue avec nos verres, elle m'a discrètement laissé tomber sur les genoux une serviette de papier. "Je donne des leçons particulières", m'a-t-elle glissé à l'oreille.

« "Des leçons de quoi ?" ai-je failli répliquer. Mais je savais qu'il ne s'agissait pas uniquement de danse. J'ai aperçu un numéro de téléphone, j'ai roulé la serviette dans ma main et j'ai appelé – le soir même, pour ne pas me dégonfler. Le lendemain matin, dès onze heures, elle était chez moi. Il faisait grand jour. C'était juste avant nos boulots respectifs. C'était tellement bizarre... Pas tant à cause de ce qu'on faisait – et en moins de deux minutes, il n'a plus été question de leçon de danse – ni parce que c'était des mains de femme qui se posaient sur moi, et pas non plus à cause de tous les incroyables petits joujoux qu'elle avait apportés. Il y en avait un, en particulier, qu'elle appelait sa baguette magique, avec trois petites boules qui tournaient au bout... – mais parce qu'au cœur de l'action, je me disais "C'est un rêve, Seigneur... un rêve que j'ai fait des milliers de fois".

« Je la payais. Elle n'a jamais refusé l'argent. Elle disait qu'elle ne le faisait qu'avec des femmes et de façon relativement exceptionnelle, mais je n'ai jamais su à quel point c'était vrai. Elle m'aimait bien. Elle n'a pas mis bien longtemps à deviner que j'étais flic – mais elle ne soupçonnait pas que j'étais au FBI. Elle me voyait plutôt comme une sorte de shérif adjoint. Elle avait même bâti tout un scénario : je travaillais à la prison et je détestais les hommes que j'y côtoyais – exactement comme elle, avec les clients de la boîte. C'était l'une des raisons qui semblaient les pousser vers ce job, elle et les autres filles. Elles pouvaient cracher leur mépris sur les clients, sur ces hommes qui ne pensent qu'à les baiser, qui le montrent si naïvement et qu'elles se délectent de laisser sur leur faim. Elle avait pourtant d'autres raisons, bien à elle. Pendant des années, elle avait été tripotée par son grand-père, une espèce de parrain qui terrorisait toute la famille. À ma grande surprise, je découvris qu'elle avait fait des études supérieures. Elle avait un diplôme de chef comptable – une branche nettement moins lucrative que son métier d'effeuilleuse.

« Bref, je savais. Et j'avais fini par regarder les choses en face. À entendre certains hétéros, on croirait que c'est le seul écueil, à leurs yeux : se l'avouer. Comme s'ils n'avaient aucun mal, eux, à dénicher l'âme sœur, et ne souffraient pas d'essuyer échec sur échec, en la matière. J'ai essayé de revoir cette fille, Teresa. Parfois, avant ou après, on sortait prendre un verre. Mais elle s'était forgé une histoire sur moi, comme j'avais forgé la mienne sur elle. Je voyais en elle une fille

douce et fragile, cherchant désespérément quelqu'un à qui
se raccrocher, mais j'étais loin du compte. En fait, elle fré-
quentait un milieu hyper dur. Des sado-masos. Elle m'a
emmenée dans leurs sex-clubs. Enfin, "clubs" – façon de parler... Le plus souvent, ce sont des appartements privés, de
simples lofts où on paie à l'entrée. Et ce qui s'y passait ne
me faisait ni chaud ni froid. Une femme s'enfilant une
pomme de terre – voyez le genre ! Ce que je voulais, moi,
c'était vivre quelque chose, et ça c'était du Grand-Guignol.
Enfin, à mes yeux..., fit-elle, sur un soupir.

« Certains jours, je n'en reviens pas. Une strip-teaseuse
– Seigneur ! À croire que toute ma vie n'avait été qu'un rêve,
dans la tête d'un pochard écroulé dans une station de bus.
Une strip-teaseuse !

— Ça n'est qu'un jeu », la rassura Feaver. Elle se cabra.
Sans doute n'avait-elle pas compris ce qu'il voulait dire.

« Une sorte de répétition, expliqua-t-il. Vous ne la ramè-
neriez pas chez votre mère pour la lui présenter, votre strip-
teaseuse. »

L'idée de la scène la fit s'esclaffer. Jamais elle ne ramè-
nerait quiconque chez sa mère. Elle n'aurait jamais un tel
culot. Mais elle avait compris.

« Où se situe l'épisode Carmody, dans tout ça ? Ça s'est
passé après ?

— Avant. C'était une période assez prévisible, voyez... je
savais déjà que je n'y trouvais pas la même chose que les
autres – à la chose elle-même, j'entends. Je croyais que j'en
avais peur. Et c'était un fait : j'en avais peur. Alors je me suis
dit que l'alcool pouvait être une solution. En plus, j'étais loin
de chez moi. Carmody, ça n'a pas été la seule fois, loin de
là. Sinon, l'aspect physique, ça marchait plutôt bien. Aucun
problème, sur le plan mécanique. Non, ce qui manquait,
c'était le désir. La passion. J'étais une femme à qui les autres
femmes inspiraient de la passion, et qui voulait en inspirer
à une autre femme. »

Il demanda qui lui en inspirait, en ce moment, qui l'attendait à son retour chez elle. Elle s'esclaffa à nouveau. Des-
Moines, ce n'était pas exactement San Francisco, et elle
devait rester raisonnable. Il y avait des choses que le Bureau
n'était pas prêt à accepter. Iowa City, c'était une autre histoire, mais c'était loin, et ce qu'elle pouvait y trouver la mettait vaguement mal à l'aise. Un peu comme à San Francisco.
Certaines de ces femmes se sentaient comme investies d'une

mission, elles exigeaient plus ou moins que vous soyez gay à leur façon. Se balader en pantalon de cuir, avec juste du sparadrap sur les tétons, c'était OK, mais malheur à celle qui aimait Lee Greenwood ou Travis Tritt – ou George Bush. Cela dit, Evon avait toujours conscience d'être inhibée. Il restait en elle quelques recoins sombres où elle attendait toujours que ça lui passe...

Dix-huit mois plus tôt, il y avait eu l'ébauche de quelque chose avec une femme qu'elle avait connue à son club paroissial. Tina Criant. Elle était mariée à un flic avec qui Evon avait travaillé. Elles se sentaient tout un tas de points communs – le même cocktail saugrenu de hobbies : travaux d'aiguille et armes à feu. Elles les pratiquaient ensemble. Tina lui passait des livres. Elles rigolaient bien. C'était une femme chaleureuse et originale. Evon avait senti mûrir quelque chose entre elles, sans doute le genre de chose qu'avait dépisté Hilary Beacom. Ni l'une ni l'autre n'avait rien dit, pas un mot. Et, rétrospectivement, Evon savait qu'elle aurait fait capoter la chose, d'une façon ou d'une autre. En eût-elle eu le courage, elle aurait pu donner l'exemple à son amie, lui ouvrir la voie, avoir de l'énergie pour elles deux. Mais peut-être était-ce mieux ainsi. Tina et Tom, son mari, avaient deux enfants, deux petits garçons de cinq et sept ans. Pendant deux mois, Tina avait pesé le pour et le contre. Evon l'avait vue réfléchir. Puis, elle avait tranché. Elle avait laissé tomber le groupe de broderie et avait déserté le stand de tir. Evon en avait beaucoup souffert. Elle n'avait pas soupçonné, jusque-là, la force de son espoir.

Certains jours, dans ses moments les plus noirs, lorsqu'elle croisait l'une de ces femmes qui évoluent dans un milieu totalement masculin, au milieu d'une équipe de cantonniers, ou d'une bande de jardiniers latinos où elles sont les seules représentantes de la race blanche – une de ces hommasses aux cheveux courts et au visage sec, sans une ombre de maquillage, flottant dans un sweat-shirt informe, censé camoufler ce qui, allez savoir pourquoi, se trouve toujours être une énorme paire de seins – elle les détaillait et se demandait : est-ce vraiment ce que je suis devenue, ou ce qui me pend au nez ? Une espèce de monstre, qui préfère d'emblée se réfugier dans les marges, avec sa collection de flingues et son abonnement aux trois chaînes de sport, sur le câble....

« Stop ! » Il l'avait interrompue, d'une voix douce.

« Pardon ?

— Cessez de vous dénigrer ainsi. Je vous connais à peine, mais s'il y a une chose que je sais de vous, c'est que ça n'est pas du tout votre genre. Seigneur ! Les choses ne sont sûrement pas si simples ! »

Ça n'avait rien de particulièrement drôle, mais ça la fit rire un bon moment, et lui aussi. Sur le moment, elle se sentait d'humeur à en rire. Parce qu'il avait raison, et à plus d'un titre – en bien comme en mal. Elle n'était pas un archétype. Elle était elle-même – un peu décalée, peut-être, mal dans sa peau, gauche et paumée, sûrement. Mais ni dépourvue de ressources, ni totalement inadaptée. Ses problèmes ne l'aveuglaient pas au point de régir toute son existence. Elle avait son jardin secret, et ses coins d'ombre. Mais qui n'en avait pas ? Des tas de choses tourbillonnaient en elle, comme ces poussières cosmiques qui n'ont pas encore réussi à s'agglutiner pour donner naissance à un corps céleste – comète, planète ou étoile. Comme tout le monde. Tout le monde. En matière de sexe, il n'existait aucune norme... et chacun ne pouvait se comparer qu'à soi-même.

« Vous vouliez savoir autre chose ? » lui demanda-t-elle au bout d'un moment, d'une voix plus posée. À l'autre bout de la pièce, elle avait entendu les glaçons tinter dans son verre. Le voisin d'à côté, qui depuis janvier se passait la bande son de Bodyguard quasiment en continu, avait remis ça.

« D'où vous le sortez, ce nom – Evon ? »

Elle avait une cousine qui avait à peu près son âge et s'appelait comme ça. Une version américanisée d'Yvonne, qui aurait dû se prononcer à la française. Mais à l'école, tout le monde le déformait, ses profs comme ses camarades de classe. Tout le monde disait « Even ». Sa cousine avait renoncé à corriger. De temps à autre, les enfants étant ce qu'ils sont, le nom devenait prétexte à taquineries. « Even worse ! » lui lançait-on – soit : « encore pire ». Mais sa cousine, qui n'était pas du genre à s'en laisser conter, répliquait vertement : « Even better ! » Encore mieux ! C'était devenu pour elle une sorte de cri de guerre, et elle s'y était tenue. Elle s'était établie à Boise, comme médecin. Divorcée, avec deux enfants, mais pas mécontente de son sort, quoique solitaire. Elles ne s'étaient vues qu'une fois, ces dix dernières années, mais leurs retrouvailles avaient été chaleureuses. « Even better ! » Elle avait toujours rêvé de faire sien l'adage de sa cousine.

Dehors, une moto passa en trombe. Elle lui demanda s'il avait une autre question.

« Une fois pour toutes..., fit-il, après réflexion. Avez-vous un micro ? »

Elle ne put se défendre d'éclater de rire – elle rigolait décidément beaucoup, ce soir-là.

« Sans blague... vous croyez que je vous aurais raconté tout ça à portée d'un micro ? »

Il soupesa cette hypothèse. Peut-être avait-elle la possibilité de l'allumer ou de l'éteindre à volonté ? Elle se tourna vers lui et le considéra en silence dans la pénombre. Ils avaient jusque-là évité de se regarder en face.

« Dites-moi oui ou non..., fit-il. Je vous croirai sur parole.

— Je vous l'ai déjà dit. Vous voulez vérifier vous-même ?

— Hein ?

— Allez-y. Fouillez-moi ! » Elle s'était levée, bras écartés. « Allez-y, regardez. Allez ! Sinon, vous ne me croirez pas. »

Il en resta un moment interdit, mais il finit par se lever à son tour et s'approcha d'elle, d'un pas curieusement léger.

« Laissez tomber. Ça n'est pas nécessaire.

— Oh que si ! Mais pas de mains baladeuses, hein ! Faites-le comme je vous l'ai fait, sans oublier mon sac... »

Il la contempla quelque temps sans faire un geste. Embarrassé, ou tout simplement peu habitué à toucher une femme en dehors de certaines circonstances... Enfin, ses mains vinrent se poser sur ses épaules. Mais elles n'allèrent pas plus loin. Il l'attira doucement à lui, jusqu'à ce que sa tête vienne se caler juste sous son menton, puis il s'inclina et lui déposa un baiser sur le sommet du crâne, exactement comme il l'avait fait à son oncle Leo, dans le hall du tribunal.

Cela fait, il prit son manteau et enfila laborieusement ses pieds dans ses bottes. Un rayon de lumière filtrait entre la porte et le chambranle.

« Vous êtes une fille super, fit-il.

— C'est si surprenant que ça ?

— À demain.

— S'ils n'annulent pas tout cette nuit ! »

Il haussa les épaules. Ils avaient fait de leur mieux, lui dit-il. L'un comme l'autre. Il la laissa dans la pénombre et sortit, convaincu d'avoir énoncé là une grande vérité.

Le lendemain matin, en sortant de chez elle, Evon s'aperçut qu'elle était suivie. Elle héla un taxi pour aller à Glen Ayre, où elle avait laissé sa voiture la veille, et à peine y était-elle montée, qu'elle vit s'allumer les phares d'une voiture, garée de l'autre côté de la rue, dans une zone en stationnement interdit. Le plan d'économie d'énergie était toujours en vigueur, et à sept heures, il faisait à peine jour. Elle sortit son poudrier dont elle utilisa le miroir pour regarder derrière elle. La voiture les suivit jusqu'à l'autoroute, puis se laissa distancer. Mais elle réapparaissait régulièrement, de temps à autre. Elle en remarqua bientôt une seconde, une Buick gonflée, qui dépassait parfois le taxi, et le précédait pendant quelque temps. Puis la Buick se maintint quelques secondes à son niveau. Ses occupants étaient des Noirs d'âge mûr et d'allure plutôt patibulaire. Le passager portait une barbe et une superbe musculature de taulard, un bandana de couleur sombre, avec des lunettes noires, bien que le soleil fût à peine levé. Il se tourna vers Evon et la dévisagea avec un petit sourire faraud qui lui glaça les sangs.

Les deux véhicules s'arrêtèrent à un bloc de chez Robbie, tandis qu'elle payait son taxi. Elle mit Robbie au courant dès qu'ils furent dans la Mercedes. Il écouta avec un sourire incrédule la description qu'elle lui donna du véhicule, mais au bout de quelques centaines de mètres, il le reconnut lui-même dans son rétroviseur.

« Vous voulez que je les sème ?

— J'appelle McManis. Laissons-le décider. » Son téléphone cellulaire n'était pas d'une sécurité absolue, mais elle n'avait pas le choix. Le numéro d'urgence ne répondait pas.

Le téléphone de la Mercedes sonna une minute plus tard. Elle décrocha. McManis ne prit même pas le temps de lui dire bonjour.

« Ils sont de chez nous, dit-il. Nous vous surveillons depuis hier soir, au cas où. » Avant de raccrocher, il lui annonça qu'il voulait la voir dans son bureau dès son arrivée.

Elle monta directement du garage. Jim était installé dans son fauteuil. Il lui demanda de fermer la porte. Il vida les dernières gouttes de son gobelet de café et la dévisagea un certain temps. Il était rasé de frais, mais sous ses yeux, le manque de sommeil commençait à creuser des cernes grisâtres.

Il avait préparé un petit topo. Depuis le début de l'opération, il soupçonnait qu'ils auraient affaire à des gens peu recommandables. Les agents spéciaux qui se faisaient démasquer risquaient gros. Le cas s'était déjà produit, dit-il. Certains avaient été torturés parce qu'ils refusaient de dire ce qu'ils savaient. McManis énonçait les faits d'un ton parfaitement égal mais sans lui épargner aucun détail, et, l'espace de quelques minutes, ce fut comme s'il avait étalé les cadavres de ces malheureux collègues sur son bureau. Il précisa que, comme il s'y attendait, elle était autorisée à se dessaisir de l'affaire.

« Je suis une grande fille, vous savez, répondit-elle.

— Réfléchissez. Ne vous contentez pas de me servir ce genre de réponse toute faite. »

C'était tout réfléchi. Elle y avait consacré une bonne partie de la nuit.

« Ça commence à devenir palpitant, dit-elle.

— On peut tout à fait s'en sortir sans vous. »

C'était ridicule. Il était bien placé pour le savoir. Si elle abandonnait son poste et disparaissait de la circulation maintenant, ça revenait à télégraphier à Walter pour lui annoncer que Carmody avait dit vrai. Elle secoua la tête, d'un air qui se voulait aussi ferme et résolu que celui de son chef.

À dix heures, nous tînmes conseil. Jim, en bras de chemise, s'était levé pour prendre la parole devant l'assistance réunie – Sennett, Robbie, moi et les derniers agents. Washington nous renvoyait la balle. La décision de poursuivre devait être prise sur le terrain, par les opérateurs eux-mêmes. Nous étions les mieux placés pour évaluer nos propres chances de succès. Evon était prête à continuer, nous dit-il, mais il exhorta tout le monde à y réfléchir à deux fois et à ne pas s'engager à la légère. Autour de la table, personne ne broncha. Je me demandais à part moi si Stan aurait été prêt à laisser à Robbie une chance de quitter la partie, mais nous en avions amplement discuté, Feaver et moi, et il était persuadé que, dans l'immédiat, Evon était la seule qui fût sérieusement menacée.

Stan accueillit la décision collégiale d'un sourire pincé, et prit le relais. Pour renforcer la cohésion de l'équipe, il avait décidé de faire circuler des informations qu'il n'avait pas jugé, jusque-là, strictement indispensable de nous communiquer. Nous avions tous compris qu'Amari et son équipe de surveillance avaient filé les intéressés, après chaque remise d'enveloppe. Ils avaient constaté que Walter et Skolnick avait tous deux rendu visite à Kosic quelques heures après avoir reçu l'argent des mains de Robbie. Mais leur surveillance ne s'était pas arrêtée là. Ils avaient consciencieusement filé Rollo pendant toutes ses sorties – au kiosque à journaux, au marché où il était allé s'acheter du boudin, ou au guichet de sa banque. Chaque fois qu'il passait à la caisse, un agent se faufilait près de lui, pour apercevoir les billets qu'il sortait. Puis, dès qu'il tournait les talons, un agent faisait un achat avec une plus grosse coupure, dans l'espoir de récupérer dans sa monnaie le billet qui était sorti de la poche de Rollo. Et la manœuvre s'était révélée payante : ils avaient déjà mis la main sur deux des billets provenant de l'enveloppe de Skolnick. Sur l'un des billets, le labo avait déjà relevé les empreintes de Rollo. Et le matin même, au Paddywacks, le rendez-vous de tous les politiciens du comté, Rollo avait payé le petit déjeuner de Brendan avec l'un des billets de cinquante dollars remis la veille à Walter par Robbie. Stan se tenait prêt à demander au juge Winchell l'autorisation de poser un micro dans le bureau de Kosic, la prochaine fois qu'une enveloppe changerait de mains.

« La partie a pris un tournant décisif, déclara-t-il. Nous abordons la seconde manche. Les événements d'hier nous portent à penser que nous jouons désormais contre la montre. Mais courage, les gars ! – les yeux noirs de Sennett, étincelants, me firent penser à ceux d'un mainate. Nous talonnons Tuohey. Nous sommes littéralement – *littéralement* à deux doigts de le coincer ! »

26

Voyant en chacun de ses contemporains un ennemi potentiel, Sherman Crowthers refusait de passer par les intermédiaires habituels du tribunal et, à en croire Robbie, il préférait avoir recours à sa propre demi-sœur, Judith

McQueevey, qui tenait un restaurant *soul* florissant et très couru dans le North End. Judith avait débuté avec une salle minuscule et une petite devanture toute simple, mais, au fil des années, son affaire avait pris de l'ampleur. Seule la frange la plus intrépide de sa clientèle blanche se risquait dans le quartier à la nuit tombée, mais à l'heure du déjeuner, il n'était pas rare de trouver chez Judith un véritable melting pot rassemblant toutes les races, également attirées par son célèbre poulet à la broche, ou par les côtes de porc préparées selon de vieilles recettes sudistes et braisées jusqu'à ce que la viande se détache d'elle-même.

Robbie et Evon débarquèrent donc aux alentours de midi, vers la fin d'avril, et, après le repas, Robbie accosta Judith qui était derrière sa caisse. Tout en réglant l'addition, il lui remit une enveloppe destinée à son frère, en remerciement du compromis fructueux, supposément obtenu par la partie plaignante grâce à la façon dont Crowthers avait mouché McManis dans l'affaire Olivia King.

Tout comme moi, Stan connaissait Sherman depuis la nuit des temps, quoiqu'il eût de lui une opinion nettement moins favorable, après des années d'empoignades entre tenants des deux camps ennemis. Ce qui lui avait permis d'imaginer un moyen d'épingler Crowthers... D'ordinaire, les enveloppes remises par Robbie, contenant une centaine de billets de cent dollars, étaient épaisses de presque trois centimètres. Sennett opta pour le stratagème habituel : Robbie remettrait une somme nettement inférieure à ce qu'attendait Crowthers, et, avec un peu de chance, Sherman prendrait le risque de s'engager dans une confrontation directe avec Feaver.

« Il faut que je lui parle d'urgence », murmura Robbie à l'oreille de Judith, dans le brouhaha de l'heure de pointe. Il flottait dans l'air des parfums de grillade et de légumes épicés. « Je crois qu'il y a un détail qui lui a échappé.... »

Judith était trop fine mouche pour ignorer totalement ce dont il retournait, mais elle refusa aussitôt de s'en mêler. C'était une femme sculpturale. Juchée sur ses hauts talons, elle dépassait Robbie de plusieurs centimètres, et elle était manifestement une inconditionnelle de sa propre cuisine... Malgré l'heure relativement matinale, elle portait un fourreau pailleté qui la moulait savamment, une bonne couche d'ombre à paupières violette, et un lourd collier ghanéen, qui, s'il était d'or massif, devait valoir une petite fortune.

Lorsque Robbie lui remit l'enveloppe, Judith la soupesa en fronçant ses grosses lèvres vermillon en une petite moue. Le paquet ne contenait pas plus de deux mille dollars.

« Mmh-mmh, fit-elle comme pour elle-même.

— C'est pour ça que j'aimerais le voir, glissa Robbie.

— Et moi, je ne veux rien savoir de tout ça ! » risposta-t-elle. La réplique avait visiblement déjà servi. Elle secoua la tête, agitant ses grandes boucles d'oreilles et sa longue crinière artificiellement défrisée.

« Allez... soyez gentille... » fit Robbie. D'ordinaire, il lui laissait deux cents dollars pour son déjeuner, ce qui représentait un généreux pourboire. Mais, ce jour-là, il préleva cinq billets de cent dollars sur le rouleau qu'il sortit de sa poche. Bien que déjà à l'aise, Judith connaissait la valeur de l'argent. Elle glissa un regard en coin vers les billets, et parut tout à coup plus grave, comme si sa jovialité coutumière l'avait soudain désertée. Elle jeta un œil en direction d'Evon, qui se tenait à bonne distance, mais ne perdait pas une miette de leur dialogue via les infrarouges. Autour d'eux résonnaient les voix des serveuses en uniforme rose, qui lançaient leurs commandes au chef de ce ton caractéristique où domine une lassitude désappointée, commune chez certaines femmes face aux performances masculines. Si Judith avait appris une chose, à la rude école de la vie, c'était que l'argent c'était de l'argent, et qu'on n'en avait jamais trop. Après une seconde de réflexion, elle fit donc main basse sur les cinq billets verts, qu'elle roula en boule dans son poing et, d'un revers de main, fit signe à Robbie de décarrer, en dépit de l'insistance avec laquelle il tâchait de lui faire promettre d'en parler à son frère.

Quoi qu'elle ait pu dire à Sherman par la suite, le message ne dut cependant pas passer, car Crowthers ne manifesta nullement l'intention d'établir le contact avec Robbie. Au contraire : lorsque Robbie comparut devant lui pour le dossier qui avait été transféré du bureau de Gillian Sullivan, Crowthers le fusilla d'un regard furibond et, sans autre explication, accepta la motion de non-lieu standard, présentée par McManis.

« Normal ! lança Stan après coup. Il vous assassine à cause de la dernière enveloppe. »

Ce qui était plus que vraisemblable, quoiqu'un bon avocat eût aussitôt prétendu que le juge n'avait fait que trancher à vue dans cette affaire, un peu comme il l'avait fait pour le dossier King. Et il planait désormais une hypothèse bien plus inquiétante, pour rendre compte de la conduite de Sherman : il savait. Si Walter avait accordé foi aux soupçons de Carmody, s'il avait fait circuler l'information... voilà qui aurait expliqué d'une part la colère de Sherman et d'autre part l'empressement avec lequel il s'était prononcé contre Feaver.

Dans un cas comme dans l'autre, convinrent Sennett et McManis, Robbie devait tenter d'obtenir un rendez-vous avec le juge. Ils n'avaient plus grand-chose à perdre. Vu les soupçons qui s'accumulaient contre Evon, ils n'avaient plus guère le temps de temporiser, et, en l'état, le dossier qu'ils avaient réuni contre Sherman était trop mince pour espérer obtenir son inculpation. Jamais Judith n'accepterait de témoigner contre son propre frère, et les pirouettes de Walter autour de Malatesta ne pouvaient que souligner l'impossibilité où ils étaient de présenter un versement à un intermédiaire comme la preuve infaillible de la culpabilité d'un juge. Amari et son équipe n'avaient jamais pu établir le lien entre l'argent remis par Robbie à Judith et le juge Crowthers. Judith avait certes donné rendez-vous à son frère, mais on ne pouvait pas demander à un jury de trancher à partir de ce genre d'argument. Le frère pouvait avoir rencontré la sœur pour un million d'autres raisons.

Le jeudi 6 mai, Robbie se présenta dans la petite antichambre qui servait de hall d'accueil au bureau du juge, et demanda à le rencontrer. Le gabarit de Sherman et son tempérament flamboyant constituaient un risque supplémentaire. Il était impossible de prévoir ses réactions, face à ce qu'il risquait de percevoir comme un piège ou une provocation. Evon s'était donc postée près de la porte de la chambre, équipée de son oreillette et de son système à infrarouges, tandis que nous nous tenions aux aguets, Stan, McManis et moi, dans l'estafette garée sur Sentwick Street, l'une des rues qui longent le tribunal.

Les éclaireurs d'Amari avaient confirmé que Crowthers était dans son bureau. Au bout de plusieurs minutes d'attente, dont Robbie profita pour nous siffloter sa version de la bande son du *Fantôme de l'opéra* dans une version quasi intégrale, la secrétaire de Sherman vint lui annoncer que le juge allait le recevoir. La basse profonde de Crowthers coupa court aux salutations enthousiastes dont Feaver accabla le juge.

« Eh bien, Mr Feaver... Qu'est-ce qui vous amène ? »

Robbie eut un moment d'hésitation.

« C'est que, euh... c'est tout à fait... euh, personnel, monsieur le juge. Je voulais simplem...

— Feaver, je ne rencontre jamais les avocats en tête à tête. Voilà pourtant un certain nombre d'années que vous pratiquez ce tribunal, il me semble. Vous devriez être au courant, depuis le temps. Je demande toujours à ma secrétaire, Mrs Hawkes, ici présente, d'assister aux entrevues, ou du moins de rester à son bureau qui se trouve juste de l'autre côté de cette porte, qui reste entrouverte. N'y voyez rien de spécialement dirigé contre vous, c'est simplement ma façon de faire et je m'y tiens. »

« Mon œil ! » articula silencieusement Sennett, assis en face de moi et comme toujours, tiré à quatre épingles. Robbie, qui n'avait jamais eu personnellement affaire à Crowthers, fut manifestement pris de court.

« Eh bien... Monsieur le juge, en ce cas, vous me voyez terriblement embarrassé, mais...

— Vous n'avez aucune raison de l'être. Contentez-vous de me dire ce qui vous amène. »

Sur une inspiration soudaine, McManis tira son téléphone portable et composa le numéro du cabinet de Crowthers. La sonnerie retentit sur l'enregistrement du FoxBite, mais Mrs Hawkes ne se précipitait pas pour décrocher – lorsque Robbie eut à son tour une illumination.

« Eh bien, Votre Honneur, figurez-vous que j'ai reçu ce matin à mon bureau la visite d'une jeune dame. Et il semblerait qu'elle veuille déposer une plainte contre vous, Votre Honneur. En recherche de paternité. »

Mrs Hawkes réagit la première, en poussant un couinement aigu, comme si elle avait été victime d'un pinçon mal placé.

« Une plainte en recherche de paternité ! tonna Crowthers. Qui est-ce ? Qui est cette sangsue qui espère me faire cracher au bassinet ? Une minute.... inutile que Mrs Hawkes reste écouter ça. Ça ne présente pas le moindre intérêt pour vous, Mrs Hawkes. Vous pouvez disposer. Et surtout, croyez bien qu'il n'y a pas un mot de vrai dans tout cela ! Nous allons immédiatement tirer l'affaire au clair avec Mr Feaver. »

La porte se referma dans un claquement assez sonore pour suggérer la mine outrée qu'avait dû prendre l'intéressée.

« Je suis absolument navré, monsieur le juge... » La voix de Robbie s'était faite plus ténue. Il devait s'être rapproché du gros bureau chargé de paperasses derrière lequel trônait Crowthers. « Voilà plusieurs semaines que je tente de vous joindre. J'ai des explications à vous fournir... vous savez... concernant l'affaire King. Vous vous souvenez, ce cadre envahissant qui harcelait son ancienne secrétaire... »

Il attendit vainement une réponse. Crowthers se contenta de s'éclaircir la gorge.

« Vous voyez... monsieur le juge. L'affaire est vraiment délicate. Je sais que vous n'avez pas vu revenir ce que vous en attendiez, mais la plaignante – ma cliente, cette Miss King... eh bien, elle n'avait pas signé de convention, pour mes honoraires. Je pensais que mon assistante s'en était chargée, et, de son côté, elle croyait que je la lui avais fait signer – et résultat, je me retrouve sans convention. D'ailleurs, incidemment, juge... cette personne n'est pas tombée de la dernière pluie. Elle sait parfaitement ce qu'elle fait. Elle a déjà engagé un autre avocat, qui me menace de porter l'affaire devant le conseil de l'Ordre, si je refuse de lui verser la totalité de l'argent. C'est vraiment la reine des emmerdeuses, monsieur le juge. Je lui ai proposé un contrat standard implicite, et elle a dit : "OK. Mais pas plus de trois cents dollars de l'heure. Envoyez-nous votre facture." Vous imaginez ça, monsieur le juge... Je lui ramène un chèque de cinq cent mille dollars de dommages et intérêts, et elle chipote sur mes heures de boulot ! »

Silence. J'imaginais la scène. Crowthers et sa monumentale personne, planté derrière son grand bureau, les yeux levés vers Robbie, les narines dilatées et palpitantes de colère, comme celles de nos lointains ancêtres. À la place de Robbie, n'importe qui aurait pris ses jambes à son cou, mais il poursuivit comme si de rien n'était, distillant laborieusement ses explications, pour s'excuser d'avoir lésé le juge.

« Bref, si j'arrive à me faire cinq mille dollars, sur ce coup-là, ce sera déjà un miracle. Qu'est-ce que je peux faire de mieux, Votre Honneur ? Ce qui explique que je n'aie laissé à votre sœur qu'une enveloppe réduite. Entre vous et Judith, si vous enlevez les impôts et les frais généraux, c'est vous deux qui raflez la mise – si j'ose dire... Moi, il ne me reste plus que des clopinettes. »

Silence. Pas même un grognement qui aurait pu passer pour une approbation. Rien. Confronté à un tel enregistre-

ment, un avocat aurait eu beau jeu de mettre en doute la
présence même du juge, et de prétendre que Robbie, dans
une tentative désespérée d'améliorer son propre score et d'al-
léger sa sentence, avait débité cette petite tirade seul face à
un mur.

Près de moi, McManis fit dans un souffle : « Il est grillé. » Sennett hocha la tête.

Mais le pire restait à venir.

« Qu'est-ce que c'est que toutes ces conneries ? tonna
tout à coup Crowthers. Quel genre de micmac vous me
balancez, là ? De toute ma vie, je n'ai jamais entendu un tel
amas de conneries ! »

Jim lui-même poussa un gémissement en entendant
cette repartie. Comme avec Malatesta, Robbie avait pour instruction de couper court si le juge commençait à tout nier en
bloc. La veste de Robbie racla brusquement contre le micro,
tandis qu'il battait en retraite vers la porte.

« Exact, monsieur le juge. Vous avez tout à fait raison.
Difficile de faire plus bête. Je suis le premier à le reconnaître,
et je me rachèterai la prochaine fois – juré, craché ! Et surtout, ne vous inquiétez pas pour votre secrétaire, là... pour
Mrs Hawkes. Je vais lui dire que c'était une erreur, et tout et
tout. Seigneur... mais qu... Quoi ? »

Une note d'effroi avait résonné dans la voix de Robbie.
Il y eut un bruit de ressorts, et le fracas que fit le fauteuil du
juge en percutant le mur nous donna une idée de la violence
du choc.

« Quoi, quoi ? répéta Robbie. Mais que... »

L'impact de la chair contre la chair était reconnaissable
entre mille. Crowthers avait dû lui en retourner une, et une
bonne. Le micro fut violemment malmené, tandis que Robbie vacillait sur ses bases en lâchant un cri presque aussitôt
étouffé. Il tenta de reprendre la parole, mais Sherman l'avait
empoigné, peut-être par la gorge. Plié en deux, Jim se rua
vers la cabine pour ordonner à Amari d'alerter les unités de
renforts. Entre-temps, les gargouillis étranglés qu'émettait
Feaver et le martèlement de ses bottes sur le sol donnaient
à imaginer que Sherman l'avait soulevé puis traîné à terre.
Une porte claqua avec un bruit curieusement caverneux,
puis on entendit en arrière-plan un crépitement sourd, une
sorte de rumeur qui tenait de la friture.

« T'es qui, toi ? » C'était la voix de Crowthers dans un

murmure rageur, atténué par ce bruit qui persistait en arrière-plan.

« Un bruit d'eau, fit Amari, à l'avant.

— Seigneur ! Il l'a traîné dans les toilettes ! »

Jim sortit son téléphone cellulaire de sa poche, et composa un numéro – celui du beeper d'Evon, me dis-je, pour l'envoyer au secours de Feaver.

Ils devaient être serrés comme des sardines, dans la petite salle de bains qui jouxtait le cabinet du juge. J'avais eu maintes fois l'occasion de voir l'intérieur de ces cagibis, à peine assez grands pour une seule personne – et, à plus forte raison, pour quelqu'un du gabarit de Sherman.

« Écoute un peu, là ! fit le juge. Qu'est-ce que t'es venu fiche ici, dans mon cabinet ? Rappelle-moi ton nom – Jojo le Bavard... ? Je te croyais vraiment plus futé. Je ne veux pas en entendre parler, moi, de toutes tes conneries !

— Je ne voulais pas vous mettre en colère, monsieur le juge. » Une vague de soulagement parcourut l'estafette, lorsque nous reconnûmes la voix de Robbie. « Je tenais seulement à m'assurer que vous ne le preniez pas trop mal.

— Je le prends comme je le prends, c'est mon problème ! Mais ce qui me hérisse par-dessus tout, c'est ce genre de sketch. Laisse tomber toutes ces conneries. Si j'ai quelque chose à dire sur la manière dont tu t'occupes de tes oignons, je te le ferai savoir. Et maintenant, j'espère que c'est pigé ?

— Oui, monsieur.

— La prochaine fois, débrouille-toi pour faire ton boulot – vu ?

— Oui, monsieur.

— Point final – et ne reviens jamais me servir ce genre de salade. » Il ajouta un ton plus bas : « Y a de quoi nous foutre tous les deux dans le pétrin – tous les deux ! »

Sennett me jeta un bref coup d'œil.

Dans le pétrin. Nous savions l'un et l'autre que ce genre d'expression suffisait à remporter l'adhésion d'un jury. Les semelles de Feaver résonnèrent sur le carrelage, mais la voix de Crowthers s'éleva, à nouveau, impérieuse :

« Referme-moi cette porte ! Qui t'a autorisé à sortir ?

— Personne, monsieur le juge.

— Approche. Viens ici. Ici, je te dis ! Qu'est-ce que c'est que cette histoire avec ma sœur ? "Entre moi et Judith..." qu'est-ce que ça voulait dire ?

— Je vous demande pardon, monsieur le juge ?

— T'as très bien entendu. Fais pas cet air empoté – ça ne marche pas avec moi crétin de Blanc. Combien tu lui as donné ? »

Feaver en resta sans voix, abasourdi par ce qu'impliquait la question. Crowthers se répéta : « Alors – combien ?

— Cinq, Votre Honneur.

— Cinq quoi ? Cinq dollars ?

— Cinq cents, juge – cinq cents pour elle et deux mille pour vous.

— Elle a touché le quart de ce que tu m'as donné ? C'est qui, le juge, ici ? C'est moi, non ? Il y a un truc qui ne tourne pas rond, dans ton histoire !

— Eh bien... je vous ai déjà expliqué l'affaire, Votre Honneur. C'était pour pouvoir vous parler. Pour avoir l'occasion d'arrondir les angles, de m'excuser. Les cinq cents dollars étaient strictement de ma poche.

— Et alors ? La seule chose que ça nous prouve, c'est qu'elle n'est pas vide, cette poche, n'est-ce pas ? »

Feaver émit un gargouillement de surprise tout à fait audible, mais qui cadrait parfaitement avec son emploi.

« Vous savez ce que c'est, monsieur le juge. Je veux dire... j'ai des frais, un cabinet à faire tourner...

— Ah, merde ! Pour qui tu me prends, là ? Pour un boy, dans une plantation de tabac ?

— Ça, certainement pas, monsieur le juge.

— Alors comme ça, tu viens faire ton numéro, sous mon nez, dans mon propre bureau. Ça va te coûter cher – mmh-mmh, fit-il comme pour lui-même. Tu vas retourner voir Judith, et tu lui apporteras autant que tu lui en as déjà donné – c'est compris ?

— Parfaitement, monsieur le juge.

— Et t'avise pas de revenir me débiter ce genre de conneries ! D'ailleurs, maintenant que j'y pense, remets-lui donc la somme que t'aurais dû lui remettre.

— Bon Dieu, Votre Honneur, huit mille dollars de plus ?

— Non, DIX mille ! Et si tu continues comme ça, ça va faire vingt-cinq mille avant que je te laisse sortir de ces chiottes. Et t'avise surtout pas d'aller pleurnicher auprès de Dieu sait qui. Je ne veux plus jamais entendre parler de tout ça, que ça reste entre nous, comme une bourde idiote à laquelle personne ne fera plus la moindre allusion. Venir dans mon bureau me raconter ce genre de conneries ! » explosa Crowthers. Il était vraiment hors de lui.

En sortant, Robbie arrangea le coup avec Mrs Hawkes. « Vous parlez d'un quiproquo ! » s'exclama-t-il. Il venait d'appeler sa secrétaire sur son portable, et l'affaire n'avait rien à voir avec Crowthers. Sa cliente avait parlé d'un Carruthers... vraiment rien à voir... !

Mrs Hawkes éclata de rire. Elle se disait bien qu'il y avait erreur quelque part...

« Le juge a la tête un peu près du bonnet, s'esclaffat-elle. Mais sur le plan moral, il est au-dessus de tout soupçon ! »

Quelques secondes plus tard, nous entendîmes une nouvelle claque, assez comparable à la première, mais, après un sursaut d'angoisse, je compris qu'Evon, qui avait suivi toute la scène depuis le couloir grâce à son oreillette, venait de donner à Robbie, ou de recevoir de lui, le « high five [1] » de la victoire. Stan avait bondi de son strapontin métallique, et, quoiqu'à demi courbé, exécuta une petite gigue au premier feu rouge. « Extorsion de fonds caractérisée ! » chantonnait-il.

J'avais, pour ma part, un peu de mal à partager l'allégresse générale. J'avais beau être le fils d'un homme qui avait tenté, en 1957, d'ouvrir aux Noirs le barreau de notre comté, ce qui lui avait valu l'étiquette infamante d'agitateur racial, j'avais néanmoins grandi dans la culpabilité que m'inspiraient nos mœurs et le racisme qui les sous-tend. Comme tant de mes camarades, j'avais fait le vœu de vivre dans un monde meilleur, et j'avais eu le cœur brisé en découvrant le nom de Sherman dans la liste de Robbie. Mais ça ne m'avait qu'à moitié surpris. Sherman était d'un cynisme féroce, et j'avais essuyé quelques années plus tôt le même genre de déconvenue avec l'un de mes amis, Clifton Bearing.

Clifton, le premier Noir américain à avoir signé des articles dans la Law Review, avait fréquenté avec moi les amphithéâtres d'Easton. C'était un jeune avocat surdoué, charmant, superbe, conscient de ses perspectives d'avenir, qui étaient immenses. Son père était simple flic à Kindle County, et Clifton avait toujours eu un pied dans chaque camp – par sa famille, avec les progressistes qui se battaient pour les droits civils, tout comme avec le gratin de l'establishment politique local. Il avait été élu comme conseiller

---

1. Geste de salut ou de félicitations, où les deux personnes se tapent réciproquement dans les mains – (*NdT*).

municipal à Redhook, dans le North End, et, à la mort d'Augie Bolcarro, certains voyaient déjà en lui un candidat sérieux à la mairie. Quand tout à coup, quelques semaines après l'accession de Sennett au poste de procureur fédéral, éclata une affaire de corruption. Il y eut une enquête, et je commençais à entendre murmurer le nom de Clifton. Il était tombé dans le piège de la technologie. Il était venu à un rendez-vous dans une chambre d'hôtel bourrée de micros. Là, il avait accepté un pot-de-vin de cinquante mille dollars pour appuyer un changement dans la répartition des zones d'urbanisation, en faveur d'un prétendu promoteur qui se révéla être une taupe du FBI, et qui, au cours de l'entrevue, amena Clifton à tenir des propos plus que compromettants. Non content d'empocher les cinquante mille dollars en promettant de régler le problème des zones d'urbanisation, il précisa que la prochaine fois qu'il rendrait ce genre de service à son obligé, il lui serait agréable qu'il prévoie d'inviter une fille dans la chambre d'hôtel, pour le repos du guerrier – et, pour sceller son sort, il avait ajouté ce mot impardonnable : « Blanche », avait-il dit.

Lorsqu'il fut condamné, il me demanda de le représenter en appel. Je me rendis au parloir de la prison, et, en le voyant dans sa combinaison orange, ce fut plus fort que moi – je lui posai la question dont je m'étais promis de m'abstenir : Pourquoi ? Pourquoi lui ? Pourquoi... avec tous les atouts qu'il avait en main. Pourquoi avoir tout anéanti ? Il me lança un regard solennel, et me dit : « Parce que c'est comme ça que ça passe. Ça c'est toujours passé ainsi, et maintenant, c'est bien notre tour. Notre tour ! »

Je savais que, si j'avais posé la même question à Sherman Crowthers, j'aurais obtenu de lui une réponse similaire. Le ton aurait été plus brusque et plus désobligeant. Sherman ne se serait sans doute pas gêné pour railler ma naïveté – comment pouvais-je être assez bête pour me figurer qu'il puisse en aller autrement ? Mais, en dernière analyse, ses explications couleraient de la même source : cette injustice qui consistait à exiger d'eux qu'ils se conduisent mieux que les générations successives de Blancs qui ont été investis des mêmes pouvoirs, et qui les ont abondamment détournés à des fins personnelles.

Évidemment... Quoi de plus logique ? J'avais cependant eu du mal à en croire mes oreilles, lorsque j'avais entendu la réponse de Clifton. Je n'arrivais pas à me convaincre qu'un homme aussi brillant et aussi avisé que lui puisse ainsi se détourner de toutes les valeurs morales dont je savais qu'elles étaient les siennes pour exercer, presque comme s'il s'en faisait un devoir, un privilège dont ses pareils avaient longtemps été écartés.

Il n'avait même pas compris les ficelles les plus élémentaires de ces Blancs corrompus qu'il pensait imiter. Les Tuohey s'entouraient de multiples remparts protecteurs, de dispositifs de sécurité, de sas, d'intermédiaires. Jamais ils n'agissaient de façon directe et personnelle. Ils se ménageaient toujours des voies de repli. Ils étaient retors et arrogants, ô combien ! – mais jamais jusqu'à l'effronterie. Comment Clifton avait-il pu s'aveugler à ce point ? L'image qu'il se faisait du pouvoir blanc n'était qu'une caricature, mais c'était bien l'idée qu'il s'en faisait, et je n'étais guère moins aveugle, moi qui n'avais jamais pris la mesure de son isolement. Car, en dépit de ses immenses talents, il était irrémédiablement seul. La véritable fracture de notre continent, celle qui sépare les Blancs des Noirs, s'était brusquement creusée entre nous, et, malgré l'amitié qui nous liait depuis trente ans, nous demeurions chacun sur une rive. Je voyais Clifton sombrer dans ce gouffre qui se préparait à l'engloutir, lui et le brillant avenir auquel il était promis.

Et voilà que Sherman prenait le même chemin. Jusque dans sa chute, il semblait plus fier et plus heureux que jamais. Il ne s'était départi ni de son orgueil ni de son assurance. Pire : il ne soupçonnait même pas d'y avoir sombré, entraîné par ces mêmes forces qu'il s'était si longtemps flatté d'avoir seul réussi à comprendre et à dompter.

27

En dépit des quelques succès épars que remportait l'opération Petros, le moral de Robbie semblait en chute libre, à cause, principalement, de la détérioration de l'état de santé de sa femme. Le lendemain de cette mémorable confrontation avec Crowthers, en milieu d'après-midi, il reçut un coup de fil alarmant, et annonça à Evon qu'il devait rentrer chez lui. Comme elle ne pouvait toujours pas le laisser sans surveillance, quelle qu'en fût la raison, elle lui emboîta le pas en direction du parking où les attendait la Mercedes.

Le déclin de Lorraine semblait s'accélérer de jour en jour. Le mois précédent, comme elle commençait à perdre les mouvements de la déglutition, on l'avait hospitalisée pour lui poser une sonde gastrique améliorée – un petit bouton de plastique qui permettait de lui injecter directement dans l'estomac des aliments liquides. L'opération était des plus simples, mais Rainey en avait été éprouvée et n'avait pas réussi à remonter la pente. La plupart de ses fonctions corporelles étaient à présent soit annihilées, soit gravement compromises.

Sa parole était devenue totalement inintelligible, y compris pour Robbie ou pour Elba. La malade avait quelque temps utilisé un tableau avec des lettres qu'elle désignait de sa main droite, qui gardait encore une bonne mobilité, mais, la semaine précédente, ils s'étaient finalement résignés à mettre en service le synthétiseur vocal. Il avait suffi à Lorraine de quelques jours pour maîtriser le logiciel qui lui permettait de sélectionner les mots dans différentes arborescences de vocabulaire, mais le matériel s'était montré capricieux. Il avait fallu faire remplacer l'appareil, et le nouveau module qu'on leur avait livré pendant le week-end – et

qui, lui, fonctionnait correctement – avait une voix masculine. Robbie avait été désagréablement surpris de constater
que la parole de sa femme, loin d'être restaurée par le synthétiseur, avait été au contraire bâillonnée, car transmuée
en cet enchaînement de bêlements plats et monotones qui
semblaient produits par un androïde masculin. Le rythme
artificiellement calme de la parole synthétique donnait à
Lorraine le sentiment d'être encore plus handicapée qu'auparavant.

« Et au beau milieu de tout ça, grommela Robbie,
comme ils étaient dans la Mercedes, devinez qui débarque
de Floride ? Ma belle-mère ! Elle a pris l'avion pour venir
passer le week-end avec nous, et vous savez... on pourrait
croire que la présence des parents est un réconfort – mais
nous, on n'a qu'une hâte, c'est de la voir repartir. Elle n'avait
pas mis le pied dans la chambre de Rainey, qu'elle était déjà
en larmes. Ça fait deux jours qu'elle n'arrête pas... Elle s'accroche à mes basques en pleurnichant : "Robert... mon
pauvre Robert ! Je ne demande pas mieux que de vous aider
mais, comprenez-moi... Tout ça me déchire le cœur. Je ne
peux pas supporter de la voir comme ça." Vous voyez le
genre. Elle croit qu'il suffit de ne pas regarder pour que ça
cesse d'exister – Seigneur ! »

Ils étaient arrivés. Robbie gara la voiture devant la maison, et se tourna vers Evon. « Vous voulez bien venir la voir
avec moi ? Juste une seconde. Dites-lui que l'appareil
marche bien, que la voix n'est pas si mal. Vous voulez bien ?
Jusqu'à présent, sa mère a éclaté en sanglots chaque fois
qu'elle a essayé de lui parler. »

Elle se sentit moins terrorisée que la fois précédente,
mais l'impression d'étrangeté qu'on avait en franchissant le
seuil de cette maison gardait quelque chose d'effrayant.
C'était comme de plonger du haut d'une falaise. Tandis que
là-haut se poursuivait la danse des bien-portants, au rythme
de leurs menus plaisirs, ici, dans ces profondeurs obscures
où flottaient des relents d'égout, c'était à chaque inspiration
que se jouait la lutte opiniâtre pour la survie. Le moindre
souffle était une bataille.

« Touchez-la, lui glissa Robbie. Elle aime être touchée.
Prenez-lui la main pour lui dire bonjour. »

Evon eut un bref frisson. Elle craignait déjà que sa présence ne provoque une autre de ces pénibles séances entre
Robbie et sa femme, mais il avait déjà tourné au coin de la

porte pour s'engouffrer dans la chambre encombrée d'appareils. Rainey était sous la surveillance de son infirmière.

« Bonjour, les petits enfants ! claironna-t-il. Ça va bien ! ! ? » Toute son inquiétude semblait envolée. Il brillait comme un sou neuf.

Ces derniers jours, Rainey dormait sur un matelas à eau, où elle se reposait mieux. À côté du lit s'amoncelait un tas de boîtes de pilules : somnifères, antispasmodiques... Evon repéra le fauteuil électrique Barcalounger où Rainey s'installait parfois dans la journée. La malade reposait, inerte, dans ses couvertures, qui demeuraient étrangement bien bordées autour d'elle. Evon s'approcha à pas comptés, et prit dans la sienne sa main glacée. Sa peau avait la consistance sèche d'un fin papier crêpon. Sa chair avait perdu toute vigueur. En lui touchant la main, elle pouvait sentir ses os qui étaient comme pris dans cette gelée molle.

« Com-ment. Al-lez. Vous », fit le robot mâle qu'était devenue Rainey.

Evon tâcha d'alimenter la conversation : quelle amélioration ! Tout allait être plus facile... ! Mais elle avait capté, sans erreur possible, ce qui était advenu dans cette maison pendant ces derniers jours, et la vraie cause n'en était ni la mise en service de l'appareil ni même l'inopportune arrivée de la mère de Rainey. C'était le début de la fin. Lorsque Evon avait rencontré Lorraine, moins de trois mois plus tôt, il lui avait semblé inimaginable qu'un corps humain puisse se détériorer davantage, mais c'était pourtant ce qu'avait fait celui de Lorraine. On aurait presque pu voir son énergie refluer d'elle, comme d'une feuille détachée de sa branche. Les explications de plus en plus précises que lui donnait Robbie lui laissaient subodorer, de plus en plus nettement, l'imminence de ce qui se préparait. Le haut du corps de la malade perdait toute force à une vitesse alarmante. Ses muscles respiratoires ne tarderaient pas à la lâcher complètement.

Certains patients renonçaient à survivre à ce stade de la maladie. Mais on pouvait recourir à un système de ventilation mécanique. À des appareils qui feraient entrer l'air pour elle dans ses poumons. Il en existait même une version portable, que l'on pouvait adapter à son fauteuil électrique pour lui laisser une certaine mobilité. Mais restait le point critique. La décision. Une fois que la ventilation des poumons de Rainey serait automatiquement assurée, il n'y avait plus de limite. Elle pouvait survivre ainsi un certain temps, dans l'attente de l'affection opportuniste qui finissait par emporter la plupart des patients ventilés, ceux qui survivaient au-delà du point où la plus infime impulsion volontaire avait déserté leur corps. Les patients finissaient totalement inertes, avec des compresses de gaze posées sur leurs yeux qui ne cillaient plus. Les infirmières venaient les leur humecter toutes les cinq minutes. Privées de liquide lacrymal, les membranes fragiles de la cornée ne devaient pas sécher au contact de l'air, sous peine d'une affreuse souffrance. Ces gens étaient encore de ce monde, ils voyaient, sentaient, entendaient et souffraient – privés de tout moyen de communiquer leur souffrance.

Rainey et Robbie étaient convenus de vivre les choses au jour le jour. Il lui avait demandé de survivre le plus longtemps possible. Il ne supportait pas de voir s'achever sa vie, et le lui avait dit sans détour, avec une telle vigueur et une telle conviction que nul n'aurait pu y soupçonner une ultime galanterie, destinée à écarter d'elle la corvée de s'accrocher égoïstement à l'existence. Mais, bientôt, Rainey allait devoir trancher : voulait-elle, oui ou non continuer à lui faire ce plaisir.

Pour le moment, et comme d'habitude, Robbie s'empressa de souligner le côté positif des choses : « Vous vous rendez compte qu'elle peut téléphoner ! Voilà plus d'un mois qu'elle ne pouvait plus le faire. Qui as-tu appelé aujourd'hui, ma chérie ?

— Fatigue, répondit la voix. Trop. Fatiguée. Ma mère. M'épuise.

— Eh, ouais ... » fit Robbie.

Ils parlèrent du temps, et de l'arrivée du printemps, qui se faisait attendre. Evon se pencha vers Rainey pour regarder le pommier qu'elle voyait de sa fenêtre, une grosse masse de flocons roses. Mais Rainey était visiblement à bout de forces. Après quelques minutes, Evon eut le sentiment que sa présence devenait indésirable. Elle prit congé. Rainey leva deux doigts de sa main qui bougeait encore, pour lui dire au revoir.

« Je raccompagne Evon à sa voiture – ensuite je te ferai ton massage, et on pourra peut-être finir l'acte quatre. » En descendant le grand escalier, Robbie lui expliqua qu'il massait Rainey chaque soir, de la tête aux pieds. C'était devenu une sorte de rituel, puis il lui faisait la lecture, parfois pendant des heures. « Nous choisissons les textes à tour de rôle. Quand c'est mon tour de choisir, je préfère les pièces. J'aime camper les personnages, passer de l'un à l'autre. En ce moment, nous terminons *Le Songe d'une nuit d'été*. Ensuite, ce sera son tour de choisir.

— Mais, c'est du Shakespeare, non ? risqua Evon.

— Pourquoi ? Vous pensiez qu'il n'y avait pas assez de place pour Shakespeare dans une petite cervelle comme la mienne ?

— Je n'ai jamais dit ça.

— Mais vous l'avez pensé si fort – eh bien, détrompez-vous. L'an dernier, nous avons lu *Tartuffe*, *De l'Importance d'être constant*, et *L'homme qui est venu dîner*. Nous adorons ça. Et de temps en temps, pour varier les plaisirs, je lui lis un roman. Elle a une passion pour les thrillers juridiques... » Il lui montra, sur une table, le prochain ouvrage qu'il se proposait de lui lire. *Circonstances exténuantes*. Sa belle-mère, qui avait décidément la main malheureuse, leur avait apporté un certain nombre de bouquins dont ils n'avaient que faire. Des manuels de développement personnel, et même des livres pour adolescents, abondamment illustrés.

« Si seulement elle était un peu moins empotée, cette pauvre Betty ! C'est pas que je ne l'aime pas, ma belle-mère – ça non. Elle ne ferait pas de mal à une mouche. C'était une petite midinette du South End qui a cru avoir déniché le prince charmant en la personne de cette épave qu'était le père de Lorraine. Lui, pour le coup, c'en était un vrai – un C-O-N pur jus – regardez dans le dictionnaire, y a sa photo, à côté du mot. Il était soi-disant agent immobilier, mais il s'était acheté un bateau et il ne vivait plus que pour ce putain de rafiot. Pour les poissons qu'il pêchait avec, les nanas qu'il s'envoyait dessus, et les semaines entières où il s'y écroulait, sans débourrer. Pour lui, ce qui ne se passait pas sur l'eau, ça n'existait pas.

« Bref, il avait épousé la mère de Lorraine parce que c'était le genre de fille que sa mère à lui aurait voulu le voir épouser. Juste après, il s'est mis à picoler. Enfin, elle aussi... ils faisaient ça ensemble. Imaginez un peu la baraque... ça devait puer le vieux cendrier et la bière éventée. À la naissance de Rainey, il s'est dit : la famille, c'est pas mon truc, et il a mis les voiles. Betty a fini par se remarier, ce qui n'était pas un mal en soi, mais Lorraine s'est retrouvée un peu perdue, au fil des chambardements successifs. Elle vivait avec les trois enfants du beau-père, mais celui-là... c'était pas le genre à casquer. Il exigeait que Neptune accoste, de temps à autre, histoire de payer quelques factures. Et vous pensez que tout ça n'allégeait pas l'atmosphère familiale. Elle a grandi là-dedans, dans ce fatras de tensions et de merdes. Enfin, je suppose que Betty a dû faire de son mieux – c'est du moins ce qu'elle dit. Mais elles le disent toutes, non ? Une chose de sûre, c'est que sa fille a morflé. Rainey n'allait pas bien du tout quand je l'ai rencontrée », poursuivit-il.

Ils étaient arrivés dans le vaste hall. Un immense lustre chargé d'innombrables babioles de cristal pendait au-dessus du grand escalier. Le sol était dallé de marbre de Carrare, et les murs tapissés de miroirs. L'inutilité de tout ce tralala, dérisoire de prétention, lui fit presque mal, sur le moment.

« Mais ça, je ne l'ai su qu'après. C'était mon époque héroïque. Je vivais dans le quartier des bars. Morty s'est marié à peine sorti de l'adolescence, mais moi, je n'étais pas du genre à me laisser si facilement mettre la corde au cou. J'aimais trop mes petites habitudes. Je travaillais comme un malade, et le soir je descendais dans mes rades favoris, où je m'en envoyais quelques-uns derrière la cravate, avant de me mettre en quête d'un bon petit coup à tirer – conformément à l'esprit de l'époque. Je passais d'une fille à l'autre. J'avais trente-quatre ans, et je n'avais jamais réussi à rester avec aucune plus de trois ou quatre mois, depuis ma sortie du lycée.

« Quand j'ai rencontré Lorraine, ça n'était qu'une fille de plus. Jolie, évidemment. Très jolie, même. Au point qu'elle semblait littéralement resplendir. Mais ça n'était pas la première. Loin de là. Des filles superbes, j'en avais connu un certain nombre. À ce moment-là, j'étais en plein dans ma période poudreuse... vous savez, c'était l'époque qui voulait ça. "Hey, baby... ! Viens chez moi, on va se faire une petite ligne." Et elle est venue. Elle me plaisait énormément. Un humour décoiffant, une intelligence éblouissante. Elle passait sa vie à tripatouiller dans les ordinateurs – mais figurez-vous qu'à l'époque, la majorité des gens ignoraient jusqu'à l'existence de ces trucs. Elle écrivait ses propres logiciels, elle vendait des programmes de gestion, tout ça. Et elle était si fine, si brillante, si agréable, qu'il m'a fallu un moment pour piger. Quand elle était avec moi, je la sentais tendue, comme sous pression. Elle riait toujours un peu trop fort, et parfois à contretemps. Je sentais en elle une sorte d'anxiété profonde, qui la minait. Mais pour ça non plus, elle n'était pas la première que je croisais. C'est souvent le cas, pour pas mal de femmes. Elles sont à la fois hystériques et crispées – le trip perfectionniste, voyez, et, purée... elle, elle me semblait vraiment approcher de la perfection, alors ça n'avait pas l'air si bizarre. Certains soirs, je me berçais d'illusions. Je me disais que c'était de la tension sexuelle, qu'elle se consumait littéralement d'impatience à l'idée de se retirer dans ma gar-çonnière en ma compagnie. Et, avec elle, le sexe, c'était quelque chose. Incroyable. Céleste. Le grand pied ! C'était apparemment le seul moment où elle parvenait à se détendre un brin. Mais en fait, ce n'était pas ça. Je ne sais pas au juste comment j'ai pigé. Quand vous en venez à mieux connaître quelqu'un, peu à peu, vous finissez par y voir clair. Et, sou-dain, une nuit qu'on était tous les deux écroulés sur mon lit – vous savez que j'ai toujours eu un don pour ce genre de sport – j'ai eu comme une révélation. Ce n'était pas pour moi qu'elle venait, ni pour mon charme ou mon esprit. Ni même pour mes draps de satin. Non. Elle était là pour la dope.

« J'en suis resté comme deux ronds de flan. Ça avait vraiment quelque chose de sciant, de vertigineux, tout ce qu'on peut ignorer chez l'autre. Voyez... imaginez ça. Vous avez une relation suivie avec une femme, vous la voyez régu-lièrement, et un soir que vous passez la prendre pour la soi-rée, vous trouvez un mot sur la boîte aux lettres : "Désolée – j'ai déménagé pour Tucson." Vous pouvez rigoler autant que vous voulez – et je préfère quant à moi en rire, mais ce genre de truc m'est arrivé, et plus souvent qu'à mon tour. J'avais donc eu amplement l'occasion de m'exercer à dire "tant pis", quand je ne pouvais pas dire "tant mieux", mais cette fois là, ça m'a foutu en l'air. J'ai fait la tournée de mes bars en pleurant dans ma bière. "La petite peau de vache ! Ce n'était pas avec moi qu'elle était, c'était avec ma poudre." Et les copains sont venus me soutenir le moral, évidemment. Eux, ils étaient au courant. C'est le genre de truc qu'on est toujours le dernier à savoir. Mersing – je vous l'ai présenté, non ? – il m'a vraiment achevé. "Putain, Robbie, tu tombes des nues, ou quoi ? Tu connaissais pas son surnom, Cocaïne Rainey – dite 'Lorraine des Neiges' ? Mais à part ça, hein... belle paire de nib ! ça vaut quand même le détour ! Toi non plus, tu devais pas sortir avec elle pour enfiler des perles, pas vrai, mon cochon !"

« Lorraine des Neiges. Effectivement, j'avais dû

entendre ça quelque part. Mais je m'étais imaginé que c'était à cause de son tempérament, parce qu'elle n'était, euh... pas très portée sur la chose, disons. Et moi, comme un con, qui me flattais d'avoir relevé le défi ! Qu'est-ce que vous voulez – on ne se refait pas...

« La vache ! Je ne sais pas ce qui m'a pris, mais je me suis dit, merde, y a un truc, là. Cette petite en a trop dans le caillou pour se farcir n'importe quel charlot sous prétexte qu'il a des plans de coke et qu'elle a peur d'aller s'en acheter toute seule... et franchement, à quelque chose près, c'était ça, le topo. Alors j'ai pris le taureau par les cornes : "Qu'est-ce que tu as dans la tronche ? Une fille intelligente comme toi ?" Elle a d'abord accusé le coup, puis elle s'est mise en boule, mais quand je lui ai sorti son surnom, Seigneur... elle a complètement craqué. Booo-hoo-hooo ! Les chutes du Niagara. Elle ne savait plus ou se mettre. Je vais t'aider à t'en sortir, je lui ai fait, comme si j'avais eu la moindre idée de ce à quoi ça m'engageait. Bref, je l'ai inscrite dans un Forest Hill, et j'ai payé la note. Six mois plus tard, on était mariés.

« Ça a été la meilleure des choses que j'aie jamais faites pour elle. Je suis devenu l'Homme qui lui avait Sauvé la Vie – c'était comme ça qu'elle m'appelait. » Il avait posé la main sur la poignée de la porte d'entrée, qu'il ouvrit. Son regard croisa enfin celui d'Evon. « Jusqu'au jour où je suis devenu celui qui la lui empoisonnait, bien sûr... »

28

Quand ma femme s'absente pour l'un de ses projets, j'ai tendance à camper dans ma tanière – un petit bureau jouxtant la cuisine, où je passe mes soirées confortablement installé dans un fauteuil, avec tout ce qu'il me faut à portée de main. Je m'y trouvais justement, lorsque la sonnette de ma porte retentit, vers les vingt-deux heures trente. Plusieurs jours s'étaient écoulés depuis la visite de Robbie à Crowthers. Par le judas, je reconnus Sennett qui battait la semelle sur mon perron. McManis se tenait à ses côtés, vêtu de sa veste de costume, mais sans cravate. Il secouait un grand parapluie noir. Mauvais signe, me dis-je – très mauvais signe ! D'ordinaire, Stan n'aurait jamais pris le risque de convoquer une réunion où nous aurions pu nous faire voir ensemble, tous les trois. Je fis jouer le verrou. Deux exécuteurs des hautes œuvres ne m'auraient pas lorgné d'un air plus sinistre.

« C'est grave ? leur demandai-je avant toute chose.

— Gravissime », répondit Stan.

Feaver avait-il encore fait des siennes... ?

« Non, fit Stan. Enfin... si. C'est seulement que "faire des siennes" me semble un peu faible. Tudieu ! George... tu vas nous laisser passer la nuit sur ton paillasson ? »

La colère elle-même semblait échouer à remplir sa fonction ordinaire, qui était de protéger Stan du désespoir. Son costume, dégoulinant de pluie, lui pendait sur le corps. McManis, lui, roulait des yeux désemparés. Il se fendit d'un pâle sourire en franchissant le seuil, mais se planta dans l'entrée, visiblement embarrassé. Ils acceptèrent sans se faire prier mon invitation à prendre un verre.

Stan fit longuement tourner son whisky au fond du sien. « Si vous lui montriez... » fit-il pour Jim – lequel me tendit un classeur rouge, dont je sortis un document. Il s'agissait, m'expliqua-t-il, d'une copie de la liste officielle des avocats inscrits au Barreau de cet État, et dont le nom commençait par « F ».

« Vas-y, fit Stan. Cherche celui de ton client ! »

Je parcourus la liste. En vain. « Pourquoi ? m'étonnai-je. Il n'a pas payé sa cotisation ? »

Stan me coula un regard de magma brûlant. Mon premier réflexe, tout professionnel, avait été de sauter sur la première excuse venue pour disculper mon client.

« Parce qu'il n'a jamais été avocat ! » tonna Stan.

Je m'esclaffai, évidemment. C'était énorme. Feaver avait dû s'inscrire sous un pseudonyme. Un nom de scène, peut-être... ou alors dans un autre État. Mais il devait y avoir une explication. Forcément. Ces derniers temps, je m'étais pas mal baladé dans le quartier du tribunal en compagnie de Robbie, et nous étions tombés sur une bonne douzaine d'avocats qu'il m'avait présentés comme d'anciens copains de promo.

McManis m'indiqua un autre document dans le classeur, mais Sennett perdit patience.

« Il a fait ses études à Blackstone, fit-il. Il figure bien dans la liste des anciens élèves, mais il n'a jamais obtenu son diplôme, ni son examen d'entrée au Barreau l'autorisant à exercer. Ni dans cet État, ni dans aucun autre. Nous avons passé la journée au téléphone. »

Après l'alerte rouge déclenchée par Carmody, il s'était demandé s'il serait facile de percer à jour la couverture de Jim, ce qui l'avait amené à consulter le répertoire des avocats inscrits au Barreau – puis, de fil en aiguille...

J'étais encore trop estomaqué pour me représenter toutes les implications de cette catastrophe.

« Ses implications ! explosa Stan. Ça veut tout simplement dire que chaque jour ouvrable, depuis une bonne vingtaine d'années, Robert Feaver a exercé illégalement. Qu'il a délibérément trompé son monde : ses clients, les juges, les jurys, toi et moi ; que chacun des documents qu'il a signés, chacune de ses motions et jusqu'à ses cartes de visite étaient des faux ; que toutes les sommes qu'il a empochées à titre d'honoraires ont été volées – et que tout ce que nous avons fait dans le cadre du projet Petros est probablement bon pour la poubelle, vu que la première règle que nous avait imposée l'UCORC, était de "ne commettre aucune fraude aux dépens des participants extérieurs innocents". Depuis plus de six mois, c'est toute une cascade de manœuvres frauduleuses que nous avons laissé perpétrer, pratiquement sous notre nez.

« Ça veut dire aussi, incidemment, que Robbie vient de griller sa dernière planche de salut. Que l'accord qu'il a passé avec nous était caduc dès l'origine, et que toutes les sombres prédictions que je lui ai faites, au cas où il essaierait de nous doubler, vont s'abattre sur lui avant même qu'il ait compris ce qui lui arrive. Il va se retrouver au trou, femme ou pas, et je l'y laisserai moisir jusqu'à ce que le dernier cheveu de sa putain de tête soit devenu blanc ! »

Sennett ferma les yeux et se vidangea vigoureusement les poumons. Peut-être s'était-il soudain rappelé que j'étais son ami, ou du moins que ce n'était pas mon client qu'il avait en face de lui. « Voilà ce que ça veut dire ! » acheva-t-il.

Certes, mais tout ça n'expliquait pas ce qu'était venu faire Stan dans ma tanière, alors que l'aiguille des minutes approchait insensiblement de minuit au cadran de l'horloge signée Howard Miller, suspendue dans un coin du bureau. J'avais une mission à remplir, de toute évidence. Et ils comptaient sur moi pour les tirer de ce mauvais pas.

* * *

« À la fac de droit, il y a un certain nombre d'UV obligatoires – comme vous savez. Droit civil, droit criminel, droit des contrats, du travail, des entreprises, etc. J'y étais régulièrement inscrit et je les ai toutes eues, quoique de justesse, pour certaines. Je jonglais avec mon emploi du temps, entre mes cours, le boulot de clerc que j'avais décroché dans un cabinet juridique et les petits rôles que je dénichais, dans la pub. Mais je les ai eues. Comme je disais à Morty, en rigolant – "Tu sais ce qu'on lui donne, au dernier de la promo ? Un diplôme !" »

Il leva les yeux, pour voir s'il était parvenu à me dérider, mais ne tira de moi qu'un mouvement de rotation de l'index vers l'avant, pour l'engager à poursuivre.

« Bon. Alors, j'arrive en dernière année. 1973 – l'année du Watergate. Et là, vlan ! Ils nous collent une nouvelle matière obligatoire. "Éthique du droit" – comme si ça avait pu arrêter Nixon ! Mais moi, je ne pouvais pas y aller, à ces cours d'éthique du droit. C'était le mardi et le jeudi, à quatre heures – deux des quatre après-midi où je bossais pour Peter Neucriss. En soi, c'était déjà un miracle, que j'aie réussi à avoir ce job. Plus beau que la multiplication des pains ! Un diplôme de la Blackstone Law School ? Ça ne vous donnait même pas le droit d'appuyer sur le bouton de la photocopieuse, chez Peter ! Mais j'avais fait sa connaissance dans un de mes bars favoris, sur la Rue des Rêves, et il avait dû flasher sur une de mes copines – ce qui explique qu'il m'ait donné ma chance. Et, pour moi, c'était plus grand, plus fort et plus beau que Broadway ! Parce que, si je faisais le poids, j'avais une chance de décrocher un job à plein temps comme co-associé dans le meilleur cabinet juridique de l'univers visible et invisible ! Je m'y voyais déjà : plaider de grandes affaires, me faire un max de blé, accéder au Panthéon. Pas question une seule seconde que je loupe deux des après-midi que je passais chez Neucriss pour aller à des cours d'éthique du droit ! Sans compter qu'au secrétariat de la fac ils n'auraient pas été foutus d'organiser un exercice d'alerte à l'incendie dans une cabine téléphonique ! Je me suis donc dit que ça passerait comme une lettre à la poste.

« Eh bien, j'ai eu tort. La semaine des examens, voilà que le doyen me siffle. "Robbie – Seigneur ! Qu'est-ce qu'on va pouvoir faire de vous... ! vous n'êtes allé à aucun de vos cours d'éthique du droit !" Si j'avais été le seul dans ce cas, il ne se serait pas gêné pour me faire redoubler mon année aussi sec, mais il se retrouvait avec une dizaine d'autres qui lui avaient fait le même coup – dont, béni soit-il, un type qui était troisième dans la promo. Alors, il nous a proposé ce marché : on pourrait assister à la remise des diplômes, et passer l'UV d'éthique du droit en automne. Ce qui voulait dire rédiger une sorte de mémoire, tout en passant l'examen d'admission au barreau. Correct, comme deal... Franchement, je l'aurais serré sur mon cœur, de gratitude, parce que la seule idée d'annoncer à ma mère qu'elle ne serait pas invitée à la remise des diplômes, alors que ses deux sœurs avaient déjà retenu leurs billets d'avion pour venir de Cleveland, c'était comme l'idée d'antimatière – totalement inconcevable !

« Pendant l'été, j'ai donc bossé pour Neucriss, qui n'avait pas encore promis de m'engager à plein temps, tout en suivant les cours d'éthique du droit et les cours de préparation à l'examen du barreau. Je ne savais littéralement plus où donner de la tête – pire qu'un petit lapin au printemps ! Quand, un beau jour, Peter décroche une affaire. Un truc énorme, l'un des premiers procès contre un pollueur industriel. Je travaille directement avec le patron – à la droite de Dieu le Père, autant dire – et j'ai même plus le temps de dormir. Alors, naturellement, j'en oublie mon mémoire d'éthique du droit. Je ne voyais qu'une chose, c'était que je me retrouvais propulsé directement au sommet, que je tenais la chance de ma vie, et que personne au monde ne m'empêchait de la saisir.

« Trois semaines avant l'examen d'admission au barreau, me voilà à nouveau convoqué dans le bureau du doyen. "Doux Jésus, Robbie ! Le département ne peut pas vous présenter à l'examen. Vous n'avez toujours pas votre UV d'éthique du droit !"

« J'ai tout essayé, pour l'attendrir. J'aurais donné l'un de mes organes et la moitié de mes revenus à vie, pour qu'il accepte d'apposer son petit tampon sur cette fiche bleue...

mais rien à faire. "Terminez d'abord votre mémoire. Vous passerez l'examen en décembre, avec le groupe qui a échoué à la cession de septembre."

« Alors, voyez... j'avais vraiment l'intention de le faire. Il n'était évidemment pas question d'annoncer à Neucriss que je n'avais pas mon diplôme. Et, de fait, tout s'est plutôt bien présenté, pour moi. Peter m'a pris pour une bête de boulot. À côté de mes deux collègues qui séchaient le bureau pour bachoter, à l'approche de l'examen, j'avais l'air d'avoir la situation bien en main. Je me suis même payé le luxe de venir travailler, l'après-midi des épreuves. Neucriss n'en croyait pas ses yeux !

« Alors, bon – je décroche le job. Et après... ? Les résultats de l'admission au barreau tombent. Tout le monde pavoise. Le 3 novembre, les trois nouveaux avocats frais émoulus de leurs facs – Robbie de Blackstone, et les deux super-cracks d'Easton et de Harvard – prennent leur après-midi pour aller prêter serment. La cérémonie consistait en un grand rassemblement, sur le vaste perron de la Cour Suprême – quelque chose comme huit cents gamins entassés sur les marches. Je n'ai eu qu'à lever la main avec les autres, à cette différence près que mes petits copains ont reçu par courrier un certificat les autorisant à exercer, et moi pas. Et voilà ce qui s'est passé ! »

Il se carra dans le fauteuil de cuir, en face de mon bureau. Il avait posé sur moi un regard à la fois assuré et candide, totalement vaincu par la manière dont il venait d'expliquer sa conduite. Il déclinait en bloc toute responsabilité pour ces milliers d'heures de travail qu'il venait de réduire à néant – les miennes, celles de Stan, d'Evon et des autres agents. Ainsi que pour le danger et la souffrance auxquels ils s'exposaient, lui et sa femme. Le Robbie que j'avais appris à connaître et à apprécier devait s'être momentanément absenté, comme si son esprit avait fui son corps, pour se cacher dans quelque recoin sombre de la pièce. Ma réaction ne lui avait pas échappé. Il fit la grimace et laissa son regard s'échapper par la fenêtre.

« Je suis vraiment navré, fit-il. Vous savez ce que c'est, quand on est jeune... On se laisse embringuer dans des trucs qui vous dépassent et qui reviennent vous hanter. Je n'étais qu'un gamin, à l'époque... »

Peut-être, répliquai-je. Mais ça faisait un certain temps

qu'il n'en était plus un, et ça ne l'avait pas empêché de passer tout ça sous silence.

Il porta la main à sa tempe, en un geste d'autodéfense. Il n'était pas encore huit heures du matin. Il parut se plonger dans la contemplation de la lumière qui effleurait la façade des grands immeubles, au bord du fleuve, comme une caresse. N'importe quoi, plutôt que d'affronter mon regard.

Je lui demandai si sa femme était au courant.

« Personne ne le sait. Personne. »

Je me rabattis sur la première pensée réconfortante qui me passa par la tête... mes notes d'honoraires avaient été réglées rubis sur l'ongle... D'ailleurs, ce n'était pas le fait du hasard, si nous nous retrouvions ainsi, lui devant mon bureau, dans le fauteuil du client, et moi derrière. Et ce n'était certes pas la première fois que j'étais confronté à ce genre de pépin. Quoique nettement moins graves, tous ceux que j'avais essuyés jusque-là étaient d'une nature à peu près similaire : j'avais vu des clients perdre leur procès en s'efforçant de cacher des biens qui faisaient l'objet d'une saisie ; un chef d'entreprise qui, ayant obtenu un an de mise à l'épreuve en échange d'un témoignage contre son ex-dealer, avait séché son premier prélèvement pour les analyses d'urine mensuelles, et s'était retrouvé pour un an sous les verrous... Quand il s'agissait d'accumuler les bourdes, l'ingéniosité humaine semblait se rire de toute limite ! Mais je m'étais rarement fait rouler dans de telles largeurs.

Au bout d'un certain temps, Feaver parut tout de même accuser le coup. Il s'affaissa un peu sur son siège, les deux pieds posés bien à plat sur le sol, dans ses mocassins vernis. Puis il se leva, et mit le cap sur la porte.

« Vous êtes toujours mon avocat ? » me demanda-t-il, la main sur la poignée. Et c'était la bonne question. Non pas tant parce qu'elle nous ramenait tous deux aux côtés les plus pratiques du problème, qu'à cause du regard inquiet qui l'avait accompagnée, et qui racheta un peu son auteur, à mes yeux. Ce type était une intarissable source de désirs insatisfaits. Il me rappelait ces étoiles mortes qui, longtemps après leur implosion, continuent à émettre leur rayonnement dans l'espace. Mais ce numéro de chien battu suggérait aussi qu'il accordait une certaine importance à ma réponse, et ce, non seulement à cause des inconvénients graves et évidents qu'aurait présentés pour lui un éventuel désistement de ma part. Je pris brusquement conscience d'une chose qui était jusque-là restée implicite entre nous : ce n'était pas pour les relations dont je disposais, ni pour mes compétences techniques qu'il était venu me trouver, mais pour le respect personnel que je lui inspirais. J'avais rarement eu l'occasion de me considérer comme un modèle. Je lui donnai congé d'un geste, sans émettre le moindre commentaire, mais, en mon for intérieur, j'avais déjà répondu à sa question. J'étais son avocat – et dans le plus beau sens du terme.

* * *

L'interphone du hall l'avait réveillée à deux heures du matin.

« C'est l'oncle Peter », grésilla une voix distordue par les parasites. « L'oncle Peter » était le mot de passe du projet. Un nom dépourvu de tout élément compromettant, qu'on pouvait utiliser en cas de problème. McManis attendait à la porte d'Evon. Trop circonspect pour franchir en pleine nuit le seuil de l'appartement d'une dame, il lui parla appuyé au chambranle.

« C'est au sujet de Robbie », annonça-t-il. La première pensée d'Evon fut qu'il lui était arrivé quelque chose. Qu'il était mort... Et lorsqu'elle eut entendu l'histoire dans ses grandes lignes, elle se dit qu'il ne valait guère mieux, en tout cas de son point de vue à elle.

« Je me suis trompé sur un point », poursuivit McManis, avant de repartir. Son complet de tissu léger était constellé de gouttes de pluie. « Je pensais que Morton était le principal danger pour le projet. Mais je faisais erreur. D'ailleurs, nous avons toujours su où se trouvait la première source d'ennuis potentiels. Dès le début, nous le savions, mais nous l'avons oublié. Tudieu ! C'était précisément la raison de votre présence, Evon. Nous savions que c'était le roi de l'embrouille, et résultat... il nous a bel et bien entubés !

— Roulés, rectifia Evon, davantage par réflexe que pour tenter de faire de l'humour, mais Jim répliqua d'un sourire.

— Il n'y a pas de limites, avec ce genre de type. C'est comme deux miroirs parallèles : on peut toujours descendre d'un palier, dans l'abîme de leurs reflets. Inutile de passer le prendre, demain matin. Venez directement au bureau. Je préfère que vous soyez déjà à pied d'œuvre quand nous nous réunirons pour discuter de tout ça. »

Aux alentours de neuf heures, Robbie passa la tête à la

porte de son box. Son nœud de cravate était déjà descendu d'une bonne vingtaine de centimètres. Il voulait lui parler, lui dit-il.

« Je ne pense pas que ce soit une bonne idée, Robbie.

— Écoutez... je suis vraiment désolé – et je tenais à vous le dire. » Il était trop abattu pour pouvoir lever les mains vers elle. Il se contenta d'ouvrir les paumes, les bras ballants. « Vous savez... pour moi, tout ça se perdait dans les brumes du passé. Une erreur de jeunesse. »

Elle repoussa vivement son fauteuil en direction de la console, derrière elle, et, attendant qu'il disparaisse de sa vue, fit mine de se plonger dans le relevé des factures d'hôpital – un énorme listing épais comme un annuaire téléphonique, sur lequel elle était censée travailler. Mais pourquoi tous ces efforts ? se dit-elle soudain. Une affaire dont elle se fichait éperdument, des clients qui n'étaient même pas les siens ! Tout ce temps perdu... Des mois entiers de travail, l'espoir d'accomplir quelque chose qui en vaille la peine... L'ampleur des efforts déployés, probablement en vain, et de ce qui lui était ainsi dérobé, la plongea un instant dans un tourbillon de désespoir mâtiné, comme toujours, de honte.

« Ah ! N'aggravez pas votre cas ! grinça-t-elle, comme il faisait un pas vers elle.

— Parce que ça serait encore possible, vous croyez ?

— Non, exact ! Vous avez crevé le plafond – le compteur a explosé ! »

Les impératifs de la couverture lui revinrent à l'esprit – quel que pût être l'intérêt de les respecter, à présent. Le box d'Evon était pratiquement à découvert, mais ça collait : querelle d'amoureux. Elle aurait même pu lui balancer quelque chose à la figure, si ça avait pu la soulager. Quand il rouvrit la bouche, elle se boucha les oreilles.

Au bout d'un moment, elle perçut le mouvement de son ombre qui s'éloignait, et se rassit. Elle demeura ainsi, immobile, aux prises avec sa propre colère. Une fois attisée, elle pouvait embraser tout le reste, au-delà de toute retenue ordinaire. Elle s'efforça de rester sur son fauteuil, sans bouger, de prendre ses distances avec tout ça, mais peine perdue : une minute plus tard, elle s'engouffrait dans le couloir.

« Qu'est-ce qui compte vraiment, pour vous, Feaver ? »

Il leva vers elle un regard penaud, depuis son fauteuil chromé garni de cuir.

« Vous avez entendu ce que je vous ai dit ?

— Parfaitement, oui. » Il lui fit signe de refermer la porte qu'elle claqua derrière elle.

« Alors ? J'attends la réponse !

— Qu'est-ce que vous voulez dire ?

— Vous savez très bien. Qu'est-ce qui compte, dans votre vie ? Je n'arrive pas à en avoir le cœur net. Vraiment, je sèche !

— Merde ! Et pour vous, alors ! Collectionner les bons points de vos supérieurs ? Vous trouvez vraiment que vos mensonges valent mieux que les miens ?

— Pas de faux-fuyants, mon vieux ! Je veux une réponse, et je l'aurai. Qu'est-ce qui a de l'importance, à vos yeux ? Êtes-vous seulement capable de le dire, ou est-ce absolument n'importe quoi, en fonction de votre jeu du moment ? C'est bien ça, hein – le plaisir de vous payer la tête des cons qui marchent dans vos combines ?

— C'est vraiment ce que vous croyez ?

— Oui, Robbie. C'est ce que je crois.

— Eh bien, croyez-le.

— Cessez de me mener en bateau, ou je vous étrangle ! Et dites-moi enfin ce qui compte pour vous, nom d'une pipe ! »

Elle vit vaciller quelque chose, dans son regard. De la peur. Il n'avait pas la moindre idée des abîmes où elle pouvait l'entraîner ainsi – et de fait, elle non plus.

« Êtes-vous au moins capable de le dire ?

— Je n'en sais rien. Oui, peut-être.

— Alors... j'écoute ! »

Sa mâchoire s'agita à vide.

« C'est l'amour – vous comprenez ? Les gens que j'aime. C'est ça qui compte vraiment, pour moi. Mes amis, ma famille, une bonne partie de mes clients. Un point, c'est tout – le reste, je m'en contrefous. Ça va, ça vient – des épaves flottant au gré du courant. Dans la vie, à part ça, il n'y a que des gens qui se manipulent les uns les autres, en fonction de leurs propres intérêts. L'amour, c'est autre chose. »

Elle ferma les yeux. Elle bouillait si fort, intérieurement, qu'elle se sentit à deux doigts d'exploser.

« Et c'est pour ça que vous avez fait ça ? C'est par amour que vous franchissez chaque matin la porte de ce cabinet, qui porte une plaque où figure votre nom, avec, juste au-dessous, le titre d'avocat ? Et, tous les jours, vous arrivez à entrer sans vous prendre les pieds dans le tapis et sans vous étaler de honte ?

— Je ne sais pas. Sans doute. En partie, du moins. À cause de tous ces gens que je ne voulais pas décevoir. Seigneur ! Mais de quoi est-ce qu'on parle, là ? Y a pas de quoi écrire un exposé de vingt pages. Qui j'ai tué ? Je n'ai fait de mal à personne, que je sache. Au contraire : j'ai fait mon boulot. J'ai aidé des tas de gens. Je leur ai gagné leurs procès.

— Ça, ce n'était qu'un jeu, Robbie. Rappelez-vous.... C'est pour vous que vous le faisiez. Pour le prestige, le statut social, l'argent – cet argent dont vous n'avez pas gagné le moindre dollar, mais que vous avez tout de même empoché, comme un vulgaire voleur ! Vous avez entubé tout le monde, tous ceux qui n'avaient pas le bon sens de vous soupçonner de mentir, chaque fois que vous ouvriez la bouche ! Comment faites-vous pour ne pas voir ce qui crève les yeux ? Ce que vous avez fait à Morton, par exemple, ou à vos bien-aimés clients. Seigneur ! Imaginez seulement ce qui arriverait aux Rickmaiers – à cette pauvre gamine pour qui vous y êtes allé de votre petite larme de crocodile, quand elle a perdu sa mère ! Qu'est-ce que vous lui direz, si quelqu'un la traîne en justice et la force à rembourser le gros chèque de dommages et intérêts que vous avez versé à sa famille, la semaine dernière ? Comment avez-vous pu oublier ce genre de détail pendant une vingtaine d'années ?

— J'en sais rien. Je savais, bien sûr, mais je n'y pensais pas. Pas vraiment. J'avais balayé ça sous le tapis. Je ne me rends pas compte. Je ne sais pas comment j'ai pu vivre avec ça dans un coin de ma tête. Mais vous savez... je suis un menteur né – OK ? Je mens sans arrêt, comme je respire. Vous croyez que j'ai vraiment embrassé Shaheen Conroe, sur scène ? Je ne l'ai jamais approchée de plus près que les autres figurants de la troupe. Et cette bagnole, avec laquelle je vous balade dans toute la ville – ça n'est qu'une S500. Elle vaut à peine la moitié du prix d'une vraie S6. Je l'avais achetée depuis une semaine, quand j'ai vu Neucriss descendre Marshall Avenue au volant de sa 600. Et, tout d'un coup, je me suis senti tellement merdeux que je suis retourné illico chez Mercedes filer cinq cents tickets à un type du stock, qui m'a remplacé le volant et la plaque du coffre, pour la maquiller. Pour qu'elle ait l'air d'une 600. Mais ça n'en est pas une. »

La voiture ! Elle laissa échapper un grognement.

« Je suis un type faible, tordu. Que voulez-vous que je

vous dise... J'ai jamais prétendu y voir clair en moi-même ! »
Et il avait sous la main une autre citation de cabot, prête
à l'emploi : « Si vous me demandiez de jouer mon propre
personnage, je ne saurais vraiment pas quoi faire ! »

Malgré sa colère, elle dut lui concéder ça. Depuis plusieurs mois qu'elle vivait dans son sillage, elle avait eu une
sorte d'intuition, de vision, presque – l'image d'une jungle
moite avec des arbres à l'écorce échevelée, enchevêtrés de
lianes. Un marécage grouillant d'une profusion de vie sauvage, avec des eaux saumâtres où venaient éclater de grosses
bulles de gaz, remontant des entrailles de la terre. Le grand
bouillon de culture primal qui glouglouttait au centre de
Robert Feaver.

Dans son fauteuil directorial, sur le fond de paysage
urbain qui alignait derrière lui ses silhouettes théâtrales, il
poursuivit de plus belle son opération de charme propitia-
toire...

« Je ne vous ai jamais raconté comment j'ai compris que
j'étais tombé amoureux de Rainey ? » demanda-t-il.

Elle lui jeta un coup d'œil glacial. Elle n'avait pas la
moindre envie de se laisser distraire par ce genre d'échappa-
toire. Mais ça ne le dissuada nullement.

« Marrant, comme histoire, fit-il. Vraiment marrant ! –
et il poussa un petit gloussement, à l'appui de ce qu'il avançait. Je l'avais invitée à un match de hockey, mais elle avait
été retenue, je ne sais plus où, ni pourquoi. Elle était arrivée
avec une bonne heure de retard et, vous voyez... elle était
vraiment navrée. J'avais déniché des places formidables, au
troisième rang. Elle ne savait vraiment plus où se mettre.
Alors, je lui ai sorti un de ces pieux mensonges : "Ils ont
commencé en retard, ce soir. Non, sans blague... leur avion
avait du retard..." Je ne me suis même pas demandé ce que
je pourrais lui raconter, quand elle s'apercevrait qu'on était
au milieu de la seconde mi-temps, mais je lui ai dit ça. "C'est
vrai... eux aussi, ils ont commencé très en retard !" Et j'ai vu
ce sourire, qu'elle a eu... ce truc qui s'était glissé derrière ses
yeux : elle avait compris. Ça n'était pas la vérité vraie, mais
j'aurais tellement voulu que ça le soit ! Voyez, ce soir-là, elle
m'avait percé à jour. Pas mon mensonge, je veux dire – mais
moi. Parce que, sur le moment, j'étais sincère. J'y croyais dur
comme fer, à mon bobard, et elle m'acceptait, tel quel. Là,
j'ai su que j'étais fait comme un rat... Je l'aimais.

— Faites chier ! riposta-t-elle. C'est le problème, avec

vous : vous êtes convaincu que tout le monde vous doit bien ça ! Vous attendez des gens qu'ils vous ouvrent des bras compatissants, alors que vous devriez être mort de honte, Robbie – ou, du moins, ressentir un minimum de regrets. Je ne comprends pas comment vous vous donnez si facilement le change ! Comment y parvenez-vous, chaque jour que Dieu fait ? Comment pouvez-vous jouer ainsi à cache-cache avec votre conscience ? Je ne comprends vraiment pas.

— Ah non ? » Son regard était resté d'une morosité neutre. Pas trace de raillerie, ni d'hypocrisie. Il semblait, tout au plus, surpris par ce manque de connivence, par l'absence de cette amitié sur laquelle il avait cru pouvoir compter. Mais quand elle comprit ce que signifiait ce « Ah non ? », le brusque sursaut de sa colère faillit la faire décoller du sol. Son regard tomba sur le coupe-papier d'argent ouvragé dont elle se servait chaque matin, naguère, pour ouvrir le courrier. Un instant, l'idée l'effleura de s'en emparer pour trancher et arracher de sa gorge cette langue perfide, mais elle préféra le planter là et ne plus lui adresser la parole de toute la journée, pas plus que le lendemain. Elle s'arrangea pour passer le plus clair de son temps à l'étage de McManis – en dépit de la présence d'Amari, qui lui tapait sur les nerfs : désormais désœuvré, il ne laissait passer aucune occasion de parler de Robbie, qu'il n'appelait plus que « le Baveux ».

Au cours de la semaine, comme l'avenir du projet restait incertain – les discussions avec D.C. allaient bon train – sa colère finit par s'effacer devant sa morosité. Elle se sentait dans la peau d'une mouche tombée dans un pot de colle. Elle n'avait pas la moindre chance de s'en sortir, et tous les efforts qu'elle faisait, inévitablement, ne parvenaient qu'à l'y enfoncer un peu plus. Elle supportait de plus en plus mal cette surveillance constante dont elle était l'objet, même si c'était prétendument pour assurer sa propre sécurité. Elle se sentait d'autant plus exposée et, curieusement, plus menacée. Le jeudi, elle croisa le concierge, occupé à astiquer les boîtes aux lettres de cuivre, qui lui signala qu'un type lui avait demandé des renseignements sur elle et sur un certain nombre de ses voisins du troisième étage. Alarmée, elle en avait immédiatement avisé Amari. Mais l'homme qu'il avait posté près de chez elle avait d'ores et déjà repéré ce visiteur et lancé une recherche à partir de la plaque d'immatriculation de sa voiture. Il s'agissait d'un flic local. Police municipale de Kindle County. Un enquêteur qui devait creuser une

piste. Cette fausse alerte, et la frayeur qu'elle lui avait inutile-
ment causée, était à l'image même de la situation. Tout était
tordu, ces temps-ci. Bidon, faussé. Tout ! Elle. Et surtout
Feaver ! Bref, tout.

Elle partit au hasard des rues, regardant avec une
suprême indifférence les tulipes dont les têtes multicolores
fusaient, çà et là, dans l'air printanier.

29

Mon plan de sauvetage pour le projet Petros – et pour
Robbie – exigeait que mon client cesse immédiatement
d'exercer. Il devrait désormais s'abstenir de prendre des rendez-vous professionnels, de mettre les pieds au tribunal et de
signer le moindre document. Il n'y avait aucune alternative
possible. Même si nous étions parvenus – en manœuvrant
très serré – à faire authentifier le diplôme de Robbie, nous
n'avions pas la moindre chance d'obtenir du conseil de
l'ordre qu'ils acceptent de régulariser la situation de quelqu'un qui avait illégalement exercé à leur barbe pendant plus
de vingt ans.

Nous allions devoir raconter une histoire assez biscor-
nue à Dinnerstein, pour lui expliquer le changement subit
de situation de son associé, mais, quelle que fût la version
que nous lui servirions, nous pouvions compter sur la totale
discrétion de Mort. Il garderait le silence sur toute cette
affaire, de peur que ses adversaires ne se retournent contre
lui pendant qu'il remuerait ciel et terre pour trouver un rem-
plaçant à Feaver. Dans l'intervalle, Robbie pouvait continuer
à passer des enveloppes à Crowthers par l'entremise de sa
sœur, et à Gillian Sullivan qui n'allait pas tarder à reprendre
ses fonctions, et qu'il n'avait toujours pas remerciée de son
arrêt favorable dans le dossier transféré à Skolnick. Mais,

par-dessus tout, Robbie pouvait continuer à jouer son rôle lors de la mise à mort que Stan préparait pour Kosic et Tuohey – ce qui, en retour, me fournirait la marge de manœuvre nécessaire pour négocier. Robbie avait désormais la quasi-certitude de ne plus pouvoir échapper à la prison, mais on pouvait encore minimiser la durée de sa peine.

Les discussions que j'avais avec Stan se tenaient en général au parc durant nos séances de jogging matinal, que nous avions reprises. Ni les ténèbres hivernales, ni le blizzard qui soufflait sur Warz Park, n'auraient évidemment suffi à faire reculer Stan – c'était moi qui avais renoncé à mes sorties quotidiennes, en attendant que le temps se fasse plus clément. Nous nous retrouvions à présent presque chaque matin pour nous concerter. À un moment, l'UCORC avait menacé de tout annuler, mais les choses étaient d'ores et déjà trop engagées. Il y avait eu trop d'argent investi, trop d'irrégularités mises en évidence, pour s'arrêter en si bon chemin. En dernier ressort, nous convînmes, Stan et moi, que le ministère public se dégagerait des promesses qui avaient été faites à Robbie : il ne pouvait plus espérer s'en sortir avec une simple mise à l'épreuve. Au lieu de quoi, Sennett transmettrait au juge chargé du dossier toutes les informations utiles : d'une part, l'extraordinaire bonne volonté dont avait fait preuve l'accusé dans sa coopération avec le ministère public, et de l'autre, la totalité de ses méfaits – y compris, bien sûr, l'exercice frauduleux de sa profession – et laisserait à la Cour le soin de prononcer la sentence qu'elle jugerait appropriée. À vue de nez, et sans faire preuve d'un optimisme excessif, on pouvait prévoir que Robbie écoperait de deux ans, en supposant que Sennett parvienne à obtenir par ailleurs quelques inculpations retentissantes. Les amendes dont Feaver devrait s'acquitter pour vingt années d'exercice illégal promettaient d'être vertigineuses, mais la plupart des juges auraient tendance à faire abstraction de l'aspect financier de l'affaire, et à laisser l'accusé se dépêtrer de l'inévitable fatras des procès que les compagnies d'assurances ne manqueraient pas d'engager contre lui. Tout cela était donc résolu, entre Stan et moi. Ne lui restait plus qu'à obtenir le feu vert de D.C.

« Nous acceptons, m'avisa-t-il enfin un matin à la mi-mai. Mais à une condition qui va te faire grincer des dents. » Chaque matin, il s'arrangeait pour couvrir une dizaine de kilomètres au pas de gymnastique, en demeurant égal à lui-même – une allégorie de l'ordre. Son équipement, ce qui se faisait de mieux en la matière, n'avait pas un faux pli : short de neopropylène, tee-shirt sans manches, chaussures de jogging grosses comme des après-skis, et jusqu'à cette petite gourde qu'il accrochait à une ceinture, au creux de ses reins. Ses joues étaient rasées de frais, ses cheveux crêpelés se tenaient toujours strictement à leur place, et sa sueur semblait s'évaporer dès que sécrétée, sans attirer l'œil. Il me gratifia de son regard supérieur, le menton levé comme pour opposer d'emblée un rempart inexpugnable à mes récriminations.

Il m'avait préparé tout un arsenal d'excuses : toutes les actions entreprises était compromises, y compris celles contre Skolnick et Crowthers. Avec un peu de chance, le ministère public parviendrait à contrecarrer les inévitables motions que déposerait la défense pour protester contre la fraude de Robbie, mais les risques pour que les jurés, dégoûtés par les entourloupes de Feaver, décident de classer l'affaire dans son ensemble se trouvaient considérablement accrus. Plus que jamais, l'avenir du projet reposait donc sur la capacité du ministère public de démontrer l'ampleur du réseau de corruption qu'il avait commencé à démanteler, pour justifier ce pacte, conclu avec un tel démon. Ils avaient déjà perdu Malatesta et, désormais, Feaver ne pouvait plus présenter à un juge de cas fictif sans être en totale contradiction avec la position qu'il allait devoir adopter, vis-à-vis de Dinnerstein.

Sennett avait donc imaginé une opération d'un nouveau genre. Une motion fictive qui nous permettrait de rouvrir l'un de nos anciens dossiers – motion dans laquelle Robbie interviendrait non plus comme avocat mais comme un défendant confronté à une plainte.

« L'affaire devra passer par le cabinet du juge des procédures d'urgence. » Stan guetta ma réaction, pour voir combien de temps je mettrais à m'y retrouver – puis il me confirma le pire : « Nous voulons qu'il fasse tomber Magda. »

Il avait mis dans le mille. Ça me déplaisait, bien sûr, et souverainement. Nous nous plantâmes face à face dans l'allée, et je tâchai de contre-attaquer. Rien ne l'autorisait à soupçonner que Magda accepterait de se laisser corrompre, lui fis-je remarquer. Mais il répliqua que Washington en avait décidé ainsi : cette relation personnelle, longtemps tenue secrète, entre ce juge et un avocat qui comparaissait régulièrement devant elle, était une présomption suffisante. D'ailleurs, précisa-t-il, l'idée n'était pas de lui, mais de l'UCORC.

Je ne pouvais m'empêcher de penser à ces jugements de Dieu médiévaux, où l'on jetait à l'eau une prétendue sorcière, pieds et poings liés, pour voir si elle réussirait à surnager. Stan accueillit mes objections avec sa mauvaise grâce coutumière.

« George, répondit-il, combien de fois as-tu vu un de tes clients – coupable, j'entends – s'en tirer les pattes en toute impunité ? Combien de centaines de fois ? Ces cadres supérieurs, qui sont mis en examen, et qui tremblent à la pensée d'être confrontés à telle ou telle question dont ils ne se relèveraient pas – ou ces types qui sont en pleine procédure de divorce, et qui ont des spasmes du côlon en imaginant ce qui leur tomberait sur la tête si leur ex s'avisait d'ébruiter certains secrets gênants. Tu les vois défiler par centaines, George. Par milliers ! Et, pour la plupart, ils s'en sortent... comme des fleurs ! Parce que le ministère public n'y voit que du feu. On ne peut même pas dire qu'il serait impossible de les épingler tous – c'est plutôt qu'il est exceptionnel que nous les épinglions ! Voilà la vérité, George, et je ne vais pas me faire pousser un ulcère pour tout ce que j'ignore... mais quand je tombe sur quelque chose, ma responsabilité se trouve engagée. Ma mission n'est pas de compatir, ni de fermer les yeux en me disant que ma découverte n'est qu'une malheureuse coïncidence. C'est de protéger les citoyens de cette ville. On ne me paie pas pour espérer que Magda ne commettra rien de pire à l'avenir, mais pour l'épingler, si elle mérite de l'être. »

Son habileté lui permettait de garder de lui-même une image aussi impeccable que son short de jogging, mais je lui renvoyai mon regard n° 5 : « À d'autres ! »

« Je t'avais prévenu. Je me doutais bien que tu n'apprécierais pas », fit-il avant de s'en retourner vers sa voiture à petites foulées.

Robbie, le cher ange, refusa net.

« Magda n'est pas une magouilleuse. Je veux bien les aider à faire tomber les escrocs, mais je ne vais pas tendre un piège à une femme honnête sous prétexte qu'elle a la faiblesse de m'aimer. »

Je l'aurais volontiers serré sur mon cœur. Ça n'était pas du flan, ça n'avait rien des faux-fuyants que vous servent

certains dégonflés. Il était prêt à faire des heures supplémentaires – des années, en l'occurrence. Bref, ce qui lui en coûte-
rait, pour tenir tête à Sennett. J'admirais cette belle
démonstration de cran et de loyauté. Je n'étais pas certain,
dans des circonstances semblables, de pouvoir déployer une
telle force de caractère. Mais je fis néanmoins ce qui était de
mon devoir de défenseur : je lui expliquai pourquoi il devrait
se plier aux desiderata de Stan.

Si Robbie était autre chose qu'un automate actionné à
distance, le ministère public n'avait plus qu'à tirer l'échelle.
Il prenait déjà un gros risque. Le premier avocaillon venu
aurait beau jeu de présenter le procureur fédéral comme une
candide marionnette entre les mains d'un maître du double
jeu. Ils ne pouvaient pas se permettre de laisser Robbie leur
dicter le choix de leurs cibles. Ce serait le meilleur moyen de
confirmer ce point, et cela ne pourrait qu'aboutir à un
désastre en face d'un jury.

« Mais Stan donnerait un rein pour pouvoir coffrer
Brendan », fit Robbie.

Peut-être, mais pour les sommités de Washington, Brendan n'était pas d'une importance vitale. Ce qui leur impor-
tait, à eux, c'était le Congrès, le Président, les médias, les
syndicats nationaux du barreau. Lorsque l'UCORC décide-
rait de mettre un terme au projet Petros, Sennett pourrait
toujours exhaler sa bile. Les cas qu'il garderait sous le coude
– Skolnick, Crowthers, Walter – étaient fixés sur bande
magnétique. Il pourrait les instruire sans avoir besoin d'appeler Robbie à la barre. Et incidemment, si le ministère
public avait besoin de son témoignage verbal, il préférerait
voir arriver Feaver dans le box des témoins en tenue de prisonnier – excellent moyen mnémotechnique pour rappeler à
un jury qu'il n'était pas passé à l'as. Stan allait donc le faire
arrêter sans délai, et s'empresserait d'invoquer son exercice
illégal pour refuser sa mise en liberté sous caution. En dernière analyse, Sennett gardait donc sur lui le même moyen
de pression qu'au départ : Lorraine.

En entendant prononcer le nom de sa femme, Feaver fit
ce qu'avaient fait bien d'autres à sa place – et non des
moindres – lorsque je leur avais annoncé ce genre de mauvaises nouvelles. Il se tourna vers la baie vitrée. Puis, comme
la réalité s'imposait à lui dans toute sa brutalité, il porta la
main à son front. La résolution de lutter contre les larmes
lui durcit les traits, et se communiqua à toute sa personne.

Il ferma les yeux, paupières plissées, et parvint, à la possible exception de quelques secondes, à ravaler ses sanglots.

L'autre engagement que j'avais pris vis-à-vis de Stan, était d'expliquer à Dinnerstein la nouvelle situation de Robbie. Evon continuerait à travailler au cabinet, afin de pouvoir attester que Robbie avait totalement cessé toute activité professionnelle, mais Mort devait comprendre l'importance de l'enjeu. Toute violation de l'interdiction qui pesait désormais sur son associé pouvait mettre en danger sa propre licence, et, sur ce point, Stan n'était pas près de s'en remettre à Robbie pour faire passer le message.

Pour servir notre plan, Robbie présenta à Mort une version plutôt pathétique : au terme d'une scène particulièrement pénible, durant laquelle Lorraine lui avait reproché les mille et une manières dont il l'avait trahie au fil des années, Robbie s'était prétendument rendu au siège du Conseil de l'ordre des avocats et, dans un geste de sacrifice inouï, pour complaire à la femme qu'il aimait, avait fait annuler sa licence. À présent, Lorraine ne pourrait plus prétendre qu'elle n'était pas pour lui la première des priorités. Ce n'est qu'après coup que l'idée lui était venue de me consulter, en ma qualité de conseiller pour tout ce qui touchait l'éthique professionnelle, sur les conséquences possibles de ce geste. Ce qui expliquait que j'aie accepté de l'aider à exposer la situation à Mort.

Le cabinet Feaver & Dinnerstein avait derrière lui quatorze années d'existence. À sa sortie de fac, Mort avait décroché, grâce à son oncle, un poste de tout repos au service juridique du comté. Leur projet initial, à lui et à Robbie, était de travailler deux ou trois ans dans d'autres secteurs, le temps de s'aguerrir un peu, avant de réunir leurs forces. Lorsque Robbie avait eu ce poste chez Neucriss, ce plan d'action avait été mis en veilleuse, jusqu'à ce que Robbie ait fermement pris pied dans sa spécialité – les affaires de dommages et intérêts. Il avait exercé seul pendant une année entière avant de convaincre Mort de le rejoindre.

Sur le moment, lorsque je lui dévoilai le scoop du jour, Morty parut regretter amèrement cette décision. J'ai plus que mon compte de mauvaises nouvelles à annoncer dans mon métier. Sur ce plan, je crois qu'il n'y a guère que les cancérologues qui soient plus mal lotis que nous. Plusieurs fois par an, il m'arrive d'annoncer à des clients, qui sont pour la plupart des gens charmants, humains, et dignes de compassion – même s'ils se sont rendus coupables de telle ou telle faute, généralement ponctuelle –, de leur annoncer, donc, qu'ils vont être châtiés par la société, arrêtés et privés de leur liberté. Pis, je dois ensuite les aider à expliquer l'inimaginable à leur conjoint ou à leurs enfants, qui ont pour la plupart le sentiment, et avec quelque raison, d'être les véritables victimes du système pénal. Comme Mort m'écoutait, je vis se refléter sur son visage cette expression typique, atterrée. Il restait cloué à son fauteuil, la main sur la bouche. Ses petits yeux s'affolaient derrière ses verres à double foyer, tandis que je lui assenais la longue liste des interdictions qui allaient lui être imposées.

« Je n'y crois pas, balbutia-t-il. Ça ne peut pas être vrai. Je ne peux pas croire que tu aies fait une chose pareille ! » dit-il à Robbie, qui se trouvait près de lui. Il tâcha de sourire. « Ça n'est qu'un poisson d'avril, que tu me fais avec six semaines de retard, hein ? Tu veux juste te payer ma tête... George, ajouta-t-il, en se tournant vers moi, ne le laissez pas me faire un coup pareil ! »

Bien que j'aie contribué pour une bonne part à l'élaboration de ce « poisson d'avril », j'étais toujours réticent à prêter directement mon concours à une mise en scène, mais j'eus beau jeu d'engager Mort à s'informer directement auprès du Conseil de l'ordre, en leur demandant de vérifier la liste des avocats inscrits au Barreau : il n'y trouverait pas le nom de Robbie. Je laissais à cette information le temps d'infuser. Mort se prit le front à deux mains.

« C'est impossible, fit-il. Il doit y avoir moyen de faire marche arrière. Et si tu y retournais, au Conseil de l'ordre... ? Va immédiatement leur dire que tu as changé d'avis ! »

Ça n'avait pas la moindre chance d'aboutir, répliquai-je, et Robbie ajouta qu'il ne reviendrait pas sur sa décision. Il voulait vraiment se consacrer à Rainey, quel que fût le nombre de mois ou de semaines qu'il lui restait à vivre.

« Mais je ne demande pas mieux, moi, que tu t'y consacres ! Reste avec elle. Pas de problème ! On aurait pu réfléchir ensemble à une solution – tu le sais très bien. Rien ne t'obligeait à commettre ce suicide professionnel. Tu as pensé aux conséquences, pour moi ? »

Morty resta quelque temps dans son fauteuil, s'enveloppant de ses bras en poussant divers gémissements. Il passa les doigts dans la masse vaporeuse de ses cheveux, illuminée par le flot de lumière qui entrait par la fenêtre. Puis, sans un regard pour son associé, il bondit sur ses pieds, et se précipita vers la porte, aussi prestement que le lui permettait sa démarche mal assurée.

« Morty ! » s'écria Robbie en lui emboîtant le pas.

Resté seul derrière mon bureau, j'eus le cœur serré pour Mort, et d'autant plus, en imaginant sa rage lorsqu'il apprendrait le reste... Il allait se colleter pendant des années, dans un fatras de litiges avec des ex-clients et des ex-adversaires qui ne rêveraient que de lui arracher les yeux. Et Dieu sait ce qu'il irait raconter sur moi !

Au bout d'un certain temps, je me levai, pressé par un besoin urgent, pour aller demander à Danny, le réceptionniste, la clé des toilettes hommes, dont je pris le chemin. L'un de mes amis m'a suggéré que les modifications physiologiques de l'âge mûr, pour les hommes, s'inscrivent dans un mécanisme darwinien, destiné à dissuader les femmes plus jeunes de croire à nos avances. La calvitie plus ou moins avancée, les poils qui prolifèrent là où ils ne devraient pas, la taille qui s'arrondit lentement mais sûrement, et – s'il faut en croire cette théorie – l'hypertrophie de la prostate, qui tend à nous empêcher d'assiéger les belles assez longtemps pour avoir raison de leur résistance...

Je mis donc le cap sur la sortie de service, et m'engouffrai dans le petit couloir sombre qui sépare mon cabinet de celui de mon voisin. La lourde porte donnant sur le hall principal était restée ouverte, et, depuis la pénombre où je me trouvais, j'aperçus Robbie qui rejoignait Dinnerstein, devant l'ascenseur.

Je m'attendais, en toute logique, à assister à une nouvelle scène de reproches, ou à une tentative de rapprochement d'une part ou de l'autre. Au lieu de quoi, Dinnerstein décocha un petit sourire en direction de Feaver. Après une petite pause, Robbie sortit de sa poche une pièce, qu'il lança en l'air, aussitôt imité par Morty. Je les avais déjà vus jouer à ce petit jeu en attendant l'ascenseur dans le hall. C'était une habitude héritée de leur enfance, l'une des rares formes de compétition où Morty pouvait se mesurer à armes égales à Feaver. Le jeu combinait un système de pari et la virtuosité du geste. Ils lançaient tous deux leur pièce avec un synchronisme parfait, chacun envoyant la sienne à l'autre, qui la rattrapait. Des règles compliquées régissaient le décompte des points. Certains coups pouvaient faire doubler la mise, mais

le premier qui laissait tomber sa pièce perdait tout. Une quarantaine d'années s'étaient écoulées, depuis qu'ils avaient
appris à y jouer dans leur cour d'école, mais ils se les lançaient toujours avec une étonnante rapidité, attrapant et ren-
voyant d'un seul geste, vif comme l'éclair, les pièces qui se
croisaient en scintillant au-dessus de leurs têtes. Ils s'amusè-
rent ainsi un bon moment, heureux et insouciants comme
deux gamins à la sortie de l'école, jusqu'à ce que la sonnerie
de l'ascenseur retentisse dans leur dos. Feaver bondit vers la
porte pour la retenir, tandis que Mort s'avançait de son pas
chaloupé pour y monter.

Ils avaient déjà disparu depuis plusieurs minutes, mais
je restai cloué sur place, éberlué, perdu dans la contemplation du couloir désormais désert.

Personne ne se réconcilie aussi vite, et je le savais pertinemment. Mais j'étais tellement sidéré qu'il me fallut
quelques instants de plus pour me rendre à l'évidence : je
m'étais encore fait avoir, et cette fois, pas seulement par Feaver. Je mis nettement moins de temps à comprendre pourquoi. Morty était au courant. Il avait toujours su que Robbie
exerçait sans licence. Comment Feaver aurait-il pu garder
un tel secret par-devers lui, sans le faire partager à son ami
de toujours ? C'était même ce qui expliquait que Mort ait
attendu tant d'années pour rejoindre Feaver. Il tenait à s'assurer auparavant que la chose passerait inaperçue. Puis, ils
étaient passés outre, en se ménageant un plan de repli en cas
d'urgence. Si la vérité venait à éclater, tous deux s'accorderaient à prétendre que Mort n'en savait rien, pour protéger
la licence de ce dernier.

De la part de Robbie, il en aurait fallu davantage pour
m'étonner – mais Morty ! Le numéro qu'il m'avait servi dans
mon bureau m'avait plus que convaincu. Morty savait... et
on pouvait parier sans grand risque qu'il en savait encore
bien davantage. Sur son oncle. Sur Kosic. Sur les juges. Robbie avait protégé son ami depuis le début, conformément
aux soupçons de Sennett, cet incorrigible cynique – et à mes
propres craintes.

Comme on l'imagine, cette découverte déclencha en moi
un accès de chagrin et de rage que j'exhalai, çà et là, au
moyen de quelques jurons bien sentis. Vu la liste des bévues
que Robbie avait d'ores et déjà alignées, je frémissais à l'idée
du nombre d'années de prison dont il écoperait si Stan parvenait à en apporter la preuve. Mais Robbie était mieux

placé que quiconque pour le savoir, et ça ne l'avait pas arrêté. Tout en me hâtant vers ma destination première, qui m'était entre-temps sortie de l'esprit, je fus assailli par un sentiment inattendu : de l'envie. Je jalousais férocement Morty pour tout ce dont le comblait Feaver. Son amitié, sa confiance, son dévouement... et, par-dessus tout, pour cette vérité qu'il savait.

30

« Magda ? C'est Robbie.
— Robbie ?
— Feaver.
— Robbie Feaver ? »

Il y eut un blanc. Elle tentait de faire le tri dans les sentiments confus qui l'avaient assaillie. Nous étions le 17 mai. Le combiné du téléphone où parlait Feaver transmettait directement la conversation au magnétophone du cabinet, dont les bobines de sept pouces tournaient avec la lenteur et l'inexorable précision, de la fatalité. McManis et Evon se tenaient près de moi à la table. Ni l'un ni l'autre n'avaient eu le cœur de soutenir bien longtemps le regard de Robbie – pas plus que Klecker. Quant à Sennett, il avait dû juger que sa présence ne pouvait qu'envenimer les choses.

« J'aimerais passer te voir.
— Me voir ? »

Magda était d'une nature prudente et circonspecte. « Robbie... » commença-t-elle, mais elle se reprit, adoptant cette fois le ton sans appel qu'elle avait en salle d'audience. « Je ne crois pas que ce soit une bonne idée.
— Non... c'est grave. J'ai vraiment besoin de te voir. De te parler. Une minute.
— Me parler ?

— Oui.

— Non. »

Elle marqua une pause, et répéta : « Non.

— Magda... c'est très urgent. C'est une question de vie ou de mort. Je t'assure... de vie ou de mort !

— Robbie, qu'est-ce qui pourrait être si urgent et si grave, à neuf heures du soir ?

— Je ne peux pas t'expliquer ça au téléphone, Magda. Il faut que je te voie. Il le faut. S'il te plaît... » Feaver se mordilla la lèvre inférieure le temps de retrouver un peu d'aplomb, et poursuivit son numéro de charme.

« Bien. Mais pas plus d'une minute », trancha-t-elle enfin, et elle lui donna son adresse.

Cet après-midi-là, McManis avait déposé une motion d'urgence, conformément à la loi régissant les procédures d'exception, pour surseoir à un précédent jugement porté sur l'affaire Hall contre Sentinel Repair – le dossier fictif qui avait été transféré du bureau de Gillian Sullivan à celui de Skolnick. Selon la plainte initialement déposée, Hall, un chauffeur de poids lourd, avait été gravement brûlé et atteint d'une paraplégie, à la suite d'une panne de freins survenue alors qu'il était au volant d'un trente-cinq tonnes, qu'il conduisait pour le compte d'un transporteur privé. Hall portait plainte contre le garage qui avait prétendument soumis le véhicule à un contrôle technique juste avant qu'il ne prenne la route. Selon la motion de McManis, Moreland Insurance, agissant au nom du garage, avait accepté une solution négociée, peu après que Skolnick eut notifié la décision du juge Sullivan autorisant Hall à demander des dommages et intérêts.

Mais voilà que Moreland venait d'apprendre, de la bouche même de l'ancienne petite amie du chauffeur, que ce dernier s'était, en fait, endormi à son volant, ce qui expliquait en particulier l'absence de toute trace de pneus sur les lieux de l'accident. McManis soutenait, en outre, que l'idée de faire porter le chapeau au garage était venue de Robert Simon Feaver – l'avocat de Herb Hall, qui lui avait intégralement soufflé ce qu'il aurait à dire.

Nous espérions, comme toujours, que si Robbie parvenait à établir le contact avec Magda, le juge statuerait sur la base des documents. Si elle jugeait indispensable de convoquer une audience, j'avais accepté, quoique du bout des lèvres, de comparaître dans le rôle de l'avocat que Feaver aurait, en toute logique, engagé pour le défendre.

À peine Robbie eut-il raccroché, que Klecker se leva pour le harnacher. Ce soir-là, Robbie serait équipé, non seulement du FoxBite, mais d'une caméra portable que Klecker avait installée dans un attaché-case en tout point semblable au sien. L'objectif était dissimulé dans l'une des charnières de la poignée, et la caméra, la même que celle dont il avait équipé la Lincoln de Skolnick, était alimentée par une pile au lithium, grosse comme une petite brique, cachée dans la mallette. Cela avait pour but, non de collecter de nouvelles preuves visuelles, mais de s'assurer que Robbie ne communiquerait pas par signes avec Magda. Il avait ordre de tenir l'objectif orienté sur lui-même.

Avant le départ de Robbie, McManis me prit à part et laissa tomber : « Évidemment, nous comptons sur une performance digne des Oscars... comme d'habitude. » Il ne s'excusa nullement de ce manque de confiance, et Feaver, lorsque je le vis en tête à tête pour lui faire part de cet avertissement, ne prit pas la peine de s'en offusquer. Il ne pensait qu'à Magda.

« J'espère que vous avez au moins pris conscience d'une chose... » me lança-t-il, et il s'interrompit, le temps de me couler un regard morose. « C'est qu'au départ, j'avais de bonnes raisons de ne pas leur parler de Magda, à ces enfoirés. »

Dans l'entrebâillement de sa porte, Magda Medzyk empoigna le col de sa robe de chambre, et jeta un coup d'œil dans le couloir, dans les deux directions, avant de laisser entrer Robbie. La mallette pesait son poids, et il ne pouvait s'empêcher de balancer légèrement le bras, ce qui avait pour effet de faire osciller l'image entre son visage et celui de Magda. Mais, même du bout du couloir, on aurait pu voir qu'elle était soucieuse. À en juger par ses cheveux dont les boucles semblaient raidies comme sous l'effet d'un vernis, je devinai qu'elle avait passé les quelques minutes qu'avait duré le trajet de Robbie à enlever ses bigoudis. Ils étaient à présent face à face dans le petit hall sombre de l'appartement.

« J'ose espérer que c'est strictement nécessaire, Robbie. Je suis si embarrassée... J'ai peine à croire que j'aie pu me laisser convaincre de t'écouter. J'espérais m'être trompée, mais j'ai vérifié. Le dossier est bien dans ma mallette. La motion a été déposée cet après-midi. As-tu bien conscience du problème – tu vas comparaître devant moi... !

— Hey ! Ça ne serait pas la première fois que je te convaincs de faire quelque chose qui, à première vue, te fait frémir ! » Il posa son attaché-case, et fit un pas vers elle, disparaissant momentanément de l'image, mais le ton de Magda resta ferme.

« Ça, pas question ! Surtout pas maintenant ! » fit-elle. Puis, un ton plus bas : « Tu n'y penses pas, ajouta-t-elle. Avec ma mère qui dort au bout du couloir ! » Elle recula de quelques pas et réapparut à l'image, jetant un regard inquiet par-dessus son épaule. L'image distordue par le grand angle nous montrait l'appartement. Un living, avec des meubles sombres et trapus. Une console TV, pourvue d'un écran minuscule, tel qu'on les faisait encore il y a une quinzaine d'années. Ils prirent la direction de la cuisine, et l'image tressauta brusquement sur l'écran de l'estafette. Nous étions garés sous l'un des vieux ormes qui ombrageaient l'allée de la maison – un immeuble de trois étages. Le son se mit à grésiller désagréablement sous les néons de la cuisine. Feaver s'efforçait de meubler la conversation. Magda l'interrompit sans ménagement :

« Si tu me disais carrément ce qui t'amène. »

Comme il entreprenait de lui raconter le scénario fictif, elle se laissa choir sur une chaise de bois, près d'une petite table. Il lui expliqua qu'il ne pouvait évidemment pas lui donner la version exacte, telle qu'elle était exposée dans la motion de McManis. Mais il était certain que son adversaire ne présenterait pas les choses comme elles s'étaient passées. Jamais il n'avait déformé les faits, comme le prétendait Moreland Insurance. La vérité, c'était qu'au fil des années il leur avait coûté une petite fortune en dommages et intérêts, et qu'ils avaient décidé de le lui faire payer. Ils avaient donc passé un accord avec Herb Hall, qui avait accepté de témoigner contre lui. Si Magda jugeait cette motion recevable, lui expliqua-t-il, c'est contre lui qu'ils porteraient plainte, non contre Hall. Ils exigeaient de récupérer leur mise. Puis, après l'avoir délesté d'un bon million de dollars, ils le moucharderaient auprès du conseil de l'ordre et du procureur général. La licence qui était accrochée dans son bureau n'aurait plus que la valeur de son cadre... et, s'il échappait à Rudyard, il pourrait s'estimer heureux.

Feaver avait posé sa mallette sur le plan de travail de la

cuisine, nous ménageant une vue imprenable de toute la scène. Il était assis en face de Magda, à la petite table de bois blanc où elle dînait chaque soir en compagnie de sa mère. Il avança la main vers elle, et secoua la tête d'un air désemparé. Elle commença par l'écouter, la main sur la bouche, puis, comme il en arrivait au bout de sa tirade, elle refusa net de lui répondre et même de le regarder.

« J'en ai besoin, Magda. Et je t'en saurai gré ! Ça, tu peux y compter. Ton prix sera le mien. Mais c'est toute ma carrière qui est en jeu, tu comprends. Toute ma putain de vie, qui va me passer sous le nez... Tu ne peux pas les laisser faire, ces fumiers... Magda, je t'en supplie !

— Pas un mot de plus. » Elle avait soudain détourné le visage, et présentait sa nuque à Feaver, comme à la caméra. Sa voix semblait s'être soudain désincarnée, mais un sanglot de désespoir étrangla les premières syllabes qu'elle tenta d'articuler. « Quand tu m'as appelée... en t'attendant – mon Dieu... » Elle s'interrompit. « J'ai prié. Pour que ta visite n'ait rien à voir avec cette affaire. J'ai prié. J'ai invoqué la mère de Dieu – comme si je méritais sa compassion... mais je ne peux m'en prendre qu'à moi-même – n'est-ce pas ?

— Allez, Magda... laisse tomber le mélodrame. Ça ne sera pas la première fois que je comparaîtrai devant toi. Tu as souvent tranché en ma faveur, ces dix dernières années.

— Tout aussi souvent que contre toi ! Ne fais pas l'innocent, Robert ! Tu sais parfaitement ce qui est en jeu. N'essaie pas de faire comme si tu ne comprenais pas la portée du problème. La gravité de ce que tu me demandes. Ça n'est pas le cours normal des choses, et tu le sais très bien. » La seule idée de ce qu'il lui demandait de faire lui fit à nouveau détourner la tête. « Seigneur, murmura-t-elle. Oh, mon Dieu !

— Je t'en prie, Magda. Réfléchis. Regarde autour de toi. On dirait que tu n'as aucune idée de ce qui se passe. Comme si tu n'avais jamais pris le temps de regarder...

— Je ne veux même pas le savoir ! » Sa véhémence parut la surprendre elle-même. Elle porta la main à la bouche.

Il persista à plaider sa cause, encore et encore, jusqu'à ce qu'elle se bouche les oreilles.

« Va-t'en, fit-elle d'une voix ténue. Je t'en prie, va-t'en. »

Il la supplia à nouveau – il fallait qu'elle le fasse. Il le fallait – jusqu'à ce qu'elle semble avoir perdu jusqu'à la force

de lui enjoindre de se taire. Sous sa toison de boucles grisonnantes, sa tête parut un instant s'incliner, comme dans un
geste d'assentiment.

« Merci, fit-il. Merci de m'avoir reçu. Merci pour tout.
Merci ! » Il le répéta une fois, trois fois, dix fois. Lorsqu'il
contourna la table pour l'enlacer, elle se replia sur elle-même
en se protégeant de ses bras grassouillets, qu'elle tenait levés.
Sur les dernières images, juste avant qu'il ne prenne son
attaché-case sur le plan de travail, elle apparut éplorée,
effondrée en une masse sans forme.

« Elle va le faire », fit Stan à Alf, dans l'estafette, tandis
que Robbie redescendait. J'en étais moi-même arrivé à la
même navrante conclusion. Evon et McManis se contentè-
rent de hocher la tête.

Mais Robbie avait un tout autre point de vue. Une fois
installé au volant de la Mercedes, il amena l'objectif de la
caméra droit sur lui. Ses traits explosèrent à l'écran, mons-
trueusement épatés par le grand angle. Il avait manifestement quelque chose à nous dire, et tenait à ce qu'aucun
d'entre nous n'en perde un mot.

« Voilà la pire saloperie que j'aie commise de toute ma
vie ! » hurla-t-il. Après quoi, il dut précipiter la caméra à
terre, car, après une brève salve d'images brouillées et inin-
telligibles, l'écran s'obscurcit définitivement.

31

Le lendemain matin, lorsqu'elle vint chercher Feaver, il
était parti.

Elle avait attendu un bon quart d'heure au bout de l'allée, toutes vitres baissées, dans la brise matinale, et avait fini
par aller frapper à sa porte. Jusque-là, la ponctualité avait

pourtant été la seule vertu sur laquelle on pût compter, de sa part...

Ce fut une nouvelle garde-malade qui vint lui ouvrir. Elba avait pris un congé de deux semaines pour aller assister au mariage de sa nièce, aux Philippines. Son poste devait être assuré, entre-temps, par Doris, une grande Noire efflanquée et souffreteuse, qui semblait avoir elle-même besoin d'un garde-malade. Elle n'avait pas la moindre idée de l'endroit où pouvait se trouver Robbie, lui dit-elle. Elle l'avait simplement entendu se lever au milieu de la nuit.

Evon s'était promis de ne plus jamais éprouver la moindre pitié pour lui, mais, la veille au soir, en le voyant ouvrir sa porte, épuisé, elle avait failli revenir sur cette résolution. La vérité, avec Feaver, c'était qu'il s'arrangeait toujours pour n'être pas ce qu'il prétendait être. Toujours. Il n'était pas avocat, de toute évidence – et il n'avait jamais fait la moindre carrière en tant qu'acteur. Il n'était même pas un époux digne de ce nom, si toutefois cela signifiait s'en tenir sept jours par semaine à ses engagements. Ce qu'il opposait à tout cela, c'était qu'il était au moins un ami. Telle avait été sa réponse, quand elle avait exigé de savoir ce qui comptait vraiment pour lui : ses amis. Pour le punir de s'être laissé piéger dans l'une des plus grandes entourloupes de l'histoire, le perfide Sennett l'avait mis en joue, et réduit à sa merci. Et là, l'œil fixé sur le trou noir de ce canon braqué sur lui, Robbie avait découvert que même ça, même ce dernier bastion de l'estime qu'il gardait pour lui-même, ses prétentions à l'amitié, étaient aussi fausses que le reste.

Peut-être était-il tout bonnement allé prendre une cuite en ville, se dit-elle. Ou regarder couler la rivière.

Au bout d'une autre demi-heure d'attente, elle commença à se demander sérieusement s'il n'avait pas pris la fuite. Elle appela McManis depuis la pharmacie du coin, pour pouvoir utiliser une ligne câblée. Jim en resta si longtemps sans voix, qu'elle finit par lui demander s'il était toujours au bout du fil.

« Il ne peut pas avoir filé, laissa-t-il enfin tomber. Jamais il n'abandonnerait sa femme... » Il s'interrompit. « Seigneur ! Retournez vite vous assurer qu'elle est toujours là ! »

Elle rebroussa donc chemin, ventre à terre. En arrivant en vue de la maison, elle aperçut Robbie dans l'allée, sortant de la Mercedes. Il s'avança vers elle à pas comptés. C'était la première fois qu'elle le voyait dans un tel état. Mal rasé, les cheveux en bataille, les traits tirés par le manque de sommeil. Un pan de sa chemise s'échappait de sa ceinture. À l'évidence, il n'avait pas l'intention de se rendre à son cabinet. À en juger par le regard terne et perdu qu'il lui lança, elle aurait pu croire qu'il était ivre, mais non... ses mouvements restaient trop précis. Il inclina la tête comme pour suivre une idée qui lui aurait tourné autour, comme un papillon, avant de ramener les yeux vers elle.

« Ma mère est morte, fit-il. Une nouvelle attaque, cette nuit. Elle était déjà morte à son arrivée à l'hôpital, mais ils ont quand même essayé quelques trucs, en *réa*. » Ses mains battirent l'air, à ses côtés, pour souligner la futilité de ces efforts, et la droite, comme par hasard, atterrit sur celle d'Evon. Ça avait vraiment eu l'air d'une pure coïncidence, mais il s'autorisa à la lui presser un bref instant, avant de la relâcher. Son regard s'échappa en direction d'un pommier dont les branches disparaissaient sous un manchon de flocons roses. Il fit la grimace. La paralysie s'était étendue à l'autre côté, expliqua-t-il. En un sens, il valait donc mieux que les choses se soient terminées ainsi.

Deux ans plus tôt, le père d'Evon avait dû subir un pontage cardiaque. Elle avait attendu en compagnie de sa mère, de ses quatre sœurs et d'un de ses frères, sur les chaises de vinyle de la salle d'attente, au service de chirurgie. Sous la pression du moment, sa mère s'était montrée égale à elle-même. Elle avait abondamment dénigré les infirmières et avait fait la navette entre ses enfants, pour désigner avec eux des responsables. Evon avait décidé de les planter là. Elle s'était déjà hissée sur ses pieds, lorsque le chirurgien était venu leur annoncer que leur père n'avait pas survécu.

De lui, elle avait gardé le souvenir de son imposante silhouette, de son visage rougeaud, de ses bras épais, et de sa petite bedaine qui tirait sur les boutons de sa chemise écossaise. De ses grandes mains calleuses, aux ongles cassés, jamais très nets. Il sentait la campagne. Ce qu'elle connaissait de lui c'était surtout sa présence. Il parlait peu, même à l'occasion de ces petites réunions où l'on bavardait, entre voisins. Il était gentil avec sa femme, mais ne se départissait jamais de cette distance, qu'il gardait avec elle, comme avec tous les autres. Il n'avait jamais été très à son aise dans le domaine des sentiments, et préférait s'en tenir à celui, plus rassurant, du traintrain des corvées, du fonctionnement quotidien. Il avait coupé les ponts avec sa propre famille lorsque la mère d'Evon avait laissé tomber la religion. Il parlait parfois à ses frères, mais jamais à ses propres parents. De toute sa vie, Evon ne se souvenait pas de l'avoir entendu faire allusion à son père ou à sa mère plus d'une fois ou deux. Comment cela était-il possible ? Il avait disparu sans même lui avoir donné l'occasion de mieux le connaître, mais il lui réapparaissait régulièrement dans ses rêves et dans ses pensées. Elle l'évoquait chaque jour, à plusieurs reprises, et son souvenir éveillait chaque fois en elle cette douleur lancinante, comme si quelque chose avait été arraché au tréfonds d'elle. Extirpé, déraciné.

Robbie avait déjà averti Mort, qui s'occupait des préparatifs de l'enterrement. Il s'apprêtait à présent à annoncer la nouvelle à Rainey. Avant de tourner les talons en direction de la maison, il lui demanda de passer au cabinet, pour s'occuper du courrier et donner un coup de main à Morty. Il fallait déplacer les dépositions et les rendez-vous prévus pour les quelques jours à venir.

« Pas de problème », fit-elle, incapable de trouver en elle la force de le rabrouer.

Il lui lança un regard poignant, sans vouloir faire mine de partir. Elle comprit. Sa propre femme ne pourrait même pas lever les bras vers lui pour le consoler. Elle avança la main, pensant juste l'effleurer, mais il fondit sur elle, et l'enveloppa de ses bras en une accolade qu'elle lui rendit, non sans quelque réticence.

« Vous êtes costaud, Robbie. Je sais que vous allez vous en sortir. Si je peux faire quelque chose... »

Mais il ne la laissait toujours pas repartir. Il éclata en sanglots. Quand enfin il s'écarta d'elle, il se mordillait la lèvre et pleurait encore, le visage tordu par la douleur.

« Elle était tout, pour moi, fit-il. Tout. »

Lorsqu'elle arriva au cabinet, la nouvelle avait déjà fait le tour des bureaux. Il flottait dans l'air une morosité qui allait bien au-delà du simple respect dû au patron. Mort se préparait à partir rejoindre Robbie. Il lui demanda de se charger de quelques détails concernant les affaires en cours. Il se tenait sur le seuil de son box. Il portait sa veste de costume, mais avait ôté sa cravate, indiquant sans équivoque que le cours des procédures habituelles était suspendu.

« Comment Robbie va-t-il surmonter tout ça ? » s'inquiéta-t-il. Lui aussi semblait à deux doigts de céder à sa légendaire propension à fondre en larmes. « Ça passe vraiment les bornes... » fit-il, dans un sanglot. Il enfouit son visage dans ses mains, paralysé par l'inquiétude et le désespoir que lui inspirait l'avenir de son ami.

La date des funérailles était fixée au lendemain – conformément à l'usage juif, qui est d'enterrer les morts au plus tôt, lui expliqua Eileen. Tout le personnel du cabinet y assisterait, sans exception. Evon n'eut même pas à se poser la question.

Elle allait quitter son appartement, lorsque Morty lui téléphona. « Nous avons comme un problème », lui annonça-t-il. Doris, la garde-malade, n'était pas venue. Dès le début, Robbie avait craint qu'elle ne soit submergée par la tâche, et la perspective de voir débarquer la foule des visiteurs, à l'occasion de l'enterrement, avait dû achever de lui saper le moral. Mort avait envoyé Robbie au funérarium, en lui promettant qu'il allait tout arranger, mais il avait déjà appelé une demi-douzaine d'agences, et aucune ne pouvait lui envoyer une personne compétente avant le début de l'après-midi.

« Ma mère était infirmière, fit Morty. Je suppose qu'elle pourrait s'en charger, mais, vous comprenez... Robbie préfère qu'elle vienne à l'enterrement. Vu les circonstances... je pourrais aussi appeler une de ses cousines, mais j'ai pensé que vous auriez une meilleure idée... Lorraine dort pendant une bonne partie de la journée, maintenant, et ça serait vraiment plus sympa si c'était quelqu'un qu'elle a déjà eu l'occasion de rencontrer... »

Evon eut le sentiment très net que Mort essayait de biaiser. Ses côtés les plus calculateurs et les plus sournois lui apparaissaient plus clairement, de jour en jour. Il avait l'art de minimiser les faveurs qu'il attendait de vous. L'enterrement aurait lieu dans moins d'une heure – le service ne durerait pas très longtemps, et la plupart des gens repartiraient directement, sans même passer par la maison...

Il lui parut délicat de refuser. Il la remercia avec enthousiasme lorsqu'elle finit par céder, lui proposant de rester auprès de Rainey. Mais, en raccrochant le combiné, elle eut un sursaut d'exaspération, et se mit en demeure de rappeler Morton pour se dédire. Ce genre de chose détonnait violemment avec la couverture. Que penseraient les gens de ce nouveau micmac ? Robbie abandonnant son épouse mourante aux bons soins de sa maîtresse, le jour de l'enterrement de sa mère ? Il y avait de quoi se poser des questions ! Mais non, se ravisa-t-elle. Absolument pas... Au contraire – c'était du Robbie Feaver tout craché !

Lorsqu'elle arriva à Glen Ayre, Morton était déjà parti pour le funérarium, laissant Lorraine sous la garde de sa femme, Joan – laquelle lui expliqua ce que lui avait expliqué Morton, qui avait lui-même été briefé par Robbie. Dieu savait ce qui avait pu être omis, déformé ou mal compris, au cours de cette chaîne de transmission orale, mais les bases semblaient évidentes. Le bassin hygiénique. Le Sustacal, qui constituait le déjeuner de la malade, dans un placard de la cuisine.

Quelques minutes après son départ, lorsque Evon réalisa qu'elle était désormais seule avec Lorraine, elle faillit pousser un hurlement dans la maison déserte. Seigneur ! Et si elle faisait quelque fausse manœuvre – si elle la tuait ? Puis, repoussant hors d'elle son angoisse, elle ferma les écoutilles de son esprit, comme un sous-marin s'apprêtant à descendre en plongée.

Rainey ne se réveilla qu'au bout d'une bonne demi-heure. Elle portait un masque à oxygène, à présent. Une coque de plastique transparent, qui lui recouvrait la bouche et le nez. Son souffle se faisait de jour en jour plus superficiel. Elle n'avait plus la force de quitter son lit, et il faudrait bientôt la placer sous une sorte de cuirasse qui aspirerait l'air pour elle. La décision de franchir ce pas ultime ne pourrait être ajournée indéfiniment. Robbie gardait espoir de convaincre Lorraine d'accepter, mais le moment de la décision approchait inexorablement.

Lorsque Rainey ouvrit les yeux, Evon lui rappela qui elle était, et approcha du lit le plateau d'hôpital où se trouvaient la souris et son tapis. Elle posa les doigts de la malade sur les boutons. Lorraine avait considérablement gagné en assurance dans l'utilisation du synthétiseur vocal. Elle passait en revue les listes de mots, et cliquait dedans à toute allure.

« Oh, je ne vous avais pas oubliée », fit la voix de garçonnet chevrotante. Même en l'absence de toute expression vocale, Evon sentit planer une vague menace dans le choix des mots. Elle n'avait pas la moindre idée de ce qu'elle pourrait faire au cas où la malade lui volerait dans les plumes, avec le genre de violence verbale qu'elle infligeait parfois à son mari. Robbie lui avait confié qu'il lui arrivait de couper le son des haut-parleurs mais elle aurait eu du mal à montrer une telle sévérité à l'égard de Rainey. Elle préféra se rendre utile. Repliant les couvertures, elle entreprit de lui enduire les bras d'une lotion qui sentait l'amande. Mais Rainey n'entendait pas se laisser si facilement réduire au silence.

« C'est un menteur, dit le robot. Incorrigible. Devinez ce qu'il dit de vous ? »

Evon en resta clouée sur place. Un gros nœud de sentiments contradictoires lui enserrait déjà la poitrine.

« Que vous êtes lesbienne. »

Evon fut secouée d'un éclat de rire, un peu plus long que ne l'aurait justifié le seul soulagement.

« Mais c'est vrai », répondit-elle.

Dans les profondeurs inertes du regard de Rainey subsistait un noyau d'expression qui parut se contracter en une sorte de doute.

« Il parle souvent de vous.

— Nous travaillons ensemble. Nous sommes amis – il a beaucoup d'amis, vous savez. » Elle dénicha un oreiller et, tirant la malade sur le côté, le glissa sous elle. Elle se rappelait la façon dont on soignait sa propre grand-mère. Les gestes lui revinrent avec une aisance et un naturel qui ne manquèrent pas de la surprendre. Elle inclina son visage au bord du lit, pour faire face à celui de Rainey, reposant sur l'oreiller.

« Nous n'avons jamais été amants », lui dit-elle.

Même dans l'incapacité où elle se trouvait de mobiliser ses muscles, Rainey était visiblement animée d'un ardent désir de la croire, mais les nombreuses déceptions que Robbie lui avait infligées avaient dû l'endurcir. Elle devait se débattre dans le cycle douloureux de l'espoir et du doute.

Evon lui fit quelque temps la lecture. Robbie avait commencé *Circonstances exténuantes*, dont elle lui lut quelques chapitres. Sa lecture ne devait être qu'un pâle substitut de la verve théâtrale de son mari. À sa propre oreille, sa voix semblait à peine plus expressive que le robot de Rainey. Elle ne fut donc pas autrement surprise de voir la malade s'assoupir en l'écoutant.

Lorraine s'éveilla un peu plus tard dans un frisson pathétiquement contenu, qui ne se communiqua qu'à son pied et à son bras droit. Ses yeux s'ouvrirent, et il lui échappa un son, un grincement à peine audible, qu'Evon interpréta comme un hurlement. Rien qu'en effleurant la joue de Lorraine, il lui sembla qu'elle pouvait sentir les battements éperdus de son cœur.

« Je rêve que je suis morte. Tout le temps. »

Evon ferma les yeux, prise dans les épines de ses propres frayeurs. Ça lui revint l'espace d'un instant, comme l'amertume qui suit un hoquet.

« Ça doit être très effrayant, dit-elle.

— En un sens, oui. » Rainey s'accorda le temps de la réflexion, et entreprit de décrire son rêve. Elle avait vu la mère de Robbie. « Nous portions le même chapeau. Avec une plume de paon sur le devant. » Elle s'interrompit, le temps de reprendre haleine, avec en fond sonore le bourdonnement continu de la bouteille d'oxygène. « J'ai essayé de l'enlever, mais j'en étais incapable. C'était atroce. Mais ça n'est pas toujours comme ça. On dit que les rêves sont des souhaits. Vous le saviez ? »

Elle avait un diplôme en psychologie, et se trouvait donc bien placée pour le savoir. Pendant ses études, elle avait quelque temps espéré que ce genre de discipline l'aiderait à mieux comprendre autrui, mais, à présent, l'idée lui paraissait presque comique.

« Il m'a promis – vous savez. » Evon commençait à distinguer un semblant d'expression dans les bêlements qui fusaient du haut-parleur de l'ordinateur. De toute évidence, ça ne pouvait être que le fruit de son imagination... mais cette voix plate d'androïde mâle lui semblait correspondre de plus en plus à l'être dévasté qui gisait sur le lit, le corps recroquevillé en forme de point d'interrogation.

Qu'est-ce qu'il lui avait promis ? demanda Evon. Elle prit la main de Rainey et lui effleura le front.

« Il a promis. De m'aider. Quand je lui demanderai. Il me l'a juré. »

La main d'Evon avait inconsciemment affermi sa prise sur les doigts de la malade. Tout juste si elle eut la présence d'esprit de la relâcher. Lorraine poursuivit, lui décrivant le marché qu'elle avait passé avec Robbie, plusieurs années plus tôt, lorsqu'elle avait découvert la nature de sa maladie. Mais elle ne lui avait fait réitérer ses engagements qu'assez récemment, quand elle avait commencé à perdre le contrôle de ses membres. Evon l'écoutait, pétrifiée. Les haut-parleurs déversaient la voix de Rainey au même volume, bêlant ces mots qui n'auraient dû être prononcés qu'à mi-voix, dans un souffle. Ce qui épouvantait Evon, ce n'était pas tant l'idée, ni l'acte lui-même, que de se représenter l'instant que ce serait, pour l'un comme pour l'autre. Mais Rainey, elle, n'en semblait nullement incommodée. La certitude d'avoir à portée de main cette issue, ce sursis, ce moyen de mettre fin à ses souffrances, semblait l'aider à les supporter.

« Ne le laissez pas se dédire. Surtout pas.

— Non, fit Evon en une sorte de réflexe.

— Promettez. »

Seigneur ! Qu'elle était bête de n'avoir jamais soupçonné ça ! Tous ces efforts qu'avait déployés Robbie, pour garder sa liberté d'action pendant le déclin de sa femme. Ce sacré Robbie ! songea-t-elle. En bien ou en mal, elle n'en verrait décidément pas le bout...

« Vous ne pouvez pas me demander une chose pareille, Rainey.

— Je sais. Mais je demande. À tous ses amis. »

Rainey s'endormit à nouveau, et Evon elle-même dut s'assoupir quelque temps. Ce furent les éclats de voix au rez-de-chaussée qui la tirèrent de sa torpeur. Joan était de retour, ainsi que la mère de Morty, une matrone avec un gros chignon de cheveux blancs. Suivait Lucinda, l'une des cousines de Robbie, dont le casque de cheveux permanentés et laqués semblait plus dur qu'une carapace d'insecte. Elle était couverte de bijoux, et scintillait comme un arbre de Noël. Les trois femmes étaient revenues en avance, dès la fin du service, pour préparer la maison à recevoir la petite foule qui débarquerait après l'enterrement. Plus de neuf cents personnes étaient venues au funérarium. La chapelle était pleine, et l'assistance en avait rempli une seconde, où la cérémonie avait été retransmise sur les moniteurs du circuit vidéo interne. Ce matin-là, après un tel exode, le centre-ville avait dû être plus morne qu'une ville fantôme. Les amis de Robbie étaient légion – les confrères, les clients, le personnel du tribunal, la foule de tous ceux que Robbie avait aidés, amusés ou charmés. Joan craignait que la maison ne soit submergée sous ce déferlement.

Evon aida les femmes à transporter une douzaine de plateaux débordant de victuailles, qui avait été envoyées chez Morton par des amis désireux d'apporter leur soutien. La nouvelle garde-malade, une émigrante polonaise d'un âge plus que certain, arriva sur ces entrefaites, chargée d'une grosse valise. Joan, qui connaissait la maison, lui montra sa chambre.

Lorsque Evon revint au chevet de Rainey, la malade avait rouvert les yeux.

« Les renforts sont arrivés, fit-elle. Je vais devoir partir.

— Vous reviendrez, j'espère. »

Elle lui promit.

« Je suis désolée. Pour avant. Je dis parfois des choses. Ensuite, je doute d'avoir pensé les mots qui sont sortis. »

Evon lui reprit la main. Ce n'était pas grave, lui dit-elle. L'essentiel, c'était que les craintes de Rainey ne soient pas fondées, et elles ne l'étaient pas. Elle était heureuse de pouvoir la rassurer.

« En ce cas, vous ne savez pas ce que vous perdez, fit la malade. C'est ce qu'il vous dirait... »

Humour. Evon sourit. Effectivement, ça... il n'aurait pas manqué de le lui dire ! Le regard de Rainey s'assombrit sous l'effort d'une réflexion plus ardue.

« On pourrait croire que je m'en fiche, maintenant. Si près de la fin. Malade et cassée comme je suis. Mais je le désire toujours. Sur tous les plans. Je peux encore sentir du désir. Là. Et je peux toujours le faire. Vous saviez ? »

Non. Elle n'aurait jamais soupçonné ça. Elle dut ouvrir de grands yeux.

« C'est tout ce qui me reste. Je n'ai jamais été aussi excitée. Ça doit vous paraître choquant. Vulgaire, ou pervers. Mais pas du tout. C'est merveilleux. Sentir ses bras autour de moi. Penser qu'il me désire encore. Même maintenant. Même tordue et laide. Il paraît que c'est le partenaire qui perd tout intérêt pour le sexe. Mais lui, non. Et je lui en suis reconnaissante. On s'aime, vous savez.

— Je sais, répondit Evon en cherchant un Kleenex pour essuyer les larmes de Rainey, qui tombaient sur son oreiller tandis que sa main s'activait sur la souris.

— Il me fait souffrir. Énormément. Et moi aussi, je lui en fais voir. De toutes les manières imaginables. Mais je l'aime. Et il m'aime. Jusqu'à ce que tout ça m'arrive, je ne le savais pas. Et maintenant, c'est ce qui me retient à la vie. Incroyable, non ? Je vis à peine, mais le peu que je vis, c'est par amour. »

La nouvelle garde-malade entra d'un pas énergique. Elle parlait avec un accent à couper au couteau, qu'Evon comprenait à peine, mais elle s'adressait à Rainey d'un ton affectueux et connaissait manifestement son affaire. En deux temps trois mouvements, elle redressa la malade sur ses oreillers, et remit de l'ordre dans ses couvertures, retapant le lit si vite qu'Evon fut gênée de sa relative incompétence. Après un moment de flottement, elle se pencha sur Rainey et l'embrassa.

Au rez-de-chaussée, peu de temps après, comme elle regardait par les grandes baies du living, elle vit Robbie descendre d'une limousine. Il accompagnait la sœur cadette de sa mère, qui était venue de Cleveland. Il lui tint fermement le bras pour l'aider à s'extraire de la voiture. Evon vint à leur rencontre dans le hall d'entrée. Il était blafard. Ses traits semblaient soufflés, comme détendus par une sorte d'incertitude. Sa vieille tante, croulant sous les ans, voûtée et presque bossue, semblait d'humeur lunatique, et manifestement peu affectée par les événements. Elle demanda à Robbie d'un ton grincheux de lui montrer les petits coins. À son retour, il proposa à Evon de la raccompagner. Son pilote automatique avait repris les commandes. Il engagea la conversation en descendant l'allée.

Un été, lui raconta-t-il, quand il avait neuf ou dix ans, sa mère l'avait emmené à la pêche, pendant la saison de la perche, près de Skageon. Il avait eu quelques petits ennuis, à l'époque. Il s'était fait surprendre à piquer dans un supermarché. Sa mère avait diagnostiqué un manque d'activité et d'attention virile. En se replongeant dans ses souvenirs, Robbie s'émerveilla de l'image qu'il gardait d'Estelle – elle qui n'aurait pas mis le nez dehors avec ne fût-ce qu'un faux pli dans ses bas nylon, il l'avait vue arriver ce matin-là flottant dans une grande chemise écossaise, avec un vieux chapeau de paille vissé sur le crâne. Elle lui avait avoué bien plus tard qu'après deux heures de tangage sur la rivière elle avait été prise d'un tel mal de mer, qu'elle aurait envisagé le suicide comme un soulagement. Mais sur le moment, elle ne lui en avait rien laissé voir.

Ils étaient parvenus près de la voiture d'Evon, garée devant le jardin. Les lilas du voisin, blancs et mauves, pleinement épanouis, répandaient dans l'air leur parfum suave. Robbie avait accompagné sa mère à sa dernière demeure par un jour de grand soleil. Evon leva la tête vers le ciel, d'un bleu parfait. Lorsqu'elle ramena les yeux vers Robbie, son regard croisa le sien. Il l'observait.

« Vous avez été formidable, fit-il. Je ne peux même pas vous dire à quel point ça me touche. Je ne peux pas ! C'est l'une des choses les plus formidables qu'on ait jamais faites pour moi. »

Elle lui répondit en lui livrant l'idée qui lui avait trotté dans la tête une bonne partie de la matinée : « Vous en auriez fait tout autant pour moi... » Une corde avait vibré au tréfonds d'elle-même, ébranlée par la vérité même. On ne pouvait pas lui demander d'être honnête ou rigoureux – à supposer déjà qu'il sût ce que c'était. Il était incorrigiblement brouillon, mais si jamais elle avait trébuché, il aurait volé à son secours. Aurait-elle accepté la main qu'il lui tendait – c'était une autre histoire. Mais il serait venu. Elle ne cherchait pas à l'absoudre ; il suffisait d'ouvrir les yeux... Neuf cents personnes avaient répondu présentes pour soutenir Feaver dans son deuil, et chacune d'entre elles, ou presque, avait dû éprouver un jour ou l'autre sa générosité, son ouverture d'esprit, et la chaleur de son amitié. Elle la première. C'était un fait. Inutile de nier l'évidence.

Elle lui demanda comment il s'en sortait.

« Eh... » fit-il, et il se laissa un moment dériver au gré de ses sentiments.

« Quand j'ai perdu mon père, c'était déjà quelque chose, dit-elle. Mais ma mère ! Si j'étais la dernière de ses filles, je n'imagine même pas ce que ce serait.

— Et ouais, répliqua-t-il. Vous savez... j'ai lu un truc une fois, et je n'arrête pas d'y repenser. Il paraît que tout petit garçon perd sa mère pour la première fois le jour où il comprend qu'il est un homme. »

Evon ne saisissait pas. Lui non plus, dit-il. Au départ, il n'y avait rien compris. Mais là, il commençait à y entrevoir quelque chose. Les garçons devaient se faire à l'idée qu'ils ne pourraient pas se contenter de s'identifier à leur mère. Ils devaient devenir quelqu'un d'autre. Il s'était figé sur place. Ses traits semblaient s'appesantir, dans la lumière. L'idée le laissait apparemment sur sa faim.

Cela faisait belle lurette qu'elle avait renoncé, quant à elle, à devenir comme sa mère – sans doute parce que, d'emblée, cette dernière lui avait clairement signifié qu'elle n'y parviendrait jamais. Mais la seule pensée de la disparition de sa mère revenait à priver l'univers de son centre de gravité. Un peu comme si ce petit point qui se tient au cœur même de la planète et qui l'empêche de voler en éclats cessait soudain d'exister. À plus de soixante-dix ans, sa mère sortait tous les matins, presque sans exception, pour pendre sa lessive, parce qu'elle préférait la brise des montagnes à la moiteur confinée du sèche-linge. Evon se la représentait, la bouche pleine d'épingles à linge, accrochant ses draps et ses chemises de gros pilou, luttant pied à pied pour imposer sa volonté au vent qui faisait gaiement claquer sa lessive.

Robbie lui demanda si elle s'entendait bien avec sa mère.

« Plus ou moins, répondit-elle. Elle vous juge. Devant elle, vous êtes toujours sur la sellette. Soupesée, jaugée à l'aune de ses critères... mais, vous voyez – c'est quelqu'un. Elle est costaud – ses bras s'écartèrent. Forte, si vous voyez ce que je veux dire. »

Il fit quelques pas avec elle le long du trottoir. Ils furent interrompus dans leurs réflexions par une voisine, qui attendait le retour de Feaver pour apporter un grand plateau chargé, comme les autres, d'un tas de victuailles inconnues d'Evon, et qui lui parurent éminemment indigestes. La voisine les salua, et poursuivit sa route en direction de la maison.

Sans laisser à Evon le temps de réagir, il l'empoigna et la serra contre lui, selon ce qui semblait devenu sa nouvelle façon de faire. Elle croisa les doigts pour qu'il eût le bon sens de ne pas se livrer à ce genre de démonstration en présence de Sennett ou de McManis. Lorsqu'il fut à mi-chemin de la maison, il se retourna vers elle, et lui cria en marchant à reculons : « Vous êtes formidable. Je vous aime – sans déconner ! »

Elle songea un instant qu'il devait y avoir quelque part dans les parages un agent chargé de la surveiller. Dieu savait ce qu'il avait pu voir – ou entendre. Elle imagina ce que donnerait ce 302 : « Le CI a déclaré à l'agent Miller : "Je vous aime ; sans déconner." Super ! Elle n'aurait aucun mal à le reconnaître, cet agent – à la largeur du sourire qu'il lui décocherait au passage, par la vitre conducteur. Et à ça, qu'est-ce qu'elle pourrait répondre... « On est juste copains, rien de plus » ?

Mais quand elle s'installa au volant de la Chevette, elle épia son propre reflet dans le rétroviseur, et y surprit des traces de joie. De la joie, dans ce fatras de catastrophes, de confusion et d'angoisse ? Elle s'admonesta intérieurement, puis jeta l'éponge. Et après ? songea-t-elle tout à coup. Sans blague... et après ? Elle passa une vitesse, et abaissa sa vitre pour mieux sentir le souffle vivifiant de la brise printanière.

32

Le lendemain matin, lorsque j'arrivai à mon cabinet, Danny, mon réceptionniste, me tendit un message du procureur fédéral Stan Sennett, me demandant s'il était possible d'organiser une réunion dans mon bureau à midi et demi, avec mon « collègue », terme dont il se servait désormais pour désigner Robbie. Ce dernier, qui s'était rendu à la maison de retraite pour s'acquitter de la tâche peu réjouissante de trier les affaires de sa mère, accueillit cette convocation d'assez mauvaise grâce, mais arriva à l'heure, les paupières encore soufflées, et les cheveux passablement ébouriffés – bref, dans l'état où je l'avais laissé la veille au soir lorsque j'étais allé lui rendre ma visite de condoléances.

« De quoi s'agit-il ? » demanda-t-il. Je n'en avais pas la moindre idée.

Stan, lorsque Danny l'eut fait entrer, était d'humeur cérémonieuse. Il portait son complet bleu habituel – et, comme d'habitude, impeccable. Il se donna la peine de serrer la main de Robbie, chose dont je n'avais pas souvenir de l'avoir vu faire, jusqu'ici. Il lui présenta ses condoléances, qui furent reçues assez fraîchement, avant de s'installer dans le fauteuil attitré de Robbie. Il consacra un moment à se rajuster, se penchant pour rectifier le pli de son pantalon, avant de prendre la parole.

« Je voulais vous faire part d'une entrevue que j'ai eue avant-hier après-midi, à titre exceptionnel. Je vous en aurais tenu informé plus tôt, sans les tristes événements de ces derniers jours. J'ai reçu une vieille amie... à nous tous. Magda Medzyk. » Ses yeux restaient fixés sur ses genoux. Son expression semblait comme figée. « Le matin même, m'a-t-elle déclaré, elle avait pris conseil auprès d'un avocat. Sandy Stern. »

Stan hocha la tête dans ma direction. Stern, qui, pour des raisons qui m'échapperont toujours, pense et dit pis que pendre de Sennett, est à la fois mon ami et mon meilleur allié dans la profession. « Et là, la chance nous a souri. M. Stern a refusé de la représenter, pour des motifs relevant du secret professionnel, mais lui a suggéré de s'adresser à moi plutôt qu'au service du procureur général, où le jeu des alliances politiques risquait d'interférer. Elle m'avait attendu une heure dans mon antichambre, et quand j'ai enfin pu la recevoir, elle m'a raconté une longue histoire, qui m'a semblé assez scabreuse, sur une relation qu'elle avait eue avec un avocat spécialisé dans les affaires de dommages et intérêts, un certain Robert Feaver.

« La veille, m'a-t-elle raconté, Mr Feaver avait tenté d'infléchir sa décision dans une affaire qu'elle devait juger dans les jours suivants. Il lui avait même semblé qu'il lui avait offert de l'argent en échange, mais elle ne pouvait émettre aucune affirmation sur ce dernier point, car, m'a-t-elle dit, vu l'état de désarroi où l'avait plongée cette demande, elle n'avait gardé qu'un souvenir confus des termes employés par Feaver, mais elle avait parfaitement compris, sans équivoque possible, qu'il tentait d'influer sur la manière dont elle allait trancher. Elle avait donc décidé de se récuser pour ce dossier. Mais elle tenait d'abord à m'en informer, parce qu'elle était prête, au besoin, à porter un micro pour confondre Mr Feaver... » Tout en s'efforçant de garder le masque de gravité qui s'imposait, Stan ne put se défendre d'un petit sourire, que lui inspira cet ironique retournement de situation.

Magda, poursuivit-il, avait écouté et suivi ses conseils. Elle acceptait notamment de ne rien entreprendre et de n'alerter aucune autre instance, pour laisser au ministère public toute latitude concernant le déroulement de l'enquête. Elle attendait les directives de Stan pour entreprendre quoi que ce fût.

Sennett décrivit du menton une série de petits cercles, pour se libérer un peu du carcan de son col empesé, avant de se tourner vers Feaver qui se trouvait à côté de lui.

« Une femme exceptionnelle, cette chère Magda... » dit-il.

Robbie resta de marbre. Ses yeux cernés d'ombre se

plantèrent dans ceux de Sennett qui, soit dit à son crédit, soutint son regard.

« Une femme exceptionnelle, oui, laissa enfin tomber Robbie. Avez-vous la moindre idée de la façon dont le juge Medzyk a passé la nuit après ma visite, Sennett ? En avez-vous seulement une idée ? Moi, oui. Hier, juste avant de porter en terre le corps de ma mère, j'étais dans cette chapelle, et Magda m'est apparue, très clairement. Une sorte de vision. Comme sur un écran télé. Je l'ai vue assise à cette petite table dans sa cuisine, toute la nuit, immobile ou presque. Elle ne s'est levée qu'une fois, pour prendre son rosaire. Et elle a prié toute la nuit, demandant à la Vierge de l'aider à trouver en elle le courage de continuer à vivre avec ce qui lui restait d'âme. Cette dernière petite miette qui lui restait, parce que le reste avait été dévoré par la honte. » Robbie se leva. « Une femme exceptionnelle », répéta-t-il. Il planta une dernière fois ses yeux dans ceux de Sennett, et envoya d'un coup de pied balader ma corbeille à papier, qu'il releva avant de sortir.

Stan accusa le coup pendant de longues secondes. Puis il se leva à son tour, et, avant de franchir ma porte, il éleva la main vers un chapeau imaginaire.

Sa conduite me parut curieusement correspondre à la longue expérience que j'en avais. Au moment même où je commençais à désespérer de lui, Sennett se rachetait *in extremis*. Quand il sévissait dans l'équipe du procureur général, il tranchait dans le vif avec la délicatesse d'une lame rouillée dans une plaie béante, mais dès qu'il avait été promu au poste d'adjoint chef, sous les ordres de Raymond Horgan, il avait fait merveille, lui et son projet de réforme du service, notamment dans ses efforts pour atténuer la mainmise des forces de police, toujours influencées par les connexions politiques souterraines, sur les poursuites judiciaires. Juste avant qu'il n'épouse Nora Flinn, la mère de cette dernière, songeant aux enfants qui leur naîtraient, avait résolu de révéler qu'elle était d'ascendance non pas portugaise, comme l'avaient toujours cru Nora et son frère, mais noire. Stan, à ma connaissance, n'avait même pas tiqué, au contraire. Il avait admirablement soutenu sa femme, et l'avait aidée à composer, non seulement avec la colère que lui inspirait sa mère, mais avec cette terrible amertume, plus ou moins avouée, qui assaillirait la plupart des citoyens blancs américains en de semblables circonstances. Et, plus tard, lorsque l'âge leur ôta tout espoir d'avoir des enfants, ce fut Stan qui émit l'idée d'adopter une petite métisse.

Ce jour-là, il était arrivé dans mon bureau, telle la montagne à Mahomet, avec la ferme intention de faire amende honorable, sachant que Feaver ne se gênerait pas pour lui balancer son ressentiment à la figure. Mais il était venu, non seulement pour s'excuser auprès de Robbie, ou pour reconnaître que sa colère était fondée, mais pour admettre que Feaver, tout compromis qu'il était, demeurait un juge fiable des caractères. En lui appliquant cette objectivité froide qui était la sienne, on pouvait dire que Sennett était plus à son aise dans le domaine des grands principes que dans celui des relations humaines. Mais lorsqu'il referma ma porte derrière lui, tâchant de garder le peu de contenance qui lui restait, il laissa dans son sillage l'impression salvatrice qu'il ne s'estimait nullement exempt des impératifs qu'il imposait à autrui.

Le jeudi suivant, une semaine avant le Memorial Day[1], Robbie reprit ses activités. Accompagné d'Evon, il retourna voir Judith, pour lui remettre l'argent exigé par Sherman. Judith, qui avait manifestement eu une explication assez orageuse avec son frère, ne daigna même pas lui accorder un regard, mais l'enveloppe disparut dans son tiroir-caisse, et, cette fois, Amari et ses acolytes eurent plus de chance dans leur filature des billets. Crowthers lui-même arriva au restaurant, à la fin de la période du déjeuner, et, comme si de rien n'était, prit l'enveloppe que lui tendait sa sœur, abaissant la main le long de son corps sans cesser d'échanger des propos badins avec les serveuses. En revenant au tribunal, il était allé droit au bureau de Kosic, avant même de passer par le sien.

La bande de l'enregistrement ne révéla pas grand-chose de plus qu'un échange de salutations. Un objet tomba sur le bureau de Kosic, mais rien ne permettait d'en conclure qu'il s'agissait bien de l'enveloppe. D'une façon ou d'une autre, Kosic semblait déjà au courant de la source du règlement – à moins que, par mesure de sécurité, il n'ait décidé de ne jamais en parler, car il n'en avait pas été question entre eux une seule seconde. Mais, à l'évidence, Rollo avait touché sa

---

1. Fête nationale américaine, célébrée le 30 mai en l'honneur des soldats tombés pour la patrie – *(NdT)*.

part. Deux heures plus tard, il régla l'addition du déjeuner pour Brendan et lui-même chez Shaver's, un petit restaurant à l'ancienne situé près de chez Tuohey. L'un des camarades d'Amari, installé à deux tables d'eux, avait vu Rollo déposer dans la soucoupe un billet de cent dollars. L'agent avait bondi sur l'occasion et demandé à Kosic s'il voulait bien échanger cette grosse coupure contre cinq billets de vingt, parce qu'il voulait, expliqua-t-il, l'envoyer à son neveu qui venait de décrocher son diplôme. Le numéro de série correspondait parfaitement à celui d'un des billets remis par Robbie à Judith, et on put y relever l'empreinte d'un pouce si gros, que tout le monde diagnostiqua aussitôt, sans prendre de grands risques que c'était celui de Sherman. Ça commençait à sentir le roussi pour Kosic – et Sherman était grillé à point. Personne ne pourrait plus prétendre que les propos qu'il avait tenus à Robbie n'étaient que d'inoffensives boutades. En dépit des résultats décevants de l'enregistrement réalisé dans le bureau de Kosic, Stan avait bon espoir de convaincre le juge Winchell qu'il devenait urgent de mettre Kosic sur écoute permanente, pendant un mois entier. Tôt ou tard, ils finiraient par récolter des éléments suffisamment compromettants pour confondre Tuohey.

Sennett transmit le soir même toutes ces informations aux agents. Il tenait visiblement à galvaniser le moral de ses troupes avant d'aborder la phase finale. Evon, qui était revenue au centre-ville pour assister à la réunion, s'en retourna ensuite à son appartement.

À son étage, en face de l'ascenseur, était accroché un grand miroir dans un cadre de verre biseauté. Au premier regard qu'elle y jeta, elle sut que quelque chose ne tournait pas rond. Elle n'aurait su dire ce qui clochait, mais lorsqu'elle eut tourné le coin du couloir, elle vit que la porte de son appartement était restée entrouverte.

Elle se glissa jusqu'à son seuil et, se coulant contre le mur du hall, l'épaule contre le montant gauche du chambranle, poussa lentement la porte de la main gauche. Pour la centième fois depuis que Walter avait rapporté à Robbie les propos de Carmody, elle regretta de n'avoir pas son arme.

À l'intérieur, quelqu'un s'éclaircit la voix, et quelqu'un d'autre apparemment lui répondit. Appelle la police, se dit-elle. La police municipale... et rebrousse chemin. Appelle le 911 ! Elle avait un portable dans son sac, mais c'était tout ce qui faisait le sel de sa vie... Lors d'un coup de feu, les cow-boys répondaient toujours présent, prêts à dégainer leurs 44 Magnum, et à le pointer dans l'oreille d'un suspect en lui balançant des épithètes malsonnantes, dans l'espoir de le réduire à s'oublier dans son froc. Elle n'avait jamais beaucoup goûté ce genre de trophée, parce qu'il fallait supporter l'odeur, sur le chemin du poste. Mais pour elle, tous les chemins menaient à ce point ultime : le grand jour, l'instant du match. Le moment critique où l'on ne pouvait compter que sur ses propres réflexes. Elle aimait gagner, et elle s'aimait dans le rôle de la triomphatrice, dans cette logique pure, exempte de tout compromis, qu'elle avait gardée de cette vie antérieure. Appeler les flics du cru... pas question !

Elle avait déjà parcouru une bonne moitié du petit couloir qui menait à sa cuisine. Les week-ends précédents, elle avait joué au base-ball dans le parc voisin, avec des gens qui se rassemblaient là, plus ou moins par hasard, mais touchaient suffisamment pour que la compétition soit tout de même assez rude – et elle s'était acheté une batte en fibre de carbone noire, qu'elle avait laissée dans un coin, à quelques mètres de l'endroit où elle se trouvait. Un peu plus loin, elle vit passer une ombre. Elle retint son souffle et s'aplatit contre le mur. D'autres éclats de voix fusèrent. Elle venait juste d'en localiser la source, quand un flic d'âge mûr, précédé d'une petite brioche, surgit au bout du couloir, et la détailla de la tête aux pieds. Il avait le nez épaté, façon groin, et affichait une mine réjouie, en dépit de ses petits yeux dont l'on n'apercevait pratiquement pas le blanc. Sa main se porta à sa ceinture, pour éteindre la radio qui y était accrochée.

« C'est vous, la maîtresse des lieux ? demanda-t-il.

— Quelque chose comme ça, oui, répondit-elle en lui montrant ses clés.

— On a été alertés par téléphone, fit-il. Un cambriolage. J'ai dû les louper de peu. Si vous voulez bien attendre dehors une minute... j'ai bientôt fini. Ou alors, mettez-vous dans la cuisine si vous préférez. J'en ai terminé pour cette pièce. »

Tout l'appartement était sens dessus dessous, y compris les placards et les armoires. Ses tiroirs avaient été déversés sur la moquette beige flocons d'avoine. Le policier avait une lampe torche à la main, et vaquait dans sa chambre, posant délicatement le pied entre les vêtements qui jonchaient le sol. Il était agile, pour un homme de son âge et de sa corpulence.

Dans la cuisine, la porte de service était restée grande ouverte. Ils n'avaient pas fait dans la dentelle. Ils avaient carrément défoncé le plâtre de la cloison pour atteindre le verrou, laissant, outre un nuage de poussière blanche qui n'avait pas encore fini de se déposer, un trou béant et large comme un chapeau melon. Un pan de papier peint pendait le long du mur, comme recru de fatigue, et la plinthe avait été arrachée, laissant à nu les clous à l'aide desquels elle avait été fixée. Un pied-de-biche, diagnostiqua-t-elle, et elle eut la surprise, en franchissant le seuil, d'apercevoir l'outil sur le palier, appuyé à la rampe de l'escalier d'incendie. « Ils ont laissé leur pied-de-biche près de l'entrée de service, lança-t-elle au flic. Vous y retrouverez peut-être des empreintes. »

Elle revint vers le living. Le flic rebroussait chemin en direction de la chambre, comme s'il cherchait quelque chose. Il prit tout son temps pour répondre. « C'est rare qu'on puisse relever quoi que ce soit, sur ce genre de surface, dit-il. Mais on ne sait jamais... je vais quand même le prendre. »

Dans la cuisine, avisant un sac plastique qui provenait du rayon légumes de la supérette du coin, et qui était resté sur l'un des plans de travail, il lui demanda s'il pouvait s'en servir pour emballer l'outil. Il y glissa la main, pour le ramasser, et déposa le tout sur le petit bar en formica. Puis, tirant son calepin de sa poche, il lui demanda son nom et sa date de naissance. Après un instant de panique, elle se souvint *in extremis* que les dates étaient les mêmes – celle d'Evon Miller et la sienne.

« Des gamins, à tous les coups, fit le flic. Pas très pro, la manière dont ils ont défoncé votre mur. Ça a dû faire un sacré barouf. Vous voyez quelque chose qui ait pu spécialement les attirer chez vous ? »

Elle secoua la tête sans mot dire. Mais la question l'avait un tantinet ébranlée. Des gamins, songea-t-elle. Elle s'enquit si elle pouvait jeter un œil, pour voir ce qu'ils avaient pris. « Ils ont laissé la télé. À vue de nez, je crois que la plupart de vos gros appareils sont toujours là. J'ai dû les déranger en pleine action en arrivant, mais Dieu sait ce qu'ils ont eu le temps d'emporter. Ça va sans doute vous prendre plusieurs jours pour repérer ce qui vous manque. Allez jeter un œil. Certains objets de valeur peuvent refaire surface dans le North End. C'est toujours utile d'avoir une liste. »

Elle se promena d'une pièce à l'autre. Le capharnaüm était terrifiant. Toutes les portes des placards avaient été ouvertes. Sa chambre avait l'air de s'être trouvée sur la trajectoire d'une tornade. Ils devaient chercher des bijoux. Ses robes avaient toutes été décrochées de leurs cintres, et les poches de toutes ses vestes avaient été retournées. Une petite boîte à bijoux qu'elle avait sur son bureau avait été renversée, et son contenu dispersé dans toute la pièce. Comment repérer ce qui manquait ? De toute façon, ça n'était que des éléments de décor fournis par les Déménageurs. Ils avaient même fouillé son lit. Les draps et les couvertures avaient été défaits, et le matelas était resté de guingois sur son sommier. Une cachette plutôt traditionnelle, le matelas – blague à part. Des gamins, de toute évidence, se répéta-t-elle.

Lorsqu'elle avait emménagé, les Déménageurs lui avaient laissé l'option de garder ses papier du FBI – une planche de salut à n'utiliser qu'en cas d'urgence, si les choses tournaient au vinaigre. Mais il suffisait d'un petit ami un peu fouineur, et vlan ! votre couverture était par terre. C'est ainsi que Dorville, le Déménageur en chef, lui avait exposé le problème. Les agents qui travaillaient sous une identité d'emprunt, dans les milieux de la drogue ou du recel, préféraient généralement garder leurs justificatifs, parce qu'ils couraient le risque de se faire arrêter. Mais elle n'avait pas jugé bon de prendre ce genre de précaution, et s'en félicitait. Même son arme, qui lui manquait tant, aurait pu poser un problème. Elle entrevoyait à présent la logique de la chose.

Elle revint vers le living. Les tiroirs du petit secrétaire avaient été visités. Elle y avait dicté son « 302 » de la journée, avant de partir. Elle farfouilla un bon moment parmi les objets répandus par terre, en quête de son Dictaphone. Il avait disparu, tout comme les micro-cassettes qui se trouvaient dans le même tiroir. Pour autant qu'elle pût s'en souvenir, elle n'avait pas livré beaucoup d'informations sur cette cassette. Le numéro du dossier, et sa propre voix, faisant référence à elle-même en tant que « l'agent ci-dessus référencé ». Restait que cette cassette, entre de mauvaises mains, suffisait à la trahir.

« Il vous manque quelque chose ? fit le flic.

— Difficile à dire », répondit-elle. Le désordre était tel, et la quantité d'objets disséminés çà et là, qu'elle n'aurait pu jurer que le Dictaphone et la cassette avaient vraiment disparu. Elle fouilla dans le tas de livres, de vêtements et de CD, puis elle se rendit dans la chambre, et entreprit de tout passer au crible, systématiquement, en faisant le tour de la pièce. Elle retrouva le Dictaphone dans le living, mais la cassette n'y était plus. Elle chercha dans son attaché-case. La poche où elle la glissait, sur le côté, était vide. Trois centimètres sur cinq... elle avait facilement pu la regarder sans la voir, cette cassette. Elle allait bien finir par lui remettre la main dessus... se dit-elle.

Elle examina l'ensemble de l'appartement, en survolant les objets du regard. Rien d'autre ne lui semblait avoir disparu. C'est alors qu'elle s'avisa que la carte d'anniversaire qu'elle s'apprêtait à envoyer à sa mère, et qu'elle avait laissée sur le petit secrétaire dans une enveloppe déjà libellée, n'y était plus. Un bourgeon de peur latente avait obscurément éclos, à deux doigts de son cœur. La carte était signée DeeDee.

Et alors ? Qui pouvait en penser quoi que ce fût, de cette DeeDee ? Marty Carmody, songea-t-elle. Et surtout Walter.

Comme son anxiété la tenaillait de plus en plus profondément, elle y réfléchit encore : des petit braqueurs auraient-ils fait main basse sur une carte d'anniversaire, en laissant derrière eux les CD ? Auraient-ils pris la cassette sans le Dictaphone ? C'était pour ça que ses poches avaient été si minutieusement fouillées, ainsi que son lit. Par l'intermédiaire de Walter, les soupçons de Carmody avaient fini par parvenir aux oreilles de quelqu'un qui avait pris la chose à cœur.

Le flic se préparait à partir. Comme il se penchait vers la table pour prendre son chapeau, le coin blanc d'une enveloppe pointa hors de sa poche arrière. Le cœur d'Evon sauta un battement.

Évidemment, la plupart des gens emballent des trucs dans des enveloppes, qu'ils glissent ensuite dans leur poche arrière. Mais ce qu'avait dit Robbie de Brendan, et des relations qu'il avait gardées dans la police, lui revint à l'esprit. Les huiles des forces de l'ordre municipales étaient pratiquement tous d'anciens compagnons à lui. Il avait lui-même travaillé avec la plupart d'entre eux, et, au fil des années, avait rencontré les autres. Milacki lui-même y exerçait toujours...

« À propos, qui vous a alerté ? » demanda-t-elle d'un ton qu'elle espéra aussi naturel que possible.

Le flic s'essuya la bouche d'un revers de main.

« Un de vos voisins, je suppose.

— Vous pourriez me dire son nom ? Je tiens à le remercier.

— Ça, j'ai bien peur que non. C'était un appel anonyme, passé au 911. Je suis venu le plus vite possible. Vous savez ce que c'est. » Le regard du flic avait fait le tour de la pièce, comme s'il avait oublié quelque chose derrière lui. Peut-être était-il en train de réfléchir à ce qui lui avait mis la puce à l'oreille.

S'approchant de la fenêtre qui donnait sur la rue, elle regarda en bas, à travers les stores. Aucune trace d'une voiture de police devant la maison.

« Je ne m'attendais vraiment pas à vous trouver là. Je n'ai même pas vu votre voiture de service, dehors, en arrivant... »

Le flic lui lança un regard soudain plus direct. Ses petits yeux s'étaient durcis, et elle se maudit intérieurement. Elle aurait eu aussi vite fait de lui brandir une pancarte l'avertissant qu'elle avait vu clair dans son jeu. Et, telle une chauve-souris voletant à travers la pièce, l'idée lui vint tout à coup que, ce qu'il soupesait, à l'instant, c'était la possibilité de la tuer. Non pas parce qu'il en avait précisément l'intention, mais parce qu'il était en train d'examiner toutes les options qui s'offraient à lui. Si elle appelait ses collègues du Bureau à la rescousse, s'ils le fouillaient et qu'ils trouvent dans ses poches l'enveloppe et la cassette, c'était lui qui serait en danger. Il avait son 38 Smith & Wesson à la ceinture, et ce n'étaient certes pas les excuses qui lui manqueraient : il ne l'avait pas entendue arriver, il l'avait prise pour un autre rôdeur...

« Vous connaissez le truc, répondit-il enfin. J'étais dans le quartier, je suis venu à pied. Vaut mieux arriver discrètement, pour que les suspects ne s'envolent pas en voyant arriver une voiture pie. » Il lui présentait sa trogne rougeaude de trois quarts, de manière à garder un œil sur elle. Il observait la façon dont ses explications étaient reçues. « De quel genre de forces de l'ordre vous faites partie, vous ?

— Moi ?

— On jurerait que vous êtes de la partie. Ce que vous m'avez dit tout à l'heure, pour les empreintes... et puis la façon dont vous êtes entrée, en douce, en rasant les murs. » Elle remarqua pour la première fois la plaque accrochée à sa poche de poitrine. « Sergent Dimonte ». Mais cela aurait pu être le nom de n'importe qui.

« Non... je regarde un peu la télé. C'est tout ! » Elle partit d'un grand éclat de rire, qui dut sonner un poil contraint. Elle tentait désespérément de le mettre à l'aise, de le rassurer. Qu'ils la soupçonnent, c'était déjà un désastre – inutile de leur faire voir, en plus, qu'elle le savait ! Elle mit le cap sur le placard de la cuisine – celui-là aussi avait été fouillé. La bouteille de vodka se trouvait juste devant, sur l'étagère. Quelqu'un qui aurait voulu en avoir le cœur net, pour ce qui était de sa couverture, aurait cherché les bouteilles. Elle prit la vodka et une boîte de gâteaux, qu'elle tendit à Dimonte.

« Jamais pendant le service, m'dame. D'ailleurs, pour tout vous dire, je préfère la bière. Les plaisirs des pauvres, comme vous voyez.... »

Elle s'excusa pour la bouteille. C'était son ami qui l'avait laissée là. Elle, elle ne buvait pas d'alcool – elle avait été élevée comme ça.

« Méthodiste ? s'enquit le flic.

— Non. L'église de Jésus-Christ des Saints du Dernier Jour. Les mormons, si vous préférez. »

Il secoua la tête pour indiquer que ça ne lui disait pas grand-chose. « Chacun son truc, hein... ! » Il la regarda à nouveau des pieds à la tête, soupesant manifestement le pour et le contre, puis, sa décision prise, avança la main vers le paquet de gâteaux pour en attraper un.

Une minute plus tard, il était dehors. Elle l'avait chaleureusement remercié sur le pas de sa porte, et il avait porté deux doigts à son chapeau. À peine la lourde porte métallique se fut-elle refermée sur lui qu'elle s'y adossa. Elle venait de passer un sale quart d'heure. Ses genoux en flageolaient encore, et son cœur tressautait comme une puce dans un four. En revenant vers la cuisine, elle aperçut le pied-de-biche que le sergent avait laissé sur le plan de travail, dans le sac de plastique frappé du logo de l'épicier. Mais, quoi d'étonnant... Le sergent Dimonte avait déjà toutes les pièces à conviction qu'il lui fallait.

Sennett refusa tout d'abord de se rendre à l'évidence.

« Une carte d'anniversaire – et alors ? objecta-t-il. Moi, à la place du cambrioleur, je n'aurais pas hésité : l'enveloppe pouvait contenir un billet ! »

Pour tirer ça au clair, Joe Amari avait fait appel aux agents de la section locale du Bureau, qui collaboraient souvent avec la police municipale. Au poste du secteur 6,

Dimonte avait effectivement déposé un rapport sur un appel signalant un cambriolage en cours, auquel il avait aussitôt répondu. Mais les hommes de Joe avaient détourné une copie des bandes du 911, et une équipe de techniciens avaient passé les douze pistes au crible, sans trouver trace d'un tel appel provenant de DuSable, entre vingt et vingt-deux heures.

McManis commençait à connaître suffisamment Sennett pour savoir qu'il lui faudrait entendre la nouvelle de la bouche même de l'intéressé. Joe vint donc s'asseoir en personne en face de lui, de l'autre côté de la table, et lui fit son rapport, sans sourciller. Lorsque Sennett se lança dans de grandes spéculations pour expliquer que cet appel n'ait pas été enregistré, Amari perdit patience :

« Écoutez, Stan, personne n'envoie un officier de police en solo, à la suite de ce genre d'appel. C'est un coup à décimer les effectifs ! D'ailleurs, d'après ce qu'en dit Evon, cet oiseau avait l'air de savoir ce qu'il faisait. » Amari, qui n'hésitait généralement pas à formuler ses opinions, abaissa son menton contre sa poitrine, et posa sur Sennett le regard solennel de ses yeux sombres. « Inutile de se voiler la face. Ces mecs sont sur la piste d'Evon. Ils ont piqué la cassette du Dictaphone. Carmody leur a mis la puce à l'oreille avec l'histoire de cette DeeDee, du FBI, avec qui il avait eu une aventure – et c'est justement le nom qui figure sur la carte... »

Les stores ouverts de la salle de réunion laissaient filtrer la lumière grise d'une matinée de crachin. Sennett s'efforça de faire le tri, en tapotant du majeur le petit « o » sombre que dessinaient ses lèvres.

Stan poursuivait un but, une vision. Il s'imaginait déjà rassemblant dans un vaste piège tous les juges et tous les avocats corrompus du comté. Il mettrait en œuvre toutes les ressources que la loi et la technologie lui offraient et les prendrait tous dans les rets de ses inculpations. Il les entraverait et leur mettrait à chacun sur le dos un dossier bien solide et bien lourd – des douzaines, des centaines de dossiers, s'il le fallait. Et, après les avoir ainsi harnachés, il les ferait défiler le long de Marshall Avenue, comme un troupeau de bêtes marquées au fer rouge. Au grand jour, au vu et au su de toute la ville. Ils descendraient l'avenue, la tête basse, jusqu'à l'abattoir où il les attendait, au tribunal. Et qui piafferait, en tête de ce troupeau... ? Le plus coupable d'entre eux... Brendan Tuohey en personne ! Celui-là même dont tout le monde s'accordait à prédire qu'il ne lui mettrait jamais la corde au cou ! Or, voilà que ce noble projet se trouvait gravement compromis. Les salauds étaient sur le qui-vive.

Il finit par se tourner vers Evon, et lui demanda ce qu'elle en pensait.

« Je suis pour continuer comme si de rien n'était, répondit-elle. Je veux continuer à tenir mon rôle. »

De l'autre côté de la table, McManis lui adressa un sourire presque suave.

« Vous ne nous apprenez rien, Evon. Nous aussi, nous ne demandons qu'à continuer. Ce que Mr Sennett voudrait avoir, c'est votre opinion. C'est vous qui y étiez... à votre avis, est-ce que vous êtes brûlée auprès d'eux ? »

Seule face à Sennett, elle aurait peut-être tenté de biaiser – mais sûrement pas en présence de McManis. Ils avaient trop de valeurs en commun.

« Carbonisée », fit-elle.

Stan lui-même ne put se défendre de sourire. Il se leva, et arpenta quelque temps la pièce en se posant la question critique : Et maintenant ?

Tous les présents restaient suspendus à ses lèvres. Dans le silence qui s'était installé dans la salle, on entendait les grincements et les klaxons en provenance de la rue. Tout à coup, Sennett se retourna, un vague sourire aux lèvres, et la tête inclinée sur l'épaule dans cette position interrogative qu'ont en commun la plupart des mammifères.

« Et si nous jouions cette carte, justement ? s'enquit-il. Ils savent qu'Evon fait partie du Bureau ? Bien. Voilà un fait – incontournable. Mais rien ne nous dit qu'ils ont découvert la vraie raison de sa présence auprès de Robbie. Ça pourrait très bien être sur lui, que Evon serait chargée d'enquêter. »

Sennett s'engouffra dans le sillage de cette brillante idée, retrouvant du même coup tout son entrain – mais il était bien le seul à voir ce qui le réjouissait tant. « Ainsi, nous aurons les coudées franches. Robbie soupçonne qu'une taupe du FBI s'est infiltrée dans son cabinet... Il va demander conseil à Brendan Tuohey : "Seigneur, que faire, tonton Brendan ?" Connaissant la véritable identité d'Evon, Tuohey n'aura d'autre choix que de mettre Robbie en garde. »

Evon avait toujours admiré, quoiqu'avec quelques réserves, cet aspect de Sennett. On aurait dit une vrille que rien n'aurait pu empêcher de tourner, quelle que fût la matière qu'elle se proposait de pénétrer.

McManis s'accorda un instant de réflexion.

« Et vous voulez faire ça pendant qu'Evon officiera toujours au cabinet Feaver & Dinnerstein ?

— Pourquoi pas ?

— Ces gens ont plus d'un tour dans leur sac, Stan. Ils nous l'ont prouvé, pas plus tard qu'hier soir.

— Mais Evon aussi ! » répondit-elle. Sennett eut un geste approbateur, paume grande ouverte dans sa direction. McManis, qui avait déjà entendu ce genre de réplique, venant d'elle, fit la grimace, et glissa un œil vers Amari, qui fit « non » de la tête. Mais Stan ne désarma pas. Après tant de mois d'efforts et de travail, ils ne pouvaient pas renoncer purement et simplement, sans une ultime tentative. Il fallait tendre un dernier piège... Il le fallait ! Et pour cela, Evon devait garder son poste, de manière à justifier la question de Robbie, quand il irait demander conseil à Tuohey. Sa seule présence dans le bureau de Feaver leur confirmerait que ni elle ni le FBI n'avaient le moindre soupçon, concernant les motifs de la visite de ce flic, de ce Dimonte.

« Stan, fit McManis. Ces types ont un culot monstre. Il y a de grandes chances pour qu'eux aussi tentent quelque chose...

— Eh bien, tant mieux ! » répliqua Sennett, avec entrain. Par moments, il était vraiment choquant de voir le peu de prix qu'avaient à ses yeux les sentiments qu'il inspirait à autrui. Sa logique tranchait imperturbablement. Si Robbie allait voir Brendan lundi, et que, le lendemain, un petit punk se fasse pincer à trafiquer les freins d'Evon, la boucle serait bouclée. Un élément de plus, à l'appui du dossier ! Jim, quoique toujours maître de ses réactions, était visiblement horrifié. Ses lèvres s'entrouvrirent une fois ou deux, avant qu'il ne laisse tomber sa réponse.

« Je n'ai jamais tendu de piège en l'appâtant avec l'un de mes propres agents, Stan. Et je n'ai nullement l'intention de commencer, pas plus que l'UCORC !

— Ne vous en faites pas pour moi, Jim. Je suis parfaitement capable d'assurer », dit-elle.

Le regard de Jim se tourna vers elle, sans que sa tête bouge d'un cheveu. Cette décision la dépassait, lui répondit-il. Il referma la chemise à dossier ouverte devant lui, et déclara qu'il désirait en parler à Stan. Seul à seul. Evon et Amari quittèrent aussitôt la pièce.

« Branle-bas de combat... » lui lança Shirley, depuis le comptoir de la réception. Evon était venue s'asseoir en face d'elle. Avec sa bonne mine et son embonpoint, Shirley avait été flic avant d'entrer au FBI. Ni elle ni les autres agents ne semblaient au courant des événements de la veille, mais tous avaient manifestement compris que les événements se précipitaient. Klecker apparut de l'autre côté du hall.

« Qué Pasa ? » demanda-t-il.

Evon secoua la tête, comme si elle n'en avait rien su.

Dix minutes plus tard, McManis émergea de la salle de réunion, et lui indiqua de l'index la direction de son bureau. Les Déménageurs avaient décoré les lieux, avec quelques concessions minimales à ses propres goûts. Des cadres avec des photos des montagnes de Virginie étaient accrochés aux murs lambrissés. Sur les étagères s'alignaient quelques souvenirs de sa vie fictive – une lettre de félicitations du président de la Moreland Insurance, dans un cadre de laiton – une photo de Mike Schmidt, le représentant au Vet, à Philadelphie, et portant en dédicace l'inscription « À Jim ». L'autographe était manifestement un faux, mais McManis avait confié à Evon que sa famille, sa femme et ses fils se trouvaient quelque part dans le public qui se pressait sur les tribunes du stade. Un autre détail qu'elle avait glané, concernant la vie de Jim, c'est qu'il avait longtemps été Eagle Scout – à proprement parler. Ainsi qu'au moins un de ses fils. Il avait lâché ce détail lors d'une petite réunion amicale.

Il s'installa à son bureau, puis parut se raviser et se releva pour baisser le store. Désormais, la méfiance était à l'ordre du jour. Ils devraient faire constamment comme si Tuohey les avait à leur tour placés sous surveillance. Jim vint se jucher sur son bureau, face à elle. Avant même qu'il n'ouvrît la bouche, elle avait deviné où il voulait en venir. Elle attaqua la première, sans lui laisser le temps de trouver ses mots : « Jim, je sais parfaitement ce que je fais.

— Ce n'est pas à vous d'en décider.

— Vous pouvez me faire surveiller et protéger par toute l'équipe, si ça peut vous rassurer.

— DeeDee... » c'était la première fois qu'il prononçait son prénom depuis le jour de leur rencontre à DesMoines. « Vous étiez déjà sous surveillance, et ça n'a pas empêché ce gros fumier de monter chez vous. Une chance qu'il ne vous ait pas descendue. La prochaine fois qu'ils vous enverront des visiteurs, vous aurez en face de vous des types avec des masques de ski, qui vous tabasseront toute la nuit pour vous faire dire ce que vous savez d'eux.

— En ce cas, arrangeons-nous pour que j'aie de la compagnie vingt-quatre heures sur vingt-quatre. Shirley pourrait très bien venir habiter chez moi. Je peux reprendre une arme... je ne risque rien. Je sais ce que je fais, Jim.

— Permettez-moi d'en douter », répliqua McManis. Il avait retrouvé son sourire aimable. Admiratif. Par moments, elle était ébahie de constater à quel point son chef l'avait à la bonne. Elle lui avait plu dès le premier jour.

Elle le supplia. Il avait mille autres objections à lui opposer – concernant l'UCORC, ou les chances de succès du projet de Sennett – mais elle gagnait insensiblement du terrain.

« Jim, nous avons tous mérité de moucher Tuohey. Je le mérite, et vous aussi, tout comme Sennett. Il est tout simplement impensable de s'arrêter en si bon chemin ! » L'idée de renoncer la plongeait dans une sorte de désespoir. Rentrer bredouille à DesMoines ? S'en retourner les mains vides vers ses braquages de banques, son chat et ses répétitions de chorale ?

« Voyez, Jim... après tout... » Et elle lui sortit une de ces boutades dont elle avait le secret : une plaisanterie qui, dans le fond, n'en était pas vraiment une.

« Evon Miller... c'est tout de même moi, non ? »

Juin

33

Le moniteur de l'estafette affichait une image plutôt floue, où l'on reconnaissait Son Honneur Brendan Tuohey, de la cour supérieure du comté, juge principal de la division des litiges de droit civil. Son visage se stabilisa à l'écran orné d'une grosse moustache de sucre glace. L'image avait dansé un moment, le temps que Robbie fasse son entrée, gratifiant de ses salutations matinales le maître des lieux et les serveuses qui se trouvaient sur son chemin. En arrivant à la table de Tuohey, il avait dû poser son attaché-case sur une chaise ou une table inoccupée, car l'écran noir et blanc affichait à présent un superbe plan rapproché des trois hommes qu'il avait rejoints.

Le Paddywacks était une vénérable institution du cru. Son succès ne tenait pas tant à son décor, un tantinet suranné – cuivres, banquettes capitonnées, parquets qui ne voyaient qu'une fois par semaine l'ombre d'une serpillière – qu'à ses omelettes gargantuesques et à sa clientèle matinale où figuraient toutes les têtes pensantes du comté : hauts fonctionnaires, ténors de la politique municipale, ainsi que la foule des obscurs, ravis de côtoyer si noble compagnie. Jusqu'à sa mort, Augie Bolcarro s'y était montré au moins une fois par semaine, et Toots Nuccio, le roi de la magouille, à présent octogénaire, avait sa table réservée à l'année dans un coin de la salle où il siégeait, tel un monarque au milieu de sa cour, parmi ses vassaux issus de tous les milieux politiques – quand ce n'était pas du *Milieu*, tout court. Dans le petit microcosme du *Democratic Farmers and Union Party*, où les valeurs de la classe laborieuse interdisaient tout étalage excessif de pouvoir ou de richesses, le signe incontestable de votre notoriété était que Plato, le très accueillant propriétaire, décrochait pour vous la cordelière de velours rouge qui canalisait le gros de sa clientèle, pour vous prendre sous son aile et vous conduire, dès votre arrivée, jusqu'à votre table.

Dans l'estafette qu'Amari avait garée le long du trottoir, juste en face des portes vitrées de l'établissement, nous couvions l'écran du regard, telles les sorcières de Macbeth, penchées sur leur chaudron. Les diverses hypothèses que nous avions émises, sur ce que Tuohey et sa bande savaient ou ne savaient pas d'Evon, nous laissaient tous trois – Sennett, McManis et moi-même – dans le flou le plus total, quant à l'accueil que Brendan réserverait à Robbie. Toutes étaient également plausibles : ils pouvaient lui faire la gueule, voire la lui casser, aussi bien que se lancer, à son intention, dans un petit numéro soigneusement mis au point pour protester de leur innocence. Amari croisait dans le quartier en compagnie de quelques-uns de ses petits camarades, avec mission de ne rien émettre sur les ondes, mais de rester à l'écoute d'un éventuel ordre d'intervention. Suivant le tour que prendrait la conversation, Stan se tenait prêt à alerter l'équipe de surveillance, et même (dans ses rêves les plus fous), à boucler le quartier et à faire une véritable descente dans les lieux.

Le vendredi précédent, j'étais passé chez Robbie pour lui expliquer sa mission. Nous nous étions installés sur le canapé de son superbe living blanc, qui avait retrouvé son aspect habituel pour accueillir ses nombreux visiteurs venus lui présenter leurs condoléances. Robbie restait plongé dans l'évocation de son passé, et je n'eus pas besoin d'insister longtemps pour amener la conversation sur les souvenirs d'enfance, encore très vivaces, qu'il gardait de Tuohey.

Vu l'impérieux besoin qu'il ressentait à l'époque d'une présence masculine, de la compagnie et de l'exemple d'un modèle paternel, Robbie avait immédiatement succombé au charme de l'oncle de Morty – bien plus, apparemment, que Morty lui-même. Il avait obtenu le privilège de l'appeler « Oncle Brendan » et, bien que le dimanche fût le seul jour où il pût rester en compagnie de sa mère, il était exceptionnel qu'il manquât l'un des dîners dominicaux où Tuohey était invité chez sa sœur. À l'époque, Brendan était dans la police. Avec son gros revolver et son bel uniforme bleu, il surpassait Roy Rogers en prestige, aux yeux de Robbie. À peine avait-il franchi le seuil des Dinnerstein que les deux gamins se ruaient sur lui en poussant des cris de joie. Au dessert, Brendan les laissait batifoler dans la maison, coiffés de sa casquette que soulignait un galon d'argent. De temps à autre, il consentait même à ouvrir pour eux l'étui de cuir noir qui lui battait la hanche. Il vidait le barillet de ses balles et permettait aux garçons de manipuler son arme de service. Ils examinaient sur toutes les coutures les balles dum-dum, dans leur jolie coque de cuivre, chacune entaillée à son extrémité d'une encoche mortelle. Ils les alignaient au bord de la table.

« Mais déjà à l'époque, m'avait confié Robbie, il me faisait froid dans le dos. Forcément... Il se dégageait de lui ce truc impalpable, aussi perceptible qu'une odeur. On sentait qu'il n'avait de vraie affection pour personne et qu'il faisait toujours plus ou moins semblant – à la possible exception de sa sœur... » Ce qu'il préférait raconter, c'était ses exploits dans la rue, quand il avait réussi à coincer telle ou telle petite fripouille, ou telle ou telle grande gueule, au fond d'une impasse, pour lui mettre une bonne dérouillée.

Certains dimanches, Estelle était invitée, elle aussi. Robbie avait un moment cru que sa mère avait un petit faible pour Brendan. Il avait même espéré, un certain temps, qu'il deviendrait son beau-père. Mais Estelle avait dix ans de plus que Brendan et ne l'intéressait pas – sans compter qu'elle devait songer à ce mariage avec un *goy* à peu près autant qu'elle aurait envisagé d'épouser un singe. Une fois rentrée chez eux, elle ne manquait jamais de s'étonner des quantités d'alcool que Tuohey et Sheilah pouvaient absorber, et s'indignait de ce qu'Arthur Dinnerstein, le père de Morty, n'y mît pas bon ordre. Évidemment, pour Robbie, qui ne jurait que par Brendan, ces critiques restaient incompréhensibles.

Estelle cessa progressivement d'accompagner son fils. Brendan décrocha son diplôme de droit, et, une fois entré dans l'équipe du procureur général du comté, laissa au placard son bel uniforme bleu. Il venait désormais dîner chez sa sœur vêtu du costume qu'il mettait pour aller à la messe, le dimanche matin.

Par la suite, les choses s'étaient graduellement détériorées. « C'est ce qui marqué le début de la fin », poursuivit Robbie. Il ne me donna aucun détail, mais je vis ses yeux se voiler d'une nostalgie où je perçus, l'espace d'un instant, un authentique chagrin. Son regard sombre s'attarda sur moi.

« Alors, George... ? Vous pensez toujours que c'est des

craques, quand je vous dis que Brendan serait capable de me faire buter ? »

Ça n'était rien moins, à mes yeux, que « des craques ». Certains indices forçaient à la prudence. Il aurait suffi que la voiture de Robbie parte soudain en fumée, qu'il se fasse renverser par un chauffard ou que l'on retrouve son cadavre entre deux rochers, quelque part en aval du fleuve, pour que la vie de Tuohey s'en trouve considérablement simplifiée. Non seulement parce que Robbie ne pourrait plus venir l'accuser à la barre, mais surtout parce que quiconque serait tenté de marcher sur ses traces y regarderait désormais à deux fois.

Restait qu'en vingt-cinq ans de pratique je n'avais eu qu'un seul client à qui ce genre de pirouette eût coûté la vie : un certain John Collegio, une sommité de l'industrie pétrolière, qui avait trempé dans sa jeunesse dans de sombres magouilles, et qui, une fois parvenu au sommet de la hiérarchie de sa profession, n'avait rien trouvé de mieux que d'aller se plaindre auprès des autorités administratives de la carte de la distribution des carburants, dans laquelle les plus grosses compagnies du marché, constituées en une sorte de mafia, se taillaient la part du lion. Il s'était pris une balle à bout portant, un soir à l'heure du dîner, en répondant à un coup de sonnette. Mais, au sein de l'organisation, l'incident avait dû être classé à la rubrique « affaires internes ». La mafia du pétrole s'en prenait rarement aux simples civils.

L'un dans l'autre, supprimer un témoin fédéral présentait certains inconvénients majeurs. Le FBI ne prenait généralement pas ce genre de choses à la légère. Dans la catégorie « obstruction à l'action de la justice », ça se situait immédiatement après le meurtre d'un agent, d'un procureur ou d'un magistrat, et, en tant que tel, ce genre de bavure avait toutes les chances de déclencher un branle-bas de combat, à côté duquel les actions entreprises dans le cadre de l'opération Petros auraient eu l'air d'un aimable pique-nique. En fait, tout laissait soupçonner que, si Robbie devait avoir des problèmes, c'est plutôt lorsqu'il serait sous les verrous qu'ils lui tomberaient dessus. Il purgerait vraisemblablement sa peine dans un camp d'internement fédéral tout confort – Sandstone, Oxford, ou Eglin, en Floride – où, après les corvées, les détenus peuvent se détendre en s'offrant un petit parcours de golf ou une partie de tennis. Autrefois, avant que Reagan et Bush n'aient résolu de confier les tueurs de tout poil aux bons soins des prisons fédérales, Robbie aurait pu dormir sur ses deux oreilles. La pire dérouillée que pouvait vous infliger l'un de vos co-détenus, c'était de vous plumer au poker. Mais cette époque appartenait désormais au passé. Les prisons regorgeaient d'individus dangereux, des toxicos qui étaient là pour des crimes « propres », genre blanchiment d'argent – seul chef d'accusation dont le ministère public ait pu apporter la preuve. C'étaient des gosses meurtris et humiliés, des grandes gueules sans avenir, qui avaient déjà tué en toute impunité et ne demandaient qu'à recommencer « pour le fun », et pourvu que ça rapporte. Robbie devrait faire son temps dans un quartier placé sous haute protection, mais, même en mettant les choses au mieux, il aurait tout intérêt à surveiller ses arrières. Cela dit, je doutais fort que, dans l'immédiat, Brendan prenne le risque de commanditer quoi que ce soit de précis contre lui.

Le regard de Robbie s'échappa un instant par la fenêtre de son living, qui donnait sur les maisons et les pelouses impeccables de ses voisins. Il parut s'efforcer de faire sienne ma belle assurance.

« Quelle que soit la manière dont on voit les choses, ma meilleure chance reste de le coincer. De mettre le paquet pour le faire tomber, en espérant que tout le réseau se cassera la gueule. » Je n'aurais pu mieux dire. Robbie ne serait en sécurité que le jour où Tuohey serait écarté des leviers du pouvoir et déféré devant ses juges.

Lorsque nous nous retrouvâmes à cinq heures du matin, pour une ultime répétition de notre scénario, mon client me parut avoir retrouvé tout son allant. Puis il partit seul, à pied, pour le Paddywacks, tandis que l'estafette allait se garer sur le trottoir d'en face. Malgré la température, plutôt clémente, il avait boutonné jusqu'au menton le col de son imper italien gris, très mode, qui lui battait les mollets.

Brendan n'avait pas été très difficile à localiser. Ses matinées étaient réglées selon un rituel immuable. À cinq heures du matin, il assistait à la première messe dans la cathédrale St Mary, de l'autre côté de la rue, où il était l'un des rares hommes dans une assistance en majorité composée de vieilles punaises de bénitier. Il allait ensuite retrouver Rollo Kosic et Sig Milacki au Paddywacks, dont Plato leur ouvrait les portes, bien avant le déferlement habituel des matinaux branchés. Ils s'installaient tous trois en vitrine, autour d'une petite table ronde, d'où Brendan, en grand maître ès relations publiques, pouvait présenter ses salutations cordiales à toutes les notabilités qui poussaient la porte.

Je n'avais qu'un quart de tour à faire sur mon siège pour les apercevoir, à travers les circonvolutions pâles de la lentille optique de la vitre. Milacki papotait. De temps à autre, Brendan esquissait un sourire amusé, tandis que Kosic faisait un sort à son petit déjeuner avant de s'absorber dans la contemplation de la cigarette qu'il tenait à la main.

Lorsque Robbie débarqua, Tuohey eut un petit sourire amusé, en s'apercevant qu'il s'était littéralement barbouillé de sucre glace, et déposa dans son assiette son gros Bismarck fourré de confiture. Il s'essuya délicatement dans sa serviette, avant de tendre la main à Feaver. Kosic et Milacki le saluèrent à leur tour, puis ce dernier écarta sa chaise pour faire place à Robbie autour de la table. Soucieux de bien orienter sa caméra, Robbie préféra cependant aller s'asseoir de l'autre côté de la table. Il était six heures moins des poussières, et deux serveuses en uniforme blanc restaient en retrait, dans un coin de la partie fumeur, à quelques mètres de Tuohey, profitant de ces quelques minutes de calme relatif avant le grand rush du petit déjeuner, pour bavarder un peu. En ce mardi matin, lendemain du Memorial Day, et malgré les quelques bruits de vaisselle et les éclats de voix que captait le FoxBite, en provenance des cuisines, l'établissement était une oasis de tranquillité. Le monde semblait s'obstiner, pour quelque temps encore, à évoluer selon le rythme ralenti des jours fériés.

« Nous parlions justement de ce pauvre Wally, lança Tuohey. Une sacrée tuile, qui lui arrive...

— Wunsch, précisa Milacki, comme Robbie restait sans réaction. Cancer du pancréas. T'étais pas au courant ? »

Et de lui expliquer que Walter n'avait appris cette triste nouvelle qu'une semaine plus tôt.

« Même avec la chimio et tout le bordel, ses toubibs ne lui donnent que six mois », poursuivit Milacki. Dans l'estafette, cette révélation arracha à Sennett un gémissement consterné : comment faire pression sur un homme qui se savait condamné à si brève échéance... ! « Walter m'a dit que sa femme avait déjà commencé à cocher les jours, sur le calendrier. En tout cas, y a un truc qu'il faut lui reconnaître... Toujours égal à lui-même, le Walter ! Et il a toujours une aussi sale gueule ; pour ça, on peut pas dire que son cancer a aggravé les choses ! »

L'évocation de cette mort annoncée fit dévier la conversation sur la mère de Robbie. Tuohey et Kosic avaient fait une brève apparition chez Feaver, deux semaines plus tôt, pour lui présenter leurs condoléances. Le geste était assez prévisible de la part de Tuohey, qui avait toujours été porté sur les cérémonies, mais Robbie s'empressa de se répandre en remerciements.

« Mais je t'en prie, Robbie... C'est tout naturel. Pas plus tard que ce matin, j'ai mis un cierge pour le repos de son âme. Ma parole ! Estelle s'était quelqu'un. J'ai souvent pensé à vous deux, fiston. » Sur le moniteur, comme à travers une vitre constellée de gouttes de pluie, nous vîmes Brendan lever en direction de Robbie une main élégante. Il sauta sur l'occasion pour lui faire un brin de prêchi-prêcha. Comme sa sœur, Tuohey était né en Irlande, et n'était arrivé aux États-Unis qu'à l'âge de cinq ans. On discernait ça et là dans sa voix quelques traces d'accent irlandais. « Tu es dans une sale passe, en ce moment, Robbie. Nous en sommes tous bien conscients... Entre ta mère et ta femme... mais tu ne dois surtout pas perdre confiance en la divine providence. Tiens, moi... eh bien, je me souviens comme si c'était hier du jour où j'ai perdu la mienne, de mère. Et tu peux me croire sur parole : la prière comme consolation, y a pas mieux », acheva-t-il en pointant sur Robbie un index noueux.

Milacki, toujours prêt à saluer la piété et les qualités de cœur de Brendan, se fendit d'un « amen ». Robbie s'engouffra dans la brèche.

« Ça, pour prier, juge, je prie – mais peut-être pas exactement de la même manière que vous... » Les pieds de sa chaise raclèrent le plancher, tandis qu'il approchait de la table, au-dessus de laquelle il se pencha. L'image précéda de quelques millisecondes le murmure à peine audible de Robbie, qui entreprit de leur livrer ses révélations sur Evon. Sennett aurait préféré que Feaver tente de piéger Brendan en tête à tête, mais Robbie avait objecté, à raison, que le vieux renard se laisserait plus facilement aller aux confidences en la rassurante présence de ses vieux compères. En se penchant, Robbie avait fait irruption dans le champ de la caméra, et, pour ne rien perdre de la scène, je me retournai vers la vitre. Le spectacle de ces quatre visages penchés les uns vers les autres dans une attitude de complot me tira un

sourire amusé. La vie, dont la trame est d'ordinaire si sub-
tile, peut se laisser aller, de temps à autre, à grossir le trait
au point de friser la caricature avec un comique désarmant.
Quelques dizaines de centimètres à peine séparaient les têtes
des trois compères – celle de Brendan, poivre et sel, les cheveux gominés de Milacki et la calvitie naissante de Rollo,
qui, malgré le suspense du moment, songea à la camoufler
d'un geste furtif – rassemblés autour de Robbie, pour mieux
entendre son récit.

Il leur rapporta les propos de Walter concernant ce que
lui avait dit Carmody. Dans un premier temps, comme sa
nouvelle assistante avait semblé rire de bon cœur en entendant ces accusations, il en avait conclu qu'elles n'étaient pas
fondées. Sauf que depuis, ça l'avait plutôt taraudé, expliqua-
t-il. La semaine d'après, il lui avait donc demandé, à l'improviste, de se laisser fouiller par l'une des secrétaires dans les
toilettes, pour voir si elle ne portait pas de micro caché. Elle
avait refusé net, mais le lendemain, elle était revenue sur sa
décision, et là, évidemment, la secrétaire n'avait rien trouvé.
Cela dit, son assistante n'était pas dans son assiette, ces
temps-ci. Une semaine plus tôt, son appartement avait été
visité par un cambrioleur, et elle était arrivée au cabinet au
bord de la crise de nerfs. Elle avait passé une bonne demi-
heure à tout retourner dans son box, en demandant à tous
ses collègues s'ils n'avaient pas vu une certaine cassette de
dictaphone – alors que le système du cabinet ne fonctionne
pas avec ce type de cassette. Qu'est-ce qu'elle pouvait bien
fabriquer avec son magnétophone perso, cette Evon ?

« Enfin, c'est vraiment à ça que ça ressemble, un agent
du FBI, bordel ! s'écria-t-il. Merde, quoi ! Ça fait quand
même deux mois que je couche avec cette poulette !

— Alors là, ça fait pas un pli : elle en est ! », gloussa
Milacki. Toute la tablée éclata de rire, y compris Kosic. La
boutade avait sonné comme une vanne lancée aux dépens de
Robbie, surtout de la part de Milacki. Grand, costaud, précédé d'une petite brioche, Milacki ne laissait jamais passer
une occasion de faire de l'humour. C'était une vraie caricature de flic en civil. Il portait une coupe rétro, façon gigolo,
avec les cheveux plaqués sur les côtés et enduits d'une telle
couche de cosmétique que le peigne y laissait des sillons. Il
avait fait équipe avec Brendan, durant sa courte carrière
dans la police – Tuohey n'avait fait que passer, mais, comme
tous les vieux militaires, il avait gardé la nostalgie de cette

période héroïque, dont la présence de Milacki à ses côtés était pour lui une sorte d'emblème permanent. Au fil des ans, m'avait confié Robbie, il devait lui avoir narré par le menu tout ce qu'ils avaient fait, presque au jour le jour, du temps où ils patrouillaient ensemble à bord de la voiture pie 4221. Durant les quelques années où Tuohey avait siégé au Tribunal de Grande Instance, Milacki avait été détaché par la police pour prendre la tête du service des mandats, où il avait consciencieusement « égaré » tous les mandats d'arrêt et de perquisition que Brendan souhaitait voir disparaître... généralement au profit de ses petits copains. À la suite d'un de ces mystérieux arrangements dont les mécanismes ne peuvent qu'échapper aux non-initiés extérieurs à la police, lorsque Tuohey avait été nommé à la division des litiges de droit commun, Milacki l'avait suivi. Tout en restant officiellement rattaché à la police, histoire de ne pas perdre ses points retraite, il était désormais directement affecté au cabinet du juge principal, où il était chargé de la coordination avec les shérifs adjoints chargés du maintien de l'ordre dans le tribunal. En réalité, sa seule mission était d'appliquer aveuglément les directives de Brendan, pour qui il jouait le rôle d'un véritable homme orchestre, à la fois chauffeur, secrétaire particulier et standardiste. C'était à son poste qu'aboutissaient les coups de fil que Robbie passait de temps à autre, pour lui signaler certaines affaires nécessitant « une attention particulière ».

Milacki se mit à protester de sa bonne foi. Il assura qu'il avait entendu raconter des foules d'histoires de ce genre. C'était une des tactiques de camouflage favorites des taupes du FBI – des femmes, surtout, évidemment ! Et ensuite, ils niaient tout en bloc – « Un peu comme ces flics en civil qui se font passer pour des michetons pour faire tomber les filles, et qui vous jurent la main sur le cœur que c'est *avant* la pipe qu'ils ont sorti leur plaque ! » La comparaison déclencha une tempête de rires.

Robbie s'empressa de recentrer le débat, en demandant ce qu'il devait faire.

« La larguer ! » s'esclaffa Milacki. Tuohey et Kosic restèrent de marbre, comme si Milacki n'avait rien dit. Un peu plus tard, en repassant la bande, Milacki me fit l'impression d'en savoir nettement moins que les deux autres sur Evon. Comme toujours, Robbie respecta le scénario à la lettre.

Coulant vers Tuohey un regard docile et inquiet, il lui demanda s'il partageait l'avis de Milacki.

« Quoi de plus logique que de te séparer d'une employée en qui tu n'as pas confiance ? » Brendan eut un petit haussement d'épaules : ça tombait sous le sens, non ?

« Mais en la virant, est-ce que je ne risque pas de donner l'impression d'avoir quelque chose sur la conscience ? Vous voyez, elle sait que je suis sur le qui-vive – parce que, évidemment, je lui ai posé des questions, sur ce que m'avait raconté Walter. Et ça me tracasse. Y aurait pas un moyen plus futé de régler le problème ? »

Tuohey était élancé et encore plutôt bel homme. Après avoir attentivement écouté cette dernière remarque de Robbie, il s'écarta un peu. Sa tête grisonnante se releva, et, sur l'écran, je le vis poser sur Feaver un regard qui le jaugeait.

« Ça, fiston, c'est à toi de répondre à ce genre de question.

— Oui, mais je pensais... que vous vous sentiriez un peu... concerné.

— En quoi ? En quoi cela me concerne-t-il ? Moi, mes problèmes, je les résous, Robbie – sans en faire étalage à quiconque.

— Il y a certaines choses dont nous n'avons jamais beaucoup parlé, vous et moi, juge.

— Et ce n'est sûrement pas le moment de commencer. » Tuohey marqua une pause avant de lâcher un petit rire agacé. « Tu n'es plus un gosse, Robbie. Je ne peux pas passer mon temps à te tirer d'affaire, comme quand vous étiez gamins. Je ne vais pas décrocher mon téléphone pour appeler le poste, comme du temps où vous vous faisiez pincer, Morton et toi, à piquer des revues porno !

— Peut-être, mais cette fois, vous savez comme moi que c'est plus grave que des photos cochonnes !

— Ah... ? première nouvelle ! Et comment je pourrais le savoir, Robbie ? Tu crois peut-être que je me tiens informé de chacun de tes faits et gestes ? Tu es un habitué du palais de justice et tu connais les règles que je suis tenu d'appliquer. Si tu t'es fourré dans le pétrin, tu m'en vois désolé. Mais je suis juge, pas confesseur. Si tu viens me déballer des fautes graves, je n'aurai d'autre choix que de te livrer à la police – et Dieu sait que cette idée me déplaît tout autant qu'à toi ! » Tuohey s'était redressé sur sa chaise, et avait délivré son petit sermon avec toute l'onction requise.

« Il est en train de nous le retourner comme une crêpe », grogna Sennett dans mon dos. Restait que le petit numéro de Tuohey dépassait la fin de non-recevoir pure et simple. Brendan était un véritable virtuose de la pirouette. Le genre de type à ne pas vous dire bonjour sans avoir une cascade d'idées derrière la tête. De savantes implications s'emboîtaient sous ses moindres paroles, et, sous couvert de sermonner Robbie, il était bel et bien en train de lui clouer le bec en douceur, en se retranchant derrière sa fonction.

« Il faudrait qu'il lui fonce dans le lard ! fit Sennett. C'est le moment ou jamais. Allez, Robbie... vas-y ! *Comment, vous n'êtes pas au courant de ce que je fais ?* »

Mais les exhortations que Stan adressait à l'écran n'avaient pas plus d'effet que celles du premier sportif en chambre venu devant sa télé.

« Enfin, Brendan... » commença Robbie – mais Tuohey l'interrompit aussitôt d'un mouvement de tête résolu : il refusait d'en entendre davantage. Ce que voyant, Milacki et Kosic, qui étaient jusque-là restés en retrait pour laisser parler le juge, se manifestèrent. Milacki se permit de pointer l'index sur Robbie. Dans le silence qui s'ensuivit, Brendan baissa les yeux, et, de la main, chassa quelques grains de sucre glace des revers de son veston droit.

« Mon petit Robbie..., laissa-t-il tomber. M'est avis que le mieux serait de te trouver un bon avocat. Quelqu'un d'expérimenté, qui ait l'habitude des cours fédérales et qui puisse te conseiller utilement...

— Et qu'est-ce que je vais lui raconter, à cet avocat, Brendan ? Qu'est-ce que vous me conseillez de lui dire ? »

Sennett, qui avait anticipé la réaction de Tuohey, avait soufflé sa réplique à Robbie, mot pour mot... Mais c'était mal connaître Tuohey.

« Ce que tu voudras, Robbie. Ce qui peut lui être utile – surtout et pas davantage.

— Mais bon sang, Brendan ! vous ne comprenez donc pas... Elle est au courant d'un tas de choses, cette petite ! »

Ce ne fut pas Brendan, mais Kosic qui laissa échapper un ricanement narquois. Rollo glissa un coup d'œil réprobateur vers Robbie, et prit pour une fois la peine d'écraser sa cigarette dans le cendrier. Ce furent les seules réactions que Feaver tira d'eux.

« Je me demande si vous m'avez bien compris, juge. Ce n'est pas tant pour moi que je crains... que pour Mort. Si quelqu'un mettait son nez dans mes affaires, il pourrait lui venir l'envie de s'intéresser à lui, dans la foulée. »

Cette allusion à Morty ne faisait pas partie du scénario original. Elle risquait de provoquer des problèmes en chaîne, si Tuohey s'avisait de la rapporter à son neveu. Mais, comme la plupart des improvisations de Robbie, l'initiative se révéla aussi brillante qu'efficace : le juge principal Tuohey se trouva enfin pris au dépourvu.

« Morton ? articula-t-il.

— Vous le connaissez. C'est le roi des pêcheurs de lune ! Et vous savez, il y a eu une ou deux affaires... enfin, je veux dire... pas question de le mouiller dans ces histoires. D'ailleurs, je ne lui ai rien dit.

— Tu as bien fait, Robbie.

— Peut-être, juge. N'empêche qu'il y a eu ce problème, avec Sherm...

— Non ! » Ce simple mot, quoique glissé dans un souffle, était tombé comme un couperet, avec la sévérité d'une maîtresse d'école mouchant un cancre. « Non, Robbie. Il m'est impossible de t'écouter. Va raconter tout ça à ton avocat. C'est la règle. Tu as pensé à quelqu'un ?

— Non, évidemment. Je tenais à vous en parler d'abord.

— Ne prends surtout pas n'importe qui ! Ce n'est pas le genre de choix qu'on fait à la légère. »

Ayant réussi à capter l'attention de Tuohey, Robbie se mit à jouer les andouilles, dépassées par les événements. Au bout d'un moment, comme si l'idée lui tombait du ciel, il lâcha mon nom, me présentant comme l'un de ses voisins du Lesueur, qui aiguillait parfois des clients vers son cabinet. Tuohey inclina la tête, presque au niveau de l'objectif de la caméra, et parut s'abîmer dans ses réflexions.

« Un excellent professionnel. J'ai souvent eu affaire à lui il y a quelques années, à l'époque où il était président du barreau. »

À côté de moi, McManis avait assisté en silence à cette scène, avec son stoïcisme coutumier. Il était resté jusque-là penché vers l'écran, sans manifester la moindre réaction, à l'exception de quelques instants de tension particulière, où il s'autorisait à lâcher un peu de vapeur en faisant tourner ses pouces comme un petit moulin. En entendant cette réplique de Tuohey, il me lança un bref coup d'œil par-dessus son épaule, le sourcil arqué et la joue gonflée, façon hamster, ce qui m'inspira une immédiate envie de me planquer sous terre. Les bonnes relations que Tuohey prétendait entretenir avec moi étaient largement imaginaires. Je ne l'avais croisé qu'une fois ou deux, et uniquement pour discuter d'une initiative qu'il m'avait suggérée, dans le cadre de mon rôle de médiateur. Chaque fois qu'une affaire m'appelait à la « cour » où siégeait Tuohey, je ne pouvais m'empêcher de songer que le terme était particulièrement approprié à son cas – comme pour un monarque ou un souverain pontife : cette enfilade de pièces et d'antichambres, cette profusion de personnel affichant une efficacité et un sourire sans faille, et faisant assaut d'obséquiosité pour celui que tous appelaient « Monsieur le juge principal »... Dans tout le service trônaient des reliques de son long règne : photos encadrées de Brendan entouré de diverses sommités, marteaux, plaques de cuivre et sous-verres immortalisant ses exploits. Son bureau attitré était toutefois d'une sobriété toute spartiate : on n'y voyait qu'une petite balance de justice, et une gravure figurant le Christ, sur les rayonnages de sa bibliothèque. Vu son sens infaillible de la politique, Tuohey savait qu'afficher ses préférences pour Pierre, Paul ou Jacques revenait à se brouiller avec le reste du calendrier...

« La prudence et l'expérience même ! C'est auprès de lui que ses confrères vont prendre conseil. C'est te dire..., reprit Brendan. Mais, dans les circonstances présentes... » et là, le juge s'interrompit pour se prendre le menton, l'air songeur, avant de rendre la sentence qu'il avait concoctée depuis le début. « Je me demande si c'est bien à lui que je m'adresserais, si j'étais toi.

— Vraiment ? » Accoudé à la table, Robbie leva vers lui un regard d'élève studieux.

« N'oublie pas qu'il a été témoin au mariage de Stan Sennett. » À voir le petit haut-le-corps que ne put réprimer Robbie, je pris conscience que j'avais dû omettre ce détail. Sidérant, le nombre de ces pépites explosives qu'avait engrangé Tuohey... ! « Lors de son second mariage, sauf erreur. C'est délicat, parce que, en un sens... c'est le genre de choses qui pourrait se révéler très utiles, si tu vois à quoi je pense. Mais, l'un dans l'autre, je le trouve tout de même un peu trop proche de l'ennemi pour être totalement impartial. »

McManis laissa une fois encore son regard dériver dans ma direction avec une lueur ironique, mais j'étais piqué au vif par la remarque de Tuohey. Un peu trop proche ? Je renonçai prudemment à regarder du côté de Stan – bien que tout indiquât qu'il avait d'autres chats à fouetter pour le moment, fasciné qu'il était par la maestria que déployait Tuohey pour lui filer entre les pattes.

« Fais comme tu l'entends, évidemment, enchaîna le juge. On ne sait jamais. Mais, à ta place, je préférerais confier mes intérêts à un homme connu pour son intransigeance, vis-à-vis du ministère public. Est-ce que tu as entendu parler de Mel Tooley ? Excellent juriste. Un vrai roc. Prends tes renseignements. Tu n'en entendras dire que du bien. » En fait, Mel avait surtout la réputation de ne jamais pousser un client à se mettre à table. « Si tu lui confies ton affaire, il jugera peut-être utile de passer m'en toucher mot. »

Sur ce, Brendan repoussa sa chaise, dont les pieds chromés raclèrent bruyamment le sol, et se redressa, satisfait. L'audience était levée. Il avait le sentiment d'avoir manœuvré avec un art consommé, respectant ses marques avec le pied sûr et léger d'un Nijinski. Il se leva, et, encadré de ses deux lieutenants, posa une main noueuse sur le col de l'imper de Robbie, avant de balancer sa dernière réplique :

« Je ne m'en fais pas, Robbie – pas le moins du monde ! Tu es tout à fait capable de maintenir le cap, même par gros temps ! » Tuohey ponctua ce pseudo-compliment d'un vigoureux coup de menton, et s'éloigna, Milacki et Kosic sur les talons. En face de moi, Sennett s'était remis à gémir, dès que Tuohey s'était tourné vers la porte. Il s'ébouriffa les cheveux en y passant ses deux mains – fait assez rare pour être souligné : il ne laissait jamais ses émotions perturber son ordonnance extérieure.

« Oooh ! Quelle catastrophe ! Il le tenait ! Pourquoi ne lui a-t-il pas volé dans les plumes ? »

Je fis de mon mieux pour défendre mon client lorsque McManis, qui avait jusque-là opposé un front d'airain à l'explosion de Stan, m'interrompit, en secouant la tête, une seule et unique fois.

« Calmez-vous, Stan. Nous étions encore très loin du compte. Ces types sont intouchables. Ils savent à quoi s'en tenir, pour Evon, mais sur Robbie, il leur reste des doutes. Ils ne peuvent pas le laisser choir, en lui donnant une bonne raison de se retourner contre eux, mais faites-leur confiance ! Désormais, ils ne laisseront plus rien dépasser. »

L'estafette quitta le trottoir. Tex Clevenger, un grand maigre, d'une trentaine d'années, qui tenait le rôle du garçon de courses au cabinet McManis, avait pris la place d'Amari au volant pour permettre à ce dernier de diriger les opérations sur le terrain. Tex demanda s'il y avait des consignes particulières à transmettre à Amari, mais Stan, toujours déchiré par sa déception, laissa sa question sans réponse.

« Il doit pourtant y avoir un moyen... » répondit-il à Jim. Il avait serré les poings, jusqu'à s'en faire blanchir les jointures. « Il y en a toujours un ! »

34

Ils ne tentèrent rien contre elle. Le contraire l'aurait d'ailleurs étonnée : à aucun moment, elle ne s'était sentie menacée. Elle se rendait au bureau en voiture, en compagnie de Shirley et sous la surveillance discrète de tout un escadron de véhicules banalisés qui se relayaient. Une semaine ne s'était pas écoulée, qu'elles les avaient, l'une et l'autre, tous repérés. Pendant qu'Evon était au cabinet, un agent local montait la garde chez elle, tous stores baissés, et passait la journée à lire des journaux à la lueur d'une lampe de poche. Jusque-là, il ne s'était rien produit de suspect.

McManis avait fini par l'autoriser à porter une arme. Quel intérêt de jouer les petits chaperons rouges désarmés, en attendant que le grand méchant loup se décide à lui tomber dessus ? La seule arme qu'il put lui dénicher, vu le peu de temps qui leur était imparti, fut un Smith & Wesson de 10 mm, une arme qu'il fallait une bonne dose d'inconscience pour songer à utiliser ! Du D.C. tout craché : une bonne idée, à la base – mais au stade de la mise en pratique, ça laissait sacrément à désirer. Après avoir perdu trois agents au cours d'une fusillade à Miami, les sommités du Bureau avaient réclamé des munitions à la fois plus légères, plus pénétrantes, et plus dévastatrices. Smith & Wesson leur avait donc concocté un modèle respectant ce cahier des charges, mais qui présentait un inconvénient de taille : ce n'était plus un sac à main qu'il fallait, pour le transporter, c'était un sac de plage ! Evon avait chez elle un S&W 5904 semi-automatique de 9mm. Ça, c'était un flingue !

À la demande de McManis, elle avait profité du week-end du Memorial Day, qui tombait juste après son cambriolage, pour se rendre à DesMoines. Elle aurait préféré aller passer quelques jours chez sa sœur à Denver, mais Roy avait emmené Merrel et les enfants à Vail, dans leur tout nouveau studio, pour pêcher à la mouche, et, vu la difficulté de dénicher une place à bord d'un avion en ce week-end de fête, elle ne pouvait espérer passer plus de vingt-quatre heures avec eux. Elle avait donc préféré reprendre, là où elle l'avait laissée, la vie de DeeDee Kurzweil, agent du FBI. La maison qu'elle louait était plongée dans l'obscurité, et il y régnait une désagréable odeur de renfermé. Les souris avaient dû s'en donner à cœur joie – sauf que l'odeur en question, se dit-elle, faisait plutôt songer à celle de l'intérieur confiné d'une petite vieille à chien-chien. Elle passa quelques coups de fil, et fut invitée à un barbecue en compagnie de Sal Harney, un collègue à qui elle avait prêté sa voiture en son absence. Avant qu'il ne la ramène chez elle, elle lui avait demandé de passer à l'antenne locale du FBI, où elle avait récupéré son 5904 dans le coffre-fort. Le dimanche matin après l'office, elle avait fait un saut dans un club de tir privé, et s'était entraînée pendant une heure. À la fin de la séance, elle avait cru sentir s'attarder sur elle le regard du propriétaire et de ses deux assistants. À présent, elle gardait son arme dans son sac, et ne la confiait à McManis que le temps de faire l'aller-retour au tribunal, lorsqu'elle devait y déposer des papiers pour Mort.

Shirley, d'humeur toujours égale et maternelle à souhait, dormait sur le canapé. Après dîner, elle lui parlait de ses enfants, et forçait parfois un peu sur la bouteille. Puis elle enfilait son peignoir en velours éponge blanc, qui la moulait comme une bande Velpeau autour d'une entorse. Elle avait trois grands enfants, dont deux étaient mariés. La dernière, sa fille, était en première année de fac et songeait sérieusement à s'engager dans les services secrets.

Robbie ne faisait désormais plus que de rares apparitions au cabinet. Le prétexte imaginé à peine un mois plus tôt – l'aggravation de l'état de sa femme, qui allait nécessiter une constante attention de sa part – était devenu réalité. Selon Alf, il était quasi impossible de garantir la confidentialité des conversations téléphoniques. Deux fois par jour, sous prétexte de lui apporter des dossiers à étudier, Evon jouait donc les agents de liaison entre McManis et Feaver. L'optimisme forcené que Robbie affichait autrefois, et sa capacité de donner le change, semblaient sérieusement mis à mal, depuis la mort de sa mère. Bien souvent, en arrivant chez lui, Evon avait la surprise de constater qu'il ne s'était même pas donné la peine de se raser. Un matin, il lui avait fourni cette explication elliptique : « On a beau se dire qu'on sait très bien comment ça va finir, inutile de se voiler la face : en fait, on n'en sait rien... »

Evon montait souvent rendre visite à Rainey, que ses forces abandonnaient chaque jour davantage. Les moindres gestes de la vie quotidienne absorbaient toute son énergie. Après ses repas, elle avait besoin de dormir au moins une heure. La toilette, l'habillage et les massages l'épuisaient, et, cela fait, elle ne parvenait plus à se concentrer suffisamment pour pouvoir suivre une conversation, sauf avec Robbie. Son appareil respiratoire, qui avait l'allure d'un gros aspirateur, fixé sur sa poitrine, la clouait au lit. Il produisait un sifflement permanent, qui vous mettait les nerfs en pelote au bout de quelques minutes. On aurait dit un gosse vidant le fond de son verre avec sa paille. Pour couronner le tout, son médecin avait déclaré que, vu l'élévation de son taux d'acide carbonique, il faudrait se décider dans les quinze jours à franchir le palier suivant : l'assistance respiratoire. C'était ça ou entamer le stade terminal de la maladie jusqu'à l'asphyxie progressive. Robbie n'était pas entré dans les détails, mais sa mine abattue indiquait que ses efforts pour persuader Rainey de s'accrocher à la vie étaient restés vains.

Le mardi 8 juin, je présidais le banquet annuel de la fondation de l'ordre des avocats de Kindle County, une institution caritative dont je suis l'un des fondateurs. Certains jours, je me demande d'ailleurs si je ne l'ai pas fait dans l'unique but de laisser après moi ce petit monument dédié à ma propre mémoire – comment dit-on... « Charité bien ordonnée... » ! Lors de nos réunions, je rongeais mon frein pendant les interminables palabres, souvent sous-tendues d'obscures considérations politiciennes, visant à décider de quels projets, parmi tous ceux qui battaient déjà de l'aile pour cause de financement insuffisant, nous rognerions les subventions. Ce qui ne m'empêchait pas de rempiler tous les ans : mieux vaut faire moins de bien que l'on souhaiterait en faire, que de ne pas en faire du tout.

Pour l'occasion, des juges et des personnages publics étaient invités « à titre gracieux », comme on dit dans les milieux du charity-business, et répartis à raison de un par table, parmi les invités payants, afin que nous puissions monnayer chèrement le plaisir de frayer avec eux au profit d'une noble cause. Grâce à ce procédé, et à bien d'autres tout aussi peu avouables, nous avions réussi à attirer non moins de cinq cents personnes dans l'immense salle de bal de l'hôtel Gresham. La pièce était un véritable musée, un vestige de la belle époque. Les ors de ses colonnes cannelées et les pâtisseries dorées à la feuille de ses plafonds étaient presque un affront au dénuement de ceux au profit desquels nous organisions ce grand raout, et dont seule la vidéo de circonstance, projetée entre la poire et le fromage, venait rappeler l'existence à nos convives fortunés.

Cette année-là, c'était à Manuel Escobedo, juge à la Cour Suprême, qu'avait été confié le soin d'ouvrir les réjouissances. Il parvint à intéresser la galerie cinq minutes, avant de se laisser glisser, tel un randonneur fourbu, sur la pente douce du discours qu'il avait préparé. Comme c'est le cas pour tant d'ex-avocats, c'était un véritable tour de force que de lui reprendre la parole une fois qu'il s'en était emparé, et il devait être dans les deux heures de l'après-midi lorsqu'il consentit enfin à mettre un point final à sa prestation. Les applaudissements saluant sa performance crépitaient encore, lorsqu'une petite cohorte de costumes cravate pressés se ruèrent en direction des colonnes de marbre au fond de la salle, brûlants de retourner pianoter sur leurs téléphones et leurs ordinateurs, pour se refaire du montant de l'addition. Çà et là, dans l'assistance, et cette fois en cercles restreints, se donnaient des remakes de la classique séance de poignées de main-sourires qui s'était tenue avant le déjeuner, les chers confrères échangeant congratulations et bourrades amicales dans le dédale des fauteuils dérangés par l'exode précipité des tenants du business.

Je descendis sans m'attarder les marches branlantes de l'estrade d'honneur érigée pour la circonstance, en adressant un petit signe de main à Cal Taft, le président en exercice, qui se fendit de quelques mots élogieux sur la réussite de cette petite sauterie, puis, me retournant, j'aperçus Brendan Tuohey, planté à quelques pas de moi, entre deux tables. Il semblait plongé dans une discussion avec deux convives qui m'étaient inconnus, mais, vu la façon dont son regard dériva une fois ou deux dans ma direction, j'en conclus que lui aussi m'avait repéré.

« George ! » s'exclama-t-il dès qu'il parvint à planter là ses interlocuteurs. Il plongea sur ma main droite qu'il pressa avec effusion, la recouvrant de la sienne, pour bien souligner toute la joie que lui causait cette rencontre, et qu'il s'empressa de me confirmer oralement : « Vous faites vraiment preuve d'un extraordinaire talent d'organisateur, au comité ! Ça a été un moment inoubliable – et c'est formidable, ce que vous faites, pour le barreau de cette ville. Un travail véritablement providentiel, George... et, croyez-moi, nous en sommes tous très fiers ! »

Mon scepticisme dut se lire sur mon visage, car il enchaîna aussitôt : « Mais si, mais si ! La preuve, c'est que je ne sais plus qui – un avocat, me semble-t-il... – me parlait de vous très récemment, et, comment vous dire – à l'entendre, on avait envie de vous accrocher une paire d'ailes dans le dos ! Enfin, il ne tarissait pas d'éloges sur votre compte... pour un peu, j'en aurais rougi à votre place, de confusion. Ah, son nom m'échappe... »

Brendan Tuohey avait dû être plutôt bien de sa personne, en son temps, mais l'âge lui avait flétri et tiré les traits, sans toutefois éteindre l'étincelle qui brillait dans ses yeux bleus. L'abus de whisky, ou le lent travail des ans, lui avait marbré les joues de plaques roses sillonnées de veinules violacées. La peau de ses mains avait la consistance parcheminée des feuilles mortes. « J'y suis ! Robbie Feaver... ! » Il ponctua cette exclamation d'un claquement de ses longs doigts noueux, dont l'onde de choc me parcourut du plexus solaire jusqu'au nombril.

« Ah, Robbie, fis-je. Oui, Robbie.

— Il a la plus grande admiration pour vous, George. »

Je répondis, sur le mode plaisant, en me promettant à l'avenir d'augmenter la proportion des honoraires qu'il me reversait, chaque fois que j'envoyais un client à son cabinet.

Tuohey s'autorisa un petit rire contenu. Derrière nous, les serveurs et les maîtres d'hôtel avaient déjà commencé à débarrasser les tables, et repliaient les nappes damassées, révélant les plateaux ronds en contre-plaqué et les vulgaires tréteaux à pieds escamotables qu'elles avaient jusque-là dissimulés – découverte amusante, si l'on songeait au menu à cent dollars le plat que tous ces distingués convives venaient de s'offrir, et qu'ils avaient dégusté sur de l'aggloméré à demi vermoulu....

« Oui, Robbie... C'est terrible, ce qui lui arrive, à ce pauvre garçon, me fit remarquer Tuohey en adoptant une mine de circonstance. Enfin, garçon... façon de parler ! C'est un grand gaillard, maintenant ! Il faut vous dire que je l'ai connu haut comme ça et que, pour moi, ce sera toujours un gamin... Vous saviez qu'ils étaient associés, lui et mon neveu ? Je m'intéresse à Robbie tout autant qu'à Morton, d'ailleurs. Et vous pensez bien que je me fais du souci pour lui. J'ai peur que tout ceci... » Il eut une petite moue et poursuivit : « La dernière fois que je l'ai croisé, mardi dernier, il m'a paru, comment dire ? Pas tout à fait dans son assiette. L'auriez-vous vu, depuis ? Comment l'avez-vous trouvé ? Dans son état normal ? »

Je ne faisais pas le poids, face à Brendan. On m'avait inculqué une réserve qui, à défaut d'autre chose, me laissait certes le temps de la réflexion, mais je ne pouvais me prévaloir ni de l'acuité d'un Tuohey ni de sa rouerie. Ces coups de sonde qu'il lançait avec la précision d'un acupuncteur vous perçaient à jour presque à votre insu. Ce que je finissais par saisir au terme d'une analyse laborieuse, s'imposait d'instinct et presque instantanément à lui, mais, en l'occurrence, comme je finis par le comprendre, s'il était là, à pérorer en face de moi, c'était que Mel Tooley ne l'avait pas appelé.

Mel était un ex-procureur fédéral adjoint qui, après avoir été longtemps dans les petits papiers de Stan, avait brusquement rétrogradé au rang de suppôt de Satan, après avoir abandonné le ministère public pour le secteur privé. Ses appétits financiers l'avaient amené à prendre la défense des mafiosis sur lesquels il enquêtait naguère – ce qui avait soulevé une vague d'indignation dans le service du procureur fédéral, et suscité d'interminables batailles juridiques (que le ministère public avait systématiquement perdues), visant à dessaisir Mel de toutes ces affaires. Stan avait un moment envisagé d'envoyer Robbie consulter Mel, comme Tuohey le lui avait si sagement conseillé, mais en service commandé et équipé de ses bottes à micro. Mais l'UCORC avait immédiatement opposé son veto, au motif que les présomptions qui pesaient sur Tooley étaient insuffisantes pour justifier un tel enregistrement. Coincé, Stan avait espéré que l'absence de nouvelles inciterait peut-être Tuohey et ses comparses à contacter Robbie de leur propre chef. Mais pas du tout. Brendan semblait plutôt en avoir conclu que Robbie avait préféré passer outre sa mise en garde et s'en remettre à moi.

Le regard du juge principal me balaya comme un scanner. Était-ce ma couardise ou, au contraire, mon sens de l'honneur, que Brendan entendait exploiter ? Je n'aurais su le dire, mais, de toute évidence, il avait jugé qu'il ne prenait pas grand risque en me tenant ce genre de propos, soit du fait de ma rectitude innée, soit à cause d'une sage prudence qui m'interdirait d'offenser ouvertement un détenteur du pouvoir. En tant qu'avocat, la seule conduite à tenir aurait été de laisser glisser la question de Brendan sans faire le moindre commentaire, mais je savais, étant déjà suspect à ses yeux, que mon silence ne ferait que le confirmer dans l'idée qu'il ne pouvait désormais plus compter sur celui de Robbie.

Au beau milieu de cette grandiose salle de bal, avec ses fauteuils de velours capitonnés et ses immenses miroirs dans leurs cadres dorés à l'or fin, je me sentis soudain dans la carapace d'une araignée qui se serait pris les pattes dans sa propre toile. J'aurais dû le planter là, en invoquant une obligation urgente, et laisser à Stan le soin de gérer les conséquences d'une telle dérobade. Mais je préférai faire front. J'obéissais à un faisceau de motivations trop nombreuses et trop complexes pour savoir laquelle était la bonne. Ma loyauté envers mon client en était une – tout comme ce sur quoi Sennett, avec sa perspicacité coutumière, avait tablé depuis si longtemps – à savoir ma colère et le dégoût que m'inspirait la manière dont Brendan s'était approprié la loi pour l'asservir à ses intérêts personnels. Sans compter que, comme je l'avais toujours soupçonné, l'idée de tenter le destin me fascinait. Je franchis délibérément cette frontière que je m'étais fixée de longue date, bien conscient de me faire un ennemi à vie de cet homme dont le pouvoir était bien parti pour s'étendre à toutes les cours du comté.

Le gratifiant d'un regard aussi grave et aussi résolu que possible, je lui déclarai que Robbie Feaver était, à mes yeux, un homme avisé et peu enclin à faire étalage de ses problèmes. Il ne voyait vraiment pas ce qui pourrait pousser quiconque à s'en prendre à lui, et me semblait capable d'encaisser vaillamment toutes les tuiles qui pouvaient encore lui tomber dessus.

De derrière ses paupières flétries, qui voilaient son regard clair d'une aura de mystère, Tuohey me fixa longuement. Il décryptait le message.

« Ah... c'est donc que ça va s'arranger, pour lui ? laissat-il tomber.

— J'en suis convaincu, répondis-je sans frémir.

— Bon. Eh bien... N'hésitez pas à me prévenir, s'il se présentait de nouvelles difficultés, n'est-ce pas ? Si je peux faire quoi que ce soit... »

Avant de s'éclipser, Tuohey me serra à nouveau la main avec effusion, content de lui, de moi et de mes assurances que Robbie ferait bravement front dans la tempête. Brendan s'était sorti de ce numéro de haute voltige avec son brio coutumier : il avait appris tout ce qu'il voulait savoir, sans se découvrir d'un fil. Sa remarque sur l'état de confusion où il lui avait semblé voir Robbie pouvait même jeter l'ombre d'un doute sur l'exactitude des confidences que Feaver avait pu me faire – en dépit de tous mes efforts pour laisser entendre à Tuohey qu'il ne m'avait rien dit.

« Vous n'aviez pas à prendre un tel risque, George », me fit remarquer mon client, lorsque je lui eus fait un récit circonstancié de ma conversation avec le juge principal. Nous nous étions garés sur le parking d'un McDo de son quartier – j'étais passé chez lui dans la soirée en sortant du bureau – et nous regardions tous deux les jeunes mères de famille venues y faire des courses de dernière minute. Robbie connaissait sur le bout du doigts les ficelles du métier, et mesurait parfaitement les dangers auxquels je m'exposais, au cas où Tuohey nous aurait échappé.

Je m'empressai de le rassurer : c'était un choix que j'avais fait. J'avais cependant une requête à lui présenter.

« Tout ce que vous voudrez...

— Pas un mot à Sennett », fis-je.

35

Le vendredi suivant, à midi, Evon se rendit chez Feaver pour lui remettre un message urgent. Il ne s'attendait manifestement pas à recevoir sa visite, et vint lui ouvrir en larmes. Il s'essuya les yeux sur la manche de son polo, d'un geste enfantin, et s'effaça pour la laisser entrer dans son vestibule de marbre. Evon proposa aussitôt de repartir, mais il la retint par le poignet, visiblement soulagé d'avoir de la compagnie.

« Nous étions en train de parler, expliqua-t-il. D'enfants... vous comprenez. » Il lui lança un regard furtif, comme si son regard risquait de trahir un secret. Ce qui fut le cas. Pour une fois, Evon fit instantanément le rapprochement. Rainey lui avait dit qu'elle n'avait pas les mêmes raisons de s'accrocher à la vie que si elle avait eu des enfants.

« Vous savez ce que c'est... les regrets ? demanda-t-il. Nous en avons, et des millions. Mais celui-là, il vient en tête de la liste. Les enfants. »

Il s'était assis sur le long canapé blanc du living, celui-là même où il s'était assis à l'automne précédent pour recevoir les agents du fisc. Elle ne savait trop que dire, mais elle n'eut pas à se creuser longtemps les méninges. Il prit presque aussitôt la parole à son habitude :

« Ça a toujours été une pomme de discorde entre nous. Personnellement, j'étais plutôt pour. Enfin... bien sûr, je craignais de ne pas être à la hauteur, comme mon père – mais, comment dire ? J'aurais aimé avoir une chance de faire mieux que lui. Mais Lorraine, elle... avec l'enfance à la con qu'elle a eue... elle remettait toujours ça au lendemain. Elle avait un bon job, où elle se faisait pas mal d'argent. Et à l'époque, vous savez, je lui en faisais voir – de toutes les couleurs. Elle menaçait régulièrement de faire sa valise, et je lui promettais de m'amender, mais je n'en faisais rien. Et puis, histoire de me donner une leçon, elle repiquait à la coke... mais, quand on a appris, pour sa maladie, il y aura bientôt trois ans, ma réaction a été de me dire : "Non ! Une minute, là... ! On allait juste régler le problème !" Et je pense qu'on l'aurait fait. Réellement. Ça faisait près de cinq ans que, juste avant de me laisser glisser dans le sommeil, le matin du premier janvier, ma dernière pensée était "Cette année, on se le fait, ce bébé !"

« Quelques semaines seulement avant que le diagnostic ne tombe, nous en parlions, et de plus en plus. Nous l'avions même baptisée, cette petite qu'on se promettait de faire. Et on lui avait trouvé de ces noms... complètement loufoques. Sparky, Flipper... nous nous étions monté toute une histoire, sur elle, sur ses goûts, ses petites manies – parce que, allez savoir pourquoi, il avait toujours été convenu que ce serait une fille... "Si tu commandes une pizza, dis-leur qu'ils n'y mettent pas d'olives – tu sais bien qu'elle a horreur de ça..." Enfin, vous voyez... c'était à ça qu'on jouait, quand vous avez sonné... » Son regard restait fixé sur la moquette blanche, mais une idée comique dut lui traverser l'esprit, car il partit soudain d'un grand éclat de rire.

« Aujourd'hui, on lui a trouvé un nom génial. Je disais à Lorraine que j'aurais aimé lui donner un vrai prénom juif. Et on venait juste de terminer un livre qui avait beaucoup plu à ma femme. Elle me regarde et me fait "Nancy Taylor Rosenberg". Et on est partis là-dessus : il faut lui acheter des lunettes de soleil, à Nancy Taylor Rosenberg, pour protéger ses grands yeux bleus... Nancy Taylor Rosenberg a le nez de sa mère... Nancy Taylor Rosenberg adore le gâteau au chocolat, mais ça lui donne de l'urticaire. Bref, on s'amusait. On était morts de rire, on en pleurait. Nous avons déconné comme ça vingt bonnes minutes sans discontinuer. Eh bien... ! lui lança-t-il tout à trac, en s'envoyant une claque sur la cuisse. Vous aviez un truc urgent à me dire ? »

Elle le dévisagea en se demandant s'il était vraiment en état de parler boulot, mais il l'encouragea d'un signe de la main. Sig Milacki avait téléphoné dans la matinée, en demandant que Robbie le rappelle. La prochaine manche n'allait pas tarder à s'engager.

« Sig... » souffla Robbie en contemplant le petit papier. Evon avait apporté un magnétophone miniature pour enregistrer la conversation téléphonique – un petit écouteur pas plus gros qu'une bonne prothèse auditive, qu'on se glissait dans l'oreille. Il était équipé d'un micro miniature captant à la fois les sons qui provenaient du combiné et la voix de Robbie, transmise via les os de son crâne. Il était raccordé par un câble à un petit magnétophone, qu'elle avait apporté dans sa mallette. Alf aurait préféré se charger lui-même de l'enregistrement, mais une fois de plus, le souci d'éviter tout risque de filature avait prévalu.

Evon avait décroché un poste secondaire. Elle reconnut la voix de Milacki qui approchait de son téléphone en lançant des vannes à ses subordonnés.

« Ah ! Feaver ! » Il enchaîna à son habitude par une série de blagues aux dépens des avocats. Sa fille terminait sa première année de droit, lui expliqua-t-il. « Et je peux te dire que je la surveille de près ! Pour rien au monde, je ne voudrais rater le moment où son second visage va commencer à lui pousser...

— Ah, ta gueule, Sig ! Va te faire mettre ! »

Milacki partit d'un rire gras. « Tu ne sais pas ce que tu rates ! » Sa repartie dut lui plaire, puisqu'il la répéta plusieurs fois, avant d'en venir enfin à ce qui avait motivé son coup de fil.

« Figure-toi que ça m'a pris comme une envie de pisser, de revoir ta sale gueule... je me suis dit qu'on pourrait s'en jeter un petit. Six heures, dans c't' abreuvoir chébran, que tu affectionnes tant, et où ils te pompent six dollars pour le moindre demi... ça te va ? »

Robbie tenta de lui faire préciser l'objet de la rencontre, mais Milacki poussa un long hennissement, comme si Robbie venait d'en lâcher une bien bonne, avant de lui raccrocher au nez.

À six heures cinq, comme il l'avait fait tant de fois le vendredi soir, Robbie poussa la porte de chez Latitudes. Fallait-il y voir un effet de l'ambiance familière, ou le miracle de l'instinct du comédien – toujours est-il qu'il semblait nettement plus dispos que depuis plusieurs semaines. Il portait un costume italien en peau d'ange, sortait visiblement de chez son coiffeur, et répandait autour de lui un sillage parfumé.

Pour Klecker, réaliser un enregistrement décent dans

une telle cohue relevait du tour de force. Afin de tenter d'y remédier, Alf avait sonorisé trois coéquipiers d'Amari, qu'il avait équipés de micros directionnels, en espérant qu'ils parviendraient à s'approcher discrètement de Robbie pour affiner les résultats. Afin de suppléer à d'éventuelles défaillances de la prise de son, Klecker et Sennett avaient exigé la présence de caméras. Vu la foule qui se pressait dans le café, il serait difficile de compter sur des images stables, et, lors de la réunion préparatoire qui se tint dans le bureau de McManis, Feaver avait objecté qu'il risquait une luxation de l'épaule s'il devait passer une heure debout avec à bout de bras cet attaché-case trafiqué, qui pesait une tonne. Klecker avait donc résolu d'adjoindre à la petite équipe qui opérerait sur place un membre supplémentaire : une femme qui aurait pour mission de filmer le bar depuis une table de la mezzanine, d'où elle aurait une vue plongeante sur tout l'établissement. Une seconde caméra avait été confiée à trois agents d'origine asiatique, deux Japonais et un Coréen, recrutés au pied levé par Amari. Les trois hommes iraient s'installer au milieu de la salle, à proximité du bar. Et Klecker avait eu cette idée de génie : ils feraient mine d'être des touristes en goguette, et de se filmer avec un caméscope pour immortaliser cette soirée. Un seul des trois agents parlait couramment une langue exotique, mais il lui suffirait de croasser à tue-tête, tandis que les deux autres s'esclafferaient bruyamment et multiplieraient les courbettes, en une parodie débridée de l'idée caricaturale que se fait l'Américain moyen des Asiatiques.

Pour économiser les piles, les caméras n'entrèrent en action qu'à l'instant où Robbie pénétrait dans le café. Dans l'estafette, ce fut l'inévitable seconde de vérité : les divers appareils allaient-ils fonctionner ? Notre espace vital était des plus réduits, ce soir-là. On se serait cru dans un studio télé. À notre appareillage habituel, étaient venus s'ajouter deux moniteurs vidéo et trois récepteurs audio. Tex Clevenger, qui avait suivi une formation de preneur de son à l'armée, secondait Alf pour le réglage des appareils – ce qui nous laissait, à Sennett, à McManis et à moi-même, tout juste la place de nous asseoir.

Shirley avait pris le volant. Evon se tenait près d'elle sur le siège passager. Elle portait un micro-casque comme nous tous, mais, déjà absorbée par ce que lui transmettait le récepteur infrarouge dissimulé dans ses cheveux, elle ne l'écoutait que d'une oreille. La mission de Robbie était simple : tâcher d'obtenir un autre rendez-vous avec Brendan. Pour rendre plus crédible cet urgent besoin de prendre conseil auprès de son vieux mentor, Sennett et McManis avaient concocté tout un scénario gravitant autour d'Evon. La réussite de l'opération tiendrait, d'une part, au temps que Robbie passerait dans le café, et de l'autre, à ce que Milacki voulait lui dire – car de ce côté, on barbotait toujours dans le brouillard le plus total.

À en juger par ce qui sortait des haut-parleurs, l'ambiance était survoltée, chez Latitudes. La foule qui s'y pressait semblait déborder d'une énergie trépidante. Tous ceux qui avaient survécu à la semaine écoulée reprenaient du poil de la bête, et semblaient bien décidés à s'en payer une bonne tranche. Alf jonglait avec les fréquences, s'efforçant de trouver la bonne, mais ne parvenait pour l'instant qu'à capter un flot ininterrompu de conversations incompréhensibles qu'enregistraient aussitôt les bobines de ses magnétos. L'un des agents avait déjà repéré Milacki, et prenait un verre au bar juste à côté de lui. Un deuxième était entré dans le café sur les talons de Feaver. À peine mon client eut-il franchi la porte vitrée, qu'une fille qui le connaissait, pour avoir travaillé quelques semaines au cabinet comme secrétaire, fendit la foule et l'aborda. Carla. Son image s'encadra sur l'écran de contrôle du caméscope des trois Asiatiques. Elle avait au coin des lèvres une cigarette, qu'elle n'ôta qu'au dernier moment avant d'embrasser Robbie à pleine bouche. Elle était plutôt jolie, mais d'une beauté assez ordinaire, et devait avoir à peu près le même âge que lui. Elle s'empara de son bras, et, après lui avoir demandé des nouvelles de Mort, se mit à lui parler de ses deux fils, tous deux engagés dans les Marines. En parlant, elle suçotait machinalement une mèche de ses cheveux, qu'elle avait blonds, raides et abondamment laqués.

« À plus tard, ma poule, s'excusa enfin Robbie. Je dois voir quelqu'un, là...

— Flûte ! C'est toujours le même refrain... personne n'a une seconde. Hé ! Je suis là-bas, près de la vitrine... avec Rick et Kitty ! »

Il lui jeta un baiser désinvolte du bout des doigts, et se fraya péniblement un chemin vers Milacki, qui était debout près du bar, dont le séparait encore un mur de dos. Il se bouchait l'oreille du doigt en s'égosillant dans son portable, apparemment occupé à enguirlander l'un de ses subalternes. Lorsque Robbie le rejoignit, il pointa l'index sur son téléphone, et articula silencieusement une épithète désobligeante à l'adresse de son correspondant.

Dans l'estafette, Alf nous fit signe de brancher nos casques sur la « fréquence 3 ». Le micro caché dans la mallette de l'agent qui se tenait au bar captait un signal sonore nettement supérieur à celui du FoxBite de Robbie.

« Tiens, écoute un peu..., fit Milacki, après les congratulations d'usage, en attrapant Robbie par le bras. Il se passe de ces trucs, au tribunal...! Certains jours, je te jure, c'est tout juste si j'en pisse pas dans mon froc! Aujourd'hui, c'était, tu sais... un de ces rastaquouères, qui se mettent du papier alu dans les cheveux, histoire de se protéger de ces prétendues vibrations venues du cosmos – complètement allumé, le mec, tu vois... Il s'est littéralement jeté sous le portique du détecteur à métaux. Bordel de merde ! Tous les voyants se sont mis à clignoter, et les alarmes à sonner... un vrai flipper. Du coup, mes gars l'ont plaqué contre le mur, pour le fouiller... Tiens, viens là que je te montre... avance... lève les bras...! »

Sur le deuxième écran, on vit les mains de Milacki avancer vers Robbie, prêtes à le palper.

« Oh, merde ! » s'exclama McManis, qui tenta de se lever, mais retomba lourdement sur son siège, retenu par sa ceinture de sécurité. Il s'en débarrassa d'un geste, et se pencha sur le moniteur. Robbie eut un temps d'hésitation, qui nous glaça les sangs. Une seconde plus tard, McManis poussa Evon par l'épaule et lui intima l'ordre de foncer chez Latitudes. Elle vérifia dans le rétroviseur extérieur que la voie était libre, et bondit hors de l'estafette.

« Ben, quoi... ? Tu serais devenu chatouilleux ! s'esclaffa Milacki.

— Très !

— Viens là, ma poule... Ma parole, que je vais pas te pincer ! Tu vas voir, c'est à pisser de rire ! » Il ponctua cette exhortation d'un vigoureux hochement de tête, sans cesser de se gondoler. Même en noir et blanc, on distinguait très bien ses joues cramoisies et la mèche rebelle qui lui balayait le front. Il avait eu autrefois les cheveux d'un châtain blondasse, mais à présent, sous la couche de brillantine dont ils étaient enduits, ils étaient majoritairement gris.

Robbie fit vaguement mine d'écarter les bras, comme un suspect qui se demande s'il doit obtempérer.

« Fais gaffe, Milacki ! Tu t'es lavé les mains, au moins ? Ce costard m'a coûté deux mille dollars chez Zegna.

— C'est vrai qu'il est beau ! Comme je te dis, mes gars se mettent à le palper, l'autre taré, comme ça... – joignant le geste à la parole, il entreprit de fouiller Robbie, en commençant par ses bottes – et tu sais quoi ? L'enfoiré, il avait un salami d'un mètre de long planqué dans son froc, dans du papier alu ! » Ce disant, il plongea les bras sous la veste de Robbie pour lui tâter les aisselles. « Non mais, t'imagines ? On se fendait tellement qu'on a dû frôler l'infarctus, avec mes gars ! »

Dans l'estafette, ce fut un soupir de soulagement général.

« Où est-ce qu'il l'a mis ? » demanda Sennett à mi-voix. C'était Evon qui s'était chargée de l'équiper, ce jour-là, mais McManis répondit à sa place : Robbie s'était fait faire une nouvelle paire de bottes, pour pouvoir cacher le FoxBite dans une de ses chaussures.

« Et Milacki ne risque pas de sentir le fil ? » insista Sennett.

Il était fixé le long de la couture intérieure du pantalon de Robbie, l'informa McManis – ce qui n'écartait certes pas tous les risques. De fait, jusque-là, Milacki n'avait pas tiqué. Il avait passé un bras autour des épaules de Robbie et, sans cesser de rire à gorge déployée, lui palpait le dos de haut en bas. Robbie, à nouveau dans son rôle, n'eut pas le moindre battement de cils, même lorsque Milacki lui tapota amicalement le derrière.

Une fois le test passé, Robbie, comme il devait me l'expliquer plus tard, s'avisa que l'indignation était la seule réaction naturelle à cette perquisition. Il rajusta les revers de sa veste, puis pointa l'index vers Milacki.

« T'aurais carrément dû l'apporter ici, ton putain de portique de détection, Sig ! »

Milacki ne prit pas la peine de donner le change.

« Eh ! Mieux vaut prévenir que guérir, vieux ! C'est l'époque qui veut ça. Tu nous as tous mis la pression, avec l'histoire de ta petite assistante et ça déteint sur toi, on dirait... Il y a au moins deux personnes qui se font du mauvais sang pour toi. Elles trouvent que tu as l'air de filer un mauvais coton, ces temps-ci... »

Crowthers et Walter, probablement – ce qui n'était pas des plus rassurant, comme entrée en matière.

Fidèle à son personnage, Robbie resta de marbre : « Tiens. Pas possible...

— Eh, si... les gens jasent. Ça me rappelle ce que Minnie Mouse a dit au juge, le jour où elle a demandé le divorce d'avec Mickey – tu la connais celle-là ? Elle a dit qu'elle ne voulait plus le voir parce qu'il s'envoyait en l'air avec Goofy ! » Sans trop s'illusionner sur les résultats de ses efforts pour dérider Robbie, Milacki lui assena une grande bourrade sur l'épaule, en hurlant de rire.

« J'ai tout un tas de problèmes à la maison, Sig.

— Allez, ma poule, te laisse pas abattre ! » De sa grosse main rougeaude, Milacki empoigna Robbie par le collet, et le secoua comme pour le faire changer d'humeur. « Y a justement quelqu'un qui voudrait te voir, là-bas, au bar. »

Dans l'estafette, McManis porta la main à son cœur, tandis que Sennett se rapprochait du moniteur placé en haut de la pile, qui donnait une vue d'ensemble de toute la salle. Robbie fendit résolument la cohue. Il semblait avoir localisé son but dans la foule enjouée.

« Tuohey..., murmura Stan. Pourvu que ce soit lui !

— Non, Kosic ! » fit Alf qui se leva un instant, juste le temps de lui montrer quelque chose, sur l'écran du haut. C'était bien Rollo, à sa place attitrée, au bout du bar, juste au-dessous du piano. L'un des agents chargés de le filer – ils ne l'avaient pas lâché d'une semelle depuis une semaine – l'avait déjà repéré, lui aussi, et s'était installé sur le tabouret voisin. Le pianiste avait changé depuis la dernière fois. Il attaqua un standard à la Tony Bennett, et la musique, retransmise par les haut-parleurs du van, était assourdissante. Alf se mit à tripoter ses boutons, sans parvenir à améliorer les choses. En désespoir de cause, il se résigna à souligner l'évidence : ces mecs avaient manifestement oublié d'être cons.

Le trio des Japonais avait dû traverser la salle dans le sillage de Robbie, car tout à coup, le moniteur du bas afficha une image parfaite de Kosic. Rollo en était à son troisième « Old fashioned » – les trois verres s'alignaient devant lui, sur le comptoir. Deux ne contenaient déjà plus que leurs cerises, dont les queues émergeaient des glaçons à demi fondus, tels des petits bras appelant à l'aide. En voyant arriver Robbie, l'agent assis au comptoir se leva et s'éloigna, le verre à la main, laissant à Feaver son tabouret métallique encore chaud. Les premiers mots que Robbie échangea avec Rollo furent noyés dans les applaudissements qui saluèrent l'interprétation de *Three Coins in the Fountain* par le pianiste, mais nous le vîmes clairement, à l'écran, parler à Kosic, qui avait fixé un œil morne sur le grand miroir accroché derrière le bar. Puis la voix de mon client revint dans les haut-parleurs, et nous comprîmes qu'il lui racontait sa rencontre avec Milacki.

« Ouais, j'en crois pas mes yeux ! On vient de se payer une séance de touche-pipi, Sig et moi. Mais je te prie de croire que ça n'avait rien de spécialement bandant ! J'ai eu comme l'impression qu'il s'attendait à ce que mes couilles se mettent à faire bip-bip ! »

Comme lors de leur précédente entrevue, Kosic lui opposa une absence totale de réaction. Dans son coupe-vent de golf, il leva la main vers Lutese, l'index toujours replié pour dissimuler son ongle noir, et lui fit signe de lui apporter un autre verre. Cela fait, il tira un stylo bille de sa poche de poitrine, et se mit à griffonner sur l'un de ses dessous de verre, tandis que Robbie poursuivait ses récriminations.

« Tu sais que je te respecte, Rollo. Ma mère m'a appris à bien me tenir, et Dieu sait qu'en ce moment je ne suis pas au mieux de ma forme. Je ne cherche pas une épaule compatissante sur laquelle venir pleurnicher, mais je me retrouve tout de même dans un sacré pétrin. Sans compter que, laisse-moi te dire une bonne chose : vu la façon dont j'ai alimenté votre tiroir-caisse, ces dernières années, j'estime mériter mieux que d'être traité comme si je débarquais de Mars ! » Le regard de Kosic suivait les mains de Lutese, qui jonglait avec ses bouteilles au-dessus de son verre, comme s'il avait craint de se faire empoisonner. « Et ça, je compte sur toi pour le rappeler à Brendan ! »

Kosic, dont la main se tendait vers son Old fashioned, sursauta comme un intégriste devant qui on aurait cavalièrement invoqué le nom de Jéhovah.

Lutese, qui attendait la commande de Robbie, avait changé de coiffure, depuis la dernière fois. Elle s'était pratiquement rasé le crâne. « Là, j'avoue que j'ai fait fort... » reconnut-elle. Du haut de son mètre quatre-vingts, avec ses lourdes boucles d'oreilles, aussi grosses que des pendeloques de chandelier, elle restait d'une beauté saisissante.

Kosic prêtait une oreille distraite à la conversation

qu'avait engagée Robbie avec la serveuse, lorsqu'il tourna tout à coup la tête en direction de la salle. Sous son menton, entre les plis de peau grisâtre qui trahissaient son âge, sa pomme d'Adam fit plusieurs aller-retour et il décocha un petit coup de coude dans les côtes de Robbie.

Derrière eux, à un mètre ou deux, Evon bavardait avec l'agent qui venait de libérer le tabouret du bar.

« Eh merde ! fit Robbie en direction de Kosic. Rien d'étonnant, remarque... elle n'arrête pas de me tanner. Elle m'en veut, depuis que je lui ai donné ses quinze jours. »

La voix de Kosic s'éleva pour la première fois. « Ses quinze jours ?

— Je veux ! Comme je disais, je tiens à ce que tout ait l'air parfaitement normal. J'ai annoncé que je réduisais mes activités à cause de ma femme. Mais elle refuse de se le tenir pour dit. Elle essaie de monter les gens contre moi, au cabinet. Et elle me file le train dès que je mets le pied dehors. Je sens venir le procès gros comme une maison – un peu comme mon grand-père sentait venir la pluie, grâce à son lumbago. »

Dans le miroir, Kosic posa sur Evon son regard de fauve, puis détourna la tête et se remit à gribouiller. S'étant fait repérer, comme prévu, Evon s'éloigna progressivement du bar, tandis que Robbie poursuivait pour Rollo la description détaillée des problèmes qu'elle essayait de lui faire.

« Et, entre nous, Rollo, j'en arrive à me demander si je ne me fous pas complètement le doigt dans l'œil...Tu piges ? Imagine que rien de tout ça ne soit vrai, que j'aie juste réussi à m'en faire une ennemie ? La licencier, ça revient peut-être à me tirer une balle dans le pied ! Brendan peut se tromper, quand il me conseille de la virer. J'aimerais avoir l'occasion d'en reparler avec lui, d'homme à homme. Qu'on remette les pendules à l'heure. Je ne veux surtout pas le braquer, mais il ne serait peut-être pas inutile de mettre tout ça à plat, calmement. »

Comme d'habitude, Kosic n'émit aucun signe qui pût indiquer qu'il avait seulement entendu les propos de Feaver. Il continua un bon moment à crayonner, comme si de rien n'était, puis, pivotant sur son tabouret de bar, parut se plonger dans la contemplation de la foule qui se bousculait autour d'eux. Son visage sinistre vint s'encadrer bien en face sur le moniteur. Son regard se posa sur les trois Asiatiques et leur caméscope, sans que son expression varie d'un iota.

Plus tard, en repassant la séquence, nous nous aperçûmes que, tout en balayant la salle du regard, il glissait discrètement vers Robbie le dessous de verre sur lequel il avait griffonné. Ce qui avait attiré son attention, m'expliqua mon client, c'était que Kosic avait tapoté deux ou trois fois le petit napperon du bout de son ongle abîmé. Au milieu des gribouillis plus ou moins géométriques qu'il y avait dessinés, on lisait ces quelques mots :

C'EST LE FBI – PAS LE MOINDRE DOUTE.

VIRE-LA – IMMÉDIATEMENT.

(ET PAS UN MOT À QUI QUE CE SOIT – MASON Y COMPRIS)

Au visionnage, je notai le coup d'œil furtif que Rollo lança à Robbie pour s'assurer que le message était passé, avant de rouler en boule dans le creux de sa main le napperon, qui termina sa course dans sa poche.

« Purée ! s'exclama Robbie, les mains crispées sur le bord du comptoir. Putain de merde ! T'en es sûr ? »

Kosic leva les yeux vers le piano.

« D'où tu tiens ça, Rollo ? Et pourquoi moi – quelqu'un en a une idée ? »

Kosic se tapota la lèvre de son ongle noirci, en un geste trop précis pour être machinal.

« Allez, Rollo, déconne pas ! Je suis à deux doigts de faire dans mon froc, là ! Donne-moi au moins un indice. Qu'est-ce qu'elle fout ici – et comment tu sais tout ça ? Écoute... il paraît qu'ils enquêtent sur des escroqueries à l'assurance, en ce moment. Des mecs qui auraient magouillé des accidents bidons pour faire des procès. Le type que j'ai consulté pense que c'est de ça qu'il s'agit – OK ? Ça collerait avec ta version des faits ? »

Kosic lui décocha un regard meurtrier, puis rafla ses quatre cerises, qu'il s'enfourna dans la bouche, avant de descendre de son tabouret tout en les mastiquant. Robbie le retint par la manche.

« Écoute, le seul qui soit largué dans l'histoire, c'est moi, Rollo. Complètement largué. C'est pas grave – je suis un grand garçon, et j'assume. Mais si tu t'imagines que je vais me laisser traiter comme un chien galeux, tu te fous le doigt où je pense, bordel ! Si quelqu'un a d'autres messages à me transmettre, je tiens à recevoir les consignes de celui qui joue de la clarinette, pas du singe qui passe la sébile – et ça aussi, je compte sur toi pour le lui répéter, à Brendan ! »

Kosic acheva posément de mastiquer ses cerises, le nez en l'air, puis, avant de prendre congé, se pencha vers Robbie, comme s'il avait voulu lui glisser quelque chose à l'oreille. Mais, tout à coup, il l'attrapa par la cravate. Robbie eut un mouvement de recul si violent qu'il faillit s'en étrangler, tandis que son dos venait se plaquer contre l'arête d'acajou du comptoir, heureusement arrondie. Sur le moment, dans l'estafette, personne ne comprit vraiment ce qui se passait, mais après coup, lors du visionnage, nous nous aperçûmes qu'après avoir décollé Robbie de son tabouret en le soulevant par sa cravate, Kosic lui avait discrètement mais fermement empoigné les testicules de la main gauche. Pour reprendre les propres termes de Robbie, ses doigts s'étaient refermés sur son « costume trois-pièces », qu'il avait broyé sans ménagement avant de lui marmonner quelques mots de sa voix aigrelette. Il les avait prononcés presque dans un souffle, que le FoxBite n'avait pu capter, au milieu du brouhaha ambiant, mais Robbie, lui, n'en avait pas perdu une syllabe – pas plus que ne lui avait échappé le sens global du message, et du sourire mauvais qui l'accompagnait :

« Clarinette ou pas, tu trouveras personne pour te jouer "casse-noisette" mieux que moi – vu ? ! »

36

Evon ne vit rien venir.

À son retour de chez Latitudes, elle se rendit dans la salle de réunion et assista au briefing que fit McManis, en présence de Feaver et de l'équipe de surveillance qui avait assuré la couverture de la soirée.

Ils éplucherent tous les enregistrements. Sur les bandes

son, les passages les plus importants des conversations étaient presque tous couverts par le piano ou les éclats de rire, et, à l'inverse, les micros directionnels avaient capté nombre de conversations extérieures, aussi aléatoirement qu'un aspirateur aurait happé des pièces de monnaie. Un client se plaignait amèrement des augmentations d'impôts annoncées par Clinton. À une autre table, un initié donnait des informations confidentielles sur une OPA en gestation... La réunion se prolongea, au total, plus d'une heure et demie.

L'équipe comptait désormais une bonne quinzaine de membres, en incluant les agents de surveillance – soit nettement plus de postérieurs que de sièges. Comme personne n'avait eu le temps de dîner, ils firent circuler des amuse-gueule et des frites, tout en s'efforçant, comme d'habitude, de déterminer la meilleure stratégie. Plus que jamais, Sennett était d'avis de tenter une offensive décisive contre Tuohey.

« En ce cas, prévoyez-moi des couilles de rechange ! ricana Robbie, déclenchant un fou rire général. La prochaine fois qu'il m'entend prononcer le nom de Brendan, Kosic ne me laissera sûrement pas repartir avec les miennes ! »

Sennett consulta McManis du regard et attendit son verdict. Pour Jim, ça ne faisait pas l'ombre d'un doute. Leurs chances de coincer Tuohey étaient autant dire nulles.

« Ils se tiennent sur leurs gardes... Ils en sont à ne plus communiquer que par écrit !

— Mais Robbie a passé avec succès le test de la fouille. Ça devrait endormir un peu leur méfiance.

— Tout est relatif, Stan. Ces gens sont trop malins pour se fier totalement à quoi que ce soit. S'ils ont mis Robbie en garde contre Evon, ça n'est que pour lui éviter de s'enfoncer davantage, mais ils savent qu'il est d'ores et déjà grillé, que le Bureau ne va pas tarder à lui tomber dessus. Que pour lui, ça n'est plus qu'une question de jours ou de semaines. Vous pouvez monter toutes les opérations que vous voudrez contre Tuohey, vous ne parviendrez qu'à accumuler des piles de bandes que son avocat n'aura qu'à faire écouter au jury pour le disculper. Il est trop malin pour se laisser entraîner en terrain glissant – pas plus par Robbie que par quiconque.

— C'est pourtant ce qu'ils font tous ! rétorqua Sennett. Il suffit de trouver le défaut de la cuirasse, et on finit par les cueillir – tous ! »

Il me glissa un coup d'œil. Ce petit échange relevant de leur cuisine interne devait être le genre de chose à éviter, en présence d'un avocat de la défense...

Jim préconisait de renoncer à toute attaque frontale. Selon lui, nos meilleures chances contre Tuohey consistaient à contourner ses défenses. Nous pouvions toujours compter sur un éventuel retournement de veste, dans son entourage immédiat. Un membre de sa garde rapprochée, quelqu'un comme Kosic ou Milacki, gardait une petite chance d'amener Tuohey à se risquer à découvert. En persistant à agir par l'entremise de Robbie, nous risquions de gâcher cette chance.

Le bon sens semblait avoir parlé par la bouche de Jim, mais Stan renâclait à jeter l'éponge. Ce qui alimentait les rouages de sa machiavélique intelligence, c'était précisément ce plaisir qu'il avait à l'emporter haut la main, en affrontant l'ennemi de plein fouet. Il ne rêvait que de réduire Tuohey à sa merci en une sorte d'ultime bras de fer.

Peu avant l'issue de la discussion, McManis et lui s'éclipsèrent un moment. À leur retour, Jim fit signe à Evon de l'accompagner dans son bureau. Elle n'avait pas le moindre soupçon de ce qu'il se préparait à lui annoncer.

« Nous vous mettons sur la touche, lui annonça-t-il. En ce qui vous concerne, c'est terminé. »

Elle eut tout à coup le sentiment de se retrouver dans l'état de ces coquilles d'œufs qu'elle vidait de leur contenu et qu'elle peignait pour en faire des œufs de Pâques, dans son enfance. Aussi fragile. Aussi vide.

« Parce que vous craignez que Kosic y ait songé sérieusement, quand il a parlé de se débarrasser de moi... ?

— Inutile d'attendre de voir de quoi il retourne. D'ailleurs, ce n'est pas le problème. Vous êtes brûlée, et Robbie est censé le savoir. Il va devoir vous virer dès lundi. Désormais, plus rien ne justifie la présence d'Evon Miller cher Feaver et Dinnerstein.

— Et Sennett, qu'est-ce qu'il en dit ?

— Il n'a rien à en dire, en l'occurrence. Mais il reconnaît que c'est dans la logique des choses.

— Et si je restais dans le coin ? Il y a tout de même une petite chance pour qu'ils tentent quelque chose, et...

— Pas question ! répliqua Jim. Et ne prenez surtout pas ça comme une manière détournée de vous dire "chiche" ! D'un point de vue stratégique, ça ne servirait strictement à rien. Dès lundi matin, votre mission prendra fin. Pour vous, c'est terminé. »

Elle était consternée. Tout abandonner, comme ça... ?

« Rentrez chez vous, lui conseilla-t-il. Allez passer quelques jours dans votre famille. Vous avez accumulé des semaines de congés payés, qu'il vous faut récupérer. D'ailleurs, il y a de fortes chances pour que je vous rappelle dès que nous en serons aux témoignages des repentis. Rassurez-vous – vous reviendrez pour le grand bouquet final. Mais, pour l'instant, je préfère vous mettre en lieu sûr. Et c'est un ordre ! » ajouta-t-il, en la regardant avaler la pilule. Il avait bien conscience du piètre réconfort qu'il lui apportait. « Je vous l'avais dit, reprit-il, c'est éprouvant. Ce genre d'opération... du début à la fin. Ça n'est jamais du gâteau. »

Lorsque Jim ouvrit la porte de son bureau, Sennett attendait derrière. L'espoir qu'il venait tenter de faire changer d'avis McManis traversa fugitivement l'esprit d'Evon, mais il était tout bonnement là pour lui serrer la main. Il sut trouver les mots qui s'imposaient, et lui parut remarquablement sincère dans ses compliments – pour autant qu'elle put en juger. « Extraordinaire », l'entendit-elle déclarer. Et il utilisa à plusieurs reprises le terme de « courage ». « Une vraie patriote... » ajouta-t-il.

« Les citoyens de cette ville ne soupçonneront jamais ce qu'ils vous doivent, DeeDee. Vous êtes une professionnelle comme on en fait peu. Toute l'équipe est fière de vous, et je considère quant à moi comme un honneur de vous avoir compté parmi mes collaborateurs... »

Quelle que fût la réaction que lui inspirait la décision de McManis, Sennett fit en sorte qu'elle ne rejaillisse en rien sur la façon dont il remercierait Evon. Ses yeux noirs scintillaient. Au moment où on s'y attendait le moins, ce type vous démontrait qu'il savait aller à l'essentiel. Evon eut l'impression de recevoir une seconde médaille olympique...

Après quoi, ils regagnèrent tous trois la salle de réunion, et annoncèrent le départ d'Evon. Aussitôt, les quinze personnes de l'assistance se levèrent comme un seul homme en applaudissant à tout rompre. Klecker fit claquer un paquet de chips vides, et ses collègues se pressèrent autour d'elle pour lui taper sur l'épaule ou la serrer sur leur cœur.

« Je ne rêve pas, se dit-elle. C'est arrivé – pour de vrai ! »

Elle en avait terminé.

Il y avait à présent plusieurs semaines qu'une benne à
ordures aux couleurs rouges et bleues des services de voirie
municipaux passait chaque jour dans la ruelle de derrière
chez Tuohey, pour collecter les ordures ménagères de tout
le bloc. Avec sa bosse d'éléphant de mer et les mâchoires
d'acier de sa gueule béante, le camion appartenait à la Drug
Enforcement Administration – la brigade des stupéfiants –,
qui le mettait gratuitement à la disposition des autres
agences fédérales, et suivait chaque jour, comme tous les
véhicules de ce type, un itinéraire préétabli – si ce n'est que
le sien couvrait un territoire d'un bon millier de kilomètres
carrés. Comme il n'était besoin d'aucun mandat pour s'emparer d'un bien que la loi considérait comme abandonné sur
la voie publique, la récupération des fonds de poubelle était
devenue une arme tactique de base dans la guerre contre le
crime. Les ordures des voisins de Tuohey étaient normalement envoyées à la décharge, mais les sacs de plastique vert
provenant des boîtes à ordures du juge principal étaient
remis à Amari, qui les passait au crible avec son équipe. Les
sacs avaient d'ores et déjà livré certains secrets qui valaient
leur pesant de cacahuètes. Brendan nourrissait un intérêt
aussi fervent qu'inattendu pour la vie des saints, et on avait
trouvé dans ses poubelles de nombreux reçus de mandats
postaux, jusqu'à plusieurs par jour, que les limiers du fisc ne
manqueraient pas de passer au peigne fin, lorsque Tuohey
serait officiellement mis en examen.

Le lundi suivant, en début de matinée, quand Evon
arriva au cabinet de McManis pour un ultime briefing, avant
de se rendre pour la dernière fois chez Feaver & Dinnerstein,
Amari déposa sur la table de conférence le dessous de verre
de Latitudes sur lequel Rollo avait griffonné sa mise en garde
à Robbie, le vendredi précédent. Il était déjà scellé dans un
petit sachet plastique, et tous les agents vinrent l'examiner à
la queue leu leu comme s'il s'agissait d'un fragment de la
Vraie Croix. Le dessous de verre, qui portait dans un coin le
logo de Latitudes et dans un autre une sorte de motif cubiste
gribouillé par Rollo, avait été déchiré en quatre, mais les
morceaux s'emboîtaient parfaitement. Dès que Feaver l'aurait authentifié, il partirait au labo pour l'analyse grapholo-
gique et le relevé des empreintes.

Le lendemain matin, Robbie arriva vers neuf heures et
demie pour régler les derniers détails de la sortie de scène

définitive d'Evon. Son week-end avec Rainey l'avait visiblement laissé sur les genoux.

« C'est bien ça ! » Il sourit, en reconnaissant l'objet, qu'il prit entre ses doigts, mais même ce simple geste parut requérir de lui un certain effort.

Kosic serait désormais notre cheval de Troie. Entrave qualifiée à l'action de la justice, avec présomption de complicité... McManis prônait la mise au point d'un plan pour le pousser à se mettre à table. Rollo jouait un rôle clé. Nous n'avions toujours pas la moindre preuve formelle contre Tuohey. Rien ne nous permettait pour l'instant d'établir qu'il chapeautait Kosic et les autres.

McManis examina à nouveau le dessous de verre, et demanda à Robbie ce que signifiait l'allusion à Mason, dont il n'avait rien dit le vendredi soir. Feaver haussa les épaules. N'ayant pas eu de nouvelles du côté de Tooley, Brendan avait dû en conclure que c'était moi qu'il était allé consulter.

Robbie s'éclipsa, et monta le premier à son bureau. Evon lui emboîta le pas quelques minutes plus tard. Dès son arrivée, Phyllida, une Australienne à longues jambes fuselées, engagée par Robbie à cause de son accent qu'il trouvait irrésistible, lui annonça que le patron voulait la voir immédiatement. La porte du bureau de Feaver ne s'était pas refermée sur elle qu'elle se sentit, contre toute attente, gagnée par une sorte de mélancolie. Elle promena son regard sur le panorama qui s'étendait au-delà des grandes baies vitrées, et, plus que jamais, la triste réalité s'imposa : elle partait. L'ensemble de l'expérience allait prendre dans ses souvenirs une place aussi importante que sa période hockey : ça resterait un sommet dans son existence, un jalon qui ferait référence, un autre fleuve dans lequel il ne lui serait plus jamais donné de se baigner...

« Alors... » lui dit-il. Il avait posé sur elle un regard morne. « Bla, bla, bla... vous êtes virée. »

Il aurait dû jouer son rôle jusqu'au bout. Elle était censée piquer une crise de rage et le traiter de tous les noms, pour faire dresser l'oreille aux collègues qui travaillaient à côté, l'idée générale étant de présenter la chose comme une scène de rupture. Mais il semblait avoir d'emblée renoncé à jouer le jeu.

« Reste-t-il un petit espoir pour qu'on se revoie, ou est-ce que c'est juste "bye-bye !" et point final... ? » lui demanda-t-il.

Une demi-heure plus tard, Amari devait la conduire à l'aéroport. Elle lui rapporta ce que lui avait dit McManis – qu'on la rappellerait dès qu'ils seraient prêts à conclure. Carré dans son grand fauteuil noir, Robbie secoua la tête avec un petit sourire entendu.

« Vous savez..., fit-il, jusqu'ici, je me disais que ce qu'il y avait de bien avec les femmes, c'était leur tendance à s'accrocher... » Il fixa un long moment la moquette rouge avant de conclure : « Eh bien ! Les temps changent... ! »

La remarque tira à Evon un sourire tristounet, puis, sur une impulsion, elle traversa la pièce et le serra dans ses bras. Elle laissa s'écouler une minute qui lui parut interminable. Il ne se décidait pas à la lâcher...

« Bon. Je crois qu'il devrait être temps de passer à l'engueulade..., fit-elle à mi-voix. Qu'ils vous entendent m'annoncer que je suis virée, sur un ton un peu plus convaincant !

— Eh bien, soit. Si vous y tenez... vous êtes virée ! » répéta-t-il, sans grand enthousiasme, puis, lui jetant un regard pathétique, il fondit en larmes. « N'allez pas vous imaginer des choses... En ce moment, je pleure pour un oui ou pour un non... » Il tira un mouchoir de sa poche. « À vous d'y aller de votre petite gueulante... C'est l'occasion ou jamais. Allez-y ! Faites-leur savoir ce que vous pensez de moi... ! »

Elle préféra opter pour une sortie d'une relative sobriété, et claqua la porte derrière elle, en marmonnant entre ses dents. Elle n'avait pas fait trois pas dans le couloir qu'elle dut s'arrêter pour endiguer le flot d'émotions qui menaçait de la submerger. Bonita avait posé sur elle son regard de raton laveur, et Oretta la lorgnait depuis la salle des archives.

Parfait, se dit-elle. Parfait, mon numéro.

Le mercredi suivant, elle prit l'avion pour retrouver sa sœur à Denver. Elle arriva le jeudi, et, le lendemain, ils partirent tous en voiture pour Vail, où ils voulaient faire visiter à Evon leur tout nouveau studio, qui avait coûté dans les sept cent cinquante mille dollars – mais elle évitait de s'appuyer aux murs, de crainte de passer au travers ! Merrel et Roy, eux, en étaient enchantés, comme de toutes leurs acquisitions. Jubilant, ils lui firent faire le tour du propriétaire : le patio, la vue imprenable, le jacuzzi, les équipements de la salle de jeux, et jusqu'à l'évier et au micro-ondes de la cuisine. Roy rayonnait comme si le Messie en personne venait de leur remettre un diplôme de bonne conduite chrétienne. Il passait le plus clair de son temps à sillonner la planète en avion et, pendant certaines périodes qu'Evon avait passées chez sa sœur, elle avait eu plusieurs fois la surprise en décrochant le téléphone, de l'entendre citer des endroits inouïs, tels que Sumatra ou Abu Dhabi. Mais, plus elle le connaissait, plus il lui rappelait son propre père : en fait, il se raccrochait à une poignée de choses très simples, hors desquelles il était complètement largué.

Les filles de Merrel, dont les âges s'échelonnaient de treize à trois ans, étaient de petites merveilles. Grace, Hope, Melody et Rose, toutes plus blondes les unes que les autres, étaient, chacune à sa façon, le portrait de leur mère, avec leurs ongles vernis et leurs interminables discussions sur la manière dont Merrel devait les coiffer. Evon avait un faible pour Rose, la benjamine, qui, à en croire ce que disait toute la famille, tenait de tata – ce qui n'était pas tout à fait un compliment... La pauvre Rose n'avait pas hérité du teint parfait et des longues jambes de sa mère. C'était plutôt ce que Merrel appelait « une ronde ». Elle avait toujours le museau barbouillé, et, à trois ans, manifestait déjà une certaine personnalité, n'hésitant pas à brailler chaque fois qu'elle voulait se faire entendre. Toujours est-il qu'elle adorait sa tante. Elle aurait sans cesse voulu jouer avec elle, et faisait déjà preuve d'une adresse remarquable au lancer de balle...

Le dîner du samedi soir faillit tourner à la catastrophe. Roy était sorti dans le patio, où il s'énervait autour du gril à gaz qui refusait de s'allumer, tandis que les steaks attendaient sur le plat. Les montagnes semblaient se tasser un peu, dans la lumière déclinante et de la forêt s'exhalait un parfum de cèdre, qui s'accentuait avec la fraîcheur du soir. Merrel, qui faisait de son mieux pour ne pas remarquer l'exaspération de son mari, finit par servir des pâtes à ses filles, pendant qu'Evon et elle faisaient un sort à une part de Brie, généreusement arrosée d'une bonne bouteille.

Comme Evon s'efforçait d'amuser les petites, Rose lui confia que sa maman lui avait promis que, le jour où sa tante DeeDee se marierait, ce serait elle qui porterait son bouquet.

« Tu sais, ma puce, répondit Evon. Je me demande si tante DeeDee se mariera un jour. »

Merrel, qui déballait des affaires dans la cuisine, l'entendit, et, souriante, entreprit de lui citer l'exemple d'une collègue de Roy : à quarante et un ans révolus et en l'espace de quinze mois, elle était passée de l'état de célibataire endurcie et de carriériste forcenée à celui de femme au foyer...

« Tu sais, DeeDee, résuma-t-elle en entrant dans la petite salle à manger, un plateau de verres à la main, il te suffirait de dénicher l'homme qu'il te faut ! »

Evon éclata de rire, et, en proie à une curieuse euphorie, lui lança d'un ton badin : « Personnellement, je commence à douter que ce soit un homme qu'il me faut. »

Imparable... Sa sœur en resta clouée sur place, roulant des yeux effarés entre Evon et le plateau de verres qu'elle se sentait à deux doigts de lâcher. Elle était épouvantée. Nul autre mot n'aurait pu qualifier cette expression qui privait soudain son visage de toute beauté. Elle plongea sur Rose, en décrétant qu'il était grand temps de filer au lit, et s'enfuit de la pièce en emportant sa fille dans ses bras.

Lorsqu'elle réapparut dans la cuisine, elle était toujours sens dessus dessous. Evon empilait des assiettes dans un placard.

« Je t'en prie, DeeDee, murmura-t-elle. Je t'en supplie ! Ne sors jamais ce genre de choses devant Roy ! »

Roy ! Evon s'esclaffa, en se demandant si ce n'était pas encore une de ces occasions où elle mettrait un point d'honneur à réagir à l'encontre de tout bon sens. Mais elle était si heureuse, et l'idée de faire des confidences à Roy lui paraissait si saugrenue, si comique... ! Ce brave vieux Roy, bardé de ses certitudes... Tout à fait le genre à se balader dans un tunnel en cherchant partout l'interrupteur !

« Ne t'en fais pas, Merrel ! répondit-elle. Moi-même, j'ai mis une bonne quinzaine d'années à me l'avouer ! » Elle se sentait le cœur comme une bulle montant dans un verre de soda. Elle regarda sa sœur bien en face. Merrel mit un certain temps à rassembler ses esprits. Elle cherchait frénétiquement quelque chose à quoi se raccrocher. L'amour... Car elle aimait sa sœur. De toute la famille, c'était d'elle qu'elle s'était toujours sentie la plus proche, pour la bonne raison que l'une et l'autre portaient en elles une parcelle de cette autre soi-même que chacune aurait pu être.

« Oh, ma chérie... ma chérie ! » s'écria Merrel en lui

ouvrant les bras. Elles restèrent enlacées, là, dans la petite cuisine, passant du rire aux larmes – mais pas longtemps, car Melody arriva sur ces entrefaites, pour se plaindre des ravages que Grace avait fait subir aux cheveux d'une de ses poupées. À défaut d'autre chose, Merrel se pencha et prit sa fille dans ses bras, puis elle attira DeeDee à elle et les serra toutes les deux contre elle, en une même étreinte.

37

Pendant toute la semaine qui suivit le départ d'Evon, ce fut le calme plat. Dès le mercredi, Stan et Jim avaient compris : Tuohey et sa bande adopteraient un profil bas. Ils attendaient de voir ce qui allait tomber sur Feaver.

Après examen du message griffonné par Kosic, le juge principal Winchell avait autorisé l'installation d'une caméra à fibres optiques dans le bureau de Kosic, pour suppléer au micro qu'Alf avait posé sur son téléphone, plusieurs semaines auparavant. Elle avait donné son feu vert pour que l'appareil soit branché pendant toutes les heures ouvrables, mais jusque-là, cela n'avait guère donné de résultats. Deux coups de fil, dont un provenant de Sherman Crowthers, pouvaient paraître suspects, mais, selon les agents postés dans le tribunal, Kosic s'était ensuite personnellement rendu au bureau de Crowthers pour s'entretenir de vive voix avec lui.

Le mercredi, au détour d'une longue conversation concernant diverses assignations à comparaître, qui n'avaient pu être remises à leurs destinataires, Kosic annonça à Milacki, sans préciser la façon dont il l'avait appris, que la petite amie de Feaver avait pris ses cliques et ses claques. On pouvait raisonnablement supposer qu'il tenait la nouvelle de Tuohey lui-même, lequel avait dû l'apprendre de son neveu. Le juge principal n'avait fait qu'une ou deux apparitions dans le bureau de Kosic, sans même franchir le seuil de sa porte, et n'avait échangé avec lui que des propos des plus anodins. Rollo lui avait donné du « Votre Honneur » long comme le bras. De toute évidence, ils attendaient d'être chez eux pour se transmettre les informations importantes.

Dès le vendredi, Sennett avait concocté un nouveau scénario, et obtenu l'aval de McManis pour tenter une ultime manœuvre contre Tuohey. Lorsque Evon rentra à Des-Moines, dans la soirée du dimanche, elle trouva sur son répondeur un message de McManis : « Vous reprenez du service ! » lui disait-il. Le lundi matin, dès sept heures, elle sauta dans le premier avion, et, à huit heures et demie, elle était de retour à Kindle County.

Amari et McManis, qui étaient venus la chercher à l'aéroport, la déposèrent en ville, et, à neuf heures et demie, elle se présenta à la réception de Feaver & Dinnerstein, escortée de deux agents de l'antenne locale du FBI. Elle demanda à voir Robbie. Phyllida, qui était assez fine mouche pour subodorer qu'un tel retour en fanfare n'augurait rien de bon, appela Feaver sur l'Interphone. Robbie lui demanda de dire qu'il n'était pas là, mais lorsqu'elle transmit le message à Evon, cette dernière tira de son sac à main sa carte d'accréditation du FBI, et la lui fourra sous le nez comme s'il s'agissait d'un imparable gris-gris. Quoique ayant de la ressource, Phyllida en fut estomaquée. Elle recula vivement sur son fauteuil à roulettes, qui alla heurter le mur derrière elle, et posant sur son cœur sa main aux ongles rose vif, elle en resta comme tétanisée.

Evon passa devant elle sans un regard, entraînant dans son sillage ses deux anges gardiens. Elle fila tout droit vers la porte de Robbie, qu'elle ouvrit à la volée, et marcha sur le bureau high-tech où il était accoudé, le téléphone à l'oreille. Il lui parut encore plus triste et plus abattu que le jour où il l'avait « virée ». Amaigri, se dit-elle. En la reconnaissant, son visage s'illumina d'un sourire, qu'il réprima aussitôt.

« ROBERT FEAVER ! » lui lança-t-elle, d'une voix qui dut porter jusqu'à l'autre bout du cabinet, avant de lui sortir sa carte. « Agent spécial DeeDee Kurzweil, du FBI. Je suis chargée de vous remettre cette assignation, que vous voudrez bien présenter, le jour où vous comparaîtrez à la session extraordinaire du grand jury, qui se tiendra le vendredi 25 juin, à dix heures du matin. » Elle jeta le papier sur le bureau, et tourna les talons. Fidèle à son personnage, Robbie s'élança sur ses traces en l'abreuvant d'injures.

Il n'était pas onze heures, qu'il débarquait dans le bureau de Kosic. Il n'eut pas besoin de se forcer, pour avoir l'air hagard et paniqué à souhait : il m'avait confié qu'il venait de passer un week-end abominable. Le vendredi, devançant de façon alarmante le pronostic de son médecin, Rainey avait totalement perdu l'usage de son poignet droit, et s'était trouvée incapable de manipuler la souris de son ordinateur. Elle était donc restée quarante-huit heures allongée sans autre moyen de communiquer qu'en battant des paupières ou en tapant du bout des doigts. Dans la journée de dimanche, l'un de ses amis informaticiens était venu lui installer un système ultramoderne de commande à laser, qui obéissait aux mouvements des yeux de son utilisateur. Mais ces deux jours que Rainey avait passés totalement emmurée en elle-même lui avaient donné un horrible avant-goût de ce qui les attendait. L'expérience l'avait laissée définitivement décidée à ne plus rien tenter pour prolonger sa vie. Lorsque l'image de Robbie vint s'afficher à l'écran, dans l'estafette où nous nous étions à nouveau entassés, l'angoisse que reflétait son visage nous parut aussi palpable que celle qu'aurait mimée un acteur de kabuki.

Le bureau de Kosic, à l'origine destiné à un greffier du tribunal, était un minuscule cagibi. Trois de ses murs disparaissaient sous des rayonnages, tous vides. À l'instar de Brendan, Kosic ne s'embarrassait ni de photos ni de souvenirs personnels. Tous ses dossiers en instance s'empilaient en deux tas impeccables, à chaque extrémité de son bureau. Grâce aux branchements qu'il avait pratiqués sur les fils du poste téléphonique, Alf avait la possibilité de zoomer à volonté avec sa caméra, par l'intermédiaire d'une commande manuelle. Kosic garda une impassibilité digne d'un sphinx, tandis que Robbie balançait son assignation sur son bureau.

Les dates exceptées, le document était identique en tous points à la convocation que le fisc avait adressée à Feaver en septembre de l'année précédente : il l'enjoignait de produire, entre autres, tous les détails des opérations effectuées sur son compte bancaire secret de la River National.

« Ils savent tout », lança Robbie tandis que Kosic parcourait le document.

À son habitude, Rollo ne fit aucun commentaire.

« Il faut absolument que je lui parle, Rollo. »

Kosic leva les yeux au ciel.

« C'est sur ce compte-là que je tire tout mon liquide. Ils sont au courant. Il faut que je lui parle. »

Kosic se résolut à changer de stratégie. Il ne pouvait garder plus longtemps le silence. « J'en vois pas la nécessité.

— Ça urge, Rollo. Je n'ai parlé de rien à Mason, pour l'instant. Mais là, il va falloir que je lui explique certaines choses. Ce compte-chèques n'a vraiment pas l'air très net, avec tout ces retraits en liquide... et on va devoir accorder nos violons, si je veux laisser Morty en dehors de tout ça. Je commence à douter de pouvoir faire gober à qui que ce soit qu'il ignorait vraiment où passait tout ce fric. Sans compter que je pourrais être amené à révéler certains détails qui risqueraient d'influer défavorablement sur sa carrière. J'ai besoin de savoir exactement le genre de marge de manœuvre que Brendan peut m'assurer, du côté du Conseil de l'Ordre. »

Rollo avait écouté tout cela en hochant la tête avec une régularité métronomique.

« Tu te goures d'adresse, Robbie. Il ne peut rien pour toi. »

Feaver joua l'indignation. Ramassant son assignation, il la fit brusquement claquer sur le bureau et se pencha vers Kosic.

« Tu ne vois pas que je risque la radiation, bordel ! Sans compter Dieu sait combien de mois au trou, avec Dieu sait quel paf où je pense, putain de merde ! Je veux bien assumer, mais là, j'ai besoin d'un sérieux coup de main. Et ça urge sérieux, Rollo. J'ai carrément pas le droit à l'erreur. »

Pour Kosic comme pour Tuohey, le problème se présentait exactement tel que l'avait prédit McManis : ils devaient à la fois empêcher Robbie de parler, et ne rien faire qui puisse se retourner contre eux par la suite, au cas où Feaver se mettrait à table et les incriminerait. Rollo s'absorba dans d'intenses réflexions, l'index sur la lèvre, oubliant pour le coup de cacher son ongle noirci, avant d'annoncer à Robbie qu'ils le contacteraient.

Comme la main de Feaver se posait sur la poignée de la porte, Kosic ne put résister au plaisir de le saluer d'un : « Dommage que ce soit pas une girouette que t'as dans le froc, Feaver – Vu que tu lui fais prendre l'air les trois quart du temps, t'aurais sûrement senti le vent tourner ! »

Deux jours passèrent. Puis, le mardi après-midi, Milacki se présenta sans crier gare à la réception du cabinet. Feaver sauta sur son téléphone, espérant qu'Alf pourrait lui apporter d'urgence le FoxBite, mais ce dernier lui demanda juste de brancher le haut-parleur de son poste téléphonique.

Pendant ce temps, à l'étage du dessous, Klecker enclencha son magnétophone, bâillonnant le récepteur de son propre combiné, pour éviter de laisser des sons parasites ou intempestifs trahir sa présence. Cela fait, Phyllida introduisit Milacki dans le bureau de Robbie.

Sig jeta autour de lui un regard admiratif.

« Dis donc ! C'est de l'authentique peau de cul de clients, que tu as tendue sur tes murs ! ?

— De Polonais, exclusivement – c'est les seuls à me croire, quand je leur raconte que c'est pour leur faire un lifting, que je leur demande de se pencher en avant... »

Bonita avait apporté un Coca à Milacki, qui rota bruyamment.

« Et toi... ? Tu joues toujours au golf ? s'enquit-il, après s'être excusé.

— Ouais. Mais en ce moment, mon jeu doit être aussi rouillé que mes clubs...

— Y a deux golfeurs de ma connaissance qui se demandaient si tu te laisserais pas tenter par un petit parcours, un matin avant le bureau. Au Rob Roy – tu connais ? » Le club attitré de Brendan. « Mais motus, OK ? Ça n'ouvre qu'à huit heures et demie... ces types dont je te parle arrivent aux aurores, et se faufilent en douce jusqu'au trou n° 5... » Sur ce, Milacki donna ses instructions à Robbie : il devrait se garer en bout de terrain, près du bungalow d'entretien, puis revenir sur ses pas sur environ trois cents mètres en suivant le sentier qui traversait le parc boisé municipal. Robbie connaissait ce coin comme sa poche, pour y être allé maintes fois pique-niquer, dans son enfance.

« Près du lac, c'est ça ?

— L'étang, rectifia Milacki. Exact. C'est là. Coup d'envoi à six heures précises. »

Ce même après-midi, je fus convoqué en compagnie de Stan pour écouter la bande dans la salle de réunion. Les deux voix semblaient avoir été enregistrées au fond du Grand Canyon.

« Quelle a été sa réaction, lorsque vous avez parlé du lac ? » demandai-je à Robbie.

Feaver n'eut pour toute réponse qu'un petit sourire fataliste : l'endroit était désert et isolé à souhait. La même idée nous avait traversé la tête. Et à Sennett aussi.

« Prévoyez un dispositif de surveillance à toute épreuve, lança-t-il à Amari. Postez des agents déguisés en oiseaux dans tous les arbres, et mettez le paquet. Ne perdez pas Robbie de vue une seule seconde. »

Amari eut une petite moue dubitative. « Nous serons en terrain ennemi, là. Littéralement. Je vous parie ce que vous voulez que Tuohey serait capable de le faire les yeux bandés, ce parcours de golf. Sans compter que nous allons devoir prendre position en pleine nuit ! On aura du pot si aucun de nous ne se noie en y tombant, dans ce putain de lac !

— Ça n'est pas par hasard qu'ils ont choisi cet endroit, répliqua Sennett. Tuohey doit se dire que là-bas, il n'aura pas besoin de surveiller ses arrières. Mais si vous manœuvrez bien, Robbie, il abaissera sa garde. Il veut seulement s'assurer que vous tenez bon, que vous restez fidèle au poste et que vous êtes prêt à plonger pour eux tous. Vous n'avez plus qu'à le lui faire dire à haute et intelligible voix. »

Avant de m'en retourner, je parvins à coincer McManis dans son bureau. Je tenais à avoir son avis, au cas où j'exigerais que Robbie porte un gilet pare-balles genre Kevlar, qui ne se remarquerait qu'à peine, sous sa veste. Jim prit ma proposition en considération, mais se retint de m'opposer la seule réponse sensée, comme je m'en avisai après coup : à distance réduite, ils viseraient plutôt la tête.

« Écoutez, George, je ne peux évidemment pas vous garantir que l'opération est dénuée de tout danger. Mais je vous promets que le secteur sera passé au peigne fin. Si nous voyons rappliquer quelqu'un dont la tête ne nous revient pas, ou si nous avons le moindre soupçon sur les intentions de Kosic ou de Milacki – bref au moindre signe suspect, nous interviendrons immédiatement. Vous avez ma parole, fit-il en me regardant dans le blanc de l'œil. Mais en toute logique, je ne vois pas pourquoi ils auraient fait passer des messages secrets à Robbie, s'ils avaient eu l'intention de le faire disparaître dix jours plus tard... S'ils avaient eu quelque chose derrière la tête, ils l'auraient fait dès la semaine dernière. C'est en tout cas ce qui me paraît tomber sous le sens... » Il écarta les mains, paumes en l'air, pour indiquer qu'il me livrait ces pronostics pour ce qu'ils valaient – c'est-à-dire, en dernière analyse, pas grand-chose.

38

Nous nous étions donné rendez-vous au Hickory Stick, un de ces gigantesques centres commerciaux dont le parking, aussi désert qu'immense sur le coup de quatre heures du matin, semblait s'étendre en un muet reproche aux appétits grossiers qui y attireraient les foules aux alentours de la mi-journée. Le grand panneau d'affichage du cinéma multiplex, le seul élément qui restât éclairé, se détachait sur un ciel spectral, où commençaient à poindre les premières lueurs de l'aube. Je n'avais vu aucun des films qui y figuraient. *Jurassic Park. Last Action Hero...* et, pour le moment, je n'avais nul besoin d'aventures imaginaires pour avoir mon compte de frissons !

Nous étions convenus de nous déguiser en pêcheurs à la ligne, et nous composions un groupe de citadins passablement loufoques qui se seraient retrouvés une heure ou deux avant le bureau, pour aller taquiner le goujon entre collègues. J'avais, pour ma part, emprunté à mon fils cadet un gilet kaki bardé de poches et de fermetures Éclair. Au signal convenu – qui n'était rien de plus subtil qu'un appel de phares – l'estafette entreprit de quadriller le grand parking, pour nous ramasser l'un après l'autre.

J'attendais en compagnie de Robbie, du côté nord du centre commercial. Nous n'eûmes que deux ou trois minutes pour nous concerter, avant de voir arriver l'estafette. Robbie avait passé la nuit à veiller Rainey et, à le regarder de plus près, j'eus soudain conscience qu'au cours de ces dernières semaines il venait de franchir un cap essentiel. Son physique était toujours celui d'un jeune premier, mais les nuits blanches, les repas pris à la sauvette, la déprime et les soucis lui conféraient une sorte de patine qui laisserait des traces.

Il semblait s'être délesté d'une bonne partie de sa morgue, mais, fidèle à l'esprit, « que le spectacle continue ! », s'était efforcé, contre vents et marées, de se mettre dans la peau de son personnage : il arborait une chemise d'un tissu raffiné, et des chaussures de golf bicolores, dont les lacets se dissimulaient sous de magnifiques *kelties*.

Je lui fis remarquer qu'il était encore temps de refuser.

« Pas question, répondit-il. J'ai toujours su que je finirais tôt ou tard par avoir la peau de Brendan – ou que je ferais tout pour l'avoir, quitte à y laisser la mienne. » Le point positif, me glissa-t-il à l'oreille, c'est que dans le sous-bois, ou à proximité des taillis, il n'aurait pas à craindre de faire dans son froc.

En montant dans l'estafette, je demandai à Stan de m'accorder une minute. Comme nous sortions, McManis nous colla à chacun une canne à pêche entre les mains. Sennett n'était pas plus que moi fanatique de ce genre de sport, et McManis nous rappela, pour nous recommander, le plus sérieusement du monde, de prendre garde aux hameçons. À quelques centaines de mètres des boutiques du centre commercial, au milieu des lignes blanches qui sillonnaient l'asphalte, nous nous appliquâmes, Stan et moi, à faire mine de tester l'élasticité de nos cannes.

J'en profitai pour confier à Sennett les craintes de mon client. Robbie ne pouvait se défaire totalement de l'idée qu'il risquait fort d'y rester.

« Pas l'ombre d'un danger, répliqua Sennett. Si j'avais le moindre doute là-dessus, et si je ne me sentais pas capable d'assurer à cent pour cent sa protection, j'annulerais immédiatement. Mais je compte sur toi... hein, George ! Ne le laisse surtout pas se dégonfler ! »

Là n'était pas le problème, fis-je. Ce que je voulais, c'était qu'il nous promette solennellement, à moi comme à Robbie, qu'il entonnerait l'hymne national, la main sur le cœur, chaque fois qu'il prononcerait son nom en présence du magistrat chargé d'instruire son procès.

Stan promit tout ce que je voulais, mais la nouvelle n'eut que peu d'effet sur le moral de Robbie. À nouveau réunis dans l'estafette, nous répétâmes une dernière fois le scénario, tandis qu'Alf fourbissait ses appareils. On pouvait raisonnablement supposer que cette fois, Milacki s'abstiendrait de fouiller Robbie, de peur qu'un nouvel affront ne le précipite dans les bras des procureurs. Mais, même dans ces conditions, planquer le FoxBite relevait du tour de force, puisque Robbie ne portait ni bottes, ni veston ; après avoir passé en revue toutes les possibilités imaginables, Alf finit par se décider : la meilleure solution serait de scotcher le boîtier au fond d'un grand chapeau de golf à large bord, genre chapeau de brousse australien en paille, en recouvrant le tout d'une épaisse doublure cirée, bien rigide. Cela fait, Klecker demanda à Robbie de secouer fort la tête, à plusieurs reprises, pour s'assurer qu'il ne risquait pas de le perdre. Le seul problème, c'était que, pour loger le magnéto et l'émetteur dans un si petit espace, Alf avait dû réduire considérablement les dimensions de la pile. Ce qui signifiait que Robbie n'aurait pas le loisir de flâner sur le parcours avec Tuohey, en attendant que le juge principal se sente d'humeur à bavarder, aux abords du dix-neuvième trou... Le FoxBite aurait environ une heure quarante d'autonomie.

Les premiers messages radio émanant des agents postés dans la forêt commencèrent à affluer dans l'estafette, sur fond de parasites. Si les rapports étaient dans l'ensemble à peu près intelligibles, certains ne manquaient cependant pas d'être un tantinet préoccupants. Le dispositif de surveillance ne couvrait pas autant de terrain que prévu. Les coéquipiers d'Amari avaient placé des affûts de chasseurs dans quatre des chênes qui se dressaient en bordure du golf. Leur construction, en pleine nuit, et malgré la surveillance des patrouilles des espaces verts municipaux qui faisaient leur ronde à proximité, leur avait valu quelques crises de fou rire, entrelardées de quelques sueurs froides. Mais, même avec leurs jumelles à infrarouges, il leur avait été pratiquement impossible de se faire une idée précise des lieux. Au fur et à mesure que le jour se levait, les agents appelaient pour signaler qu'il restait certains secteurs – vers le fond des bunkers, en particulier – où Robbie sortirait totalement de leur champ visuel.

Nous avions un moment envisagé de placer une caméra miniature dans le sac de golf de Robbie, mais il lui aurait été impossible de garder l'objectif orienté dans la bonne direction. Nous avions préféré munir de caméras les agents de surveillance planqués dans les arbres : deux caméscopes couleur standard, et deux autres, fonctionnant à 2.4 Ghz, nous transmettaient des images dans l'estafette. Un cordon d'agents supplémentaires, équipés de jumelles, se déploierait sur le périmètre du terrain. Bon nombre d'amateurs de jogging et de promeneurs fréquentaient les lieux dès les premiers rayons du soleil, mais, ce matin-là, le risque de se faire démasquer ne semblait pas préoccuper Sennett outre mesure.

« Si les badauds nous repèrent... eh bien, ils nous repéreront ! » lança-t-il, philosophe. De toute façon, et quoi qu'il arrive, personne ne pourrait en informer Tuohey en douce, au beau milieu du terrain de golf. Je notai, au crédit de Sennett, que son premier souci était d'assurer au maximum la sécurité de Robbie.

Cinq heures et demie – c'était l'heure d'y aller.

Amari avait chargé deux de ses hommes de filer Tuohey. Les agents nous informèrent par radio que le juge venait de quitter sa maison de Latterly, en compagnie de Kosic. Deux voitures de surveillance, des Nova flambant neuves dont on avait remplacé la carrosserie, déboulèrent sur le parking du centre commercial pour suivre Robbie jusqu'au Country Club. Nous l'accompagnâmes, Evon, McManis et moi, jusqu'à sa Mercedes.

« Si vous avez un tant soit peu l'impression que quelque chose ne tourne pas rond, lui glissa Jim, dites "Oncle Petros" et nous arriverons à la rescousse. N'attendez pas d'en être sûr. Au moindre souci, arrêtez les frais. Personne ne vous en tiendra rigueur. »

Nous échangeâmes une poignée de main, Robbie et moi, et Evon lui prit l'épaule avant de le serrer maladroitement sur son cœur.

« Allez, tous en scène ! lui dit-elle. Et toï-toï ! » Cette vision des choses parut lui remonter le moral.

Nous prîmes le chemin du point convenu, une petite clairière où les cyclistes et les amateurs de canoë kayak venaient décharger leur matériel. À peine arrivés, Alf et Clevenger s'activèrent autour de leur matériel électronique. Tout semblait en état de marche. Depuis les postes d'observation dans les arbres, les caméras dominaient un panorama impressionnant, et, moyennant quelques tâtonnements, nous pouvions grossir jusqu'à quarante fois une image, grâce aux zooms télécommandés.

À cinq heures quarante-cinq précises, la Mercedes se gara sur le parking du golf. À l'est, le ciel avait presque entièrement perdu ses nuances les plus roses. Robbie, qui avait passé un cardigan blanc pour se protéger de la fraîcheur matinale, balaya les bois d'alentour de son regard le plus résolu, qu'il avait dû peaufiner dans les prétoires. Puis, balançant sur son épaule son gros sac de golf de cuir blanc, sur lequel s'étalait en lettres d'or le logo d'une marque prestigieuse, il prit son chapeau à deux mains et se le vissa sur la tête. Pour économiser les piles du FoxBite, on avait éteint l'appareil, dès que McManis eut fini d'enregistrer les formules introductives consacrées. L'agent qui croisait à présent sur la route, au volant de l'une des voitures de surveillance, actionna la télécommande. Et depuis l'estafette, nous reconnûmes la voix de Robbie : « Ceci est un test... ceci est un test... nous vérifions le fonctionnement du système d'alarme. » Alf envoya un message radio, et la voiture de surveillance s'éloigna.

Conformément à ce qu'avait annoncé Milacki, la grille de l'entrée de service était restée ouverte, et Robbie s'enfonça dans l'épais sous-bois. C'était une forêt en majorité naturelle, composée d'arbres vénérables, tous typiques du Midwest – chênes d'Amérique, chênes palustres et noyers d'Amérique, à l'ombre desquels poussait une profusion de fougères et de plantes à rhizomes.

Les primevères et les framboisiers sauvages prospéraient dans les clairières ensoleillées. Robbie, perdu dans ses pensées et indifférent à ce qui l'entourait, fonçait droit devant lui, comme avaient dû le faire, un siècle auparavant, les premiers pionniers qui entreprirent de traverser cette forêt. Les trappeurs, les fermiers et les petits marchands qui étaient venus s'établir dans le coin étaient des crève-la-faim durs à la peine, qui ne pensaient qu'à faire leur pelote, et pour qui la forêt n'était non pas le royaume des esprits, mais une matière première à exploiter. Le Parc naturel municipal avait échappé de justesse à la destruction au tournant du siècle, grâce à l'intervention d'architectes et d'urbanistes avisés, formés dans les universités de la côte Est – des fils de famille auxquels on avait passé ce caprice, parce que les terrains concernés étaient à l'époque trop excentrés pour justifier d'interminables querelles d'experts.

Tandis que Robbie s'enfonçait dans la forêt, son micro captait tout un concert de bruissements et de stridulations : insectes, chants d'oiseaux, cris d'écureuils en rut, gargouillis du ruisseau qui descendait de l'étang près duquel il avait rendez-vous avec Tuohey. De temps à autre, le poids de son sac lui tirait un grognement, mais ce jour-là, faillant à ses plus chères habitudes, il s'abstenait des vannes et des bons mots qui émaillaient ordinairement ses enregistrements.

Au bout de quelques centaines de mètres, il tomba sur la route qui traversait la forêt. Le petit parking où nous étions garés ne se trouvait qu'à trois ou quatre cents mètres de là. Il marcha un moment dans notre direction, puis s'engagea dans un sentier qui menait au golf. Sur l'écran du moniteur, nous le vîmes enjamber la barrière métallique dans un tournant. Aux abords de l'étang, le sol devenait de plus en plus meuble. Sans doute déséquilibré par son sac, il trébucha. Il aurait dévalé la pente s'il n'avait réussi à se rattraper *in extremis* en se cramponnant à un talus. Son gilet blanc était à présent maculé de boue et, ses petites manies étant ce qu'elles étaient, il s'escrima un long moment contre les traînées noires avant de se remettre en route.

La clôture grillagée du Country Club s'interrompait sur quelques mètres pour laisser passer un petit pont, qui enjambait la source du lac de Galler's Pond. Le ruisseau coulait sans se soucier de ce qui séparait les pauvres des nantis, dispensant libéralement ses eaux au domaine public comme à la propriété privée. Au milieu du pont s'élevait une petite palissade haute d'environ un mètre et renforcée, du côté où se trouvait Robbie, par de solides entretoises. Pour pénétrer sur le terrain de golf, il devait faire passer son sac par-dessus, puis l'enjamber en prenant appui sur ces croisillons. À peine eut-il laissé tomber son sac de l'autre côté, que nous le vîmes jeter un coup d'œil inquiet par-dessus son épaule. L'agent qui manœuvrait la caméra dut être pris au dépourvu. Jusque-là, il avait filmé Robbie en plan serré, pour ne pas le perdre de vue au milieu des arbres. Mais, comme il tentait de localiser ce qui avait attiré l'attention de Feaver, il fit brusquement pivoter son objectif, et ne put synchroniser la mise au point et le zoom arrière. Lorsqu'il eut enfin refait le point et ramené son objectif vers Robbie, on découvrit ce dernier à l'extrémité du pont, face à un flic de la police municipale. Nous l'avions entendu revenir précipitamment sur ses pas et lancer un « bonjour » enjoué, mais ce fut un sacré choc de découvrir l'uniforme de son interlocuteur.

« Vous veniez jouer au golf, monsieur ?

— Oui. J'ai rendez-vous avec des amis. »

Le flic était d'un gabarit impressionnant – le genre ancien catcheur. Son uniforme bleu ne parvenait pas à cacher sa carrure. Il toisa Robbie de la tête aux pieds.

« Le Country Club n'est pas ouvert, à cette heure-ci.

— Je sais, monsieur l'agent, mais les gens que j'attends sont membres du Club.

— Mmh-mmh, fit le flic. Justement. Ils ont eu des problèmes, ces jours-ci. Des inconnus sont entrés par effraction et leur ont fait pas mal de dégâts. C'est une propriété privée, comme vous savez. »

Robbie lui répéta que ses amis étaient dûment inscrits au Country Club. Lorsque le flic lui demanda leurs noms, Robbie lui cita Brendan, non sans un instant d'hésitation. Le flic pointa l'index vers le terrain, de l'autre côté de la palissade, et lui fit remarquer qu'il n'y avait personne au départ du numéro cinq. Tuohey allait arriver d'une minute à l'autre, l'assura Robbie.

« Vos papiers », lui enjoignit le flic.

Sur l'écran qui nous montrait Robbie en vue plongeante, nous le vîmes opiner en souriant. À son habitude, il ponctuait ses paroles de grands gestes, comme lorsqu'il faisait son numéro de charme. Il affichait une telle assurance et un tel entrain que, dans l'estafette, personne ne douta un instant de sa capacité à se tirer de ce mauvais pas. Bien sûr, nous avions tous le cœur pris dans un étau, mais ce n'était certes pas la première fois que ce sacré Feaver nous faisait frôler la crise cardiaque... D'ailleurs, Tuohey allait arriver. D'une seconde à l'autre, il viendrait s'expliquer avec le flic, et tout rentrerait dans l'ordre...

Nous nous étions tous agglutinés autour d'Alf, le regard happé par l'écran. Amari lança quelques ordres sur son émetteur radio. La deuxième caméra était trop loin pour cadrer Robbie, mais elle venait de localiser la voiture du flic, garée dans un virage, un peu plus loin sur la route. C'était une voiture pie, et non un véhicule de l'Office des forêts.

Le flic s'était emparé du portefeuille de Robbie et avait jeté un rapide coup d'œil à ses papiers, mais, loin de les lui rendre, il lui intima l'ordre de s'écarter de la clôture. Puis il le contourna et, passant le bras derrière la palissade, il récupéra son sac de golf. Cela fait, il ramena Robbie jusqu'à la route, qui n'était qu'à une quinzaine de mètres de là, en se tenant prudemment derrière lui. Lorsqu'ils atteignirent la voiture pie, le flic lui ordonna de poser les mains sur la carrosserie et de se pencher en avant, jambes écartées.

« Vous êtes un vrai génie, mon petit Alf », murmura Stan. Sans cesser de tripoter ses boutons, Klecker porta deux doigts à sa tempe en guise de remerciement. La découverte du FoxBite, sur lequel était enregistré le topo préliminaire de McManis, aurait été une vraie catastrophe pour toute l'opération – à supposer, évidemment, que quelqu'un soit parvenu à le faire marcher...

Le policier palpa rapidement Robbie des aisselles aux talons et, l'espace d'une seconde, je m'accrochai à l'espoir qu'il s'en tiendrait là... mais il se releva lentement.

« Maintenant, fit-il, vous allez lever les mains vers votre chapeau, et vous allez l'enlever doucement.

— Ho ! s'exclama Robbie, toujours souriant. Vous ne croyez pas que vous en faites un poil trop, là ?

— Veuillez enlever votre chapeau, je vous prie.

— Et le rhume de cerveau, vous y pensez ? Des fois que ma cervelle essaierait de se barrer ! N'allez pas vous imaginer des choses...vous croyez vraiment que j'ai planqué un bazooka, là-dedans ? »

Le flic sortit sa matraque de son ceinturon, et avertit Robbie qu'il le lui demandait pour la dernière fois.

« Et si j'appelais mon avocat ? »

La matraque du flic s'éleva à hauteur d'épaule.

« Oh... mon Dieu ! » – l'exclamation avait fusé dans le coin d'Evon, mais la matraque ne s'abattit pas sur Robbie. Le poulet se contenta de s'en servir pour soulever le chapeau, qui se précipita vers le sol avec un empressement suspect. Le FoxBite émit un « ping ! » retentissant, et, instantanément, le « saute-fréquences » cessa d'émettre. Klecker s'activait frénétiquement autour de ses boutons, de ses manettes et de ses jacks, en aboyant ses ordres à Clevenger, mais peine perdue. Nous n'avions plus sous les yeux qu'un film muet.

Robbie, la mine outrée, fondit sur son couvre-chef avant le flic, qui lui brandit sa matraque sous le nez. Mon client se mit à gesticuler avec indignation, puis, se plantant résolument en face du policier, il remit son chapeau et fit mine de partir. L'autre recula d'un pas, furibard, sans cesser de l'apostropher, et, à bout d'arguments, tira de son étui son arme de service.

Le lent essor de ce flingue qui s'élevait sous nos yeux, comme mu par la tension de notre propre angoisse, nous eut une qualité éminemment zen. J'en étais encore à me poser des questions sur ce flic et ses intentions, mais Sennett, lui, avait tout compris.

« Non ! Pas ça ! hurla-t-il. Non ! Planque-toi, Robbie ! »

McManis s'était déjà jeté sur son micro. « On y va ! on y va ! cria-t-il. Tout le monde ! Allez-y... on fonce ! »

Evon avait bondi hors de l'estafette, et s'était élancée à toutes jambes le long de l'étroite route forestière. McManis, dans son costume bleu en seersucker, s'engouffra dans son sillage. Comme il devait nous le préciser par la suite, il avait totalement oublié de se munir d'une arme. Jusque-là, le palmarès sportif d'Evon n'avait été pour moi qu'une vue de l'esprit, un détail curieux parmi d'autres, mais à la voir distancer McManis, presque sans effort, je pris la mesure de la chose. On se serait cru dans un dessin animé...

Dans l'estafette, Amari hurlait ses ordres dans deux talkies-walkies à la fois. Sennett s'était accroupi devant le moniteur, qu'il tenait à deux mains, le visage si près de l'écran que les reflets gris lui illuminaient les joues.

De son côté, Robbie tenait bon. Les mains en l'air, il hochait vigoureusement la tête en direction du flic, qui s'était à présent emparé du chapeau et le secouait sans ménagement. Robbie avait l'air parti dans de grandes explications, qu'étant donné l'imagination débordante de mon client, je supposais fantasques et farfelues à souhait. Il lui avait présenté la chose comme un capteur de biorythme, destiné à améliorer la régularité de ses swings, apprîmes-nous plus tard. Son exposé plongea le flic dans la perplexité. Il parut réfléchir une bonne minute, au terme de laquelle il se cala néanmoins le chapeau sous le bras – sans pour autant abaisser son arme – tandis que, de l'autre main, il arrachait la doublure. Il contempla bouche bée le fond de la calotte de paille, où les petits appareils électroniques étaient tapis sous un enchevêtrement de fils électriques multicolores, puis il leva encore un peu son arme, afin de la pointer sur le visage de Robbie. Pour la première fois, le flic n'avait absolument plus l'air de plaisanter.

« Non ! gémit Sennett. Bon Dieu non... ! »

Le policier prétendit par la suite qu'il avait cru être en présence d'une bombe.

Peu avant le tournant où était garée la voiture pie, Evon franchit d'un bond une barrière et coupa à travers bois, écartant branches et ronces d'un revers de main. Lorsqu'elle retrouva la route, elle aperçut le flic qui tenait Feaver en joue, l'arme pointée à cinquante centimètres de sa tempe.

Elle dégaina aussitôt son 5904 et se mit en position de tir, en hurlant :

« FBI ! FBI ! Abaissez votre arme ou je tire ! »

La tête du flic décrivit un quart de tour. Evon se trouvait encore dans le sous-bois, à plusieurs dizaines de mètres de là. Il ne l'avait pas localisée.

« Je suis instructeur qualifié à Quantico – d'où je me trouve, je vous loge cinquante balles sur cinquante dans le conduit auditif ! Abaissez votre arme ! »

Loin d'obtempérer, le flic se contenta de ramener légèrement le coude vers lui, sans cesser de viser Robbie, mais à trente centimètres de plus, à présent. Il coinça le FoxBite sous son aisselle, et, de la main gauche, enfonça le bouton de l'émetteur fixé à son épaule et prononça quelques mots.

Evon répéta son ordre, mais le flic avait relâché sa position. L'alerte semblait passée. Elle n'aurait pas à faire usage de son arme. Autour d'elle, dans le sous-bois, elle entendit un bruit de charge. La cavalerie arrivait à la rescousse. Une petite cohorte, composée de cinq ou six agents, surgit à la lisière de la forêt en criant : « FBI ! »

Sur leurs parkas de nylon bleu, les trois lettres du Bureau se détachaient en jaune fluo. Ils se rapprochèrent de Robbie et du flic, derrière lequel ils vinrent s'accroupir en demi-cercle, tandis qu'Evon les rejoignait au pas de course, devançant de peu McManis qui arrivait, suant et soufflant comme une forge. Il resta un moment plié en deux, les mains sur les cuisses, le temps de reprendre haleine, puis vint se placer juste en face du flic.

« Je vais compter lentement – à trois, je veux que tout le monde abaisse son arme », fit-il.

À trois, le flic jeta un œil par-dessus son épaule pour s'assurer que les agents avaient obéi. Ensuite seulement, il pointa la sienne vers le sol. Mais il serrait toujours le FoxBite dans son poing gauche.

McManis informa le policier qu'il avait fait irruption au beau milieu d'une opération du FBI.

« Parce que ce type travaille pour vous, vous voulez dire ? » demanda le flic, désignant Robbie d'un coup de menton. Ce dernier avait abaissé les mains dès que le flic avait cessé de le mettre en joue, mais il les gardait légèrement écartées du corps, en signe de bonne volonté. Il avait posé sur le policier un regard sombre. Il finit par remarquer la présence d'Evon, qui était venue se poster derrière le demi-cercle approximatif formé par les agents. Il lui décocha un clin d'œil, mais il me parut avoir quelque peine à afficher un vrai sourire.

McManis éluda la question du flic. Il voulait avant tout récupérer le FoxBite. Selon le code d'honneur en vigueur dans les rangs du Bureau, la pire faute – à la possible exception de l'abandon d'un collègue à l'ennemi – était la perte de son équipement. Même s'il devenait désormais impossible de préserver la couverture de Robbie, il fallait coûte que coûte récupérer le FoxBite, pour éviter de compromettre la sécurité d'opérations ultérieures. Sans compter que l'appareil était un prototype ultra-sophistiqué, emprunté aux équipes spéciales chargées du contre-espionnage, qui comptaient parmi les services les plus secrets du FBI. Pour Evon, plus que jamais, la consigne était de « toujours faire honneur au Bureau »...

La situation n'avait guère évolué, lorsque Sennett arriva sur les lieux au petit trot. Je le suivais, cent bons mètres en arrière – une fois de plus, il m'avait laissé sur place. Lorsque je parvins en vue de la scène, il abordait le flic.

« Je suis le procureur fédéral de ce district. » Il avait tiré sa plaque officielle de la poche intérieure de son costard bleu. « Veuillez me remettre ceci », fit-il en allongeant le bras vers le FoxBite.

Le flic eut un haut-le-corps et tint l'appareil hors de sa portée. Puis, la signification de la plaque que lui tendait Stan dut se frayer un chemin jusqu'à son cerveau, car il rengaina aussitôt son flingue. Sans doute regardait-il parfois la télé, comme tout le monde... Il avait tout à coup reconnu Sennett et avait fini par admettre que c'était bien à des Fédéraux qu'il avait affaire.

Sennett s'avança encore d'un pas et lui demanda à nouveau de lui remettre le FoxBite. Le flic avait beau le surplomber d'une trentaine de centimètres, Stan ne s'en laissait pas conter. Son autorité naturelle le faisait même paraître menaçant.

« Si vous voulez le récupérer, z'avez qu'à appeler mon chef, lança le flic.

— Qui est ?

— Lieutenant Brenner, secteur six.

— Le six ? fit l'un des agents, toujours postés en demi-cercle. Qu'est-ce que vous foutez ici, bordel ? Vous êtes à vingt bornes du North End !

— J'habite dans le coin. Il m'a demandé de jeter un œil du côté du golf en venant bosser, puisque je passe devant. »

J'entendis au loin le mugissement d'une sirène. Quelques dizaines de secondes plus tard, une voiture pie s'immobilisa dans un crissement de freins sur le bord de la route. Presque au même instant, il en surgit deux autres, arrivant de la direction opposée. Leurs six occupants se regroupèrent et vinrent prendre position aux côtés de leur collègue, toujours encerclé.

Ce round d'observation dura quelques minutes. Le soleil, qui avait enfin réussi à disperser les dernières brumes matinales, nous bombardait de ses rayons, et, après quelque temps, plusieurs des flics, dont celui qui avait intercepté Robbie, ôtèrent leurs casquettes. L'atmosphère ne se dégelait pas pour autant, même si deux des agents du FBI local, recrutés par Amari, avaient visiblement reconnu certains des flics. L'éternelle guéguerre des frères ennemis, se dit Evon – celle qui opposait le FBI à la police. Les agents fédéraux avaient tendance à considérer les flics, moins instruits, moins bien payés et travaillant davantage à l'intuition, comme des cancres aigris – d'autant plus qu'un certain nombre d'entre eux ne s'étaient rabattus sur les services municipaux qu'après s'être fait étaler aux tests du FBI. De leur côté, les flics considéraient les Fédéraux comme des planqués qui s'entendaient mieux à brasser la paperasse dans leurs petits bureaux qu'à se colleter avec la vraie vie, sur le terrain.

Nous vîmes tout à coup arriver Amari, qui trottinait sur la route en agitant les bras, escorté de deux agents. Il avait à la main un gros talkie-walkie. McManis partit à leur rencontre et les entraîna sur le bas-côté. Après un bref conciliabule, il fit signe à quelques-uns d'entre nous, dont Stan, Evon et moi, et nous prit à part, à une quinzaine de mètres de là.

Un quart d'heure plus tôt, la voiture qui filait Tuohey avait signalé qu'il avait brusquement changé d'itinéraire. Brendan venait d'arriver à St Mary pour entendre la messe, avec une heure de retard sur son horaire habituel. Amari avait envoyé au Country Club un agent qui avait interrogé le préposé des vestiaires – lequel lui avait appris que ça faisait une bonne quinzaine que Tuohey n'était pas venu s'entraîner, à cause d'une tendinite.

Jim nous consulta du regard. La brise souleva les mèches grisonnantes qui lui balayaient le front.

« Ce qui nous fait, pour résumer, un flic de la police municipale en planque juste ici, comme s'il attendait Robbie, et pas plus de Brendan que de beurre en broche ! et pour couronner le tout, Feaver se fait démasquer. Bref, Tuohey nous a pigeonnés en beauté. » Il détourna la tête, comme pour avaler cette pilule, particulièrement amère.

« Purée... Ce vieux renard ! » marmonna Stan. Lui aussi fit la grimace, et laissa tomber cette phrase que j'entendais pour la première fois dans sa bouche, en vingt-cinq ans de fréquentation assidue : « Je ne lui arrive vraiment pas à la cheville ! »

39

Ce fut une vieille dame plutôt enveloppée qui vint leur ouvrir, lorsqu'ils frappèrent à la porte du modeste pavillon de banlieue qu'habitait Barnett Skolnick à Chelsea. Elle portait une vieille robe de chambre sur sa chemise de nuit, dont l'ourlet mal arrondi dépassait par endroits. Son visage fripé et constellé de taches brunes luisait de vaseline, ou d'une crème de nuit quelconque. Elle tenait à la main une barre chocolatée entamée.

Sennett déclina ses noms et qualités, avant de lui présenter les personnes qui l'accompagnaient : Evon, Robbie, McManis et Clevenger.

« Pourrions-nous parler au juge Skolnick, madame ?

— Pour une affaire concernant le tribunal, c'est ça ? s'enquit-elle.

— Oui. Un motif d'ordre professionnel, disons. »

Elle déverrouilla la contre-porte, avec un petit haussement d'épaules.

« Bar-nett ! cria-t-elle. Barnett ! Tu as des amis qui veulent te voir ! » Elle ne semblait pas s'étonner outre mesure de l'heure à laquelle allait se tenir cette petite réunion « d'ordre professionnel ». Skolnick était de ces magistrats qui accrochent la robe au portemanteau à cinq heures pile. Au-delà, si un avocat avait besoin de lui parler, il pouvait toujours passer le voir chez lui, et les avocats étant ce qu'ils sont, certains ne devaient pas s'en priver, en cas d'urgence. Sans compter les visites moins avouables que devait recevoir Barnett...

La voix de Skolnick retentit quelque part dans la maison, aussi rocailleuse et joviale que lorsqu'il était perché sur son estrade. Il demanda à sa femme de les faire descendre. Toute la bande s'engagea donc à la suite de Sennett dans un étroit escalier qui menait au sous-sol. Au bout de quelques marches, Sennett fit signe à Robbie de rester où il était et d'attendre. Il voulait ménager ses effets, et faire surgir Feaver à point nommé, tel un diable hors de sa boîte.

Il était déjà dix heures passées, et ils avaient tous derrière eux une journée bien remplie. Grâce à l'efficacité d'un sergent spécialement chargé des relations publiques de la police, et qui arriva peu après, l'impasse où ils se trouvaient, sur la route du parc municipal, avait finalement trouvé une issue : le FoxBite serait remis entre les mains de Linden Seilor, chef procureur adjoint, un ex-confrère de Stan chez qui Sennett s'était aussitôt précipité pour le récupérer. Pendant le petit résumé explicatif qu'il lui avait fourni, il avait plusieurs fois mentionné le nom de Brendan Tuohey, mais le procureur adjoint chef s'était bien gardé de poser la moindre question. En revanche, il s'était porté garant du flic, un certain Beasley, qui avait reçu de son lieutenant l'ordre de se mettre en planque à côté du pont dès six heures moins le quart, ce matin-là, et d'interpeller toute personne qui tenterait de le franchir. Le lieutenant l'avait averti que, la semaine précédente, le gardien du golf avait surpris un intrus qui avait réussi à s'enfuir en le menaçant d'une arme. Il avait donc demandé à Beasley de fouiller soigneusement toute personne suspecte, le cas échéant, avec ordre d'appeler immédiatement des renforts sur sa radio portable s'il découvrait quoi que ce soit. Seilor avait déjà interrogé le lieutenant pour savoir de quelle source il tenait ses renseignements et ses consignes, mais la piste était partie en fumée au fil des échelons de la voie hiérarchique, au sein de McGrath Hall, le poste de police principal du centre-ville. Selon une tactique éprouvée, Tuohey s'était arrangé pour placer un certain nombre de sas infranchissables entre lui et le policier à qui il avait demandé ce petit service.

Restait au moins une chose de sûre : l'histoire de ce policier qui s'était retrouvé dans la ligne de tir de sept agents du FBI ne tarderait pas à faire le tour de la police municipale, tout comme son imparable conclusion : Robbie Feaver était un informateur du FBI. Tuohey avait dû en être le premier informé, mais ses comparses ne répandraient la nouvelle qu'avec la plus extrême prudence, pour éviter de faire ce genre de révélation à quelqu'un qui serait, lui aussi, équipé d'un micro. Cela dit, vu le vent de panique qui devait souffler sur tous ceux avec qui Robbie s'était « arrangé », le juge principal allait devoir s'employer énergiquement, encore que discrètement, à prévenir toute débandade. Bien que nous voyions nos chances de succès fondre à vue d'œil, Stan caressait un dernier espoir : celui que, sous la pression croissante, Tuohey finisse par commettre le faux pas qui lui serait fatal. Si Stan parvenait à obtenir des aveux de quelqu'un que Brendan n'avait aucune raison de soupçonner, ou à qui il serait contraint de transmettre des informations, il lui restait peut-être une chance de le coincer cette nuit, ou demain matin, aux premières heures de la matinée.

Le FBI avait mis tous les agents du bureau local à la disposition de Sennett, lequel avait, de son côté, réquisitionné un vrai bataillon de procureurs fédéraux adjoints, qui s'employaient à remplir à la chaîne des citations à comparaître destinées à des banques, à des bureaux de change et à des employés du tribunal. Ces assignations ne pourraient toutefois être notifiées avant le lendemain, pour éviter que certains documents ne « s'égarent ». En attendant, plusieurs équipes de « cuisineurs » s'étaient formées. Klecker et Moses Appleby, le premier adjoint de Sennett, devaient se charger de Judith et de Milacki. Un autre groupe irait interviewer chez eux différents greffiers – Walter, Pincus Lebovic et Joey Kwan, le greffier de Crowthers. Sennett s'était réservé le plus gros gibier.

Les hommes d'Amari avaient guetté Kosic toute la journée, avec pour plan de le coincer seul, de manière que Sennett puisse lui mettre sous le nez toutes les pièces à conviction que le ministère public avait réunies contre lui, et lui proposer de négocier ses charges en échange de son témoignage contre Tuohey. Mais, jusqu'à présent, Rollo n'avait pas quitté Brendan d'une semelle – même si l'on pouvait raisonnablement supposer qu'il n'agissait ainsi que pour se mettre sous sa protection ou bénéficier de ses conseils, vu l'urgence de la situation, sans avoir spécialement l'intention de déjouer les plans de Stan. Comme, selon les informations que nous transmettait l'équipe de surveillance, Kosic et Tuohey semblaient avoir choisi de se retrancher dans la maison de ce dernier à Latterly, Sennett avait pris la décision de s'occuper d'abord des autres et de se réserver Rollo pour le lendemain matin.

Parvenus en bas des marches, ils trouvèrent Skolnick confortablement installé sur un canapé écossais flambant neuf – un meuble de style colonial à accoudoirs d'érable foncé. Il regardait un match des Trappers à la télé, douillettement emmitouflé dans un pyjama vert à liserés noirs et une robe de chambre de velours, dont la poche s'ornait des armoiries d'une famille dont il ne descendait sûrement pas. La pièce était lambrissée de pin verni, et moquettée de neuf, mais l'odeur de colle synthétique ne réussissait pas à masquer totalement les vieux relents de moisi dont l'air était chargé. Sur les rayons d'une bibliothèque installée le long d'un mur, s'entassaient des souvenirs de famille – photos des enfants et des petits-enfants, coupes remises aux rejetons de Skolnick pour divers exploits sportifs qui n'avaient pas dû laisser beaucoup de traces dans les mémoires, portraits représentant Skolnick dans l'exercice de ses fonctions, y compris une photo de format A4, prise à l'époque de sa nomination, plus d'un quart de siècle auparavant. On l'y voyait entouré notamment de Tuohey, du regretté Bolcarro et bien sûr de son frère Knuckles, qui grenouillait dans les eaux troubles de tout ce petit marécage. Evon pouvait mettre un nom sur tous ces visages, que la jeunesse rendait tellement plus sympathiques... c'en était presque risible. On voyait au premier coup d'œil que le sous-sol venait d'être refait. Elle fit mentalement un nœud à son mouchoir pour signaler la chose aux agents du fisc que Sennett avait dans sa manche, et qui se feraient un plaisir d'éplucher les revenus de Skolnick pour découvrir par quels moyens il avait payé les travaux. Il y avait neuf chances sur dix pour qu'on ne retrouve pas le moindre reçu de carte bleue ou talon de chèque correspondant à ces dépenses. Barnett avait dû tout payer en espèces.

Skolnick sauta sur ses pieds pour les accueillir. « Eh bien... entrez, entrez donc ! »

Tandis que le juge s'empressait de disposer en demi-cercle les petits fauteuils qui entouraient la table de poker à dessus de cuir – tâche pour laquelle Clevenger vint lui prêter main-forte, sans mot dire – Sennett se présenta.

« On se connaît, on se connaît ! » répondit Skolnick, et de lui rappeler une session de simulation de procès organisée à la Blackstone, et à laquelle ils avaient tous deux participé. Après quoi il reprit position sur son canapé, non sans avoir réajusté sa robe de chambre, histoire de paraître aussi digne que possible, vu les circonstances. Après un dernier regard de regret en direction du match, il attrapa sa télécommande et éteignit la télé. « Alors, Messieurs dames, fit-il, qu'est-ce qui vous amène ? »

Il semblait mettre un point d'honneur à démontrer qu'il était aussi lent à la détente que Robbie l'avait prédit. De temps à autre, vu certaines dispositions de la loi, l'administration fédérale devait intervenir dans certaines affaires de dommages et intérêts, et Skolnick devait s'expliquer ainsi cette visite que lui rendaient Sennett et ses assistants. Une requête de dernière minute, sans doute...

« Ce n'est pas en qualité de représentant de l'administration fédérale que je suis ici – du moins pas pour une affaire que vous auriez à juger. J'aimerais vous poser quelques questions – au nom du gouvernement des États-Unis.

— À onze heures du soir ? Ça ne pouvait pas attendre demain matin ? » Les bonnes joues roses de Skolnick s'empourprèrent de confusion. Il jeta un regard perplexe aux autres présents, comme s'ils détenaient la réponse. Lorsque ses yeux se posèrent sur Evon, la seule femme du groupe, il esquissa un petit sourire auquel, à sa grande surprise, elle fut tentée de répondre – un peu comme on fait risette à un bébé ou à un sympathique gros toutou.

« Nous nous posons effectivement certaines questions concernant une affaire, Votre Honneur... » fit Stan. Et de lui en rappeler le nom. « Vous savez, ce peintre qui était tombé d'un échafaudage ? Un veuf... le plaignant avait déposé une motion pour obtenir un jugement préliminaire. Est-ce que cela vous dit quelque chose ? »

Lentement, très lentement, Skolnick commençait à atterrir : la situation était peut-être plus grave qu'il ne l'avait d'abord cru.

« Mr Sennett.... Puis-je vous appeler Stan ? fit-il. Voyez-vous, Stan, il me passe entre les mains des centaines de motions – des centaines, que dis-je ? Des milliers. Mais oui, des milliers. Vous devriez venir voir ma salle d'audience au tribunal, un de ces jours. Ça n'a rien à voir avec une cour fédérale, vous savez. Je connais un bon nombre de mes confrères des tribunaux fédéraux... Larren Lyttle, pour ne vous citer que lui... avec qui je suis ami depuis des années et des années – eh bien, je peux vous dire que ça n'a strictement rien à voir. Il nous arrive toujours d'intervenir dans les débats, de temps à autre. Et nous n'avons pas de clercs à plein temps, ce qui se traduit pour nous par un énorme sur-croît de travail. Et puis, comme vous savez, rien ne res-semble autant à une motion qu'une autre motion... maintenant, si vous voulez bien me montrer les documents, les pièces du dossier – je suis certain que ça va me revenir. »

Le procureur inclina la tête. Evon tira aussitôt de son attaché-case la motion de Robbie et la réponse de McManis, que Sennett laissa tomber sur la table à apéritif assortie aux accoudoirs du canapé.

« Vous voulez vraiment que je me replonge dans ces paperasses à onze heures du soir ? » Il se mit à ronchonner en yiddish. « Vous avez compris ce que je viens de dire... j'ai vraiment une veine de cheval ! Bon, une minute. Où sont passées mes lunettes ? » Elles étaient dans sa poche. Il les chaussa. « Bien, bien », fit-il. Il parcourut le texte en dodeli-nant de la tête comme s'il lisait une partition, et en marmon-nant des bribes de phrases à haute voix. Il eût été impossible de dire s'il en retenait un traître mot. « Oui, eh bien – alors ? Où est le problème ? »

Sennett, revêtu de son éternel costume bleu, était comme d'ordinaire implacable. Il tourna une seconde la tête en se grattant la joue.

« Connaîtriez-vous un avocat du nom de Robbie Feaver, monsieur le juge ? »

Skolnick se redressa sur son canapé, et accorda enfin son entière attention à Sennett.

« Feaver ? » répéta Skolnick. Tel un petit animal furtif, le bout de sa langue fit irruption entre ses lèvres sèches. « Bien sûr, que je connais Feaver. Tout comme des centaines de ses collègues.

— Monsieur le juge, auriez-vous eu un entretien en

privé avec Feaver pendant la période où cette affaire était examinée par votre tribunal ?

— Si je lui ai parlé ? Évidemment. C'est un garçon très sympathique, qui a toujours le mot pour rire. S'il m'est arrivé de le croiser dans la rue, ou quelque part au détour d'un couloir, au tribunal ? Mais bien entendu ! Vous m'excuserez, Mr Sennett – Stan... – mais ce n'est pas un délit passible d'un tribunal fédéral, que je sache...

— Évidemment pas, monsieur le juge. Ce que je vous demande, c'est si vous avez eu un entretien en tête à tête avec Feaver pour discuter des tenants et aboutissants du dossier et de son issue ?

— Vous voulez dire sans... qui était le défendant dans cette affaire, déjà ? » Skolnick se mit à feuilleter la liasse de papiers. « Sans ce... McManis ? » Il marqua une pause. L'effort de la réflexion crispait les traits épais de son visage. « Quel était son problème, à ce fameux McManis ? Est-ce qu'il a présenté des réclamations... ? » Tout à coup, un éclair de compréhension illumina son visage. Il pointa l'index vers Jim. Il avait enfin fait le rapprochement – il y avait mis le temps ! « Mais bien sûr, c'était vous ! Ah ! Je comprends, je comprends ! Alors comme ça, vous êtes allé directement pleurnicher sur l'épaule du procureur fédéral, sans même me demander mon avis ? Vous savez pourtant que je suis un homme ouvert et compréhensif... Si vous commenciez par me dire ce qui vous chagrine ! Vous êtes sûr que ça mérite de faire un tel tintouin, en pleine nuit ? »

Sennett répéta sa question : avait-il vu Feaver en tête à tête au cours du déroulement du procès ? Skolnick lui répondit par une version pathétique de ce qui se voulait un rire bon enfant : il s'étrangla, et ses « Ha, ha, ha » lui restèrent dans le gosier, tandis que son visage virait au rose fuchsia.

« Ma foi, je n'en ai pas le moindre souvenir.

— Vous n'oublieriez pourtant pas une chose pareille, n'est-ce pas, monsieur le juge ? J'entends, discuter en privé avec un avocat de la façon dont vous pourriez décider du destin de sa motion.

— Oh, vous savez, Stan, les avocats sont capables de vous dire à peu près n'importe quoi. Ils n'ont peur de rien. *Baytzim !* le culot qu'ils peuvent avoir, franchement ! Certains jours, en quittant le tribunal, je me dis : "Barnett, tu es trop bon ! Tu aurais dû l'épingler trois fois pour outrage à la Cour, ce jeune blanc-bec." Mais, que voulez-vous – je ne le fais jamais. » Un haussement d'épaules ébranla son poitrail de bovidé, tandis qu'il se sidérait lui-même, à la pensée de sa bienveillance foncière.

« Monsieur le juge, n'auriez-vous pas eu un entretien avec Robert Feaver le 5 mars dernier, dans votre voiture personnelle ?

— Oh ! » s'exclama Skolnick, la mine réjouie. Ça lui revenait à présent : Feaver avait un pneu à plat ce jour-là, et, le voyant à la recherche d'un taxi, lui, Skolnick, s'était arrêté pour le prendre à son bord. Il éclata de rire, et se tourna vers Jim avec un geste de la main. « Ainsi, vous avez assisté à la scène, et vous vous êtes imaginé Dieu sait quoi ? C'est idiot ! fit Skolnick. Stan, mon ami, puis-je vous suggérer quelque chose ? Dites-moi franchement qui vous a dit quoi, et je vous répondrai tout aussi franchement – du mieux que je pourrai, et pour autant qu'il m'en souvienne. »

Sennett se contenta de répéter sa question : Skolnick avait-il discuté avec Robbie de l'issue de l'affaire du peintre, le 5 mars, dans sa Lincoln ? Skolnick nia énergiquement.

« Vous ne l'avez donc pas revu, toujours dans votre voiture, le 12 avril ?

— Cette discussion n'a aucun sens ! On tourne en rond ! Si Feaver se trouvait là, et je dis bien "si" – c'est qu'il avait une bonne raison d'y être. C'est tout ce que je sais, et c'est tout ce que je peux dire.

— Et vous remettre deux pots-de-vin – dix mille dollars le 5 mars et huit mille le 12 avril – cette raison vous paraît-elle suffisante, monsieur le juge ? »

Skolnick prit son temps. Soupesant les diverses réponses qui s'offraient à lui, il opta pour l'indignation. Après une petite panne de démarrage, il parvint même à se montrer assez convaincant.

« Venir ici, dans ma propre maison, pour me débiter de telles sornettes ! Que j'aurais touché un pot-de-vin ? Moi ? Barnett Skolnick ? Au bout de vingt-six ans de magistrature ? Moi, qui aurais pu m'assurer une retraite des plus confortables, il y a quatre ans ? Comme si j'avais besoin d'un tel *tsouris*, Stan !

— Vous voulez dire que rien de tout cela n'est advenu – c'est bien cela, monsieur le juge ? Vous n'avez jamais rencontré Feaver pour discuter du procès de ce peintre ? Vous n'avez jamais reçu de lui une enveloppe de dix mille dollars au mois de mars et une autre de huit mille, en avril, pour avoir contraint McManis à transiger avant d'avoir eu connaissance de toutes les pièces d'un dossier ? C'est bien ce que vous me dites ?

— Vous ne manquez pas de culot, voilà ce que je dis ! Personne ne graisse la patte à Barnett Skolnick ! Non, mais... ! vous me voyez truquer un procès ? » Il semblait à deux doigts de fondre en larmes. Sa lèvre s'était mise à trembler, à l'idée de cette horrible insinuation. Son index se braqua à nouveau vers McManis. « Allez au diable, vous ! lui lança-t-il. Vous n'avez qu'à interroger Feaver, et vous verrez bien ! Toute cette histoire n'est qu'un *bubbie meinze* – un conte à dormir debout, de A jusqu'à Z ! Demandez-le-lui, il vous le dira lui-même. »

Stan eut un signe de tête en direction de McManis, et l'ombre d'un sourire lui courut sur les lèvres. Evon soupçonna qu'il n'avait résisté que d'extrême justesse à l'envie de se retourner, et de lancer par-dessus son épaule : « Ici, Robbie... ! »

Les pas de Robbie résonnèrent dans l'escalier. Il fit son entrée, le visage tendu, la tête rentrée dans les épaules pour éviter la gaine de chauffage central qui barrait le faux plafond. Il regarda Skolnick droit dans les yeux, sans l'ombre d'une nuance de satisfaction, de colère ni de fierté. Il n'avait pas la moindre envie de la jouer triomphante, à la Sennett. Il aurait manifestement préféré être ailleurs. Stan leva l'index, et Robbie, docile, entrouvrit sa veste et déboutonna sa chemise, révélant le Foxbite pathétiquement fixé deux doigts au-dessous de son cœur. Evon avait beau s'y attendre, la scène lui fit la même impression que lorsqu'un personnage particulièrement sympathique et émouvant, dans un film de science-fiction, se révèle soudain être un simple robot ou une créature artificielle mue par un cerveau électronique et dépourvu de la moindre goutte de sang humain.

Feaver s'était planté face à Skolnick, le visage vide de toute expression. Depuis six mois qu'il virevoltait sur la corde raide que lui avait tendue Sennett, son sens de l'équilibre commençait quelque peu à s'émousser. Sans compter qu'il venait de s'appuyer une rude journée, qui avait commencé sur les chapeaux de roue, dès six heures, avec un flingue pointé sur sa tempe. Après coup, une fois revenu à l'estafette, il nous avait raconté qu'il avait immédiatement fait le rapprochement avec ce qui s'était passé dans l'appartement d'Evon, et en avait conclu que ce flic lui était envoyé par Tuohey. Un prétexte en béton pour le fouiller sans qu'ils puissent lever le petit doigt. Il avait eu la quasi-certitude que Tuohey allait débarquer d'un instant à l'autre – jusqu'au moment où le flic avait sorti son flingue.

« J'ai entendu le déclic du bouton pression de son holster, et je me suis dit OK – d'accord, c'est là que la partie s'achève. En fait, j'y étais quasiment résigné, et tout à coup j'ai pensé : bon sang, Rainey ! Comment est-ce que je peux faire ça à Rainey ? »

Ce souvenir lui avait fait monter les larmes aux yeux. Nous nous étions rassemblés autour de lui, McManis, Sennett, Evon et moi, et j'avais, quant à moi, mis ses larmes sur le compte du choc qu'il venait d'encaisser. Je sais à présent que seule Evon avait vraiment compris ce dont il retournait. Sennett, qui n'avait pas fini de ruminer l'échec total de l'opération, avait renvoyé Robbie dans ses foyers. Dorénavant, il ferait l'objet d'une surveillance constante vingt-quatre heures sur vingt-quatre, et son téléphone serait sur écoute. N'eût été l'état de Rainey, McManis aurait carrément préféré les installer ailleurs tous les deux.

Tandis que Robbie faisait son strip-tease, Skolnick avait bondi de son canapé écossais, avec un gémissement étranglé, balançant la tête d'un air incrédule. Mais Barnett était loin d'être dépourvu de ressources.

« Espèce de petite ordure ! » lança-t-il à Robbie, avec un à-propos qui parut le surprendre lui-même. Là-dessus, secoué d'une grande quinte de toux et à bout d'arguments, il se prit la poitrine à deux mains et se mit à sangloter de frustration. Son extraordinaire crinière blanche, qui évoquait irrésistiblement la création d'un pâtissier un peu fantasque, contrastait curieusement avec la nuance violacée qu'avait prise ses joues et en semblait presque phosphorescente.

Tandis que Skolnick pleurait, Sennett ordonna à Tex de lui passer un aperçu de la cassette vidéo enregistrée dans la Lincoln. Tex ralluma la télé que Skolnick regardait à leur arrivée, et brancha le magnétoscope. Sur l'écran, on vit Skolnick remercier Robbie, qui venait de glisser l'enveloppe entre les coussins du siège, d'un « *Genug !* Nous sommes de vieux amis, toi et moi, Robbie. On en a fait, des choses, tous les deux... ! » Sur le canapé, le vieil homme se mit à se balancer d'avant en arrière, paupières closes, les joues ruisselantes de larmes, et murmura : « Oh, mon Dieu... mon Dieu ! *Oy vay...* Oh, mon Dieu ! » Il n'avait pas dû voir grand-chose de la bande, mais il savait à quoi s'en tenir.

« Jamais je ne pourrai survivre à ça, dit-il à Sennett, lorsqu'il parvint à se maîtriser. Jamais. Je suis un homme fini. Mort, autant dire.

— Mais si, vous survivrez, monsieur le juge. Et vous déciderez vous-même de la gravité de votre peine. »

Skolnick émit un petit reniflement de dégoût. Si bête qu'il fût, il ne l'était pas assez pour ne pas voir où Sennett voulait en venir.

« Ben voyons ! Pour devenir une espèce de *schtoonk*, comme lui, là... ! cracha-t-il, le doigt pointé sur Robbie. C'est ça ? C'est bien ça que vous essayez de me dire ? C'est pour ça que vous débarquez chez moi en pleine nuit ? »

Sennett, toujours égal à lui-même, restait d'un calme inoxydable. L'ange de la mort. Skolnick en était au point exact où il avait voulu l'amener. Dans le plus total désarroi.

« Il vous reste une chance. Vous n'êtes pas totalement démuni – loin de là ! Il y a bon nombre de choses que vous pourriez nous dire. Mais je ne suis pas sûr de pouvoir vous offrir une autre occasion de le faire. C'est ce soir ou jamais. Vous devez tout mettre à plat et nous aider à coincer ceux dont nous devrions nous occuper en priorité, en ce moment même. Nous savons que vous n'êtes pas le cerveau de cette affaire. » Un sourire mauvais courut un instant sur les lèvres de Sennett. « Nous savons que quelqu'un vous avait placé à la présidence de cette Cour, au tribunal. Nous savons aussi que les sommes qui passent entre vos mains n'y restent pas en totalité. Il y a un nom, en particulier, que nous aimerions vous entendre prononcer. » Sennett s'était assis sur la petite table d'érable flambant neuve. Face à face avec Skolnick, pratiquement genou contre genou, il poursuivit d'un ton grave et insistant :

« Monsieur le juge, que savez-vous de Brendan Tuohey ? »

Skolnick remua les lèvres comme un poisson hors de l'eau. « Tuohey ? répéta-t-il dans un souffle.

— Vous est-il arrivé, à une occasion quelconque, de lui remettre personnellement de l'argent ? Ou de recevoir de lui des directives de quelque ordre que ce soit, explicites ou non, concernant la façon dont il voulait que vous traitiez un avocat, ou que vous régliez un litige ?

— Moi, en personne ? » La suggestion lui paraissait

étonnante, sinon flatteuse. « Je ne lui ai pratiquement jamais adressé la parole. Celui qui avait souvent affaire à Tuohey, c'était mon frère Maurice – Knuckles, je veux dire... enfin vous voyez. Mais moi, c'est toujours par ce *schmuck*, que je passe. Rappelez-moi son nom... Kosic ! Voilà, c'est à Kosic que je m'adresse.

— Mais il vous est tout de même arrivé, de temps en temps, comme vous venez de le dire, d'avoir directement affaire au juge Tuohey. Pensez-vous que vous pourriez obtenir un petit entretien avec lui ? Vous pourriez par exemple lui demander de vous conseiller sur l'attitude à adopter vis-à-vis de nous, ou sur ce que vous devez nous dire.... Qu'en pensez-vous ? »

Les yeux bouffis du vieil homme s'écarquillaient au fur et à mesure que les paroles de Sennett parvenaient à son cerveau.

« Avec ce bidule sur le ventre, comme lui ? fit-il en désignant Robbie du menton. Ben tiens — mais comment donc ! Autant signer tout de suite mon arrêt de mort, gémit-il. Je me prendrais aussitôt une balle dans la tête.

— Nous représentons le pouvoir fédéral des États-Unis d'Amérique, répondit Sennett. Nous ne laisserons personne tuer personne.

— Je vois, je vois. Votre traitement VIP, pour les témoins chers à votre cœur. Ce qui signifierait, pour moi, de passer le restant de mes jours entouré de gardes du corps, le nez refait, et sous un autre nom ?

— Où que vous soyez, vous n'aurez rien à craindre. Et même après coup, nous nous chargeons d'assurer votre sécurité.

Après coup... Lorsque Skolnick eut compris qu'il fallait entendre « après votre sortie de prison », il en resta bouche bée. Jusque-là, l'idée ne l'avait même pas effleuré. Il n'avait pensé qu'aux ragots, au scandale, au déshonneur. À la perte de sa charge et de sa retraite. Une sorte de rictus lui tordit le visage, puis, avec un gémissement de vaincu, il fondit à nouveau en larmes.

« Vous devriez avant tout penser à certaines personnes..., fit Sennett en lui montrant les photos de famille alignées sur ses étagères.

— *Ach !* » répondit Skolnick comme pour écarter d'emblée cette suggestion. Il entreprit de se hisser sur ses pieds, et ce ne fut qu'en le voyant tout à coup porter la main à sa poitrine qu'Evon sentit les choses se gâter.

Soudain, la jambe gauche de Skolnick se déroba sous lui. Il vacilla en arrière, un instant suspendu dans sa chute, telle une feuille morte qui hésiterait, ballottée au gré des courants d'air. Puis, la gravité reprenant ses droits, il s'écroula lourdement sur le sol et heurta de l'épaule l'accoudoir du canapé. La table basse sur laquelle était resté posée la citation à comparaître partit à la renverse.

Tout le monde se précipita aussitôt vers lui. Lorsqu'ils le retournèrent sur le côté, il était toujours conscient. Peut-être aurait-il même pu répondre à leurs questions, s'il ne s'était remis à pleurer de plus belle, secoué de longs sanglots.

« Faudrait peut-être appeler le 911... » suggéra Clevenger. Skolnick se redressa laborieusement sur son genou, et agita faiblement la main.

« Non, non... Je fais un peu d'angine de poitrine, articula-t-il d'une voix faible. Ça provoque ce genre d'étourdissement. Je vais prendre un cachet. Laissez-moi un peu de temps. Avec ce que j'ai... mieux vaut ne pas me bousculer. »

McManis lui avait empoigné le bras. Il l'aida à se rasseoir sur le canapé. Toute l'assistance vint s'agglutiner autour du vieux juge, qui sanglotait toujours, le visage enfoui dans ses mains.

Au bout d'un moment, McManis fit signe à Sennett et à Evon de le suivre à l'écart. Tex se joignit à eux. On aurait dit une équipe de base-ball rassemblée autour de son coach et de son lanceur, à un moment critique de la partie. Robbie resta seul hors du cercle. Il était allé s'asseoir sur la dernière marche de l'escalier, l'air lessivé. Il en avait visiblement sa dose.

« Va falloir mettre la pédale douce, Stan ! chuchota McManis. Si on continue, il va nous claquer entre les doigts.

— Seigneur... je vous en prie ! » répliqua Sennett. Cette nuit ou demain matin, à la faveur de la panique qui s'abattrait sur la fourmilière, il risquait de se passer une ou deux choses intéressantes. Mais il ne fallait surtout pas leur laisser le temps de s'organiser. Une fois retranchés derrière leurs avocats, qui joueraient les agents de renseignements et interdiraient au ministère public d'établir le moindre contact avec leurs clients, on n'en tirerait plus rien d'exploitable. « Accordons-lui quelques minutes de répit. Il va se calmer », conclut Sennett. Il demanda à Clevenger d'aller chercher un verre d'eau pour Skolnick, mais McManis retint Tex.

« Stan, laissa-t-il tomber. Ce n'est pas lui qu'il nous faut. Vous le voyez affronter Brendan ? D'ailleurs, il n'a jamais affaire à lui personnellement. Tuohey va le voir venir gros comme une maison. Il lui fera le coup des trois petits singes – vous savez... "rien vu, rien dit et rien entendu" – un remake de son sketch avec Robbie. Sans compter que Skolnick ne lui arrive pas à la cheville, à notre Feaver national ! Nous risquons de nous planter en beauté et dans les grandes largeurs. Une fois que Tuohey en aura terminé avec lui, Skolnick vous jurera la main sur le cœur que Brendan n'a jamais été au courant de rien. »

Le regard de Sennett se planta dans un angle de la pièce.

« Vous savez, Stan, reprit McManis à mi-voix, le vieux pourra témoigner. Qu'est-ce qui nous empêche de le citer comme témoin ? Réservons-nous cette possibilité, et évitons de lui faire passer l'arme à gauche cette nuit même.

— Eh merde ! » Sennett y songea quelques instants, puis se rangea à l'avis de McManis, avec une de ces boutades d'un goût douteux qui avaient fait la plus mauvaise part de sa célébrité : « Vous avez raison. Nous pouvons tout à fait nous passer de ce genre de publicité ! »

Sur ces entrefaites, Skolnick avait apparemment retrouvé ses esprits. Il s'avança vers le petit escalier en titubant comme un ivrogne.

« Je ne peux pas faire une chose pareille. Pas maintenant. » Il chancela, et, pour se rattraper, posa les deux mains sur le mur. Son alliance, scintillant sous les spots qui éclairaient le sous-sol, parut soudain attirer son attention. « Seigneur... Molly... ! » s'écria-t-il. Il parvint à se hisser sur la première marche et tangua à nouveau, menaçant à chaque instant de s'effondrer. Robbie, qui se trouvait à deux pas de lui, se précipita à la rescousse. Il passa le bras autour du vieux juge, et, dès qu'il eut retrouvé un semblant d'équilibre, l'aida à gravir l'escalier.

« Une marche à la fois, Barney.... lui dit-il. Une marche à la fois. N'essayons pas d'aller plus vite que la musique. » Pas à pas, et bras dessus bras dessous, ils remontèrent ensemble l'escalier.

40

Sherman Crowthers vivait à Assembly Point, un joli promontoire qui s'avançait dans la Kindle River. Pendant la période pré-coloniale, les Français y avaient établi un fortin où vinrent ensuite s'installer des tanneries. Dès les années trente, avec le déclin du trafic fluvial, Assembly Point était devenu l'une des principales enclaves de la petite bourgeoisie noire. Après la Seconde Guerre mondiale, certains des premiers occupants du quartier, qui ne craignaient ni la cohabitation ni ses conséquences, déménagèrent pour University Park, qui devint à l'époque l'un des premiers quartiers intégrés des États-Unis. Par la suite, les Noirs se répartirent progressivement dans les autres secteurs de la ville où ils commençaient à être mieux acceptés. Un changement inattendu s'était récemment amorcé à Assembly Point. De jeunes ménages de Blancs et d'Asiatiques avaient commencé à acheter des maisons, au grand dam des habitants de vieille souche, qui se désolaient de voir leur « Pointe » perdre ainsi son « cachet ».

Pour les Afro-Américains, Assembly Point conservait toutefois ce que l'endroit avait d'unique. Beaucoup avaient grandi bombardés de commentaires envieux sur la Pointe, la qualité de la vie dont on y bénéficiait, et les nombreux avantages, tels que le Country Club et son golf, ou le bal des débutantes, auxquels fort peu de leurs frères de race pouvaient prétendre, dans d'autres villes et dans d'autres quartiers. Pour nombre de Noirs aisés, il était tout simplement impensable d'aller vivre ailleurs.

Sherm Crowthers était de ceux-là. Il possédait sur Broadberry une immense maison dans le plus pur style géorgien, avec un péristyle de colonnades blanches surmonté d'un fronton qui se dressait sur trois étages, au-dessus d'une allée privée semi-circulaire.

Il était près de minuit lorsque Evon, Sennett et les autres se présentèrent à sa porte. Stan et McManis avaient décidé de risquer le coup, en dépit de l'heure tardive. C'était, à leurs yeux, non seulement une question de temps mais de tactique : l'effet de surprise était essentiel. Ils devaient surprendre leurs clients chez eux à l'improviste, dans le cocon familial, et au milieu d'un confort qui risquait par la suite de leur faire cruellement défaut. C'était l'une des nombreuses manœuvres que Sennett avait mises au point à l'époque où il travaillait au ministère de la Justice, à Washington, et où il avait sous ses ordres toute une cohorte de procureurs qui officiaient aux quatre coins du pays. Une fois la mise en accusation prononcée, Stan mettait un point d'honneur à tomber sur le dos de ces délinquants en col blanc, présumés innocents au regard de la loi – et à les faire parader, menottes aux mains, devant les caméras des chaînes nationales. Il s'agissait, à ses yeux, d'une mise en garde des plus dissuasives. Malgré les véhémentes protestations des avocats de la défense – les miennes, en tout premier lieu –, les cours d'appel continuaient à tolérer ces intolérables abus de pouvoir, un peu comme on admet un certain pourcentage de pertes humaines, en temps de guerre.

Robbie avait reçu l'ordre d'attendre dans les ténèbres extérieures, de l'autre côté de la grande pelouse, tandis que Sennett et les autres marchaient sur la porte de Sherman. Son coup de sonnette parut donner le signal d'un branle-bas de combat général, chez les Crowthers. Un chien se répandit en aboiements frénétiques, et plusieurs fenêtres s'illuminèrent en même temps. Au bout de quelques instants, les lanternes du portique s'allumèrent, et à travers le panneau de chêne massif de la porte, une voix tonitruante demanda qui était là.

« Stan Sennett, monsieur le juge. Le procureur fédéral de ce district. Je dois vous parler de toute urgence.

— Stan Sennett ?

— Oui, le procureur fédéral.

— Et qu'est-ce qui est d'une telle urgence ?

— Monsieur le juge, si vous ouvriez cette porte, je pourrais vous l'expliquer sans risquer de réveiller tout le quartier. Je me trouve juste sous la lampe de votre entrée, et vous avez un judas. Je sais que vous pouvez me voir.

— Qui sont tous ces gens qui vous accompagnent ?

— Des agents du FBI, juge Crowthers. Ouvrez cette porte, s'il vous plaît. Personne ici ne vous veut le moindre mal. »

On entendit aussitôt cliqueter plusieurs verrous, et l'imposante silhouette de Sherm Crowthers se dessina en ombre chinoise. Il était pieds nus sur le seuil de sa porte, aussi redoutable que lorsqu'il apparaissait, du haut de son fauteuil de juge, au tribunal, se dit Evon. La contre-porte, munie d'une toile d'acier, ne dissimulait pas le pistolet chromé qu'il tenait à la main. Il ne portait qu'un caleçon de cotonnade à motifs rouges, et un maillot de corps qui se tendait sur sa panse rebondie. Il avait l'œil luisant, comme s'il avait été un peu éméché. En apercevant son arme, Evon avait immédiatement pris position. À ses côtés, Clevenger ouvrit sa veste, la main posée sur le holster qu'il avait à la hanche.

« Vous croyez peut-être me faire peur ? lança Crowthers à Stan, d'une voix chargée de colère. Si c'est ce que vous imaginez, Constantine, vous vous trompez lourdement. Parce que les seins m'auront poussé avant que vous me voyiez trembler devant vous ! » Sennett parut jauger la situation. La présence de ce revolver dut le faire pencher pour la prudence, car il s'abstint de toute réponse. « Alors ? Quelle est cette affaire si urgente qui vous amène chez moi à minuit moins dix ?

— Pour tout vous dire, monsieur le juge, je me sentirais nettement plus à mon aise si vous rangiez cette arme. Ça vous ennuierait, de la poser ?

— Ça, pas question ! Fichtre non ! Je suis ici chez moi. Il va être minuit, et que vous soyez le procureur fédéral ou le pape en personne, pour moi, vous êtes ni plus ni moins que des intrus, tous autant que vous êtes. J'ai un permis de port d'arme en bonne et due forme, et le droit constitutionnel de ce pays m'autorise à être armé. Libre à vous de le vérifier, si ça vous chante. Maintenant, dites-moi ce que vous vouliez me dire, et fichez-moi le camp. »

Evon s'était insensiblement rapprochée de Sennett pour mieux voir l'arme de Crowthers. Malgré les grands gestes dont il ponctuait ses paroles, elle parvint à reconnaître un Beretta 92 SBC semi-automatique à double action. Après avoir ainsi mouché Sennett, le juge laissa son bras retomber le long de son corps, et le diagnostic d'Evon s'affina : l'extracteur se trouvait au même niveau que la glissière, et on ne voyait pas de bande rouge. Aucune balle n'était donc engagée dans la chambre. Elle glissa à l'oreille de Stan que le flingue de Crowthers, quoique peut-être chargé, n'était pas prêt à faire feu. Sennett réfléchit rapidement, les lèvres arrondies comme un poisson qui fait des bulles, puis il indiqua du doigt la mallette que portait Evon, et dont elle tira quelques papiers.

« Monsieur le juge, fit-il lorsqu'il les eut en main, ceci est une citation à comparaître devant le grand jury du tribunal fédéral, dès demain matin. »

Il plaqua le document contre le grillage de la contre-porte, pour que Crowthers puisse s'en faire une opinion par lui-même. Comme il l'avait escompté, ce geste infléchit sensiblement le cours des événements.

« Donnez-moi ça ! » fit Crowthers en passant une main à l'extérieur. Il arracha le papier des doigts de Sennett, et referma si violemment la contre-porte que le châssis vibra. Il veilla à remettre en place le verrou avant d'examiner le document, qu'il parcourut en quelques secondes. Puis, rouvrant sa contre-porte, il balança à l'extérieur la boulette qu'il venait d'en faire.

Elle roula à terre, au delà du cône de lumière que projetaient les lampes du péristyle, avant d'aller se perdre dans une haie d'ifs taillés, plantée autour de la maison. « Aucune citation délivrée après minuit ne peut exiger la comparution de qui que ce soit pour le lendemain, à dix heures du matin. Ce n'est pas moi qui vais vous l'apprendre. Alors, maintenant que vous avez fait ce que vous aviez à faire, fichez-moi le camp ! » Relevant le canon de son Beretta, Crowthers fit un pas en arrière et se disposa à refermer sa porte.

Sennett fit un pas vers l'écran de toile d'acier, la main tendue vers la poignée, mais cette arme braquée sur lui le dissuada d'achever son geste.

« Si vous souhaitez contester le bien-fondé de cette assignation, monsieur le juge, le mieux est d'en référer au juge principal Winchell, du tribunal fédéral, dès ce matin. Comme vous le savez. Mais, entre nous, Votre Honneur, lorsque vous passerez en jugement, je doute que cela fasse très bonne impression sur le jury, d'apprendre qu'un magistrat traite une assignation comme s'il s'agissait d'un vulgaire papier gras. » En entendant les mots jugement et jury, Sherman avait vivement rejeté la tête en arrière, révélant les profondeurs broussailleuses de sa grosse moustache grise.

« Vous risquez fort d'être inculpé de racket, d'extorsion, de corruption et de faux en écriture. Selon mes estimations, vous encourez dans les huit ans de réclusion. Il va sans dire que, si nous nous sommes dérangés jusqu'ici cette nuit, c'est dans l'unique but de vous parler de tout cela avant qu'il ne soit trop tard. Alors, pouvons-nous entrer ?

— Je vous entends très bien d'où vous êtes, Constantine. » Passablement radouci, Sherman dévisagea tous ceux qui accompagnaient Stan. Sur un signe de ce dernier, Clevenger avait mis le cap sur la haie, et, muni de gants chirurgicaux, s'apprêtait à glisser dans un sachet de plastique l'assignation froissée. « Racket, corruption, et allez savoir quoi d'autre ! Moi ? Première nouvelle !

— Je vais me faire un plaisir de vous rafraîchir la mémoire, monsieur le juge. J'ai là un enregistrement tout prêt à vous faire entendre. Qu'en pensez-vous ? »

Sur ce, Sennett leva le bras et Robbie émergea de l'obscurité, les mains dans les poches. Il semblait sensiblement moins abattu que pour Skolnick, mais resta à distance prudente de l'entrée. Il avait aperçu le revolver de Crowthers, et estimait avoir eu sa dose d'armes à feu pour la journée. Il se planta donc à une petite dizaine de mètres du perron, assez près cependant pour que Crowthers puisse le reconnaître. Puis, comme pour Skolnick, il ouvrit sa veste et déboutonna sa chemise.

Le juge resta un moment sans réaction. Puis un sourire amer découvrit fugitivement ses dents irrégulières, jaunies par le tabac. Sennett lui proposa à nouveau d'écouter la bande.

« Je n'ai rien besoin d'entendre, Constantine. Je savais parfaitement ce que ce petit fumier trafiquait. » Ses yeux cherchèrent Robbie dans le noir, et lui lancèrent un regard au vitriol.

« Ce que j'ai pu être con..., ajouta-t-il, comme pour lui-même.

— À vous de trancher, monsieur le juge. Nous aimerions vous poser quelques questions... Ce qui nous intéresse, en tout premier lieu, c'est où passe l'argent. Parce que nous savons de source sûre que vous ne gardez pas la totalité des sommes qui vous sont remises. Si vous acceptez de vous montrer coopératif, ici, tout de suite... »

Crowthers secoua sa grosse tête une seule fois, d'un geste sans appel.

« Mon avocat vous contactera dès demain matin. C'est tout ce que j'ai à vous dire pour le moment.

— Allons, monsieur le juge. Demain matin, je ne pourrai pas vous faire la même proposition. C'est maintenant qu'il faut vous décider. Tout ce que vous ferez pour protéger vos amis risque de vous coûter fort cher... ! »

À la pensée de ce qui l'attendait, le grand jury, le procès, la prison, Crowthers se fendit d'un grand éclat de rire. Il posa son arme sur une console près de la porte.

« Écoutez-moi bien, Constantine ! Je n'ai pas d'amis, et je n'en ai jamais eu. J'ai une femme, une sœur et un chien, point final. Je ne dois rien à personne, et je n'attends rien de qui que ce soit. Voilà – ça, c'est la vérité.

— Alors, aidez-vous vous-même ! » l'adjura Sennett, élevant la voix pour la première fois.

Crowthers s'esclaffa de plus belle. Il avait vraiment l'air de s'amuser.

« Vous appelez ça comme ça, vous ? S'aider soi-même ? Savez-vous où j'ai grandi, Constantine ? À Dejune, au fin fond de la Georgie. Chaque matin, je devais ramasser des noix pendant deux heures et demie avant d'aller à pied à la misérable petite école à classe unique "réservée aux nègres", comme ils disaient. La plupart du temps, je n'avais presque rien à me mettre sous la dent, à l'exception de ces fichues noix auxquelles ma mère, bien évidemment, me suppliait de ne pas toucher. Et puis, plus tard... » Crowthers se tut. Il ouvrit ses grandes mains, tournant vers eux ses paumes presque blanches.

« Non, fit-il d'une voix ferme. N'attendez pas que je continue dans cette veine. Vous connaissez tout ça par cœur. Tout le monde connaît ce genre d'histoire. Prenez n'importe quel Noir de plus de cinquante ans, dans la première salle de billard venue, et il vous racontera à peu près la même chose. Mais moi, je ne me fais pas mousser. J'ai réellement vécu tout ça, et ma sœur aussi. Tout comme ma grand-mère et mon grand-père. Et je n'essaie pas de vous attendrir, Constantine – je sais que ce serait peine perdue, et de toute façon, je n'ai que faire de votre compassion de merde. Non, si je vous dis ça, c'est pour que vous compreniez une chose : vous seriez bien incapable de m'infliger quoi que ce soit de plus dur que ce que j'ai déjà vécu. Et je n'ai pas fait tout ce chemin depuis la Georgie, je n'ai pas trimbalé tous ces sacs de noix plus gros que moi... non, je n'ai certainement pas fait tout ça pour me retrouver confronté à une bande de Blancs – et vous, vous ne valez pas mieux qu'eux ! jeta-t-il à Clevenger, qui était noir – pour m'entendre dire ce que je dois faire pour éviter qu'il ne m'arrive quelque chose d'horrible. Faites ce que vous avez à faire, Sennett. Moi, je ne laisserai jamais quiconque venir chez moi me donner des ordres – et surtout pas un misérable arriviste dans votre genre, un sale petit métèque infoutu de se regarder dans sa glace pour se rappeler ce qu'il est ! »

Crowthers le fixa d'un œil menaçant, puis il allongea le bras et, récupérant son arme, en fit jouer la glissière. Le déclic signalant que le Beretta était désormais armé résonna étrangement dans le silence nocturne. Sous le péristyle, tout le monde réagit au quart de tour. McManis hurla : « Attention ! » et se jeta sur Sennett, qu'il plaqua en direction d'un buisson, l'étouffant à demi. Quant à Clevenger, il se laissa tomber à terre et roula sur lui-même en s'efforçant de dégainer. Dans son dos, Evon entendit tinter les clés et la petite monnaie dans les poches de Robbie, qui avait pris ses jambes à son cou. Étant la mieux entraînée du groupe, elle s'était contentée de sortir de la lumière, et s'était campée sur ses jambes fléchies, l'arme à bout de bras. Elle avait Crowthers dans sa ligne de tir. Sa silhouette massive se découpait en ombre chinoise sur le fond du vestibule, brillamment éclairé, mais elle vit aussitôt qu'elle n'aurait pas à se servir de son arme. Le nez sur la toile d'acier de la porte moustiquaire, Crowthers, ravi, contemplait en riant la débandade qu'il venait de provoquer. Lorsqu'il s'estima satisfait, il fit claquer sa porte avec tant de vigueur que le heurtoir de laiton tressauta plusieurs fois d'affilée. Puis, tout en refermant ses verrous, serrures et autres chaînes de sécurité, il partit d'un énorme éclat de rire, qui se répercuta longtemps, bien après qu'il eut éteint toutes les lumières et replongé le jardin dans le noir.

41

Ils rejoignirent le centre-ville aux alentours de minuit et demi, et se retrouvèrent tous dans la salle de réunion de chez McManis pour faire le point. En dépit de l'heure tardive, un message attendait Sennett. Il émanait de la rédaction du *Tribune*, où la nouvelle était tombée : « une taupe du gouvernement au palais de justice ! » Tuohey avait trouvé là le moyen idéal pour faire passer le mot à ses comparses sans prendre le moindre risque. Stan avait quelque chose comme une dizaine de minutes pour préparer sa réponse : à une heure du matin, la deuxième édition serait bouclée. Il décida de ne rien faire, espérant que le *Tribune* n'ait pas eu le temps de suffisamment vérifier ses informations pour publier l'histoire. Ce qui laisserait vingt-quatre heures de répit aux enquêteurs de l'opération Petros – un jour de plus pour tirer parti de l'effet de surprise.

À une heure dix, Stew Dubinsky, responsable de la rubrique juridique, rappela. Ils avaient publié le papier. Stan, qui connaissait Dubinsky depuis des années, comprit aussitôt que ça n'était pas une manœuvre. Après en avoir discuté avec McManis, il accepta de répondre aux questions de Stew, histoire de lui donner du grain à moudre. Il s'agissait de lui faire croire que l'opération était déjà un succès. Des milliers d'heures d'enregistrement, lui fit-il miroiter. Des dizaines d'entretiens avec d'innombrables membres du tribunal, et non des moindres. Aucun commentaire pour l'instant sur les personnalités impliquées, mais plusieurs hauts magistrats étaient d'ores et déjà sur la sellette.

Tout le groupe – Stan, McManis, Evon, Robbie, Tex et Amari – se réunit autour de la table de conférence jusqu'à près de deux heures du matin, pour faire le point de la situation. On pouvait s'attendre à ce que les avocats de la défense appellent dès le lendemain, pour sonder le terrain. Peut-être réussiraient-ils à déstabiliser suffisamment l'un des comparses de Brendan, qui serait tenté de faire une offre anonyme en échange de l'immunité... N'importe quel maillon de la chaîne pouvait céder sous la pression.

Il était à présent trop tard pour rentrer chez soi. Robbie passa un coup de fil chez lui pour prendre des nouvelles de sa femme, puis monta à son bureau. Il voulait dormir quelques heures sur son canapé, comme il le faisait parfois, en période de procès. Une bonne partie des membres de l'équipe en étaient à leur deuxième nuit blanche, mais Evon fonctionnait toujours à l'adrénaline. Durant les dernières vingt-quatre heures, elle s'était retrouvée à deux reprises l'arme au poing, et avait été à deux doigts de faire feu. Il lui fallait toujours un certain temps pour redescendre... elle se proposa pour accompagner Feaver et monter la garde pendant qu'il dormirait. Elle se sentait d'humeur assez loquace, mais Robbie, déjà installé sur son canapé, coupa court à toute conversation d'un geste de la main, et se laissa choir à la renverse. Avant même que sa tête n'ait touché l'accoudoir, il dormait à poings fermés.

À quatre heures un quart, elle prépara du café dans la kitchenette, et en apporta une tasse à chacun de ses collègues. Robbie s'était déjà levé et raccrochait le téléphone lorsqu'elle ouvrit la porte du bureau.

« Rainey ?

— Morton. Je tenais à lui parler avant qu'il n'ouvre son journal. » Il n'avait pas encore mis ses chaussures. Il se plongea dans la contemplation de ses orteils. Evon lui demanda comment Dinnerstein avait pris la chose.

« En pleine poire. Il n'en est toujours pas revenu. Je lui ai conseillé de se trouver un avocat, parce qu'il risque fort d'avoir quelques problèmes avec sa propre licence. Mais c'était surtout pour moi qu'il s'inquiétait. » Robbie parut momentanément oublier la présence d'Evon. Pensant à Morty, il eut un petit sourire attendri. « De toute façon, il sait qu'il restera en dehors du coup, si c'est moi qui me mets à table. » Il jeta un coup d'œil vers Evon après avoir dit ça, mais elle était trop fatiguée et trop à cran pour relever.

À cinq heures moins le quart, tout le monde était à pied d'œuvre. L'estafette conduite par Amari déboula dans le parking souterrain du Lesueur, et Sennett s'y engouffra, suivi d'Evon, de McManis et de Robbie. Le minibus venait juste de se garer en face de la cathédrale St Mary, lorsque Tuohey et Kosic arrivèrent au pied des trois volées de marches du parvis. Rollo, la cigarette au bec, examina la rue, mais sans s'attarder. Tuohey entreprit de gravir les marches d'un pas vif, avec la mine concentrée et résolue d'un homme qui s'apprête à prier avec une ferveur redoublée. Plusieurs véhicules de l'équipe de surveillance de Joe quadrillaient les avenues avoisinantes.

L'été se faisait encore attendre, et le printemps lui-même semblait avoir quelques ratés. Le thermomètre était descendu au-dessous des cinq degrés pendant la nuit, et les panaches de fumée s'échappant des chaudières qui redémarraient s'effilochaient au vent sur un fond de ciel blafard. Le grand vaisseau de brique rouge de la cathédrale St Mary venait étroitement s'emboîter dans un emplacement triangulaire. Les rues voisines, peu fréquentées, surtout à une heure aussi matinale, bifurquaient à la hauteur de l'église, et tous les immeubles environnants, bâtis en retrait de la chaussée, semblaient déserts. Il émanait une beauté austère de ces avenues silencieuses, encore assoupies pour quelques heures. Le centre-ville dormait encore – mais la course folle ne tarderait pas à reprendre.

Rollo descendit seul la rue. Il semblait frigorifié. Il avait plongé les mains dans les poches de son coupe-vent et se hâtait vers le Paddywacks, où Milacki le rejoindrait dès que Plato leur ouvrirait la porte.

Lorsque Kosic fut à quelques encablures de l'église, et sur un signe de McManis, la première des voitures de surveillance accosta sèchement à sa hauteur le long du trottoir. Les agents encerclèrent aussitôt Rollo, l'index pointé vers l'estafette. L'idée de base était de le faire monter à bord et de lui offrir un petit show vidéo suivi d'un débat... mais Kosic se contenta de les écarter d'un bras excédé et poursuivit son chemin.

L'estafette le suivit au pas le long du trottoir. Kosic filait sans même daigner tourner la tête.

En désespoir de cause, Sennett mit pied à terre, sous l'étroite surveillance d'Evon qui suivait la scène par la vitre de la portière avant. Il dut allonger le pas pour rattraper Rollo, lequel refusa de s'arrêter. McManis descendit à son tour, rejoignit les deux hommes au pas de course et attrapa Kosic par la manche. Il se dégagea d'une secousse, mais consentit enfin à faire halte lorsque McManis lui adressa la parole. Sans doute avait-il fini par le reconnaître. Il parut sincèrement surpris, comme s'il n'avait pas encore pris la mesure du piège tendu par le ministère public.

McManis s'était muni du dessous de verre déchiré sur lequel Rollo avait griffonné son message pour Robbie, et de quelques billets de banque sur lesquels il avait laissé des empreintes. Tout cela se trouvait dans des pochettes plastique scellées d'un ruban adhésif où s'étalaient, en grandes capitales rouges, les mots « pièces à conviction ». Jim se tenait prudemment hors de portée de Kosic et lui montrait les pochettes de loin, en les tenant par le coin – on aurait dit un marchand de souvenirs, à la porte d'un lieu de pèlerinage. Sennett avait pris la parole. D'où elle se trouvait, Evon ne pouvait pas lire sur ses lèvres, mais elle devinait parfaitement la teneur de son discours. Rollo était un homme mort. Plus mort que mort – certains macchabées du cimetière pétaient littéralement la santé, à côté de lui. Son téléphone était sur écoute. Il avait été filé en permanence depuis plusieurs semaines. Il ne lui restait que quelques minutes pour prendre une décision, qui infléchirait le cours de sa vie tout entière.

En guise de coup de grâce, Sennett fit un geste en direction de l'estafette, et Robbie apparut, Evon sur ses talons. Cette fois, il avait l'air solide comme un roc. Il cligna de l'œil en direction de Rollo, et lui adressa un petit salut de la main.

En retour, Kosic lui lança un de ses regards venimeux, puis il se tourna vers Sennett et se décida à lui parler :

« Ça, tu peux te sucer ! » lança-t-il au procureur fédéral avant de le planter là pour poursuivre son chemin, les bras repliés sous les aisselles, comme des ailes de poulet, pour se réchauffer. Sennett se répandit en menaces. Son compte était bon. Il se ferait une joie de le jeter en taule pour faux témoignage et outrage à magistrat, s'il mentait ou s'il persistait à se taire. Kosic ne sortirait du trou que pour y retourner. Une seule alternative s'offrait à lui : finir sa vie derrière les barreaux ou faire tomber Tuohey. Il n'avait aucun autre choix.

Au bout d'une dizaine de mètres, Kosic se retourna cependant, mais pas vers Sennett. Ce fut sur Robbie qu'il parut se concentrer, le visage tordu de colère. Il pointa sur lui son ongle noir, puis, laissant retomber sa main refermée au niveau de son entrejambe, il lui imprima un violent mouvement de torsion. On n'aurait su dire s'il regrettait de ne pouvoir refaire immédiatement à Robbie ce qu'il lui avait fait subir lors de leur dernier apéro, chez Latitudes, ou s'il s'agissait d'un simple aperçu de ce qu'il se promettait de lui faire, à la première occasion. La seule chose de sûre, c'était qu'il ne lui voulait pas uniquement du bien.

Il était six heures et demie du matin lorsque mon téléphone sonna. Je me précipitai dans la cuisine pour décrocher avant que la sonnerie ne réveille Patrice, qui venait de rentrer de Bangkok. C'était Sennett. J'avais déjà vu la une du *Tribune*, que j'avais trouvé sur mon paillasson : « Plusieurs magistrats piégés par une taupe du ministère public ! »

Stan accueillit mes félicitations avec un enthousiasme mitigé. L'atmosphère tatillonne du « top secret » avait apparemment cessé d'être de mise. Fini les mots de passe, les noms de code et autres simagrées. Stan, qui se remettait à peine de la soirée précédente, me téléphonait depuis son monumental bureau de l'immeuble fédéral. D'un ton las mais relativement cordial, il me résuma les événements de la nuit.

En dépit des revers qu'il venait d'essuyer auprès des gros poissons, ses adjoints, eux, s'en étaient plutôt bien tirés. Judith s'était aplatie et retournée comme une crêpe, lorsque Moses Appleby lui avait expliqué que son restaurant lui serait probablement confisqué dès qu'elle serait convaincue d'extorsion de fonds. Milacki, lui, avait envoyé balader le jeune assistant de Sennett, mais sans acrimonie, comme s'il avait préféré prendre des gants, le temps de soupeser les choix qui s'offraient à lui. Une entrevue chapeautée par le procureur Sonia Klonsky, épaulée par Shirley, avait elle aussi obtenu certains résultats. Quant à Walter Wunsch, il ne manifestait nulle intention de se présenter devant son créateur avec sa conscience en paix. Il avait écouté dans son living les enregistrements de Robbie. Sa femme, la tête hérissée de bigoudis, s'était imposée dans la pièce, et, dès qu'elle avait compris ce dont il retournait, avait entrepris de lui dire ses quatre vérités, sans lui cacher ce qu'elle pensait de son QI et de sa moralité. Wunsch avait essuyé ce tir de barrage sans broncher. Au terme du speech de Klonsky, il avait qualifié Malatesta de pauvre crétin, et déclaré qu'il n'avait jamais reversé un seul centime à Silvio. Mais, à cette exception près, il s'était abstenu de tout commentaire, sinon pour souligner qu'il avait désormais de bonnes raisons de se réjouir d'avoir plus d'un pied dans la tombe. Il ne s'étendit pas sur le sujet, mais lorsque l'équipe se retira, Wunsch jeta un coup d'œil incendiaire en direction de sa moitié.

Ensuite, l'équipe de Sonia et de Shirley avait obtenu des résultats plus positifs. Deux greffiers, Joey Kwan et Pincus Lebovic, s'étaient presque spontanément mis à table et avaient été interrogés durant une bonne partie de la nuit. Tous deux avaient donné plusieurs noms d'avocats pour qui ils avaient joué les transporteurs de fonds. Kwan avait balancé trois juges qui siégeaient actuellement au Tribunal de Grande Instance. En cette minute même, Pincus et Joey se trouvaient dans le service du procureur fédéral, où ils télé-phonaient, tous magnétophones branchés, à chacun des magistrats et des avocats qu'ils avaient incriminés, sous cou-vert de les mettre en garde contre Robbie, et de concocter avec eux des explications pour un certain nombre de tran-sactions financières peu avouables, qu'ils risquaient de devoir expliquer aux agents du FBI. Tirés du lit vers les trois ou quatre heures du matin, la plupart des suspects s'étaient trouvés pris de court, et en avaient oublié toute prudence. Les résultats du coup de filet étaient d'ores et déjà très pro-metteurs. Telle une bouteille d'encre renversée, l'opération Petros gagnait de proche en proche. Dans l'immédiat, Sen-nett se demandait s'il devait laisser les caméras des chaînes de télé locale pénétrer dans le bureau de McManis. Il lui faudrait pour cela obtenir le feu vert de l'UCORC, mais toute cette mise en scène, la profusion du matériel, le coût global de l'opération, et les précautions dont le ministère public l'avait entourée, ne manqueraient certes pas d'intimider les brebis galeuses et d'en convaincre quelques-unes à jeter l'éponge. De toute façon, la rumeur ne tarderait pas de se répandre que le FBI avait opéré depuis un pseudo-cabinet d'avocat, au sein même du Lesueur. Stan parut curieux de connaître mon opinion, sur ce point, mais je préférai rester évasif. Maintenant que le rideau était tombé, nous devions tous songer à réintégrer nos emplois respectifs.

Stan m'avait raconté tout cela avec un détachement que j'avais mis sur le compte de la fatigue ou du souci qu'il avait de me ménager, ayant deviné, à juste titre, que j'étais sacré-ment déçu d'avoir manqué le clou du spectacle. En quoi je me trompais : malgré les résultats enregistrés par le ministère public, Stan avait toujours le même os coincé dans le gosier.

« Je ne peux pas me faire à cette idée... Tuohey risque de s'en tirer ! Je n'arrive vraiment pas à m'y faire ! »

Il avait un dossier solide contre Kosic, mais ça s'arrêtait là. Le bon sens le plus élémentaire avait beau indiquer que ce n'était évidemment pas pour son propre compte que Rollo agissait, nous n'avions pas la moindre preuve, fût-elle indirecte, qui puisse relier Tuohey à l'argent que Rollo avait empoché, pas plus qu'aux directives qu'il donnait à l'occasion. Comme Robbie l'avait dit et répété, Tuohey voyait loin et s'était organisé en conséquence. Kosic était son ultime rempart contre les rigueurs de la loi. Il le protégeait aussi sûrement que les douves d'un château fort.

Stan avait renvoyé Robbie prendre un repos bien mérité, sous la surveillance de plusieurs agents, mais mon client avait soulevé un petit problème qui avait incité Stan à me contacter : il insistait pour aller rendre personnellement visite à Magda Medzyk, avec qui il tenait à s'expliquer. Mais Feaver savait qu'elle ne le recevrait pas, s'il allait sonner chez elle. D'où son projet de se rendre au palais de justice dans la journée. Stan s'inquiétait de ce que pourrait provoquer l'apparition de Feaver au tribunal et comptait sur moi pour en dissuader mon client...

Deux agents du FBI bloquaient l'allée qui menait à la maison de Robbie, lorsque j'arrivai chez lui. Ils firent quelques difficultés pour me laisser passer, jusqu'à l'arrivée de Klecker qui m'escorta à la porte d'entrée. Evon était allée s'allonger quelques heures à l'étage, dans une chambre inoccupée. Quant à Robbie, il dormait à poings fermés. Je décidai de lui accorder quelques minutes de sommeil supplémentaires.

J'avais apporté une pile de journaux pour tenir l'équipe au courant des derniers développements de l'affaire. Alf vint s'asseoir près de moi et engagea la discussion. Il avait reçu des informations concernant les résultats des différentes équipes de « cuisineurs », et, à son habitude, il était d'excellente humeur. Joey Kwan, avec sa volubilité coutumière, un peu décousue, avait déjà piégé plusieurs magistrats du Tribunal de Grande Instance, avec qui ils avaient enregistré plusieurs heures de conversations compromettantes. Il avait joué les andouilles, genre *moi chinois, moi pas bien complendle*, forçant ses interlocuteurs à répéter à perte de vue leurs explications. Les juges suspects étaient désormais mouillés jusqu'au cou.

Au bout d'un moment, Robbie nous rejoignit. Il sortait de la chambre de Rainey, dont l'état restait stationnaire. Depuis mon arrivée, j'avais reconnu le « pschhht » régulier de l'appareil qui l'aidait à respirer, sans toutefois faire le rapprochement. Rainey continuait à lutter pour survivre, obstinément, mais elle était en train de se noyer dans son propre lit, ou tout comme.

« Enfin, la célébrité ! s'exclama Robbie en découvrant la manchette des journaux. La vache ! Mais d'où est-ce qu'ils la sortent, cette photo ? Elle est encore pire que celle de mon permis de conduire ! » C'était un document d'archives, un cliché pris à la va-vite, qui le représentait de trois-quarts, un jour où il venait de gagner un procès. Son fin sourire de renard satisfait ne manquerait pas de produire l'effet qu'escomptait Stan.

Après un certain temps, je passai avec mon client dans un petit salon où l'on accédait par quelques marches depuis la cuisine. Comme le reste de la maison, il avait été aménagé dans un style agressivement contemporain, murs tendus de soie brute et meubles incurvés. Se trouvant légèrement en sous-sol, la pièce ne servait pratiquement plus depuis que Rainey était tombée malade. Le téléviseur à écran géant qui s'y trouvait auparavant avait été transféré dans sa chambre, tandis que tout le matériel dont Rainey s'était servie dans les premières phases de sa maladie y était soigneusement entreposé : son fauteuil roulant électrique, les différents monte-charge, les potences à perfusions, le lit surélevé. On s'y serait cru dans la réserve de matériel d'un hôpital.

Lorsque je lui présentai la demande de Stan – qu'il s'abstienne d'aller au tribunal –, Robbie l'écarta d'un revers de main.

« Ça n'est pas une demande, George. C'est une déclaration d'intention. Libre à lui de me faciliter les choses ou pas – mais il faut que je voie Magda. Qu'ils m'y amènent en papamobile, si ça leur chante, mais quoi qu'il arrive, j'irai ! »

Je tentai, assez mollement, de le faire changer d'avis, puis je laissai courir. Robbie m'informa que je devais m'attendre à recevoir un coup de fil de l'avocat de Morty, dès qu'il s'en serait choisi un.

Il était près de neuf heures lorsque je regagnai le centre-ville. Huit messages émanant de cabinets d'avocats, et un de Barnett Skolnick m'attendaient sur mon répondeur. Je chargeai ma secrétaire de rappeler mes correspondants et de leur expliquer que, si l'appel avait le moindre rapport avec l'enquête que menait le FBI au palais de justice – ce qui, vérification faite, se révéla être le cas – le devoir de réserve m'interdisait de m'entretenir avec eux. En chemin, à mon volant, j'allumai la radio, mais toutes les stations locales, sans exception, parlaient presque sans discontinuer de l'opération Petros. Je m'interdis de pavoiser : je n'y étais pas pour grand-chose – mais je ne pus réprimer un tressaillement de joie en entendant un avocat qui avait tenu à garder l'anonymat déclarer au journaliste qui l'interrogeait à chaud, en pleine rue, que tout cela ne pouvait qu'assainir les pratiques judiciaires dans le comté.

À part ça, l'écrasante majorité des faits rapportés était hautement fantaisiste – au point de friser le comique, dans certains cas. Toutes les chaînes de radio affirmaient sans sourciller que Robert Feaver était un agent du FBI. Je ne sus donc trop comment prendre le flash d'informations qui tomba vers neuf heures et demie, au moment où j'arrivais dans le centre. Malgré la circulation déjà dense, je me garai sur un axe rouge, pour être sûr de n'emplafonner personne, tandis que je zappais d'une station à l'autre. Toutes reprenaient la même histoire : une demi-heure auparavant, Rollo Kosic, cadre administratif de la Division des litiges de droit commun, s'était enfermé dans le sauna d'un gymnase du centre-ville avant de se tirer une balle dans la tête, au moyen d'une arme de service appartenant à la police municipale. L'hypothèse la plus couramment retenue, encore que non confirmée, était que sa mort était vraisemblablement liée à l'enquête menée par le FBI au palais de justice sous le nom de code d'opération Petros.

42

Le jour même, vers deux heures, une délégation composée d'Evon, d'Amari, de Klecker et de Robbie débarqua au tribunal dans l'estafette de surveillance. Le juge principal Winchell avait signé une ordonnance autorisant le FBI à saisir la Lincoln de Barnett Skolnick et à démonter le dispositif d'enregistrement qui s'y trouvait. Skolnick avait confié le soin de le représenter à Raymond Horgan, l'ex-boss de Sennett au service du procureur général du comté, et Horgan avait aussitôt émis des objections. Dès que l'ordonnance lui avait été notifiée, il avait demandé et obtenu une brève audience en présence du juge Winchell, à l'heure du déjeuner, mais avait finalement accepté de remettre les clés de la voiture, renonçant à exiger son remorquage. Tandis que Raymond se livrait à ces chicanes, sans doute en vue d'éventuelles négociations, Moses Appleby avait chargé Klecker de lui préparer une vidéo détaillée, destinée aux futurs jurés, et expliquant non seulement le démontage de l'équipement mais aussi la manière dont avait été réalisé l'enregistrement de l'entretien avec Skolnick. Cela fait, Sennett et McManis avaient accepté que Robbie se rende brièvement, et sous bonne escorte, dans les bureaux de Magda Medzyk au tribunal.

La nouvelle du « suicide » de Kosic avait passablement refroidi et déboussolé tout le monde. Evon elle-même se demandait comment prendre la chose. Ils avaient passé tant de mois sous la coupe des risques qu'impliquait l'opération, que ce genre d'accident fatal pouvait difficilement être qualifié d'inattendu. Mais Evon n'avait jamais envisagé les dangers qui pouvaient menacer les suspects. Personne n'avait organisé de collecte pour l'achat d'une couronne, mais Sennett lui-même s'était permis de se demander, devant témoins, s'il n'avait pas forcé la note, le matin même, avec Rollo – lequel l'avait apparemment pris un peu trop au sérieux, lorsqu'il lui avait dit qu'il était un homme mort.

Quoi qu'il en fût, Kosic avait pris là une sorte d'ultime revanche, puisqu'avec lui disparaissait définitivement la dernière chance de coincer Tuohey. Le système de défense de Brendan serait désormais évident : il lui suffisait de faire porter le chapeau à son huissier en le présentant comme le cerveau de toute l'affaire. Sous couvert de l'autorité du juge principal, Kosic avait touché des pots-de-vin, modifié à son gré l'affectation des dossiers, donné des consignes, le tout à l'insu de Brendan, dans une réplique approximative du schéma qui s'était établi entre Walter et Malatesta, ainsi que l'enquête du ministère public ne pouvait manquer de le démontrer. L'ignoble Kosic avait abusé de la bonne foi et de la confiance du vertueux Tuohey, et avait préféré la mort à la honte de devoir affronter un supérieur et un ami qu'il avait si odieusement trahi. L'histoire ne manquerait pas de convaincre le grand public, et même certaines sphères du petit monde juridique. Kosic venait de sauver Tuohey non seulement d'une inculpation, mais aussi du ridicule.

Klecker reconstitua pour un agent muni d'un caméscope la scène où il avait crevé les pneus de Skolnick, dans le parking du tribunal, puis la Lincoln fut ramenée à sa place, devant le Temple. Pour les besoins de la vidéo, Robbie prit brièvement position à l'endroit où il avait rencontré Skolnick, puis il s'installa dans la Lincoln et tourna la clé de contact pour montrer comment s'enclenchait le système d'enregistrement. À quelques mètres de l'estafette, Klecker actionna et arrêta la caméra à plusieurs reprises, puis l'estafette s'éloigna du pâté de maisons pour donner un aperçu du rayon d'action du système. Lorsque tout fut testé et démontré pour le jury, Feaver coupa le moteur.

Comme la Lincoln était garée juste devant le palais de justice, il parut judicieux d'y conduire Robbie sur-le-champ, et de remettre à plus tard le démontage du matériel. Amari resta dans l'estafette, à un bloc de là, pour veiller au bon déroulement des opérations. Klecker avait apporté un gilet pare-balles pour Robbie, mais ce dernier ne voulut rien entendre, et rabroua Evon qui insistait pour qu'il le mette.

« Ce tribunal doit grouiller de gens qui ne rêvent que de me mettre leur pied au cul, mais personne ne prendrait le risque de me descendre en plein jour. » Cela dit, il mit pied à terre et fila droit vers le bureau de Magda, forçant Klecker et Evon à lui emboîter le pas au petit trot.

Robbie ne resta qu'une dizaine de minutes chez le juge Medzyk. À l'en croire, il avait passé pratiquement tout ce temps à attendre qu'elle veuille bien descendre de son estrade. Magda avait demandé à son huissier de rester dans la pièce comme témoin, ce qu'elle dut regretter par la suite, car elle ne put retenir ses larmes vers la fin de l'entrevue.

« Elle fait vraiment fort, dans le genre martyr ! confia Robbie à Evon en sortant. Elle s'est spontanément mise à la disposition du Conseil de discipline judiciaire de la Cour Suprême. » C'était lorsqu'il lui avait suggéré de s'enfoncer des clous dans les mains pour attendrir ses juges que Magda l'avait fichu à la porte.

Ils sortirent du tribunal. Klecker ouvrait la marche, quelques pas devant eux. Evon était supposée protéger les arrières de Robbie, mais il était encore sous le coup de l'entrevue. Ce qui l'exaspérait par-dessus tout, lui dit-il, c'était que Magda se soit si vite résignée à réintégrer l'univers poussiéreux et guindé dont il avait espéré la tirer, au début de leur liaison.

« Elle est revenue à zéro, voire au-dessous », décréta-t-il. Tout ce qu'il avait pu lui apporter avait été balayé dès qu'elle avait recommencé à céder à ces sermons culpabilisants dont elle s'était auto-flagellée toute sa vie.

Evon, qui commençait à sentir poindre en elle une sympathie inattendue pour l'histoire de Robbie et du juge Medzyk, l'écouta vider son sac, puis le laissa prendre quelques mètres d'avance sur elle, tandis qu'elle balayait du regard l'esplanade qui s'étendait devant le tribunal, en quête d'une menace potentielle. Mais tout semblait tranquille : des avocats qui se hâtaient, l'attaché-case à la main, des coursiers, des employés du tribunal, de simples citoyens, tous pressés. Le printemps persistait dans le registre frisquet, et un vent glacial, comme un dernier rappel de l'hiver, faisait claquer les drapeaux – la drisse de l'un d'eux tintait contre son mât métallique. Quelques passants se retournèrent sur Robbie, dont le visage commençait à être connu, grâce aux journaux du matin. Aucun ne fit un pas dans sa direction.

Parvenu au centre de l'esplanade, Robbie contourna le bassin de la fontaine, une sculpture ultramoderne, récemment remise en eau, qui cascadait sur ses degrés de travertin. Comme il en longeait le bord, Evon le vit soudain se figer sur place. Elle parcourut quelques mètres au pas de course, pour découvrir ce qui l'avait ainsi pétrifié.

À trois mètres de lui, Brendan Tuohey se dirigeait d'un pas vif vers le palais de justice, une grande mallette noire à la main.

Le poids apparent de son attaché-case et le fait, très inhabituel pour lui, qu'il soit sorti seul, provoqua un déclic dans l'esprit d'Evon. Il était allé vider les coffres qu'il possédait en commun avec Kosic. Quoi qu'il en fût, le juge principal avait le teint gris et la mine fort sombre, pour un homme accoutumé de longue date à ne rien laisser paraître de ses soucis. Il semblait plongé dans ses pensées, et mit un certain temps à reconnaître Robbie, bien que ce dernier restât planté devant lui, les yeux écarquillés. Lorsque Tuohey finit par lever la tête, la fureur qui lui embrasa les traits dévoila ce fleuve de rage qui bouillonnait en lui – un vrai volcan.

Son étroit visage grimaça un sourire, en une pâle tentative pour retrouver un peu de la maestria avec laquelle il déguisait d'habitude ses sentiments.

Klecker aussi s'était retourné. Il avait vu Robbie s'arrêter, mais n'avait toujours pas compris pourquoi. Evon lui fit un petit geste circulaire de l'index, pour lui demander de revenir sur ses pas, mais, prévoyant qu'il ne pourrait pas le faire assez vite, elle vint se poster le plus près possible de Robbie et s'assit sur le rebord du bassin, à quelques pas de lui. Les chances pour que Tuohey la reconnaisse étaient minces. S'efforçant de ne regarder aucun des deux hommes, elle affecta la mine perplexe et désorientée du citoyen lambda qui vient souffler près de la fontaine après s'être fait remonter les bretelles par les tenants de la loi. La brise lui apportait les paroles de Tuohey quelque peu hachées par les sautes de vent.

« Eh bien, quand on parle du loup ! s'exclama-t-il. Car j'ai beaucoup entendu parler de toi, aujourd'hui, Robbie. Tu t'es mis à dos pas mal de braves gens, et je suis plutôt surpris de te voir rôder par ici. »

Feaver expliqua qu'il était revenu régler quelques détails.

« Ça, je m'en doute », fit Tuohey. Du coin de l'œil, Evon le vit se rapprocher insensiblement de Feaver. « Quand je pense à tous ceux auprès de qui je t'ai recommandé : "Je connais Robbie depuis qu'il est haut comme ça. Un garçon formidable. Vous pouvez vous fier à lui à cent pour cent." – Et là, qu'est-ce que j'apprends, en ouvrant mon journal ?

— Gardez vos salades, Brendan. Ma vie est foutue. Tout ce que j'ai gagné en me mettant à table, c'est un aller simple en prison. »

Pendant ce temps, Klecker avait contourné la fontaine, mais Robbie et Brendan étaient toujours plus près d'Evon que de lui. Feaver l'avait repérée, et avait fait quelques pas pour se rapprocher d'elle. À présent, elle ne perdait rien de leur conversation. Mais Tuohey semblait peser chaque mot...

« Je ne vois pas ce que tu pourrais dire de moi qui puisse m'inquiéter, Robbie. Cela dit, ce petit séjour en prison ne pourra t'être que salutaire. Tu auras tout le temps de réfléchir à tes actes et de t'en repentir. Tu as quand même accumulé un certain nombre de bourdes, s'il y a ne serait-ce qu'un atome de vérité dans ce que racontent les journaux.

— Épargnez-moi votre numéro, Brendan ! De toute façon, là, je n'ai plus mon micro. Je me le suis fait piquer par un grand costaud – au cas où vous ne seriez pas au courant. » À ces mots, Robbie enjamba la margelle de la fontaine, et se retrouva dans l'eau jusqu'aux genoux. Fixant Tuohey droit dans les yeux, il s'accroupit une seconde dans l'eau écumante du bassin, puis s'ébroua comme un jeune chien en projetant autour de lui de grandes gerbes d'éclaboussures argentées. Cela fait, il ouvrit les bras en croix, pour bien montrer au juge qu'aucune bosse suspecte ne déformait ses vêtements trempés. Il ne devait pas faire beaucoup plus de dix degrés, et Feaver replia bientôt ses bras sur sa poitrine, pour se protéger du froid. Mais il resta encore un peu dans la fontaine. Son pull de cachemire lui arrivait désormais à mi-cuisses...

Tuohey le contempla avec un sourire en coin, hésitant visiblement sur le parti à prendre. « Ça, tu as toujours été le roi des cabots, Robbie – voilà une chose qu'on ne peut te dénier. Tu brûlais les planches... Je te revois, tu devais avoir dans les six ans... dans la petite véranda de votre maison. Tu nous braillais des airs de comédies musicales, comme si tu t'étais cru sur une scène de Broadway... mais ça n'était pas le cas, n'est-ce pas... ? Loin s'en fallait !

— Hé oui, Brendan. Ma vie n'a rien à voir avec Broadway ! Et la vôtre non plus, pas vrai ? Ça ne vous fait pas un peu gerber, que de nous deux, ce soit moi qui passe à la trappe ? »

Tuohey prit son temps, soupesant cette amère preuve de loyauté, tout comme l'esprit dans lequel elle lui était livrée. Robbie avait appuyé sur tous les boutons avec un art consommé, et, sans doute tiraillé par un ouragan de pensées contradictoires, Tuohey s'éloigna de quelques pas, sans pouvoir se décider à s'en aller.

« Tu sais, Robbie... Tu as toujours souffert d'un terrible manque de distance, par rapport à moi. Depuis tes neuf ans, tu n'as jamais pu entendre prononcer mon nom sans voir rouge. Tu ne m'as jamais pardonné ces petites parties que je m'offrais avec ta mère, le dimanche soir, histoire de lui dérider un peu les fesses... Tu n'as jamais compris que, mère ou pas, elle en avait besoin, comme les autres. J'ai toujours su que ça te restait en travers de la gorge. Et, tu vois... depuis, je t'ai toujours fait des tas de fleurs. Pour ta mère. Et pour toi. Non que ça m'ait racheté, à tes yeux. Ça n'a jamais fait la moindre différence. » Cette rage qu'il ne laissait affleurer que si rarement se remit à bouillir en lui. Son regard restait rivé sur Robbie qui barbotait toujours dans sa fontaine. « Un petit coup, vite fait, par-ci par-là, par pure bonté d'âme, pour soulager une pauvre divorcée en mal d'amour... regarde où ça m'a mené. T'imagines ? Quand je pense que c'était même pas un bon coup ! »

Ayant retourné le fer dans la plaie aussi cruellement que faire se pouvait, Tuohey tourna les talons et partit dans la direction où se trouvait Evon, passant devant Feaver sans un regard. Frigorifié, Robbie bondit hors de la fontaine. Il n'avait visiblement pas dit son dernier mot. « Brendan ! » hurla-t-il. Le juge principal s'arrêta, hésita un instant, mais, incapable de résister à ce défi, se retourna de trois-quarts.

« Pas de bol, hein – pour ce pauvre Rollo ! » lui lança Robbie. La tension était telle qu'Evon n'aurait pas été autrement surprise d'entendre crépiter une décharge électrique, entre les deux hommes. Ils étaient à égalité. Chacun d'eux avait dit son fait à l'autre, mais Robbie n'avait pas fini de vider son sac. Il ne lui restait plus qu'à parachever sa vengeance – car l'heure n'était plus aux calculs, en ce qui le concernait. « Juste une chose que tu ne devrais pas oublier, Brendan, pendant que tu es encore à l'air libre... ce qui fait toute la différence, entre nous, c'est que moi, mon meilleur ami, je l'ai protégé ! »

Comme il l'avait escompté, Tuohey en resta sans voix. Vainqueur par forfait, Feaver se dirigea au petit trot vers la

Lincoln de Skolnick, garée le long du trottoir, une vingtaine de mètres plus loin, près d'un parcmètre. Il n'avait pas rendu les clés à Klecker, et se glissa derrière le volant. Comme il devait me le confier par la suite, sa première idée avait été de lancer le chauffage, pour échapper au froid.

Evon rejoignait Klecker de l'autre côté de la fontaine quand Alf s'exclama : « Hé là... ! » Elle fit volte-face. Tuohey avait à son tour mis le cap sur la Lincoln. Elle partit au pas de course, mais le juge était déjà arrivé à la voiture et faisait signe à Robbie de baisser sa glace. Au moindre doute, il lui faudrait dégainer et le mettre en joue, eut-elle le temps de penser. Mais le juge n'eut aucun geste suspect. Il déposa sa mallette sur le trottoir et, l'espace de quelques secondes, passa la tête et le bras à l'intérieur de la voiture. Lorsqu'il reprit le chemin du tribunal, ce fut d'un pied soudain plus léger, comme s'il avait esquissé un pas de danse.

Quoi que Tuohey lui ait dit, Feaver avait l'air secoué. Comme Evon le pressait de lui raconter ce qui s'était passé, il se contenta de secouer la tête, sans un mot. Entre-temps, Amari avait traversé l'avenue en trombe. Joe, qui était d'habitude aussi réservé que McManis, bien que nettement plus émotif, les rejoignit près de la Lincoln avec de grands gestes enthousiastes.

« Vous, vous êtes vraiment le meilleur ! » cria-t-il à Robbie, avant de l'empoigner vigoureusement par les épaules à travers la vitre baissée. « L'as des as ! Personne ne vous arrive à la cheville ! » Evon mit une seconde à comprendre. Dès que Robbie avait sauté dans la Lincoln et avait mis le contact pour brancher le chauffage, la caméra s'était enclenchée. Amari avait eu juste le temps d'allumer le récepteur vidéo pour fixer sur la bande la scène où Tuohey lui parlait, penché dans la voiture. « Si j'ai pas halluciné ce que j'ai vu, poursuivit Amari, on vient de le coincer, et en beauté ! »

Ils foncèrent tous quatre vers l'estafette, qui était garée à un bloc de là. Alf rembobina la bande, puis l'image de Robbie dans ses vêtements ruisselants apparut à l'écran, entre des salves d'images assez confuses. Il se balançait d'avant en arrière, sur la banquette de cuir rouge de la Lincoln de Skolnick, un bras replié contre lui, et s'efforçait de régler le chauffage lorsqu'on le vit sursauter, sans doute en découvrant la tête de Tuohey qui lui faisait signe hors champ, de l'autre côté de la vitre. Robbie tâtonna un instant avant de trouver le bouton qui déclenchait l'ouverture automatique des glaces. Le mouvement de recul qu'il avait eu laissait supposer que la tête de Tuohey venait de lui apparaître, au-dessus de la vitre, mais elle demeurait en partie hors du champ. On n'en voyait que quelques mèches de cheveux gris et sa main décharnée, dont l'index s'était pointé vers Feaver. Sa voix, elle, s'éleva très distinctement...

« Pour ce qui est de ton meilleur ami... articula-t-il. Lorsque Morton est passé me voir, mardi dernier, pour m'avertir de ce que tu mijotais, je lui ai confié un message pour toi. Mais attention, Robbie. Il y a tellement de gens qui aimeraient te dire ce genre de choses en ce moment, que tu risques de confondre. Alors, quand tu le recevras, ce message... je tiens à ce que tu saches que c'est de ma part ! » À quelques centimètres de la tempe de Feaver, Tuohey fit pivoter son poignet d'un quart de tour, tout en gardant l'index et le majeur pointés sur lui, et releva brusquement son pouce à la verticale, figurant l'un de ces Colts imaginaires dont les gamins se canardent en jouant aux cow-boys. Sur ce, pour dissiper toute ambiguïté, Brendan replia le pouce en un éclair, comme le chien d'un revolver qui s'abat, puis sa main eut un petit sursaut, imitant l'effet du recul.

« Ça, c'est une menace ! fit Klecker. Putain ! On l'a en gros plan, en pleine tentative d'intimidation sur la personne d'un témoin fédéral !

— Flagrant délit d'obstruction à la justice ! » jubila Amari.

Joe et Alf échangèrent des bourrades enthousiastes, puis Klecker empoigna Evon et la secoua comme un prunier. Il cherchait déjà Robbie, pour le congratuler à son tour, mais ce dernier s'était levé. Il rembobinait la bande. Pour se repasser la scène... Il la regarda une fois de plus, le nez presque sur l'écran, puis la rembobina et la passa une troisième fois. Au troisième passage, tout le monde comprit ce qui l'intéressait tant : *Lorsque Morton est passé me voir, mardi dernier, pour m'avertir de ce que tu mijotais...*

Evon elle-même ne voyait pas bien ce que ça pouvait signifier.

Alf lui demanda de passer à l'avant, pour qu'ils puissent téléphoner tous ensemble à McManis pour lui annoncer la nouvelle.

« Allez hop ! À dégager ! Échec et mat – rien ne va plus ! » fit Jim en s'autorisant un seul grand éclat de rire. Restait encore à démonter la caméra fixée au plafond de la Lincoln.

Les deux véhicules furent rapatriés dans le garage de l'antenne locale du FBI, et tous les passagers de l'estafette, à l'exception de Robbie, mirent pied à terre et allèrent donner un coup de main aux deux techniciens chargés de délester la Lincoln de tous ses gadgets. Après quoi, tout le monde rallia le Lesueur. Une foule considérable se pressait déjà dans la salle de réunion, pour visionner la cassette.

Robbie, frigorifié, s'excusa et se rendit dans son bureau où il gardait toujours des vêtements de rechange. Evon lui emboîta le pas, par précaution. La secrétaire avait passé toute la matinée à appeler à l'aide, assaillie qu'elle était par les équipes de télévision qui avaient envahi la réception, mais la sécurité de l'immeuble avait réussi à endiguer le flot. Deux vigiles montaient la garde à l'entrée du cabinet.

C'était la première apparition de Robbie à son cabinet, depuis que la nouvelle était tombée. Il parcourut les couloirs jusqu'à son bureau, dans un silence à couper au couteau. La perplexité de ses employés était aggravée d'autant par sa mine défaite et l'état de ses vêtements, sans oublier la présence, à ses côtés, d'Evon qui semblait passer comme par miracle du rôle d'amie intime à celui d'ennemie tout aussi intime – et vice versa. Bonita s'était postée sur le pas de sa porte. Elle secoua sa crinière sombre.

« Vous avez des messages... mais rien qui ne puisse attendre... » balbutia-t-elle.

Evon fit promettre à Robbie qu'il ne bougerait pas de son bureau sans la prévenir, puis elle rejoignit les locaux de McManis, où on n'attendait plus que Sennett pour commencer la projection. McManis et tous ses agents (auxquels s'ajoutaient les agents locaux qui avaient participé aux opérations) s'étaient massés dans la salle de conférences. Sennett arriva enfin, soufflant comme un phoque, et demanda qu'on attende une minute de plus. Il tenta de me prévenir par téléphone, mais mon secrétariat lui répondit que j'étais en rendez-vous.

Enfin, Alf introduisit la cassette dans le magnétoscope, et enfonça solennellement le bouton ON.

Une tempête de neige envahit l'écran.

Alf rembobina la bande, puis enclencha l'avance rapide. Il tripota, vérifia et revérifia toutes les prises. Sans succès. Au bout de quelques minutes, il dut renoncer. La bande était vierge. Il fonça jusqu'à l'estafette, et la fouilla de fond en comble, mais n'y retrouva qu'un boîtier vide. Il leur fallut un certain temps pour s'aviser que Robbie manquait à l'appel. Mais lorsqu'ils se mirent à sa recherche, cette cassette qu'ils cherchaient tous si désespérément était déjà entre mes mains.

La dégaine de Robbie avait fait forte impression à la réception de mon cabinet. Ses vêtements dégoulinaient toujours et, pour ne pas prendre froid, il avait enfilé par-dessus un manteau d'hiver, qu'il gardait dans son bureau, au cas où. Ses cheveux lui restaient plaqués sur le crâne, en un total contraste avec le bouffant étudié de sa coiffure habituelle. On aurait cru voir un corbeau échappé de justesse des griffes d'un matou particulièrement féroce. Il demanda à me voir en tête à tête. J'étais en rendez-vous, mais il jura qu'il n'en avait que pour une minute. Je le reçus dans une petite bibliothèque attenante à mon bureau, où il me tendit la cassette, me décrivant en deux mots son contenu.

Il était officiellement venu prendre conseil auprès de moi : avait-il ou non le droit de garder cette cassette ? Il savait comme moi que c'était discutable, mais il voulait surtout gagner du temps. Il voyait déjà Sennett débarquer nuitamment chez Mort, avec, comme clou de la soirée, la projection de la fameuse séquence sur l'écran 16/9 de Dinnerstein, tandis que Stan le harcèlerait pour lui faire cracher le véritable sens de la déclaration de Tuohey. Robbie avait bien l'intention de poser lui-même la question à Mort, mais il tenait auparavant à s'assurer que son ami prendrait un avocat de toute urgence. Les méthodes terroristes de Sennett, et surtout ses menaces d'incarcération, risquaient sinon de le réduire en chair à pâté !

Je demandai à mon client s'il avait raconté à Morton qu'il travaillait pour le ministère public. Il y avait longtemps que je le soupçonnais de l'en avoir informé, mais Robbie m'affirma qu'il avait préféré laisser son associé dans l'ignorance, non pas par loyauté envers Sennett, mais parce qu'il s'était rendu compte que s'il avait placé Mort devant la vérité, en lui dévoilant tout, il l'aurait mis dans une situation plus que délicate. Jamais Sheilah Dinnerstein n'aurait pardonné à son fils, si elle avait appris qu'il n'avait rien fait pour sauver la mise à son oncle Brendan, alors qu'il en avait la possibilité. Même le lundi précédent, lorsque Evon avait débarqué en fanfare au cabinet Feaver & Dinnerstein, et qu'après avoir révélé sa véritable identité, elle lui avait servi son assignation, Robbie s'était borné à exhorter Morty à « ne pas s'en faire », parce qu'il était « totalement couvert ».

« Mort a dû cogiter ça tout seul, me dit Robbie. Ne me demandez pas comment – mais j'imagine que, depuis quinze jours, Brendan a dû s'ingénier à lui faire cracher le morceau, genre : "Qu'est-ce qui lui arrive, à ton copain Robbie ? Je le trouve vraiment bizarre, ces temps-ci..." Cela dit, même si Morty avait découvert quelque chose, je ne peux pas croire qu'il ait mis Tuohey au courant. Il connaît tout de même l'oncle Brendan, bordel ! Il s'imaginait bien qu'il ne se contenterait pas de m'inviter à discuter autour d'une tasse de thé ! »

Robbie était dans un état pitoyable. Il n'osait même pas lever les yeux vers moi, ce qui était aussi bien, parce que je n'avais aucune idée de ce que j'aurais pu dire ou faire pour le réconforter : « C'est terrible, mais on n'y peut rien... c'est la voix du sang ! » Je m'avisai soudain que Robbie n'avait tenu Mort hors du coup que pour échapper à cette minute de vérité.

Il me quitta, en promettant de me rappeler dès que Mort et lui se seraient expliqués. À six heures, il ne s'était toujours pas manifesté, mais, en revanche, j'avais reçu de Sennett plusieurs messages urgents, auxquels je m'étais prudemment abstenu de répondre. J'avais toutefois la certitude que tous les membres de l'équipe s'étaient dispersés pour tâcher de remettre la main sur Robbie, et je m'attendais à voir débarquer McManis ou Sennett d'une minute à l'autre. À la seconde même, mon téléphone sonna. C'était Robbie qui m'appelait de sa voiture. Il tournait en rond depuis un bon moment, m'annonça-t-il. Il me conseilla de contacter Sandy Stern, l'avocat de Mort. Il s'apprêtait à raccrocher, lorsque je lui criai d'attendre un moment.

Mort s'était-il expliqué ? demandai-je. Lui avait-il expliqué pourquoi il avait mis Tuohey au courant ?

« Oui », fit Robbie, et l'espace d'une seconde, je crus qu'il ne m'en dirait pas davantage. Puis il parut prendre son élan et ajouta : « Selon lui, c'est Sennett lui-même qui lui a demandé de le faire... »

43

Sandy Stern n'était mon aîné que de quelques années, mais il avait toujours été pour moi une sorte de héros. Je l'avais rencontré peu de temps après la fin de mes études. Nous étions tous deux frais émoulus d'Easton, nous faisions nos premiers pas dans l'enfer du tribunal du North End, et Stern m'avait beaucoup appris par son exemple. J'ai compris grâce à lui que, quel que fût le client que nous défendions, et le crime qu'il ait pu commettre, un avocat pouvait rester le symbole même de la dignité. Non qu'il ait été très gâté par la nature, du reste. Son physique était du genre ingrat : grassouillet, affligé d'une calvitie plus qu'avancée, le teint oli-vâtre, avec un visage des plus communs, dont les traits se trouvaient comme noyés dans ses bajoues et ses doubles mentons – mais il avait ce qu'on appelle une belle présence. Par le plus grand des hasards, il était né en Argentine, dans une famille prise d'une perpétuelle bougeotte, tel le Juif errant de la légende. On discernait parfois une trace d'accent hispanique, derrière son élocution posée, dont le rythme calme et précis laissait deviner une intelligence remarqua-blement organisée. Tout comme moi, il faisait parfois preuve d'une certaine réserve qui aurait pu passer pour de la froi-deur. Notre amitié s'était fixé des limites très strictes que nous ne franchissions jamais. Mais plus j'avance en âge, et plus j'en viens à le considérer comme le meilleur avocat que je connaisse – je n'ai d'ailleurs jamais murmuré en consta-tant qu'il passe, auprès des esprits les plus éclairés, pour l'avocat le plus compétent, dans les affaires les plus épi-neuses qui se sont plaidées à Kindle County. Et je lui par-donne bien volontiers cette piqûre d'amour-propre, qui se trouve plus qu'apaisée par le surplus d'affaires qu'il m'adresse avec libéralité. J'ai toujours été le premier bénéficiaire de sa célébrité et de ses listes d'attente.

Le soir même, autour d'un verre, comme nous nous étions installés dans un coin tranquille de l'élégant salon de son club, au dernier étage des Morgan Towers, meublé dans le style Chippendale, il me raconta une histoire qui me laissa passablement ébranlé. Un soir, en juin dernier, Stan Sennett s'était présenté en compagnie de trois agents du fisc au domicile de Morton Dinnerstein. Sennett avait affirmé détenir des informations des plus fiables, qu'il avait puisées, en l'occurrence, dans les archives de la Moreland – informations selon lesquelles Morton pouvait se prévaloir d'un palmarès de succès judiciaires assez exceptionnel devant la cour des litiges de droit commun, présidée par son oncle maternel Brendan Tuohey. Sennett avait résolu de tirer tout cela au clair, d'une façon ou d'une autre. Dans l'immédiat, il pouvait toutefois promettre à Dinnerstein l'immunité complète, pourvu qu'il acceptât de s'expliquer en toute franchise. À défaut, il ne lui resterait d'autre choix que d'assister, impuissant, aux ravages que ne manquerait de faire le ministère public dans sa vie, en assignant tout son entourage – y compris son banquier, son comptable, ses clients, ses employés et jusqu'à ses voisins – à venir témoigner devant le grand jury. Lorsque Stan aurait établi la preuve de ce qu'il soupçonnait, ce qui resterait de Morton n'aurait plus qu'à aller moisir dans une prison fédérale, qu'il risquait fort de ne plus quitter avant que ses enfants aient terminé leurs études supérieures – à supposer qu'ils aient réussi à décrocher une bourse d'études confortable, vu que, s'appuyant sur les lois anti-racket, Sennett se faisait fort de saisir le moindre dollar que Dinnerstein avait pu encaisser durant l'exercice de sa profession.

Dinnerstein avait réclamé un délai de grâce pour consulter un avocat – Stern en l'occurrence. Ayant longuement entendu son client, Sandy était parvenu à deux quasi-certitudes. La première était que Sennett n'avait encore rien de tangible en main – sinon, il ne lui aurait sûrement pas proposé l'immunité. La seconde était que, le jour où Stan retrouverait la trace du compte secret de Feaver et de Dinnerstein sur la National River, il disposerait d'une base solide pour démontrer ce que Mort venait de raconter à Sandy, à savoir que, sur les conseils de son oncle, il avait soudoyé plusieurs juges de la cour des litiges de droit commun depuis des années, par l'entremise de son associé Robert Feaver.

En conséquence, la proposition que Stern avait faite en retour, et que Sennett avait fini par accepter, avait été que Dinnerstein consente à jouer le rôle d'un informateur anonyme, à l'exclusion de toute autre chose. Dinnerstein s'engageait à répondre, sans rien dissimuler ni déguiser, à toutes les questions de Sennett, mais en aucun cas les informations qu'il lui livrerait, pas plus que les retombées qu'elles pourraient avoir, ne pourraient être retenues contre lui. Il ne serait jamais, en particulier, cité devant un tribunal comme témoin à charge. Son rôle d'informateur ne pourrait être révélé sans son accord – accord qui était hautement improbable, vu la tempête d'indignation que ne manquerait pas de déclencher, ne fût-ce que dans sa famille, la nouvelle que Morton avait donné son propre oncle.

Bref, en mettant les choses au mieux, au cas où les recherches de Sennett n'auraient pas abouti, Dinnerstein serait sorti totalement indemne de l'aventure. Et, en les mettant au pire – autrement dit, si la vérité sur ses agissements à la cour des litiges de droit commun venait à éclater par d'autres voies, Dinnerstein s'engageait simplement à résilier sa licence d'avocat, en attribuant cette relative immunité à l'habileté de son avocat, lequel avait réussi, en jonglant avec les diverses subtilités des procédures judiciaires, à faire valoir que Mort n'avait jamais personnellement pris le risque de distribuer lui-même les pots-de-vin.

« Et mon client, là-dedans ? demandai-je à Stern. Sauve qui peut ? »

Les paupières de Sandy s'abaissèrent lentement, puis il rouvrit les yeux.

« À peu près, oui. Tu imagines bien que ça n'a pas été de gaieté de cœur... »

De gaieté de cœur..., ne pus-je me défendre de ricaner intérieurement, et comme malgré moi, en me remémorant l'inextricable embrouillamini de mensonges que Robbie avait allègrement laissé proliférer, dans le seul dessein de couvrir son ami.

La seule consolation que Stern avait pu apporter à Dinnerstein était l'assurance que Feaver parviendrait sans doute à négocier de son côté un arrangement qui lui éviterait la prison. Puisque Robbie avait assumé seul le risque de remettre les enveloppes à leurs destinataires, il serait pour

Sennett un témoin essentiel. Stern avait alors subodoré que, à la faveur du marché qu'il parviendrait à passer, Feaver serait plus ou moins contraint de jouer les sous-marins, mais il n'en avait eu la certitude qu'à la mi-avril, lorsque Sennett avait dû les mettre au courant, lui et Mort, de certains aspects de l'affaire, face à l'acharnement que mettait Dinnerstein à réclamer le chèque que ce pauvre Peter Petros n'avait toujours pas reçu... Pour éviter d'éveiller les soupçons de Feaver, Mort avait accepté une combine selon laquelle, à l'instar de Robbie, il avait immédiatement restitué sa quotepart du chèque de dédommagement que le ministère public leur avait avancé pour quelques jours.

Dans le cadre de l'accord passé avec Sennett, m'expliqua Stern, le rôle de Dinnerstein se bornait à répondre aux questions qu'on pourrait lui poser. En aucun cas, il n'aurait à livrer des informations de son propre chef. Mais c'était compter sans la rouerie foncière du procureur fédéral. Dès le départ, Stern avait averti son client que Sennett sauterait sur la moindre inexactitude de sa part pour lui imposer une révision de leur accord. Et, bien entendu, ce qui devait arriver...

Il me fixa par-dessus son verre – une chope à whisky frappée de l'écusson du club. « La licence fantôme de ton client... » acheva-t-il.

Comme je le savais depuis maintenant plusieurs semaines, Mort avait toujours été dans le secret. Quelques mois plus tôt, l'attention des agents du fisc qui surveillaient Morton, un peu comme les fédéraux surveillaient Feaver, avait été attirée par un détail du livre de comptes que Morty remettait chaque année à son expert comptable : seules ses propres cotisations annuelles à l'ordre des avocats apparaissaient dans la colonne des sommes déductibles. Celles de Feaver, jamais. Ce qui n'empêchait pas Morton de faire constamment référence à Robbie comme à un confrère, avocat comme lui, et de multiplier les allusions à l'époque où ils étudiaient le droit ensemble. Pour Sennett, ce n'était pas une simple figure de style, mais une omission grave doublée d'un mensonge délibéré.

« Tu imagines un peu le marchandage acharné... Toujours est-il que ça a fourni à Sennett l'occasion qu'il attendait. Lundi dernier, il y a trois jours, il m'a informé qu'il accepterait de fermer les yeux, si mon client acceptait de jouer un rôle parlant dans un scénario auquel vous participiez, ton client et toi. Évidemment, cela n'a pas manqué d'entraîner de nouvelles négociations, mais Stan a su limiter ses exigences et se montrer finalement moins gourmand que nous n'aurions pu le craindre. Tout ce qu'il voulait, c'était que Morton informe son oncle que Feaver avait l'intention de collaborer avec le ministère public et de révéler tout ce qu'il savait sur eux. Je n'y ai vu qu'une sorte de bluff dicté par une obscure stratégie, comme si Sennett jouait son va-tout. J'espère d'ailleurs qu'un de ces jours, autour d'un bon verre de cognac, tu m'expliqueras à quoi rimait tout cela.... bien sûr, la manœuvre me laissait assez perplexe, et je soup-çonnais là-dessous de sombres machinations, mais... tu me connais, je n'ai jamais été passionné par les cheminements tortueux de la pensée de Sennett. »

Plusieurs années auparavant, j'avais été de ceux qui avaient défendu Stern, à l'époque où Sennett menaçait de le jeter en prison pour outrage à la Cour. Malgré les nuits blanches que j'avais passées à rédiger tout un mémoire favo-rable à Sandy, il était resté par la suite d'une telle discrétion que je n'avais jamais su exactement, ni même osé lui deman-der, comment cette affaire s'était terminée. Bien que Stern ait échappé à la prison, il était longtemps resté d'humeur morose, et avait développé, vis-à-vis de Sennett, une sorte d'allergie qui lui faisait trouver les cancrelats plus appétis-sants que lui. Je m'efforçais généralement de bannir Stan de toutes nos conversations.

Un garçon en livrée à brandebourgs verts s'approcha de notre table et, d'un ton compassé, nous demanda si l'un de ces messieurs désirait un autre cocktail. Puis, reculant de trois pas, il se fendit d'un profond salut avant de s'éclipser. Encore un intermittent du spectacle qui s'investissait dans son emploi..., songeai-je.

Sennett avait exigé que l'entrevue de Morton et de son oncle soit enregistrée et filmée, ce que Stern avait refusé net : il avait été bien entendu depuis le début que Dinnerstein n'aurait pas à monter en première ligne. Il se bornerait à jouer les messagers, point. Or, la collecte des preuves était le premier souci de Sennett... et c'était un homme de res-sources. Au fil des ans, le service du procureur, qui gardait un œil sur le Paddywacks, avait amassé tout un stock d'infor-mations sur les personnages qui hantaient les lieux. Dans la soirée du lundi, un agent des services de l'immigration était allé rendre visite à l'un des garçons de salle de l'établisse-

ment, déteneur d'une carte verte falsifiée. Le lendemain,
mardi, à cinq heures du matin, un agent des services fiscaux
municipaux répondant au nom de Ramos s'était présenté à
l'entrée de service du restaurant, afin de remplacer, expliqua-t-il, son cousin qui venait de tomber subitement malade.
Une heure plus tard, Morton arrivait pour prendre son petit
déjeuner en compagnie de son oncle.

Mort avait reçu l'instruction d'attendre que Ramos se
trouve à portée d'oreille avant de se lancer dans ses révélations à Tuohey. Dinnerstein avait eu toutes les peines du
monde à ne pas garder les yeux fixés sur l'agent qui évoluait
entre les tables, en veste blanche et pantalon à carreaux.
Enfin, comme Ramos entreprenait d'astiquer le guéridon
voisin, Morton avait lâché sa petite bombe devant son oncle
et ses acolytes : le lendemain du fameux lundi où Evon avait
déboulé au cabinet en brandissant sa carte du FBI, la secrétaire de Feaver, leur raconta-t-il, était venue le trouver, lui,
Morton, encore toute retournée par une conversation téléphonique qu'elle avait surprise par hasard. Bonita avait
entendu Feaver appeler un avocat pour lui demander de
négocier en son nom avec le ministère public, un marché
aux termes duquel il acceptait de faire des révélations et de
témoigner contre tout le monde – les magistrats, les
employés du tribunal, Kosic, Tuohey, et contre Mort lui-
même.

Dans un premier temps, il avait semblé que Ramos ne
parviendrait à rien glaner de plus. Tuohey n'avait pas soufflé
mot. Milacki s'était mis à jurer comme un charretier, mais
Brendan lui avait immédiatement imposé silence en lui écrasant vigoureusement la main. Sur quoi les trois hommes
avaient attendu que Tuohey émerge de ses réflexions, en
buvant leurs cafés dans les lourdes tasses incassables du
Paddywacks. Toujours absorbé dans ses pensées, Brendan
s'était emparé d'une des petites spatules qui se trouvaient
sur la table et faisaient office de cuillers. Il se mit à la triturer
dans tous les sens. Au bout d'un moment, Tuohey, juge principal de la division des litiges de droit commun, avait brandi
la spatule sous le nez de son neveu : il venait de la tordre en
un petit nœud coulant, figurant une corde de pendu. Il la fit
virevolter quelques secondes entre ses doigts, le temps que
Kosic et Milacki voient ce dont il s'agissait, puis la laissa
choir sur la table. Lorsqu'il était venu débarrasser, l'agent

Ramos l'avait ramassée, et l'avait discrètement glissée dans sa poche.

« Un nœud coulant..., murmurai-je.

— Ou ce qui en avait tout l'air, aux yeux d'un procureur suspicieux – ou d'un ami de toujours. Sennett ne se sentait plus. Mais ça aurait aussi bien pu être une lettre de l'alphabet... un B, par exemple, ou alors un R, comme "Robbie". Voire un tortillon sans signification particulière, qu'il avait fait pour passer ses nerfs. Toutes les hypothèses se valent, n'est-ce pas ? Sans compter que ça peut parfaitement s'interpréter comme une réaction à chaud, au cours d'une discussion. En l'absence de toute initiative ultérieure qui permette de dépasser un tant soit peu le stade des suppositions, ça n'est même pas un semblant de preuve... Qu'en penses-tu ? »

Stern acheva ce qu'il restait de whisky dans son verre, et le garda un moment en bouche pour mieux en savourer le parfum.

« Voilà l'histoire, dans les grandes lignes. Mon client m'a chargé de t'en informer... à toutes fins utiles. Comme d'habitude, je compte sur ton entière discrétion, que j'apprécie fort, George ! » Il me serra la main, puis se rencogna contre son dossier, en me regardant dans le blanc de l'œil. « Des liens très profonds unissent ces deux hommes, dit-il. Mon client a déjà appris tout cela au tien – entre deux crises de larmes, comme tu imagines... »

Et Robbie ? Comment avait-il encaissé tout ça ? Je préférais n'avoir pas à lui poser directement la question, pour le ménager, sur un sujet aussi douloureux.

Mais c'était aussi cela, la vie d'un avocat. Que faire, et que dire, en ces instants ultimes, surhumains – lorsqu'on entend tomber une sentence de mort, lorsqu'un jury remet en liberté un client qu'on sait coupable, ou qu'un homme découvre qu'un ami de toujours, à qui il se fiait comme à lui-même, l'a trahi ? Comment composer avec les pauvres gestes du quotidien, face à des revirements de situation aussi vertigineux ?

Je n'eus pas à expliquer à Stern pourquoi je tenais tant à l'apprendre de lui. Sans autre commentaire, il leva les yeux vers les poutres de chêne du plafond, tâchant de mieux se rappeler la réponse de Mort à cette question, qu'il n'avait pas manqué de lui poser.

« Que je sache, fit-il, Feaver s'est contenté de lui dire : "Qu'est-ce que tu pouvais faire d'autre, hein ? Tu as les gosses et Joan... qu'est-ce que tu aurais pu faire ?" » Les petits yeux vifs de Stern interceptèrent à nouveau les miens. « C'est quelqu'un, ce type », ajouta-t-il.

44

« Dites-moi un peu ce qu'il pouvait faire d'autre... ? » demanda Robbie à Evon.

Elle avait eu un moment de panique en découvrant que Feaver avait quitté seul le bureau, mais elle l'avait retrouvé sans problème au premier endroit où elle l'avait cherché – chez lui. Deux flics de Glen Ayre montaient la garde devant la maison, histoire de rappeler aux équipes des chaînes de télé locales où se situait la limite de la propriété des Feaver. Selon les policiers, journalistes et cameramen n'avaient pas arrêté de passer et de repasser devant la maison, tentant même de filmer à travers les fenêtres. Un certain nombre d'entre eux avaient plié bagage après avoir filmé quelques images de Robbie sortant de sa Mercedes, et pendant les quelques secondes où il avait remonté son allée. L'un de ces petits sagouins s'était même précipité au-devant de la voiture, et Feaver l'avait fait rouler sur son capot. Les flics en rigolaient encore.

Devant la mine défaite de Robbie, la nervosité d'Evon s'était relativement calmée. Il lui avait tout raconté, pour Mort. Lui-même ne put se défendre de pleurer en lui décrivant la façon dont Mort avait fondu en larmes, braillant, comme un bébé, en lui avouant qu'il l'avait balancé à Sennett pour sauver sa propre peau. Dinnerstein n'avait pas tenté de lui dorer la pilule, mais avait imploré son pardon. Et Robbie le lui avait accordé. Mort avait une femme, des gosses. Mort était Mort, et lui il était Robbie. Chacun d'eux pouvait faire certaines choses dont l'autre était incapable. Mort n'aurait pas supporté la prison – ça, ça relevait de l'impensable. Alors, que pouvait-il faire d'autre ?

Dans le silence figé qui suivit, elle aurait voulu laisser ses sentiments affleurer et s'exhaler vers lui, mais ils restaient comme empêtrés dans les rets de la stupeur où la plongeait la nouvelle. De son propre point de vue, elle était submergée par la masse des détails qu'elle devait passer au crible – des mois d'événements qui rétrospectivement prenaient un tout autre sens. Quel avait été son rôle à elle, dans tout ça ? Pourquoi placer une taupe dans le cabinet, si Morty était déjà chargé d'espionner pour le compte de Sennett ? Mais la réponse s'imposait : elle avait servi de couverture à Mort. Ainsi, Robbie ne pouvait soupçonner la source réelle des fuites, comme ce fut par exemple le cas pour l'affaire Magda. Et, sans même en avoir conscience, elle aussi, en retour, surveillait Mort pour Sennett. Tout le monde surveillait tout le monde à l'insu de tout le monde, et Stan chapeautait le tout. Étant le seul à tirer toutes les ficelles, il avait dû avoir le sentiment d'être le Créateur en personne – pendant l'un de ces mauvais jours où Dieu semble avoir résolu de narguer toutes ses créatures, en les couvrant de ridicule.

Evon surmonta son embarras, pour dire à Feaver ce qu'elle était venue lui dire : Sennett voulait la bande.

« Je ne l'ai pas, répondit-il. En tout cas, pas à l'instant. Et George m'a vivement conseillé de ne rien dire de plus. »

Elle leva la main. Elle n'avait pas l'intention de pinailler. Elle appela McManis pour lui annoncer qu'elle avait retrouvé Feaver et qu'il allait bien.

« Ça en fait au moins un ! » McManis venait juste d'apprendre ce qu'il en était pour Mort, de la bouche même de Sennett, qui avait dû lui cracher le morceau pour expliquer ce que disait Tuohey, sur la bande. Jim était resté seul dix minutes, puis il avait contacté Washington pour donner sa démission. Trente jours – c'était le maximum qu'il pourrait tenir encore à la tête du projet. Les relations qu'il avait avec les différents intervenants devenaient trop lourdes à gérer.

Jim avait déjà dit au revoir à Evon, avant même de lui rappeler de demander la bande. Sur le moment, il n'avait pas semblé s'en soucier outre mesure – sûrement pas plus qu'elle, en tout cas. En y réfléchissant à deux fois, comme elle raccrochait, elle comprit ce qui avait dû écœurer McManis à ce point. Sennett, sûrement, mais surtout l'UCORC. Depuis le début, ils étaient convenus entre eux de laisser Jim hors du coup, quant au rôle que jouerait Morty – ce qui était en partie justifié. Les agences partageaient rarement leurs informateurs. Le fisc avait Mort et tenait à se le garder. La sacro-sainte loi de l'information minimum utile... Jim avait été envoyé pour se charger du gros œuvre. Il avait risqué la santé et la vie de ses agents sur la base de cet accord, aux termes duquel il assumait l'entière responsabilité de l'opération sur le terrain. Mais, en dernière analyse, il n'était qu'une marionnette comme les autres. Il avait travaillé des mois à des centaines de kilomètres de chez lui sur une affaire pour laquelle le fisc raflerait tous les lauriers – n'était-ce pas eux qui avaient récolté les informations les plus décisives ?

Elle rejoignit Robbie dans la cuisine, une pièce immense dont tout un mur était occupé par une vaste baie vitrée coulissante. Sur l'autre s'alignaient des appareils ultra-professionnels que Rainey avait personnalisés en les faisant recouvrir de l'émail le plus blanc et le plus brillant connu à ce jour. Robbie sortit du frigo un poulet froid à demi entamé. Ils s'installèrent au petit bar, et grignotèrent, d'abord en silence, en buvant de la bière. Puis, contre toute attente, c'est de Morty que Feaver se mit à parler.

« Vous savez... au début, je ne l'aimais pas spécialement. Quand on était gosses, je veux dire.

— Sans blague ? » Elle s'efforça de voiler sa curiosité et de lui imposer une certaine distance, mais, autour d'elle, le monde lui parut se contracter, comme sous l'effet d'une onde de choc.

« Oui, voyez – quand on avait six ans. À l'époque où mon père nous avait plaqués... Ma mère me laissait chez Sheilah Dinnerstein pour aller travailler. Évidemment, j'ai pris ça comme la pire frustration infligée sur terre depuis que Jéhovah avait viré tout le monde du paradis terrestre. Voilà que je me retrouvais tout seul avec cet empoté et sa patte folle, cette espèce de chochotte bizarroïde, incapable de piquer un sprint, avec son nez qui n'arrêtait pas de couler et cette incroyable tignasse qu'il avait sur le crâne... Il avait passé tout un été dans un poumon d'acier, ce qui, en soi, me fichait une trouille bleue. Une sorte de momie, autant dire. Sans parler de sa mère, qui était la seule *goy* dans un quartier où il y avait presque une synagogue par bloc ! »

Il avait commencé sur un ton grave, non dénué d'une certaine solennité, mais sa verve naturelle reprenait peu à peu le dessus.

« Pendant six mois, je l'ai pris comme souffre-douleur. Je lui passais des raclées pour le voir fondre en larmes, et, un jour que je l'avais fait pleurer, comme ça, pour le plaisir, j'ai vu quelque chose dans ses yeux. Ça m'a traversé comme une fusée, à cet instant précis. Je me suis dit, presque à haute voix, Morty est tout aussi malheureux que moi. Je devais avoir six ans, sept maximum, et voyez... pour un gosse de cet âge, c'est comme $E = mc^2$. Bien sûr, avec le temps, on peut se dire qu'on s'est monté la tête, que ça n'est qu'une impression subjective, tout ça..., mais sur le moment, ça m'a sidéré. La révélation. Tout le monde ressentait cette douleur, si semblable à la mienne. Tout le monde la portait quelque part en soi. Et je savais aussi que je ne m'en débarrasserais jamais, pas plus que quiconque – ça, la vie n'a fait que me le confirmer. Ce mal de vivre. Être pauvre, seul, ou malade. Ne pas se sentir aimé, du moins pas de la manière dont on voudrait l'être. Avoir le sentiment que tout le monde vous traite comme un paillasson, comme une quantité négligeable – ou ne pas se sentir aussi brillant que ceux à qui vous voudriez ressembler, ou que vous aimeriez fréquenter. Bref, il y a toujours quelque chose, et ça vous mine, comme un parasite qui creuse ses galeries dans votre cœur.

« Je me suis longtemps torturé les méninges – longtemps... Pourquoi Dieu a-t-il créé un monde où personne n'échappe à cette douleur ? Et à la longue, à force de côtoyer Morty et de l'observer, j'ai compris. Enfin, je crois – en partie du moins. C'est pour que nous ayons besoin les uns des autres. Pour qu'il ne nous suffise pas de prendre notre guitare, de tout plaquer pour aller vivre dans la jungle en solitaire, en bouffant les fruits qui tombent des arbres. Pour que nous fassions bloc, que nous nous chargions les uns des autres. Pour construire le monde. Parce que la souffrance aime la compagnie, et qu'une présence amie est le seul remède à nos blessures.

« Et, comment est-ce qu'on dit – comment est-ce écrit dans la Bible... "L'ombre de Dieu passa sur lui"... Il m'avait suffi de regarder Morty pour tout comprendre – et lui aussi, il avait compris. À partir de ce jour-là, notre pacte était conclu. Nous sommes devenus inséparables. »

Elle n'aurait su préciser le sens réel de ce qu'il venait de dire – et lui pas davantage. Était-ce une façon de pardonner à son ami, ou de s'expliquer pourquoi il aurait dû le faire ? Ou encore, d'expliquer à Evon à quel point Morty avait violé cet accord sacré sur lequel se fondait leur amitié... ? Il fit tourner le bréchet du poulet entre ses doigts, et l'étudia dans la lumière high-tech de la cuisine, sans souffler mot.

Elle s'était portée volontaire auprès de McManis pour assurer, ce soir-là, la surveillance de Robbie. D'autres agents arriveraient sous peu pour couvrir la maison, mais la surveillance rapprochée de Feaver, ça relevait tout de même de ses attributions – non ? D'ailleurs, elle n'avait plus ni feu ni lieu. Une bande de journalistes avait élu domicile dans le hall de son immeuble, dans l'espoir de prendre quelques photos de l'agent secret Evon Miller.

Elba appela Robbie. Rainey venait d'ouvrir les yeux. Il s'excusa. Il allait devoir s'absenter un certain temps... Rainey avait vu quelque chose le concernant à la télé, pendant la journée. Il avait l'intention de tout lui raconter, avait-il dit. En trois mots, sans entrer dans les détails, et en passant sous silence l'hypothèse de la prison. Elle était trop faible pour faire quoi que ce fût, et ne parvenait même plus à utiliser cet appareil à laser qui ressemblait à une lampe de mineur et qui lui permettait de piloter l'ordinateur et le synthétiseur vocal.

En l'absence de Robbie, Evon retourna dans la chambre d'ami, à l'étage. Le couvre-lit et les voilages des fenêtres s'ornaient de fanfreluches jaunes. Elle n'avait toujours pas réussi à s'y faire, à ce mode de vie qui consistait à dépenser de l'argent pour le plaisir d'en dépenser. Elle se mit en quête d'une taie d'oreiller, et se rendit dans la nursery, près de la chambre des Feaver – la chambre qui aurait dû être celle de Nancy Taylor Rosenberg. Le canapé convertible était ouvert, et le lit fait. Elba et Robbie venaient y dormir à tour de rôle, pendant que l'autre veillait sur Rainey, la massait, lui enduisait la peau de lotion, surveillait l'arrivée d'oxygène et la couleur de ses ongles. À travers la cloison lui parvenaient les déclics de la cuirasse qui achevait un cycle de compression. Par intermittence, et sur ce bruit de fond, elle reconnut la voix de Robbie, qui culminait dans l'aigu sur le ton plaintif de la contrariété. La voix du robot était parfaitement audible à travers le plâtre de la cloison, mais Rainey ne devait pas avoir la force d'y recourir très souvent. Evon entendit cependant deux mots qui la traversèrent de part en part, comme un arc électrique. « Ta promesse », articula la voix synthétique.

Robbie émergea quelques minutes plus tard, et intercepta Evon dans le couloir. Il lui fit signe de rentrer dans la chambre d'ami. Il se mouchait.

« Elle voudrait vous parler. Maintenant qu'elle sait que vous êtes du FBI, elle pense que vous avez les moyens de m'obliger à tenir mes engagements. » Il eut un pâle sourire, mais elle sentit une nouvelle décharge, plus froide et plus désespérée que la première. Jamais il n'avait abordé ce sujet. Rainey avait dû lui dire ce qu'elle avait confié à Evon. Prise en flagrant délit de détention d'un secret si intime, elle résista furieusement à l'envie de se ratatiner de honte.

« Vous n'avez pas à le faire, répondit-elle à mi-voix.

— Si. Je le lui dois. Je ne peux pas lui dire que ça aussi c'était un mensonge. Plus maintenant. Je lui ai promis que, si elle acceptait de survivre, au jour le jour, il lui resterait toujours cette possibilité. Elle garderait le contrôle. Vous aussi, vous le feriez, Evon. Si vous aviez fait une telle promesse, à quelqu'un que vous aimez. »

Le ferait-elle ? L'horreur de cette perspective infusa lentement en elle. Facile de dire « non – jamais ça ! » L'Église et l'école lui avaient appris la différence entre le bien et le mal – mais c'était à des êtres vivants pleins de santé et de confiance en l'avenir que s'appliquaient ces leçons de morale – pas à cette âme en détresse qui gisait dans la pièce d'à côté, suspendue quelque part entre la vie et la mort. Le médecin passait désormais tous les jours. Il avait dit à Robbie que l'un de ses patients, atteint du même mal, avait décidé, à l'extrême limite, d'avoir recours à la ventilation assistée, et avait survécu plusieurs années de plus. Pendant des jours et des jours, Robbie avait vécu dans l'attente d'un tel revirement, mais Lorraine semblait en avoir décidé autrement. Son souffle ressemblait à présent à un papillon de nuit pris au piège. Elle respirait dans un effort avide, trépidant, désespéré. La dépense d'énergie était trop grande pour lui permettre de somnoler normalement. Sous peu, le manque d'oxygène et de sommeil la plongerait dans un état d'hallucination semi-comateux. Rainey voulait partir tant qu'il lui restait un peu de lucidité.

« Demain, dit-il. Samedi peut-être. Il y a quelques personnes qu'elle aimerait voir. Pour Morty et Joan, je ne sais pas trop quoi faire. J'aimerais surtout être débarrassé de cette saloperie d'audience devant le grand jury. » Sennett avait fixé au lendemain la première séance pour l'affaire Petros. Robbie se passa la main dans les cheveux et s'assit sur le convertible. « D'ailleurs, ça n'a rien à voir avec ce que vous pouvez imaginer. Il s'agit seulement de laisser faire la nature.

— Je ne vous juge pas, Robbie. Personne ne peut vous juger. »

Il parut accepter ces paroles de réconfort, mais, comme toujours, ne put s'empêcher de gloser... Ils avaient prudemment effleuré le sujet, avec le médecin. Il restait des flacons de somnifères sur l'étagère, près du lit. Il suffisait de lui en administrer une dose normale. La dose qu'elle prenait un mois plus tôt la plongerait dans un sommeil dont elle ne se réveillerait pas, quand ils débrancheraient la cuirasse. C'était tout. Elle partirait d'elle-même dans les minutes qui suivraient. En paix. Il s'était figé sur place, se représentant cet instant dans sa réalité – le moment où il attendrait, là, à ses côtés, tandis qu'elle cesserait d'être pour appartenir définitivement au passé. Il s'en imprégna à la limite du tolérable, puis ses pensées, naturellement, s'envolèrent vers autre chose.

« Alors, les filles ? Qu'est-ce que vous vous êtes raconté, l'autre jour, quand je vous ai laissées seules ? »

Elle préféra rester vague. Elle lui avait fait la lecture. Elles avaient un peu parlé.

« De quoi ?

— De vous deux, répondit-elle. D'amour.

— Eh ouais. L'amour... » répéta-t-il, et il secoua la tête devant l'immensité du sujet. Puis il se pencha vers elle. Une lueur de curiosité avait brillé dans son regard. « Et vous ? Ça vous est déjà arrivé, de tomber amoureuse ? Comme moi, pour Rainey. Vous savez... Boum ! C'est elle. C'est la bonne. Elle est faite pour moi, et vice versa.

— Vous voulez savoir si les lesbiennes peuvent tomber amoureuses – c'est ça ? »

Il fit aussitôt machine arrière. « OK, OK... Vous préférez parler d'autre chose. OK. »

Elle se maudit mentalement, hésita puis se pardonna et s'efforça de lutter contre le réflexe d'auto-protection qui l'empêchait de répondre à cette question, pour Robbie ou pour elle-même : était-elle déjà tombée amoureuse ? Tina Criant, ç'aurait pu être ça, si les choses s'étaient cristallisées différemment. Mais ça avait tourné court. Inutile de se voiler la face...

« Non », dit-elle. Non, elle ne pouvait pas affirmer que ça lui était arrivé.

« Dommage, lui dit-il. Vous avez loupé quelque chose. » Il la regarda dans le blanc de l'œil. « Parce que, vous savez... y a pas de cession de rattrapage ! » Pour arrondir cet angle, il lui prit la main une seconde, mais parut revenir presque aussitôt à ses propres soucis.

« Seigneur ! fit-il. Quelle semaine... l'enfer ! » Il s'écroula sur le canapé ouvert, les bras en croix, et demeura un moment immobile. « Vous croyez que ça serait une violation du code d'honneur du FBI, si je vous demandais de rester un peu près de moi pendant que je pique un somme ?

— Non.

— Je veux dire...

— Pas de problème » fit-elle.

Il ne prit pas la peine de se déshabiller ni même de rabattre le couvre-lit. Elle descendit au rez-de-chaussée et se dénicha un magazine, qu'elle pourrait lire dans la chambre, à la lumière du couloir. Lorsqu'elle revint près de Robbie, il ouvrit les yeux.

« Alors, ça y est ! Je peux dire que j'ai dormi avec vous ? »

Elle se pencha et lui assena un coup de journal sur le pied.

« Sans blague, fit-il. Ça ne vous est jamais passé par la tête ?

— De quoi ?

— De coucher avec moi !

— Seigneur... » Elle jeta un coup d'œil au mur derrière lequel sa femme se mourait.

« Bien sûr, je sais que je ne serais pas votre premier choix, fit-il – et n'y voyez aucune allusion à quoi que ce soit de réel – mais je me demandais si par hasard, ne fût-ce que l'espace d'une seconde...

— On pense à des tas de choses, l'espace d'une seconde, Robbie. L'univers existe avant tout dans nos têtes – n'est-ce pas ? Mais ça n'est pas mes oignons.

— Je sais, je sais ! » s'empressa-t-il d'ajouter, l'air plutôt satisfait.

Elle le regarda avec le sentiment qu'un continent s'ébranlait en elle. Comment expliquer ça... ? Il paraît que certains sculpteurs perçoivent des formes, et de la beauté jusque dans les défauts des blocs de pierre.

« Allez, dodo ! » fit-elle.

C'est ce qu'il fit. De temps à autre, sa bouche se contractait, animée de mouvements inconscients, comme celle d'un bébé tétant ses propres lèvres.

Dans le silence, elle sentit revenir au galop quelque chose qu'elle avait chassé de son esprit. Et la boîte de Pandore se rouvrit tout à coup. Les mots de Robbie lui résonnèrent à nouveau aux oreilles. *Pas de cession de rattrapage...*

Elle descendit le couloir à pas de loup, jusqu'à la salle de bains la plus proche. Elle avait besoin de se retrouver seule face à elle-même, pour affronter ça. Elle le savait. Ô combien ! Certains moments, elle se sentait submergée, terrassée par le désir, mais elle ne se contenterait pas de ce dont se contentaient la plupart des autres. Un amour indissolublement lié aux avantages matériels, comme Merrel avec Roy – ou même le genre d'arrangement qu'avait accepté Rainey : aimée, mais comme un oiseau en cage. Humiliée, paralysée – bien avant que son corps ne lui ait fait défaut. Ça, elle ne s'en contenterait pas. Il lui restait donc l'espoir, comme à tant d'autres de par le monde. Tous ceux qui se couchaient chaque soir en priant : « Mon Dieu... envoyez-moi l'amour. » Elle pria, elle aussi. Elle savait que ça serait sans doute une femme – presque à coup sûr. Ça, elle en avait à peu près le cœur net. Mais ce jour-là, en s'observant dans la glace sous cette lumière trop crue, elle songea pour la première fois de sa vie qu'elle serait désormais capable de reconnaître l'amour, quand il frapperait à sa porte, et de lui ouvrir les bras. Elle avait déjà laissé passer plusieurs occasions et en avait bien conscience, mais elle y croyait encore, de toutes ses forces. Une foi inébranlable, comme lorsque le sentiment du sacré vous transperce de part en part. Et elle se croyait – se savait – prête. Elle tourna le robinet et se passa un peu d'eau sur le visage, puis elle eut l'audace de lever les yeux vers le miroir pour se regarder, se voir le penser.

Elle était devenue quelqu'un d'autre.

45

Lorsque notre camarade Clifton Bering était tombé pour ce pot-de-vin, malencontreusement empoché dans une chambre d'hôtel, Stan ne s'était pas contenté de se dessaisir du dossier de Clifton : il avait carrément choisi de témoigner en sa faveur, lors de son procès. À l'époque, j'avais beaucoup admiré Stan pour ce qui m'était alors apparu à la fois comme un geste spectaculaire et une preuve d'amitié. Mais ce geste avait considérablement contribué à redorer son blason. Pour le républicain bon teint qu'était Stan, plutôt suspect de préjugés raciaux, il était habile de s'afficher comme un ami de Clifton. Voilà au moins une chose dont on n'aurait pu me soupçonner...

En arrivant au parking dans le sous-sol du Lesueur, après mon rendez-vous avec Stern, je trouvai Sennett assis sur le capot de ma BMW. Comme je devais l'apprendre plus tard, un certain nombre d'agents fédéraux s'étaient lancés sur mes traces et ce, depuis un bon moment. L'un d'eux m'avait repéré comme je descendais à pied Marshal Avenue, et avait aussitôt prévenu Sennett – lequel était venu prendre la relève de l'agent chargé de monter la garde près de ma voiture. Apparemment, un deuxième homme était posté à l'entrée de mon cabinet, et un troisième en face de chez moi, à quelques encablures de ma maison.

En guise de salut, je priai Stan de descendre de mon capot, mais il n'en fit rien.

« La bande », répliqua-t-il.

Après le départ de Stern, j'avais longuement et mûrement retourné le problème, face à face avec moi-même. « Un avocat qui plaide contre un ami risque fort de se retrouver avec un ami en moins... » dit la sagesse populaire. Je l'avais toujours su, et je ne m'illusionnais guère sur ce dont Stan était capable, lorsqu'il était sur un coup. Comme le disait l'un de nos vieux camarades, sur le mode plaisant, Stan était l'archétype de l'homme selon Hobbes : « uniquement mu par la peur et le désir »... Qu'il ne m'ait pas mis au courant du rôle que jouait Mort, c'était une chose. Après tout, il était tenu au secret sur ce point, puisqu'il avait promis l'anonymat total à Dinnerstein – d'ailleurs, en y songeant... ne m'avait-il pas averti, dès les premières semaines, qu'il avait de bonnes raisons de penser que Robbie ne lui disait pas toute la vérité, et qu'il prenait de gros risques en prétendant que Morton n'était au courant de rien... ? Je n'avais donc rien à lui reprocher, de ce côté-là. Je savais néanmoins que notre amitié avait vécu.

Je déverrouillai ma portière à distance, à l'aide de ma télécommande. Il devait être dans les neuf heures du soir, et, à cette heure tardive, le parking était pratiquement désert. Les ampoules qui pendaient aux traverses de béton tous les quelques mètres, dans leurs douilles de porcelaine, ne dispensaient qu'une lumière chiche et glauque. L'air était encore chargé de gaz d'échappement et de relents de tabac froid – les nicotinomanes les plus forcenés profitaient de la moindre pause pour descendre en griller une à la sauvette.

« Ne fais pas semblant de ne pas comprendre, George. Le grand jury se réunit demain... tu n'as pas oublié... Je me suis fait un plaisir de convoquer tout ce petit monde, et dès que Robbie arrivera, je lui poserai la question du Jackpot : "Où est la bande ?" Ne crois surtout pas que je vais me retenir de lui tomber sur le râble, au cas où il ne respecterait pas son contrat ! »

La main sur la portière de ma voiture, je lui répondis que j'en avais jusque-là de lui et de ses menaces.

« Ça n'est pas une menace, George. Je t'informe simplement des conséquences possibles. Nuance ! »

Moi aussi, je souhaitais l'informer d'un certain nombre de conséquences, répliquai-je : qu'il évoque seulement l'existence de cette bande devant le grand jury, et je foncerais aussitôt chez Moira Winchell, avec une motion d'annulation.

« On ne peut pas déposer de motion d'annulation devant un grand jury », ricana-t-il.

En quoi il se trompait lourdement : les lois fédérales font précisément exception à cette règle, dans le cas de

conversations privées enregistrées à l'aide de moyens électroniques illicites.

« Cet enregistrement a été réalisé en toute légitimité »,
objecta-t-il.

Tiens ! En ce cas, qu'il me montre l'accord écrit signé
par Robbie. Qu'il apporte la preuve que Robbie avait bien
autorisé le ministère public à enregistrer sa conversation
avec Brendan Tuohey...

Ça me faisait toujours un drôle d'effet, quand j'arrivais
à river son clou à Stan Sennett. Une chose rarissime, évidemment – mais lorsqu'elle se produisait, il avait l'air tellement
désarmé et mortifié qu'il faisait peine à voir. Mais ce soir-là,
non ! Je ne parvins pas à m'attendrir sur son cas. Le voir
patauger était un trop grand plaisir.

« C'était sous-entendu ! Il s'agissait d'un accord tacite.
Enfin, George – il l'a quand même tournée, cette clé de
contact ! ! ? »

Uniquement pour le chauffage, objectai-je.

« Nous avions passé un marché. Il s'était engagé à
coopérer ! Compte tenu du contexte, je ne doute pas une
seconde que Moira considérera son accord comme implicite. »

Moi non plus, je ne me faisais pas le moindre souci à ce
sujet, l'assurai-je. Aucun tribunal digne de ce nom n'estime-
rait que le consentement de Robbie ait pu aller de soi – ni
d'ailleurs que le « marché » qu'il avait passé exigeait qu'il en
fasse plus que ce qu'il avait déjà fait. Certainement pas, en
tout cas, après que le procureur fédéral lui-même se fut
rendu complice d'une tentative d'homicide... !

« Pardon ? D'homicide ?

— De meurtre, si tu préfères », rectifiai-je. Il avait
envoyé Robbie à ce rendez-vous dans le parc municipal, tout
en ayant la quasi-certitude qu'on allait tenter de l'abattre, sur
ordre de Tuohey.

Je sentis Sennett battre intérieurement en retraite. Toujours assis sur le capot de ma voiture, je le vis se transformer
en un petit bonhomme ratatiné. Ses narines se mirent à pal-
piter malgré lui, agitées par une sorte de tremblement
nerveux.

« Il était totalement couvert. Tu sais très bien que nous
avions mis au point un dispositif sans faille. Nous avions
prévu le moindre détail. Et il n'ignorait pas les risques,
George. Il savait exactement dans quoi il mettait les pieds !

— Absolument pas », répondis-je. Le lieu de rendez-vous lui-même était un véritable traquenard. Mais, comme l'avait énoncé McManis, selon toute logique et en se fondant sur ce que nous en savions, *nous* – il nous avait semblé hautement improbable que Brendan ait fait parvenir certains secrets à Robbie chez Latitudes par l'entremise de Kosic, pour le supprimer quelques jours plus tard.

Puis, voyant la réaction de Rollo, le lundi suivant, lorsque Robbie lui avait brandi sous le nez l'assignation qu'Evon venait de lui remettre, Stan s'était résigné à l'idée que Feaver n'aurait probablement plus l'occasion d'approcher Tuohey. D'où sa décision de tenter de coincer le juge par un autre biais... Le lendemain, il avait donc confié à Mort la mission de révéler à Brendan la trahison de Robbie, de manière à pousser le juge principal vers une seule et unique décision : faire taire Feaver avant qu'il ne se mette à table. Et Tuohey avait réagi conformément aux prévisions de Sennett : il avait bricolé ce petit nœud coulant. Là-dessus, Stan avait laissé Robbie se rendre à cette convocation au bord du lac, histoire de tenir un motif d'inculpation à toute épreuve – conspiration en vue d'un homicide sur la personne d'un témoin fédéral. Il aurait tout aussi bien pu envoyer Robbie à ce rendez-vous avec une cible peinte dans le dos. Et il s'était bien gardé d'en parler à quiconque. Non par souci du minimum d'information utile, ni pour respecter sa promesse faite à Mort, ni même pour satisfaire un quelconque désir maniaque de tirer les ficelles. Non. S'il avait soigneusement dissimulé tout cela, c'était tout simplement que, si nous avions subodoré ce qu'il tramait, jamais Robbie n'aurait accepté de se prêter à cette mise en scène – et jamais McManis ne l'aurait laissé faire.

« J'ai dû prendre des décisions, George. À chaud. Dans l'urgence... je comprends ta réaction. Mais ce sont de vrais fumiers, que nous avons en face de nous. Des vrais. Et voilà trop longtemps qu'ils magouillent impunément dans cette ville. »

À bien des égards, je considérerai toujours Stan Sennett comme un grand bonhomme. Un grand personnage public. Il a toujours défendu des idées justes et, si l'on prend pour ultime critère de la valeur d'un homme l'énergie qu'il déploie pour améliorer le monde, nul doute qu'il me laissera toujours sur place. Pour faire triompher la Loi, il serait capable de déplacer des montagnes. Un vrai Superman ! Reste que les experts en stratégie connaissent ce curieux phénomène d'assimilation qui, par une sorte de mimétisme, amène deux entités qui se combattent à devenir à la longue identiques. Comment s'étonner qu'à force de « combattre le crime », pour employer ses propres termes, Stan ait été tenté d'y recourir ? Mais, même si sa conscience morale n'avait pas suffi à tempérer ses tendances les plus brutales – son zèle et son ambition – lorsqu'elles l'avaient poussé à transgresser certaines limites, comment, lui demandai-je, avait-il pu oublier toutes les obligations qu'il avait envers moi ? C'était un triste constat, au bout de vingt ans, que de le découvrir : l'idée ne lui était même pas venue de préserver notre amitié, alors même que ça lui aurait permis de préserver, par la même occasion, son intégrité morale.

« Ah ! Je t'en prie, Georgie ! Épargne-moi ça ! Nous avons une rude journée dans les pattes, l'un comme l'autre, mais ce ne sera ni la première ni la dernière fois, il me semble ! La terre ne va pas s'arrêter de tourner !

— Non, fis-je. Non. »

Sans donner le moindre signe de vouloir descendre de mon capot, il me contempla par-dessus son épaule, dans cette lumière sinistre. À l'étage supérieur, des pneus crissèrent sur le revêtement plastique qui tapissait les rampes d'accès au parking.

« Le désir de revanche ou les querelles personnelles seraient de très mauvaises raisons pour laisser courir un Tuohey – tu le sais comme moi. Et vous n'auriez rien à y gagner, ton client et toi ! »

Jusque-là, je m'étais toujours incliné devant la volonté de Sennett. C'était ainsi que les choses se passaient, entre nous. Non que j'aie failli à mon rôle de défenseur, ni que j'aie manqué de conviction en combattant ses arguments, au tribunal. Mais, depuis toujours, j'avais plus ou moins accepté cet état de fait, en me fondant sur le principe que sa détermination et ses convictions morales prévaudraient toujours sur les miennes. Je me contentais donc, comme tant de mes confrères, de barboter dans les eaux troubles du compromis. Lorsque j'avais décidé de représenter Robbie Feaver, c'était aussi pour m'assurer qu'il existait certaines valeurs absolues auxquelles je pouvais me raccrocher avec la même détermination que Stan, dans l'espoir d'y trouver quelque réconfort. Et c'était bien le cas – là, maintenant.

Ce qu'il adviendrait de cette bande était totalement indépendant de ma volonté, lui fis-je remarquer. S'il ne tenait qu'à moi, j'irais immédiatement la balancer dans la Kindle, mais c'était à Feaver qu'il appartenait d'en décider.

« Tu vas donc devoir la lui demander, ajoutai-je. Sachant que la loi l'autorise à ne pas te la remettre. Tu vas devoir le solliciter, Stan. Le supplier, peut-être. Et je ne te cache pas que cette perspective me réjouit – ça va te rappeler quelque chose que tu me sembles avoir un peu oublié : ce que ça fait, d'être à la merci de quelqu'un. »

Je m'installai au volant et mis le contact. La vivacité avec laquelle il sauta de mon capot me donna à penser qu'il avait dû craindre un instant que je ne démarre sans lui en laisser le temps. J'avais réussi à lui faire peur. Une grande première ! Inutile de préciser que cet instant fut pour moi source d'une délectation aussi précieuse que rare...

46

La salle d'audience du Grand Jury se trouvait dans le nouvel immeuble de l'administration fédérale, un étage au-dessus du service de Sennett. Le bureau du juge principal Winchell, dont la plus fondamentale des fonctions consistait à prévenir à tout dérapage procédural, se situait à quelques rues de là, de l'autre côté de Federal Square, dans le vénérable immeuble de l'ancien palais de justice que tous les juges du tribunal du district avaient fini par réintégrer, après avoir constaté l'inconfort du nouveau, dont le système de chauffage et de climatisation était chroniquement défaillant. Sa construction remontait au temps où Augie Bolcarro, à l'apogée de sa gloire, arrosait ses petits copains de contrats de complaisance avec la prodigalité d'un pâtissier aspergeant ses beignets de sucre glace. On avait dû, en particulier, remplacer une à une les fenêtres, qui avaient la sale habitude de s'envoler au moindre coup de vent – semant la terreur parmi les passants du quartier. Des années durant, il était devenu quasi habituel de tomber sur des grappes de vingt ou trente avocats alignés en rang d'oignons dans une demi-douzaine de salles d'audience, engagés dans d'interminables controverses relatives à tel ou tel aspect, particulièrement complexe, de l'un des innombrables litiges découlant de la construction du nouvel immeuble.

Ce qui servait de réception à la salle du Grand Jury n'aurait pas détonné dans un foyer de SDF ou un motel de troisième zone. Les enduits terminés à la va-vite s'écaillaient et se marbraient d'innombrables taches et égratignures. Quant au mobilier, des sièges informes en plastique moulé, sans accoudoirs ni coussins, il avait dû cesser d'être à la mode au milieu des années soixante. Tout le lot avait dû être exhumé d'un entrepôt de l'administration, puis proposé à diverses agences fédérales à un prix qu'elles n'avaient pu se permettre de refuser, étranglées qu'elles étaient par les coupes budgétaires du gouvernement Reagan. Il ne fallait pas se forcer beaucoup pour imaginer sur ces affreux sièges baquets une bande de hippies en plein trip, couverts de perles et s'accrochant à leurs bandanas – mais depuis plus d'une décennie, c'étaient les représentants d'une tout autre faune, qui venaient s'y percher, frileusement recroquevillés comme une volée de volatiles déplumés. Celle des témoins convoqués par le grand jury.

Ce jour-là s'y trouvait réunie une brochette particulièrement réussie. Avec sa rouerie coutumière, Sennett avait convoqué tous ceux que les enregistrements de Robbie incriminaient peu ou prou. Quelques greffiers anonymes et une poignée d'obscurs shérifs adjoints côtoyaient des personnages beaucoup plus éminents. Sherm Crowthers, solide comme un roc, attendait à côté de son avocat Jackson Ayres – un vieil adversaire du ministère public, aussi coriace que retors, qui partageait l'analyse de Sherman, à savoir que la clé de voûte de tout dossier se réduisait infailliblement à un problème de couleur de peau. Jackson s'était adjoint les services d'un confrère chargé de la tâche peu enviable de représenter sa sœur Judith, qui affichait une mine catastrophée. Elle s'était d'ores et déjà empressée de revenir sur ses aveux, faits deux jours auparavant. C'était, au total, plus d'une douzaine de personnes qui avaient répondu à la convocation du grand jury – ce qui n'empêchait pas certains de briller par leur absence : Pincus Lebovic, Joey Kwan, et surtout Barnett

Skolnick, qui avaient tous trois accepté de se mettre à table. Mais tous ceux qui risquaient l'inculpation avaient répondu présent, et Walter Wunsch le premier, en dépit de son cancer du pancréas qui menaçait de sceller son sort plus vite que n'aurait pu le faire le plus expéditif des procès.

Si le but avoué de l'opération me semblait on ne peut plus clair, il ne me rendait pas les choses plus réjouissantes. Pour s'assurer que tous les accusés potentiels répondraient présents, on leur avait servi des assignations *duces tecum*, qui leur imposaient de produire un certain nombre de documents ou d'objets leur appartenant. Parmi les pièces les plus couramment requises figuraient bien sûr les agendas et carnets de notes, mais deux des huissiers avaient dû se munir de certains « petits cadeaux » qu'ils tenaient de Robbie. Gretchen Souvalek, la greffière de Gillian Sullivan, serrait contre elle un écrin de chez Tiffany, contenant une paire de boucles d'oreilles offerte par Feaver, toujours soucieux « d'entretenir leur amitié ». Quant à Walter Wunsch, assis près de son avocat Mel Tooley, qui représentait plusieurs autres des convoqués, il avait apporté, outre une pile de registres du tribunal, un jeu complet de clubs de golf, dans leur très chic sac de cuir noir qu'il tenait calé entre ses jambes. À voir l'état d'agitation où il se trouvait, on aurait pu croire qu'il venait juste d'apprendre que ce n'était pas pour faire un dix-huit trous qu'il était invité...

Dès que Robbie aurait été entendu, chacun des convoqués serait invité par Sennett en personne, ou par l'un de ses innombrables adjoints venus lui prêter main-forte, à comparaître devant le grand jury, et après une série de grands écarts procéduraux visant à contourner le cinquième amendement, se verraient priés – et contraints – de se dessaisir de ce qu'ils avaient apporté.

Cela dit, la manœuvre visait avant tout à impressionner l'adversaire. En réunissant ainsi ses victimes, c'était une tout autre idée que Stan avait derrière la tête. Il voulait, certes, les confronter à Robbie, pour que chacun puisse toucher du doigt la réalité de la situation : la coopération de Feaver avec le ministère public dépassait amplement le scoop journalistique. Il tenait aussi à mettre face à face les ex-complices, autrefois liés par la loi du silence, qu'il avait aujourd'hui humiliés et contraints à mordre la poussière. Oui – mais tout cela restait accessoire. La presse du matin avait fait ses gros titres de la réunion du grand jury – ce à quoi l'une des fuites, soigneusement orchestrée par Sennett lui-même, ne devait pas être totalement étrangère. Les équipes de télévision avaient déjà pris position à l'entrée du tribunal, et les journalistes se tenaient à l'affût dans tous les couloirs. Les médias ne pouvaient assister aux débats du grand jury qui siégeait à huis-clos, mais ils ne se priveraient pas de citer à tort et à travers le nom de tous ceux qui étaient entrés et sortis du palais de justice. Tous ces gens qui se dandinaient désespérément sur ces affreux sièges mis à leur disposition par l'administration fédérale, en tâchant de trouver une position supportable, sinon confortable, se retrouveraient donc cloués au pilori avant la fin de la journée. La presse écrite s'apprêtait à les déchirer à belles dents, tout comme les médias audio-visuels. Leurs photos feraient la une des journaux, les différentes chaînes de télé diffuseraient des reportages. Tout cela équivalait, à peu de chose près, à les faire parader, nus comme des vers, dans les rues de la ville, en exposant leur culpabilité présumée à l'hilarité ou à l'indignation de tous ceux qui les connaissaient. Et tel était bien le but visé par Sennett. Les laminer, les broyer, leur assener froidement le premier coup de la longue série qu'il leur préparait, pour venir à bout de leur résistance. Leur montrer que d'emblée, la confiance et l'estime dont ils avaient cru pouvoir s'honorer jusque-là, aux yeux d'autrui, n'étaient plus qu'un triste souvenir.

Il suffisait de promener son regard dans la pièce et de voir les mines atterrées de tous les présents pour se rendre à l'évidence : tôt ou tard, plusieurs d'entre eux – voire, qui sait, une majorité – finiraient par prendre le seul parti raisonnable : déclarer forfait, se mettre à table en balançant les copains, payer sa dette à la société, et s'efforcer ensuite de tourner la page.

Pour nombre d'entre eux, j'étais un parfait inconnu. Lorsque je sortis de la salle réservée aux témoins et à leurs avocats, dont la porte se trouvait au bout du couloir et où je venais de laisser Robbie en compagnie d'Evon et de McManis, seuls un ou deux des futurs inculpés tournèrent les yeux vers moi. Le coup d'œil que me lança Sherman Crowthers, qui tenait dans la sienne la main de sa sœur, me parut particulièrement venimeux. Mais c'est principalement de mes chers confrères qu'émanait la vague de malveillance qui m'assaillit et me transperça comme un faisceau de micro-ondes. Tous les avocats présents, Tooley, Ned Halsey, Jackson Ayres et plusieurs autres – dont la mission consistait justement à protéger leurs clients du genre de traitement que Sennett s'ingéniait à leur infliger –, étaient d'humeur massacrante.

Tooley fut le premier à venir faire ami-ami. Coiffé de ce ridicule postiche qui me faisait penser à une peau de caniche calamiteux, et boudiné dans son petit costard *made in Europe*, qui lui allait comme des guêtres à une vache, Mel était l'incarnation même du faux cul.

« J'aimerais lui dire deux mots, à ton client. D'homme à homme, tu vois – c'est possible ? »

Difficilement.

« Tu pourrais lui poser une ou deux questions pour moi ? »

C'était déjà plus envisageable.

« Bien. Je t'appellerai, fit Mel. Tu sais, ajouta-t-il en se retournant, le plus gonflé des deux, c'est encore toi. Robbie a au moins l'excuse de s'être fait presser comme un citron. Mais toi, qu'est-ce qui te forçait à l'aider, George ? Je préférerais ne pas me retrouver à tes côtés comme co-défenseur, la prochaine fois que tu plaideras dans une cour fédérale ! »

Conseil tout confraternel, certes –– mais du genre sournois et tortueux à souhait, dont Mel s'était fait une spécialité. Ce qu'il voulait dire, c'est que j'avais tout intérêt à me désolidariser d'urgence de l'accusation, pour donner un coup de main aux accusés, si je tenais à garder le minimum vital de clientèle.

Je venais de tourner les talons sans émettre le moindre commentaire lorsque, sur le coup de dix heures, Stan, tendu comme la corde d'un arc, fit son entrée. Il semblait plus que jamais se délecter de cette minutie maniaque qui était son meilleur cheval de bataille. Tout ne s'était peut-être pas déroulé exactement comme il l'avait prévu, mais son jour de gloire était tout de même arrivé. Il avait rassemblé autour de lui le troupeau des vaincus, à qui il allait faire rendre gorge. Il ne salua que le greffier du grand jury, mais, au moment de franchir la porte de la salle, il se tourna vers moi.

« Tu voudras bien m'accorder une seconde, le temps d'expliquer aux jurés de quoi il retourne..., dit-il.

— C'est moi qui vais le leur expliquer ! rugit Walter Wunsch qui se trouvait près de la porte. Et j'en ai un sacré paquet à leur raconter ! Citoyens américains ! ! Moi qui ai défendu ce bon Dieu de pays les armes à la main, aujourd'hui, j'ai l'impression de me retrouver dans la Chine de Mao, entouré de barbouzes qui posent des micros partout ! Laissez-moi dire ce que j'ai à dire ! »

Walter s'était hissé sur ses pieds – un exercice assez pathétique, vu la spectaculaire rapidité avec laquelle son corps avait fondu. Ses chairs semblaient pendre autour de lui, comme si le cancer avait détaché sa peau, telle une mue, de ses muscles et de ses os. Me plantant là, Tooley retourna vers son client pour tenter de le calmer.

« Ça, je ne pourrais pas mieux dire... » fit Crowthers d'un ton las, depuis l'autre bout de la pièce.

Stan avait assisté à toute la scène avec un sourire indulgent. En d'autres circonstances, ce genre d'esclandre l'aurait horripilé, mais il n'avait que trop conscience d'en être la cause. Il me suggéra d'aller dire à Robbie de se préparer.

Je regagnai la petite pièce où j'avais laissé mon client, au bout d'un long couloir intérieur. Les chroniqueurs judiciaires et les greffiers devaient s'y arrêter de temps à autre, pour prendre un café ou manger un sandwich. En arrivant, j'avais eu l'odorat assailli par des relents d'oignon blanc, provenant d'un vieux sandwich qui avait séjourné un certain nombre d'heures dans la poubelle métallique, et qui persistèrent bien après que nous eûmes viré la poubelle.

Exception faite des questions relatives à la bande, l'interrogatoire de Robbie était des plus prévisibles. Lorsqu'il se retrouverait en face des vingt-trois jurés qui l'attendaient dans cette petite pièce aveugle, tels les spectateurs d'un théâtre de poche, il devrait répondre à brûle-pourpoint à une série de questions qui lui seraient posées sans aucune espèce d'enchaînement logique. Il lui faudrait identifier ses initiales sur des dizaines de bobines de bande magnétiques et de disquettes. Il devrait répondre « C'est exact » après lecture des rapports rédigés par Evon et décrivant certains événements essentiels. Cela fait et quoi qu'il advienne, il ne pourrait plus revenir sur ses déclarations sans encourir une inculpation pour faux témoignage. Avec un peu de chance, ce serait la dernière déposition qu'il aurait à faire. Selon toute vraisemblance, Stan avait dû éviter de trop appuyer ses dossiers sur la crédibilité de Robbie. Sans doute s'était-il arrangé pour disposer des preuves – des enregistrements, notamment – de façon à pouvoir étayer ses accusations sans avoir à citer Feaver comme témoin. S'il lui demandait de venir déposer, ce ne serait que pour prouver aux membres du jury qu'il jouait cartes sur table.

Robbie était entré au tribunal par une porte discrète, et nous l'avions mis au secret dans la pièce des témoins, mais la salle du grand jury n'avait qu'une porte. Conformément à la petite mise en scène préparée par Stan, Robbie allait devoir défiler sous les regards incendiaires d'une bonne douzaine d'individus persuadés d'avoir été ignoblement trahis dans la confiance qu'ils lui portaient. Mais l'idée de parader devant cet aréopage grincheux semblait l'amuser plutôt qu'autre chose...

« Dernier rappel et... rideau ! » lança-t-il. Sa bonne humeur n'était qu'un vernis. Il n'était, de toute évidence, pas en état de supporter une telle épreuve, mais, vu son refus opiniâtre de rendre la cassette, je n'aurais pas eu la moindre chance d'obtenir un sursis de Sennett. De toute façon, il n'était plus temps : Moses vint frapper à la porte et nous fit signe de le suivre.

« Prêt ? » demandai-je à Robbie.

Il s'excusa une seconde, et entraîna Evon vers l'autre extrémité du couloir.

« Si j'envoie Stan sur les roses lorsqu'il me demandera de lui remettre cette bande, quelles seront les conséquences sur notre relation ? » La cassette se trouvait dans mon attaché-case, et je n'avais toujours aucune idée de ce que Robbie comptait en faire. Il eût été étonnant que Stan tente un passage en force devant le grand jury, car en l'occurrence, j'aurais eu la loi pour moi. Si Sennett m'acculait à faire appel au juge principal Winchell, il risquait fort de perdre à jamais le droit d'utiliser cette bande contre Tuohey. En fait, la tactique qui m'aurait semblé la plus logique aurait été un ultime appel à la raison de Robbie, suivi d'excuses. Après quoi, il lui aurait sans doute demandé de lui remettre la cassette en lui signant un papier où il « reconnaîtrait » – avec beaucoup de guillemets – que la scène avait été enregistrée de son plein gré. À mon humble avis, en fin de compte, tout dépendrait de Robbie : à lui de voir celui qu'il haïssait le plus, de Stan ou de Brendan. Encore ne fallait-il pas négliger le poids de la honte... en un sens, ce que cette bande mettait en scène, n'était-ce pas, avant tout, la trahison de Mort... ? Mais au moment de cette ultime décision, c'était pourtant tout autre chose qui tracassait Robbie :

« Si vous pensez que c'est vous que je léserais, en refusant de rendre cette bande, dit-il à Evon, je la lui donne, et basta ! »

Elle tenta de biaiser. C'était à lui, et à lui seul qu'appartenait cette décision... mais il ne la laissa pas s'en sortir à si bon compte. Il insista.

« Vous me connaissez, contre-attaqua-t-elle. Ça n'est jamais tout noir ou tout blanc, avec moi. C'est précisément ce qui me complique tant les choses... Deux maux n'ont jamais fait un bien, Robbie ! Ma mission s'arrête ici. En ce qui me concerne. Mais quel que soit votre choix, je suis derrière vous. Que vous le rembarriez, ou non, je vous soutiens », affirma-t-elle, ponctuant le tout d'un coup de menton résolu. La seule chose qui l'aurait fait hésiter, c'était plutôt ce qu'en pensait McManis, dont l'avis comptait pour elle, autant que le sien pour Robbie. Ils revinrent donc ensemble dans la pièce des témoins, et Robbie posa la même question à Jim : se sentirait-il personnellement trahi s'il ne remettait pas la cassette à Sennett ? Aurait-il l'impression d'avoir fait tout ça pour rien ?

Jim remonta ses grosses lunettes sur son nez. On pouvait voir sur son visage les intenses cogitations auxquelles il se livrait, mais lorsque sa voix s'éleva, elle était aussi calme et posée que d'ordinaire :

« Ce que je vois, Feaver, c'est que nous avons fait du bon boulot, ensemble. Personnellement, je n'y vois que des raisons de m'en louer. J'aimerais avoir la peau de Tuohey, bien sûr. C'est un fumier. Mais voilà vingt-deux ans que je suis dans le métier, et je suis bien placé pour vous dire que chaque fois que le ministère public lance une opération contestable contre des salopards, c'est invariablement les pires ordures qui s'en sortent. Alors, quoi que vous décidiez, je m'alignerai. Le meilleur conseil que je puisse vous donner, c'est de ne rien précipiter. Ne brûlez pas les étapes. Réfléchissez. »

Feaver hocha la tête et promena son regard sur nous trois.

« Je ne peux pas la lui donner, fit-il. Pas aujourd'hui. »

Aucun de nous ne bougea, comme si nous attendions tous de voir quels changements tangibles découleraient de cette déclaration, énoncée, pour la première fois, à haute et intelligible voix – mais rien ne parut se produire. Evon lui tapota l'épaule.

« Eh bien, tous en scène ! s'exclama Robbie en ouvrant la porte.

— Je vais vous escorter, au cas où, fit Evon. Des fois que certains de vos fans auraient besoin d'être rappelés à l'ordre ! »

Robbie lui rappela que toutes les entrées du palais de justice étaient équipées de détecteurs de métaux, et que les lames et les armes à feu n'avaient pas dû quitter leur tiroir... mais il ne parut pas mécontent de l'entrée qu'il fit, entouré de sa garde d'honneur – Evon ouvrant la marche, Jim couvrant ses arrières et moi à sa droite. Il avait tout du jeune premier héroïque, maintenant qu'il assumait au vu et au su de tous son rôle de justicier. Son passé d'avocat était définitivement enterré. Comme pour célébrer l'occasion, il arborait sous sa veste de costume une chemise noire, qu'il portait sans cravate.

« Judas ! Sale fils de pute ! » cracha Walter, dès que Robbie tourna le coin du couloir. L'ombre qui planait au-dessus de lui semblait l'avoir libéré de toute retenue. Il laissait librement éclater sa haine. Evon s'interposa aussitôt entre Robbie et lui, tandis que Tooley abandonnait un autre de ses clients pour venir lui empoigner le bras. Mais Wunsch était trop remonté pour se calmer si facilement. « Alors, salaud ! Il a fallu que tu l'ouvres, ta grande gueule, hein ! Sale petit faux cul ! Judas de mes deux ! »

Robbie n'avait rien perdu de son répondant : « Exact, Walter. Moi, c'est Judas – et toi, t'es qui ? Le Messie ? »

Une pluie acide de ricanements s'abattit sur Walter. Quoique affaibli par sa maladie, Wunsch écumait littéralement. Tooley eut toutes les peines du monde à le faire se rasseoir, près de son sac de golf.

Sennett observait la scène depuis l'entrée de la salle, les mains croisées avec une onction affectée.

« Mr Feaver, fit-il d'un ton guindé, comme pour mieux en imposer à Robbie et lui laisser entendre qu'il pouvait s'attendre à tout, venant de lui. Comment allez-vous, ce matin ?

— Moyen, répliqua Robbie. J'en ai sérieusement ma claque, de tout ça – et de vous en particulier ! »

Stan encaissa sans broncher. Dieu sait ce qu'il estimait mériter encore... Il ouvrit toute grande la porte de la salle d'audience, invitant du geste Robbie à y entrer. Je rappelai à Robbie que j'attendais derrière la porte, et qu'il pourrait interrompre Sennett à tout moment pour me consulter. Il me serra la main avec un grand sourire puis, se retournant sur le seuil, me remercia, avec son enthousiasme coutumier, de tout ce que j'avais fait pour lui.

Les événements qui s'enchaînèrent ensuite restent très confus dans ma mémoire. Durant les secondes qui suivirent, j'eus le sentiment d'avoir comme une mesure de retard sur les faits et sur les réactions qu'ils provoquaient en moi. J'étais encore aux prises avec la vague précédente, tâchant de comprendre ce qui m'arrivait, tandis que les suivantes me tombaient déjà dessus. Tout commença par un crescendo, un soudain brouhaha qui culmina en un cri strident, poussé par une femme – comme je devais l'apprendre plus tard, c'était Judith qui avait hurlé, mais, allez savoir pourquoi, ma première pensée fut pour Evon. Comme je me tournais dans sa direction, quelque chose siffla à quelques centimètres de mes oreilles. Mon impression fut de m'être trouvé sur le passage d'un oiseau – un pigeon ou un objet volant argenté et fuselé. Je bondis aussitôt en arrière, et je perçus un bruit mat qui me rappela vaguement celui des pastèques trop mûres que nous nous lancions quand nous étions gosses, de part et d'autre de la route, et qui allaient s'écraser sur l'asphalte bouillant. J'ai immédiatement senti qu'il y avait eu de la casse. Un petit fragment dur avait ricoché sur mon visage. Je me sentis soudain éclaboussé d'une substance que je pris pour de la boue tiède. Je perçus une odeur animale, qui s'était répandue, quelque part autour de moi, tandis que m'environnait un grand tourbillon chaud. S'éleva alors une sorte de plainte gutturale, que poussa Feaver en s'affalant sur moi.

Je l'attrapai à bras-le-corps, mais il m'entraîna de tout son poids, et je tombai avec lui. Le dos de sa veste, tout comme le bras que j'avais passé autour de lui, étaient empoissés d'un liquide tiède et visqueux, que je pris d'abord, contre toute logique, pour de la soupe, avant de comprendre que c'était du sang. Autour de moi, tout avait sombré dans le chaos. Les gens criaient, réclamant qui un téléphone, qui un médecin. Un chœur de hurlements fusait de la salle d'audience, noyant les rugissements de Walter Wunsch, qui vociférait comme un forcené, tandis que Jim, Evon et trois ou quatre autres tentaient de le maîtriser. Sa résistance lui valut deux doigts cassés, mais on finit par lui faire lâcher le club numéro deux, dont il s'était servi contre Robbie.

C'est à ce moment-là seulement que je découvris la plaie,

terriblement incongrue. Une grande entaille aux bords bour-souflés, très nette malgré les caillots de sang qui se formaient déjà dans les cheveux de Robbie. L'entaille, grande comme une bouche entrouverte, laissait échapper une matière rou-geâtre, sans doute formée de chair broyée, et dont émergeait une affreuse esquille blanche, qui ne pouvait être qu'un fragment de boîte crânienne. Je restai totalement interdit. L'espace d'un instant, vertigineux, l'univers me parut s'en-trouvrir et s'enfoncer dans une sorte de grand flou. Sans croire un instant que ce geste pût être d'une quelconque uti-lité, je sortis mon mouchoir et l'appliquai sur la blessure, et regardai, hébété, la tache de sang s'élargir sur le tissu blanc. Evon nous avait rejoints. Je lui fis part, d'une voix relative-ment calme, de cette impression qui s'était imposée à moi depuis le moment où il m'était tombé dessus : j'avais bien peur qu'il ne soit déjà mort.

Elle lui prit le poignet, puis tenta de trouver la pulsation de l'artère carotide, et finit par approcher son visage de la bouche du blessé pour voir s'il respirait encore.

« Retournons-le ! » s'écria-t-elle. Nous fûmes quelques-uns à nous précipiter pour lui prêter main-forte. Elle s'arc-bouta, les deux mains posées sur sa poitrine, et appuya par trois fois. Puis elle pinça les narines du blessé, dont s'échap-pait déjà un épais filet de sang. Prenant une profonde inspi-ration, elle posa ses lèvres sur les siennes. Elle s'escrima ainsi une bonne minute sous les yeux de tous les présents, y compris de ceux qui s'activaient à la périphérie. J'entendis quelque part sonner un téléphone que personne ne songea à décrocher.

Un peu plus tard débarquèrent deux agents du FBI, qui avaient sans doute des notions de secourisme et avaient été alertés par un procureur adjoint. Puis ce fut un médecin, qui se trouvait dans une des salles d'audience voisines, où il était venu témoigner en qualité d'expert. Il posa les doigts sur la carotide, et vint s'agenouiller près du blessé, dont il souleva doucement la tête pour mieux examiner la plaie.

« Seigneur, fit-il. Un club de golf, vous dites ? J'aurais juré que c'était un coup de hache... »

McManis avait gardé en main le club numéro deux, dont le manche était uniformément enduit d'une substance bru-nâtre. Walter Wunsch était retourné s'asseoir sur son siège de plastique moulé, sans doute plongé dans une comparai-son sidérée de ce qu'il venait de faire et de l'agonie qui l'attendait, lui, à brève échéance. Sa tête, appuyée contre le châssis métallique de la porte de la salle d'audience, me parut comme déconnectée d'avec son corps. Il tenait sa main blessée devant lui, relevée presque à la verticale. Un agent de sécurité du tribunal se posta devant lui.

Les médecins du 911 finirent par débarquer avec leurs bouteilles d'oxygène. Ils posèrent un masque sur le nez de Robbie et le sanglèrent sur une civière.

« Non... murmura le docteur. Impossible de se prononcer... »

Evon se laissa choir à terre, adossée au mur, la bouche dissimulée derrière l'une de ses mains, engluée de sang, le regard perdu dans le vide. Sennett, qui était parti chercher des secours, revint à toutes jambes. En m'apercevant, il détourna les yeux et s'adressa à McManis. Il voulait savoir comment la chose avait pu se produire. Jim ne se donna pas la peine de répondre à ses questions.

Je me hissai sur mes pieds et aidai Evon à se relever. Il fallait aller à l'hôpital...

Comme nous sortions, j'entendis cette remarque que lançait Mel Tooley, les mains dans les poches, à l'agent de sécurité qui surveillait Walter : « Ça... c'est vraiment pas le genre de truc qui pourrait l'aider à remonter son handicap ! »

Épilogue

Je siège à présent à la cour d'appel. Les miasmes délétères du scandale ayant gagné de proche en proche toutes les cours du comté, le Democratic Farmers & Union Party se trouva confronté à une terrible pénurie de candidats à la magistrature dont l'indépendance ne fût pas sujette à caution. Par un de ces imprévisibles pieds de nez que la vie se plaît à nous décocher, mon rôle dans l'opération Petros fut largement interprété comme le symbole même de mon intransigeance et de mon intégrité – bref, j'étais l'homme de la situation, et je fus élu pour dix ans. Lors de ma prise de fonction, on me fit prêter serment sur la bible de mon père.

Ce furent au total six juges, neuf avocats et une douzaine de clercs et de shérifs adjoints qui « tombèrent », dans le sillage de l'opération Petros. L'effet de réaction en chaîne qu'escomptait Stan – un premier informateur en balançant un deuxième qui en balancerait un troisième, etc. – se produisit effectivement, dans une certaine mesure. Skolnick et Gillian Sullivan plaidèrent coupables et parlèrent – ainsi qu'un troisième juge qui avait été entre-temps muté au tribunal de Grande Instance. Sherman Crowthers lutta pied à pied contre le ministère public pendant tout son procès, mais finit par capituler, après deux ans de détention. Affreusement amaigri, dans sa combinaison orange de prisonnier, il s'efforçait vainement de réprimer les quintes de toux qui le secouaient, à la suite d'une pneumonie dont il ne parvenait pas à guérir. Son humiliation faisait mal à voir. Tout juste s'il leva les yeux au-dessus de la barre des témoins, lorsqu'il livra le nom de deux juges du Tribunal de Grande Instance qu'il avait soudoyés, du temps où il y exerçait comme avocat.

Cette terrible épreuve, en lui ôtant toute sa morgue, le laissa totalement anéanti.

Malgré ce succès partiel, Stan dut fuir Kindle County et déménager à San Diego – puisque, selon ses propres prédictions, il avait visé le roi et l'avait manqué. Brendan Tuohey ne fut jamais inculpé ni inquiété en quoi que ce fût – ni même cité au cours d'une audience publique. En dépit de quelques protestations, aussitôt étouffées, il succéda au vieux juge Mumphrey au siège de juge principal de la cour supérieure du comté, quelques mois à peine après le meurtre de Robbie, élargissant ainsi ses pouvoirs administratifs qui lui donnaient à présent la haute main sur tout l'appareil judiciaire du district. Voilà un peu plus d'un an qu'il a pris sa retraite. Sa maison de Palm Beach était assez vaste et assez somptueuse pour qu'il se sente obligé de se gargariser à tout bout de champ de son flair et de l'incroyable succès de ses placements sur le marché à terme... Mais il n'en profita guère plus de quelques semaines : un mois après s'y être installé, il trouva la mort un soir, à bord de son bateau qu'il pilotait, ivre mort, et qui percuta de plein fouet l'une des jetées du port.

Une semaine après la disparition de Robbie, je reçus la visite de Stan Sennett. Il voulait savoir ce que mon client avait fait de cette fameuse bande. Il me cuisina pendant près d'une heure. Il ne comprenait pas comment je pouvais tolérer que le meurtre de Robbie demeure impuni, et qu'un danger public de l'envergure d'un Tuohey puisse continuer à sévir librement. Le meurtre de mon client était, en soi, assez révoltant et assez ignoble pour que Sennett puisse encore espérer, en produisant la bande, que le geste de menace que Tuohey y faisait, suffirait à convaincre les jurés de l'inculper de complicité de meurtre sur la personne d'un témoin fédéral. Cette supposition était-elle vraiment fondée – c'était une autre affaire. Il n'était certes pas impossible que Tuohey, grand maître du sous-entendu mortel, ait suggéré son geste à Walter. Mais ce dernier, qui mourut à l'hôpital de la prison fédérale de Rochester, Minnesota, deux mois avant le début du premier procès, a toujours affirmé avoir agi seul et de son propre chef. Au dire de McManis, qui l'avait interrogé à de nombreuses reprises, Walter se contenta jusqu'au bout de ressasser sa haine et son ironie maussade, sans jamais manifester le moindre regret.

Après en avoir longuement discuté avec Stern, en sa

qualité d'avocat de Dinnerstein, l'exécuteur testamentaire de Robbie, nous finîmes par remettre la bande entre les mains du juge Winchell. Convoqué par la Cour, Tuohey se fit représenter par Mel Tooley, lequel, comme c'était à prévoir, obtint l'annulation de la bande en tant que pièce du dossier. La seule vérité que la loi parvint à discerner de façon incontestable, au milieu de cet enchevêtrement de circonstances, fut qu'à aucun moment Robbie n'avait explicitement consenti à divulguer ce document – que la Cour considérerait donc comme irrecevable.

Morton a survécu durant toutes ces années, sans que quiconque ait vent du rôle qu'il avait joué dans cette affaire, mais il ne s'en est jamais vraiment remis. Il fut terrassé par sa douleur, qu'il manifesta plus qu'aucun de tous ceux qui assistèrent au double enterrement qui se tint le dimanche suivant, et qui le laissa brisé. Il cessa toute activité professionnelle, et, dès que son fils cadet eut achevé ses études secondaires, quitta la région.

Mais l'affaire Petros eut des retombées plus souriantes. Au terme de vingt-cinq ans de bons et loyaux services, Jim quitta le FBI et partit s'installer en Californie, à San José, où il passa l'examen d'admission au Barreau. Sans doute en partie grâce aux expériences qu'il avait engrangées à la faveur de l'opération Petros, il fit de brillants débuts dans les prétoires à l'âge de cinquante-deux ans. Des amis communs m'ont rapporté que sa carrière s'annonçait fructueuse, et que les jurés appréciaient à leur juste valeur sa reposante égalité d'humeur.

Quant à Evon, elle est restée plusieurs années à Kindle County pour témoigner dans une demi-douzaine de procès, puis a décroché le poste de responsable de l'équipe de surveillance à l'antenne locale du FBI. Il y a deux ans, elle est retournée s'établir dans l'ouest avec son amie, qui avait décidé de saisir au vol une exceptionnelle opportunité professionnelle. Mais auparavant, durant les nombreuses soirées que nous avons passées ensemble, nous avions eu tout loisir, elle et moi, de parler des événements que je décris ici. Elle s'est toujours refusée à dévoiler certains détails, protégés par le secret des enquêtes du Bureau, mais a accepté de me dévoiler ce qui la concernait personnellement, avec une totale franchise où j'ai toujours vu une sorte d'hommage à la mémoire de Robbie.

Malgré la sincérité avec laquelle elle m'a confié certains

détails de sa vie intime, y compris les plus confidentiels, elle a laissé subsister une zone de flou autour des quelques heures qui ont suivi la mort de Robbie, après que nous eûmes quitté l'hôpital. Mais j'ai imaginé ces événements avec la même profusion de détails que pour tant d'autres que j'ai décrits ici, sans en avoir été témoin.

Ces heures furent certainement les plus confuses de ma vie. J'avais la perturbante sensation que le cours des choses s'était inversé, comme si mes poumons, mon cœur et mes nerfs s'étaient soudain retrouvés hors de mon corps. Ces faits n'avaient pourtant rien d'inimaginable, mais ils m'étaient jusque-là apparus comme des choses relevant de la pure imagination, et qui ne feraient jamais irruption dans le réel. Confronté à une réalité si improbable, ce fut comme si je m'étais tout à coup trouvé privé de tout repère stable.

Mais Evon, qui n'avait jamais les idées aussi claires que dans l'urgence, sut exactement ce qui lui restait à faire. Tout me porte à croire qu'elle retourna chez Robbie, n'ayant, pour l'heure, guère d'autre endroit où aller. Elle prit une douche rapide, avant de donner temporairement congé à Elba, pour pouvoir rester seule avec Rainey. Elle installa l'appareil à laser au-dessus de l'œil de la malade, pour lui permettre de se servir du synthétiseur vocal, mais, au prix d'un doulou-reux effort, Lorraine lui fit comprendre qu'elle n'en voulait pas. L'incessante trépidation de son souffle l'empêchait de manœuvrer le curseur avec une précision suffisante, et elle préférait voir la personne qui lui parlait.

Evon trouva dans la chambre le mortier et le pilon dont Elba se servait pour broyer les comprimés, qu'elle mêlait ensuite à la nourriture de la malade. Devant Rainey et dans son champ de vision, Evon prit les médicaments que Robbie lui avait décrits, la veille au soir, et les réduisit en poudre, tout en lui parlant. Elle lui raconta plusieurs anecdotes atta-chantes, dont Robbie était le héros – le jour où elle l'avait vu taquiner Leo, son oncle aveugle, dans le hall du tribunal ; ses larmes, la première fois qu'il rencontrait un nouveau client...

« Sacré Robbie ! murmura-t-elle. Sacré Robbie... ! » Elle dilua la poudre dans de l'eau, conformément aux directives de Feaver, puis, ayant fixé le tube à la sonde stomacale à l'aide d'une pince crocodile, elle versa la solution dans le sac de plastique transparent accroché à la potence à perfusion.

« Rainey..., poursuivit-elle. Vous avez vu ce que j'ai fait. Et vous vous demandez peut-être pourquoi c'est moi qui m'en charge... mais, voyez-vous... il se trouve que Robbie en est totalement incapable. Et il faut l'en excuser. Je sais que vous lui avez déjà pardonné bien des choses, en cette vie – eh bien, il va falloir lui pardonner encore celle-ci. Vous le connaissez, votre homme... Il a ses faiblesses, et qu'on le veuille ou non, il faut le prendre tel quel. Mais ça, Rainey, c'est une chose dont il est totalement incapable. Inutile de se voiler la face. C'est donc moi qui suis venue. Pas de gaieté de cœur, évidemment. Mais j'ai répondu présente, et sans arrière-pensée. Vous savez comment il est, Lorraine. On est parfois trop heureuse de répondre "présente", quand il a besoin de nous...

« Mais, dès que vous vous sentirez partir, il viendra. Il sera à vos côtés – voilà une chose que je peux vous promettre. Il viendra vous tenir la main, dès que vous serez endormie. Il vous racontera des histoires... toutes ces choses que vous avez faites ensemble. Il viendra rire avec vous, et prier. Vous le sentirez... il sera près de vous. Tout près. »

Evon plongea dans les yeux d'améthyste pâle où elle vit briller l'âme de Rainey, toujours intacte. Robbie lui-même n'aurait pas menti de façon plus convaincante. En fait, elle n'avait nullement l'impression de mentir – pas plus qu'il ne l'aurait eue. Elle tira une chaise près du lit et prit dans la sienne la main de Rainey, bleuie par les perfusions et les piqûres répétées. Sous ses doigts, les muscles avaient une consistance liquide. Elle lui parla encore un peu, tandis que le souffle fébrile de Lorraine embuait la coque transparente du masque à oxygène.

« Vous vous sentez peut-être un peu bousculée – ma présence à vos côtés, et tout le reste... Mais si vous voulez attendre un peu, je peux revenir demain – ou après-demain, ou quand vous le souhaiterez... voire jamais, si c'est ce que vous voulez. Il se peut que là, tout de suite, en vous trouvant, comment dire... directement confrontée à la réalité de cette décision, vous décidiez qu'après tout... ce n'est pas ce que vous voulez faire. Tout le monde est là, prêt à s'occuper de vous. Nous pouvons appeler le médecin immédiatement, si vous le désirez, pour qu'il vienne vous faire brancher cet appareil, pour l'assistance respiratoire... ça sera fait en un rien de temps. En un rien de temps. Mais si vous vous sentez prête – eh bien, je suis là, avec vous. Sinon, c'est pareil, et je serai tout autant là. Alors, dites-le-moi. Si vous êtes prête, si c'est vraiment ce que vous voulez. Je vais compter jusqu'à trois, et si vous voulez que je continue, clignez les yeux. Si vous décidez que c'est le moment, fermez-les trois secondes. Comptez... un, deux, trois... puis rouvrez-les. Je comprendrai que je peux y aller. Si vous ne faites pas exactement ça, rien ne se produira. J'appellerai Elba pour qu'elle vienne changer votre perfusion. Mais sinon, clignez les yeux pour me dire que c'est bien ce que vous voulez, d'accord... Vous êtes prête ? Bien. Je commence... »

Elle cligna les yeux.

Note de l'auteur

Pendant la rédaction de cet ouvrage, j'ai largement abusé de la patience et des compétences d'un certain nombre de personnes à qui je voudrais exprimer ici ma plus profonde gratitude.

Plusieurs avocats de Chicago spécialisés dans les affaires de dommages et intérêts – qui n'ont par ailleurs rien de commun avec Robbie – ont pris le temps de réfléchir avec moi sur leur pratique professionnelle. Mike Mullen m'a fourni mon support initial et Jordan Margolis m'a consacré des heures entières, sans se départir de son humour et de sa parfaite sincérité, dont je le remercie. J'ai beaucoup appris des remarques et des anecdotes dont m'a fait part Howard Rigsby, qui a eu la bonté, tout comme Julian Solotorovsky, de me faire profiter de ses critiques concernant l'une des versions préparatoires de ce manuscrit.

Un grand merci à tous ceux qui ont accepté de me donner leur avis sur le manuscrit, à différents stades de son écriture : Jennifer Arra, Mark Barry, Arnold Kanter, Carol Kanter et James McManus (l'admirable poète et romancier, qui n'a aucun lien, même imaginaire, avec son homonyme de ce roman) ; et à Rachel Turow, qui a cumulé les fonctions de critique et de documentaliste.

Je tiens à rendre hommage au professionnalisme de Gail Hochman et de Marianne Merola, mes agents, qui m'ont gratifié de leurs précieuses suggestions, et à celui de Jon Galassi, mon directeur d'édition, qui m'a efficacement conseillé, ainsi que toute l'équipe de chez Farrar, Strauss & Giroux – merci à Bailey Foster, Elaine Chubb et à Lorin Stein pour leur contribution éclairée. Sans oublier, bien sûr, Annette Turow dont la sagesse et la sûreté de jugement ne sont plus à démontrer, et à qui je me fie en tous points, depuis maintenant quelque trente ans.

J'ai puisé mes informations techniques relatives aux armes à feu à la source la plus sûre qui soit – mon ex-associé et frère de sang pour la vie Jeremy Margolis, Commandeur de la World Police. Deux amis du FBI, Kevin Deery, de Charlotte (Caroline du

Nord) et Gayle H. Jacobs de la section de Los Angeles, m'ont initié aux us et coutumes du Bureau.

Toute ma gratitude à Al Smith, représentant de Mercedes à Northbrook, Illinois, qui, bien qu'ayant vite renoncé à tout espoir de m'en vendre un, m'a fourni de précieux renseignements sur les coupés Mercedes de 1993...

Mais c'est envers la communauté des patients atteints de SLA, ainsi qu'envers leurs thérapeutes et leurs proches que je me sens la plus lourde dette. Doug Jacobson, lui-même atteint de ce terrible mal, gère un site web remarquablement bien informé que j'ai contacté à cette adresse : www.phoenix.net/-jacobson – lorsque j'ai commencé mes recherches.

Les malades et tous ceux qui les soignent, parents, médecins infirmiers thérapeutes du langage et travailleurs sociaux ont répondu avec une admirable franchise à mes questions, souvent mal documentées et parfois indiscrètes.

Je remercie en particulier les Drs Jerry Belsh, Lanny J. Haverkamp, et Lewis Rowland, neurologues, qui m'ont généreusement éclairé sur de nombreux points et m'ont conseillé dans ma documentation, ainsi que les Drs Lisa Krivickas, Simon Whitney et Matti Jokelainen, qui ont fort patiemment répondu à mes questions. Merci à Kristi Peak-Oliveira et à Iris Fishman, spécialistes de la pathologie du langage, qui m'ont aidé à me familiariser avec les appareils destinés à pallier les défaillances de l'émission vocale des malades. (J'ai pris la liberté de faire intervenir dans le roman des systèmes qui n'étaient pas opérationnels en 1993, et je porte seul, bien sûr, la responsabilité de ces inexactitudes – comme de toutes les autres erreurs techniques qui ont pu se glisser dans le cours du texte.)

Peary Brown, Meraida Polak et Ovid Jones, infirmières diplômées, m'ont fait part de leur expérience et de leurs réflexions, souvent poignantes, concernant la maladie et leurs patients – qu'elles en soient remerciées, ainsi que Alisa Brownlee, et Claire Owen, qui m'ont fourni d'inestimables pistes pour m'informer sur la maladie.

Mais rien ne m'a été plus précieux et plus émouvant que les avis que j'ai reçus de ceux qui doivent vivre au quotidien avec la sclérose latérale amyotrophique. Kathy Arnette de Fenton, Missouri ; Linda Saran de Lake Zurich, Illinois et Sherry Stampler de Weston, Floride, tous proches parents de malades, m'ont livré des comptes rendus admirables d'amour et de courage, pour m'aider à mieux comprendre les arrangements quotidiens que leur impose la maladie. Quant aux patients eux-mêmes, le courage, l'honnêteté et l'éloquence de leurs réponses m'ont tout simplement laissé sans voix. Je tiens à leur exprimer ici ma gratitude la plus profonde, ainsi que mon admiration – particulièrement à Martin Blank de Mundelein, Illinois, aujourd'hui décédé ; Arturo Bolivar de San Juan, Puerto

Rico ; Jim Compton de Bethany, Oklahoma ; Tom Ellestad de Santa Rosa, Californie Ted Heine de Waverly, Iowa ; David Jayne de Circle Rex, Géorgie ; Eugene Schiebecker d'Indianapolis ; Philip E. Simmons de Center Sandwich, New Hampshire et Judy Wilson de Stamford, Connecticut ; et, en tout premier lieu, à Dale S. O'Reilly, mon fidèle correspondant de Philadelphie, qui m'a envoyé tant d'émouvants échantillons de la manière dont l'esprit, l'humour, la vitalité et l'imagination humaines peuvent résister, contre vents et marées, à cette terrible maladie.

L'aide et les encouragements que m'ont prodigués toutes ces personnes ont été pour moi un apport décisif dans la rédaction de cet ouvrage et j'en serais d'autant plus peiné si certaines scènes de ce roman, et particulièrement la dernière, pouvaient être interprétées comme des marques d'irrespect, de ma part. Plus de 90 % des malades en stade terminal préfèrent renoncer à l'assistance respiratoire, mais on ne saurait imaginer de décision plus personnelle, ni qui requière un plus grand courage, quelle que soit l'option choisie. Jusqu'au bout, la SLA – la « plus cruelle des maladie » – mérite son triste surnom.

S.T

Impression réalisée sur CAMERON
par BRODARD ET TAUPIN
La Flèche
en mars 2000

N° d'édition : 2047 – N° d'impression : 2157